SCIENCE FICTION

Herausgegeben
von Wolfgang Jeschke

GREGORY BENFORD

IM MEER DER NACHT

Science Fiction-Roman

Deutsche Erstveröffentlichung

Mit einem Interview des Autors

WILHELM HEYNE VERLAG

MÜNCHEN

HEYNE-BUCH Nr. 3770
im Wilhelm Heyne Verlag, München

Titel der amerikanischen Originalausgabe
IN THE OCEAN OF NIGHT
Deutsche Übersetzung von Gerd Hallenberger
Das Autoreninterview übersetzte Denis Scheck
Die Textillustrationen zeichnete Giuseppe Festino

Redaktion: Wolfgang Jeschke
Copyright © 1972, 1973, 1974 und 1977 by Gregory Benford
Copyright © 1978 des Autoreninterviews by Jeffrey Elliot
Copyright © 1980 der deutschen Übersetzungen by Wilhelm Heyne Verlag, München
Titelbild: Giuseppe Festino
Umschlaggestaltung: Atelier Heinrichs & Schütz, München
Gesamtherstellung: Mohndruck Graphische Betriebe GmbH, Gütersloh

ISBN 3-453-30671-6

INHALT

ERSTER TEIL
1999
Seite 9

ZWEITER TEIL
2014
Seite 41

DRITTER TEIL
2014
Seite 162

VIERTER TEIL
2015
Seite 166

FÜNFTER TEIL
2018
Seite 216

SECHSTER TEIL
2018
Seite 248

EPILOG
2019
Seite 346

INTERVIEW MIT GREGORY BENFORD
von Jeffrey Elliot
Seite 370

Für Joan,
die weiß, was es bedeutet

Wir werden nicht vom Suchen lassen,
Und das Ende all unseres Suchens
Wird es sein, dort anzukommen,
wo wir begannen,
Und den Ort erstmals zu kennen.

*T. S. Eliot**

* Aus: T. S. Eliot, »Little Gidding« in: *Four Quartets*,
© T. S. Eliot 1943, © Esmé Valerie Eliot 1971.

Aus der *Encyclopaedia Britannica*, 17. Ausgabe, 2073:

Ikarus
('i:-ka-rus)

Kleinplanet 1566. Hatte die exzentrischste elliptische
Bahn von allen bekannten Asteroiden (e = 0,83), die
kleinste halbe große Bahnachse (a = 1,08) und kam der
Sonne am nächsten (28 000 000 Kilometer). Er wurde
von Walter Baade vom Mount-Palomar-Observatorium
1949 entdeckt. Seine Umlaufbahn reichte von jenseits
der Bahn des Mars bis innerhalb der des Merkur; er
konnte sich der Erde bis auf 6 400 000 Kilometer nähern.
Radarmessungen zeigten, daß er einen Durchmesser
von ungefähr 0,8 Kilometern hatte und eine Rotationszeit von ungefähr 2,5 Stunden. Die ungewöhnliche Umlaufbahn erregte bis zum Juni 1997 nur geringes Interesse, als Ikarus plötzlich begann, einen Schweif aus
Staub und Gasen abzustrahlen. Da es sich bei Ikarus
vermutlich um einen typischen felsigen Apollo-Aste-
roiden handelte, versetzte diese Verwandlung in ein
kometenähnliches Objekt die astronomische Fachwelt
in Aufregung. Das Kuriosum erlangte ungeheure Bedeutung, als Berechnungen im Oktober 1997 ergaben,
daß das Kraftmoment, das auf den entweichenden
Kometenschweif übertragen wurde, die Umlaufbahn
von Ikarus veränderte. Diese Störung der Umlaufbahn
konnte binnen weniger Jahre dazu führen, daß ein Teil
des Kometen mit der Erde kollidierte. Die Folgen des
Aufpralls der dünnen Gase würden harmlos sein. Aber
der Kopf des Kometen Ikarus war mittlerweile verhüllt,
und einige Menschen vermuteten, daß ein fester Kern
verbleiben könnte, in welchem Falle...

In der griechischen Sage der Sohn von Dädalus. Nachdem Dädalus, ein Architekt und Bildhauer, für König
Minos von Kreta das Labyrinth erbaut hatte, verlor er
die Gunst des Königs. Er modellierte Flügel aus Wachs
und Federn für sich selbst und Ikarus und floh nach Si-
zilien. Ikarus jedoch flog der Sonne zu nahe, und seine
Flügel schmolzen; er fiel ins Meer und ertrank. Die Insel, an dessen Küste sein Leichnam gespült wurde,
wurde später Ikaria genannt. Die Sage wird oft als
Symbol für das Streben des Menschen nach Wissen und
neuen Horizonten um jeden Preis angeführt. Ikarus
wurde in van Hovens Meisterwerk *Der stürzende Ikarus* (1997) als Sinnbild für den Verfall der Vormacht-
stellung der westlichen Kultur aufgeführt...

Er entdeckte den fliegenden Berg durch dessen Schatten.

Vor ihm wurde die Sonne von einem wirbelnden Staubschleier verdüstert, und Nigel sah Ikarus zuerst auf der Spitze eines die Wolken durchbohrenden fingerförmigen Schattens.

»Der Kern ist hier«, sagte er über Funk. »Er ist fest.«

»Bist du sicher?« erwiderte Len. Seine Stimme, die durch das sprudelnde Funkrauschen gefiltert wurde, klang dünn und undeutlich, wie aus großer Ferne, obwohl die *Dragon*-Einheit nur tausend Kilometer entfernt wartete.

»Ja. Irgend etwas verdammt Großes wirft einen Schatten durch den Staub und die Koma.«

»Laß mich mal mit Houston reden. Bin gleich wieder da, mein Junge.«

Ein Summen milderte die Stille. Nigels Mund fühlte sich weich an, voller Baumwolle: Er empfand eine Mischung aus Angst und Aufregung, die seine Zunge schwer und unförmig werden ließ. Er dirigierte seine Flugeinheit sachte auf den Schattenkegel zu, der gerade nach vorn zeigte, in Richtung der Sonne, und regulierte die Fluglagenkontrolle. Ein Steinchen prallte krachend gegen den hinteren Teil der Einheit.

Er drang in den Schattenkegel ein. Die Sonne verblaßte und flakkerte dann, als vor ihm ein größer werdender Punkt vor der Sonnenscheibe vorbeizog. Nigel ließ sich treiben, von Gelb umspült. Die Korona schimmerte und umflutete einen harten Klumpen aus Schwärze: Ikarus. Er war der erste Mensch, der den Asteroiden nach mehr als zwei Jahren sehen konnte. Für Beobachter auf der Erde verhüllte sein neu entstandener Mantel aus dichtem Staub und Gas dieses feste Zentrum.

»Nigel«, sagte Len hastig, »wie schnell näherst du dich an?«

»Schwer zu sagen.« Der Klumpen war zu der Größe eines auf Armeslänge gehaltenen Groschens angewachsen. »Ich bewege mich jetzt seitwärts, aus dem Schatten hinaus, nur für den Fall, daß er zu schnell herankommen sollte.« Zwei Steine schlugen dumpf gegen die Hülle; der Staub schien hier dichter zu sein, planlos brachen Splitter von Ikarus weg, um den Flammenschweif zu bilden.

»Jup. Houston hat das gerade vorgeschlagen. Wird irgendein Magnetfeld angezeigt?«

»Nein – wart mal, ich habe gerade zufällig eins aufgefangen. Vielleicht, oh, ein Zehntel Gauß.«

»Au – oh. Ich werd's ihnen besser sagen.«

»Richtig.« Sein Magen zog sich leicht zusammen. *Auf geht's!* dachte er.

Die schwarze Münze wuchs an; er ließ die Flugeinheit weiter vom Rand der Scheibe weggleiten, wegen des Sicherheitsabstandes. Ein kurzer Stoß der Steuerdüsen verlangsamte ihn. Er musterte die ungleichmäßige Kante von Ikarus durch das kleine Teleskop, aber die weiß glühende Sonne verwischte jede Einzelheit. Er fühlte sein Herz träge in der Enge seines Anzugs pochen.

Ein Klicken, statisches Rauschen. »Hier ist Dave Fowles von Houston. Nigel, ich bekomme über *Dragon* so einigermaßen mit, was du machst. Herzlichen Glückwunsch zu deiner Beobachtung. Wir wollen die Stärke dieses Magnetfeldes überprüfen – kannst du das automatische Log senden?«

»Roger«, sagte Nigel. Gespräche mit Houston zogen sich in die Länge; die Zeitverzögerung betrug mehrere Sekunden, sogar bei der Lichtgeschwindigkeit der Radiowellen. Er legte Schalter um, es piepte schrill. »Erledigt.«

Der Rand der Scheibe raste auf ihn zu. »Ich fliege jetzt um ihn herum, Len. Könnte die Verbindung mit dir eine Zeitlang verlieren.«

»Okay.«

Er strich über die scharfe Licht-Schatten-Grenze und in das volle Sonnenlicht hinein. Unter ihm war die ausgebrannte Schlacke einer Welt. Kleine Erhebungen und flache Täler warfen lange Schatten, und überall war das Gestein bräunlich-schwarz. Seine stark elliptische Umlaufbahn hatte Ikarus gebraten, als ob er auf einem Spieß stecken würde, da sie ihn in jedem Jahr der Sonne doppelt so nahe brachte, wie Merkur war.

Nigel paßte seine Geschwindigkeit dem rotierenden Felsen an und aktivierte eine Reihe automatisch durchgeführter Experimente. Die Lichter der Instrumententafel blinkten, und ein tiefer, leiser, rhythmischer Klang der Betriebsamkeit drang durch die enge Kabine. Ikarus drehte sich langsam im Bogen der grellweißen Sonne; er sah rauh und öde aus... und ganz und gar nicht wie der Todesbote für Millionen von Menschen.

»Kannst du mich hören, Nigel?« fragte Len.

»Jawohl.«

»Ich bin jetzt aus deinem Funkschatten heraus. Wie sieht er aus?«

»Steinig, vielleicht einige Eisen-Nickel-Legierungen. Keinerlei Anzeichen von Schnee oder Konglomeratstrukturen.«

»Kein Wunder, er ist schließlich Milliarden Jahre lang gebraten worden.«

»Woher stammt dann der Kometenschweif? Warum das Flammen?«

»Zutage tretendes Eis wurde freigelegt, oder vielleicht öffnete sich ein Spalt in der Oberfläche – du weißt, was man uns gesagt hat. Was auch immer es für ein Zeug war, vielleicht ist es mittlerweile völlig verdunstet. Ist jetzt zwei Jahre her, das sollte eigentlich reichen.«

»Sieht so aus, als ob er sich – hmmm, laß mich mal nachsehen – ungefähr alle zwei Stunden einmal um die eigene Achse drehte.«

»Au, ha«, sagte Len. »Das haut dann ja nicht mehr hin.«

»Nichts außer festem Gestein könnte soviel Zentrifugalkraft aushalten, stimmt's?«

»Das sagt man. Vielleicht ist Ikarus der Kern eines verbrauchten Kometen, vielleicht aber auch nicht – er besteht aus Gestein, und das ist alles, was uns im Moment interessiert.«

Nigel hatte einen bitteren Geschmack im Mund; er trank etwas Wasser, das er zwischen seinen Zähnen hindurchpreßte.

»Sein Durchmesser liegt so bei einem Kilometer, er ist annähernd sphärisch, hat wenig Oberflächenstruktur«, sagte er langsam. »Keine deutliche Kraterbildung, aber einige flache, kreisförmige Vertiefungen. Ich weiß nicht; es könnte so sein, daß der Zyklus von Erwärmung und Abkühlung, der durch das nahe Vorbeifliegen an der Sonne zustande kommt, ein wirkungsvoller Erosionsmechanismus ist.«

Er sagte das alles automatisch, versuchte, die leichte Niedergeschlagenheit zu ignorieren, die er empfand. Nigel hatte gehofft, daß sich herausstellen würde, daß Ikarus ein Konglomerat aus Eis war und nicht ein Gesteinsbrocken, auch wenn er wußte, daß die Indizien stark dagegen sprachen. Zusammen mit einigen wenigen Astrophysikern hatte er gehofft, daß der Flammenschweif von 1997 – ein strahlendes, orangefarbenes Gebilde von dreißig Millionen Kilometern Länge, das sich wand und tanzte und drei Monate lang den nächtlichen Himmel der Erde erleuchtete – das Ende von Ikarus angezeigt hatte. Kein Teleskop, das Instrument des die Erde umkreisenden Skylab X eingeschlossen, war in der Lage gewesen, die Wolke aus Staub und Gasen zu durchdringen, die in den Weltraum hinaus wogte und die Stelle verbarg, wo der Asteroid Ikarus gewesen war. Eine Denkrichtung behauptete, daß eine felsige Hülle durch einen unaufhörlichen, feinen Regen aus Teilchen von der Sonne her – dem Sonnenwind – erodiert worden wäre und daß ein verbleibender Kern aus Eis plötzlich verdampft sei, wodurch der Flammenschweif entstand. Folglich blieb kein Kern mehr. Aber die Mehrzahl der Astronomen empfand es als unwahrscheinlich, daß das Zentrum von Ikarus aus Eis bestehen sollte; wahrscheinlich befand sich der größte Teil des felsigen Asteroiden irgendwo in der Staubwolke.

Die NASA genoß die Kontroverse und hoffte, daß sie Spenden anregen würde, mit denen ein zukünftiger Vorbeiflug an Ikarus finanziert werden könnte. Der gewundene Schweif, der die Form eines Propellerblattes hatte, war heller als alles, was nach dem Halleyschen Kometen aufgetaucht war. Die Menschen bemerkten ihn, sogar durch die verschmutzte Luft der Großstädte hindurch. Er machte Schlagzeilen.

Aber im Winter des Jahres 1997 wurde die Frage der Zusammensetzung von Ikarus zu mehr als einem beiläufigen, rein akademischen Problem. Der Gasstrahl, der aus dem Kopf dessen herausschoß, was jetzt der Komet Ikarus war, schien ihn abgelenkt zu haben. Die Staubwolke bewegte sich ein wenig seitwärts, während sie Ikarus' alter Bahn folgte; und es war logisch anzunehmen, daß sich der Kern, falls einer verblieben war, irgendwo in der Nähe des Zentrums der dahintreibenden Wolke befand. Die Ablenkung war geringfügig. Exakte Messungen waren schwierig, und eine gewisse Unsicherheit blieb. Aber es war klar, daß spätestens Mitte 1999 das Zentrum der Wolke und das, was von Ikarus übrigblieb, mit der Erde kollidieren würde.

»Len, wie sieht's denn von deiner Position her aus?« sagte Nigel.

»Ganz schön trübe und langweilig. Kann kaum was sehen wegen dem Staub. Die Sonne hat eine blasse Farbe, die durch die Wolke durchscheint. Ich steh' jetzt ziemlich weit seitwärts, um dein Funk- und Radarbild von dem der Sonne zu trennen.«

»Wo bin ich?«

»Genau an der richtigen Stelle, im Zentrum des Staubes. Unterwegs nach Bengalen.«

»Hoffentlich nicht.«

»Stimmt. He – da kommt gerade eine Nachricht für dich aus Houston.« Einen Augenblick lang summendes Schweigen, während sich die schwarze, pockennarbige Welt unter ihm drehte. Nigel fragte sich, ob sie aus der Äonen alten, ursprünglichen Materie bestand, aus der das Sonnensystem beschaffen war, was die Astrophysiker sagten, oder ob sie der Kern eines auseinandergebrochenen Planeten war, wie es die populären Medien hinausposaunten. Er hatte gehofft, daß sie ein Schneeball aus Methan- und Wasser-Eis sein würde, der zerbräche, sobald er auf die Erdatmosphäre aufprallte – wobei er vielleicht den Himmel mit blauen und orangefarbenen Lichtstrahlen erfüllen und über den ganzen Globus eine Morgenröte ausbreiten würde, aber keinerlei Schaden anrichten. Er starrte hinunter auf die Schlackenwelt, die seine Hoffnungen enttäuscht hatte, indem sie so massiv war, so todbringend. Die automatischen Kameras klickten systematisch, vermaßen ihre unregelmäßigen Erhebungen und Vertiefungen; die Kabine roch nach heißem Metall und saurem, scharfem Schweiß. Jetzt gab es keine gemächlichen Expeditionen mit Len; keine Spaziergänge, um Löcher zu bohren; keine Messungen; keine Proben, die abgebrochen werden mußten; keine Zeit.

»Hier wieder Dave, Nigel. Diese magnetischen Feldstärken machen alles klar, mein Junge – er besteht aus Eisen-Nickel-Legierungen, wahrscheinlich achtprozentig rein oder noch mehr. Nach den Abmessungen schätzen wir, daß die Gesteinsmasse so um die vier Milliarden Kilogramm beträgt.«

»Gut.«

»Lens Radarpeilungen haben uns auch dabei geholfen, die Bahnkurve genauer zu berechnen. Diese Felskugel, die du da gerade anschaust, wird in der Mitte von Indien herunterkommen, genau wie wir vermutet haben. Ich...«

»Du möchtest, daß wir in den Geflügelhandel einsteigen«, sagte Nigel.

»Genau. Liefert das Ei ab.«

Nigel ließ eine Reihe Systemmonitore aufleuchten. »Mache das Ei jetzt einsatzbereit«, sagte er mechanisch, während er die Lichterfolge beobachtete.

»Viel Glück, Junge«, meldete sich Len dazwischen. »Du suchst wohl jetzt besser eine Stelle, wo wir es unterbringen können. Wir haben jede Menge Zeit. Schrei, wenn du Hilfe brauchst«, sagte er, obwohl sie beide sehr wohl wußten, daß er die *Dragon*-Einheit nicht in die Wolke manövrieren konnte, ohne zeitweilig den größten Teil der Verbindungen mit Houston zu verlieren.

Nigel verbrachte eine Stunde mit den zeitraubenden Arbeiten, die nötig waren, um die Fünfzig-Megatonnen-Wasserstoffbombe zum Leben zu erwecken, die wenige Meter hinter seiner Kabine verankert war. Er wiederholte die Fachausdrücke – Redundanzüberprüfungen, Funktion der Sicherheitsverriegelung, Konturprüfung –, ohne seine Aufmerksamkeit gänzlich von den verkohlten Flächen unter ihm abzuwenden. Gegen Ende der Zeit erspähte er das, was er erwartet hatte: eine zerklüftete Ritze an der Dämmerungsgrenze von Ikarus.

»Ich glaube, ich habe die Spalte gefunden«, rief Nigel. »Ungefähr so lang wie ein Fußballfeld, an einigen Stellen vielleicht zehn Meter breit.«

»Ein Bruch?« sagte Len. »Möglicherweise fällt das Ding auseinander.«

»Könnte sein. Es wird interessant sein nachzusehen, ob es noch mehr gibt und ob sie ein Muster bilden.«

»Wie tief ist er denn?«

»Das kann ich noch nicht sagen; der Grund liegt im Moment im Schatten.«

»Falls du die Zeit dafür hast . . . wart mal, Houston will wieder mal zu dir durchkommen.«

Eine Pause, dann: »Wir haben uns sehr über die telemetrischen Angaben gefreut, die du übermittelt hast, Nigel. Für uns hier im Kontrollzentrum sieht es ganz so aus, als ob das Ei flugbereit wäre.«

»Es muß erst mal ausgebrütet werden, ehe es fliegen kann.«

»Stimmt, Junge, jetzt hast du mich auf dem falschen Fuß erwischt«, sagte Dave mit plötzlicher überschwenglicher Leichtigkeit.

Eine Unterbrechung, dann klang Daves Stimme voller, modulierter. »Weißt du, ich wünschte, du könntest die Drei-D-Übertragung von den Menschenmengen sehen, die hier um die Anlage herumstehen, Nigel. Im Umkreis von zwanzig Kilometern ist der Verkehr zum Erliegen gekommen. Überall sind Menschen. Ich glaube, das hier erweckt das Interesse der ganzen Menschheit und regt ihre Fantasie an, Nigel, ein edles Unternehmen . . .«

Er fragte sich, ob Dave wußte, wie sich das alles anhörte. Naja, wahrscheinlich wußte der Mann es: Was dem Schauspieler recht ist, ist dem Astronauten billig. Jeder Astronaut ein anerkanntes Mitglied der Gemeinschaft der Schauspieler.

Er schnitt Grimassen, als, einen Augenblick später, die sanfte Stimme das Gedränge der zahllosen verschwitzten Körper um die

NASA-Gebäude in Houston herum beschrieb, die inmitten der wartenden Massen erlittenen Hitzschläge und geborenen Babys, die aufwühlenden Gebetsfolgen der Neuen Söhne Gottes, ihre nächtlichen Vigilien um die züngelnden, öligen Flammen der Freudenfeuer. Der Mann war gut, daran konnte kein Zweifel bestehen: Die Millionen Lauscher glaubten, daß sie original an der Quelle mithörten; eine offene Leitung zwischen Houston und Ikarus bedeutete für sie, daß alles ernst gemeint war, was hier gesagt wurde, während in Wirklichkeit das Gespräch von Daves Seite aus gestellt und sorgfältig inszeniert war.

»Möchtest du mit irgend jemandem hier unten auf der Erde sprechen, Nigel, während du Pause machst?«

Er erwiderte, daß das nicht der Fall wäre, es gäbe niemanden, sagte, daß er beobachten wollte, wie sich Ikarus drehte, den Spalt studieren. Doch gleichzeitig sah er vor seinem geistigen Auge seine Eltern in ihrer vollgestopften, unaufgeräumten Wohnung, wollte mit ihnen reden, spürte, auf welche unsichere, untaugliche Weise er versucht hatte, ihnen zu erklären, warum er diese Sache machte.

Sie lebten immer noch in jener liebgewordenen, toten Welt, in der Weltraum gleich Forschung, gleich nüchterner Wahrheit war. Sie wußten, daß er sich auf Programme vorbereitet hatte, die niemals durchgeführt werden würden. Er würde als besserer, weil bekannterer, Mechaniker seine Zeit in der Erdumlaufbahn ableisten, und damals hatte es so ausgesehen, als sei das ganz in Ordnung.

Aber dies hier. Sie konnten nicht begreifen, wie er dazu gekommen war, einen Einsatz zu akzeptieren, der nichts versprach außer der Chance, eine Bombe zu legen, falls er Erfolg hatte, und den Tod, falls er scheiterte. Einen mühseligen, überkomplizierten Einsatz mit nur notdürftiger Ausrüstung, bei dem die Mißerfolgswahrscheinlichkeit sechzig Prozent betrug; das jedenfalls meinten die Systemanalytiker.

Sie waren aus England emigriert, waren ihrem Sohn gefolgt, als er, kurz vor Beginn seines letzten Studienjahres in Cambridge, für das US-amerikanisch-europäische Gemeinschaftsprogramm ausgewählt worden war. Als vielseitiger Wissenschaftler hatte er den Eindruck erweckt, daß er leicht auszubilden sein würde, er war in guter körperlicher Verfassung gewesen (Squash, Fußball, Amateurpilot), liebenswürdig, anpassungsbereit (schließlich war er Engländer, froh, überhaupt irgendeinen Beruf zu haben) und vorzeigbar. Als er hervorragende Reflexe erkennen ließ, sich beim

Flugtraining geschickt anstellte und für das mißlungene Mars-Programm angenommen wurde, fühlten sich seine Eltern bestätigt, ihre Opfer hatten sich ausgezahlt.

Er würde eine neue Ära der Erforschung des Mondes einleiten, glaubten sie; ihre Flucht aus einem verschlafenen, gemütlichen England in diesen Technokratenzirkus in Technicolor rechtfertigen.

Deshalb hatten sie, als die Ikarus-Geschichte anfing, gefragt: Warum sollte er seine Jahre in Cambridge, seine Astronautenausbildung in dem großen Vakuum zwischen Venus und Erde aufs Spiel setzen? – Und er hatte gesagt...?

Nichts, genaugenommen. Er hatte in ihrem Schaukelstuhl gesessen, ungeduldig nach Luft geschnappt und von Arbeit gesprochen, von Plänen, Verwandten, der Zweiten Depression, Politik. Er erinnerte sich kaum noch an ihre Argumente, nur noch an den ungleichmäßigen Sprechrhythmus ihrer Stimmen. In seiner Erinnerung verschmolzen seine Eltern zu einer einzigen Person; er entsann sich an einen schwerfälligen Suffolker Dialekt, der seine Jugend ausfüllte. Seine eigene Stimme könnte niemals in jene weichen Vokale verfallen; er könnte niemals sie sein. Sie waren eine separate Wesenheit, und obwohl er ihr Sohn war, befand er sich jenseits einer unausgesprochenen Grenzlinie, die sie in ihrem Leben zogen. Diesseits dieser Linie war Sicherheit, waren klare Formen. In ihrem Wohnzimmer gab es Luftzonen, Stellen, die nach süßlichem Tee oder modrigen Bucheinbänden oder Topfpflanzen rochen, Dinge, die wirklicher waren als seine Worte. Dort in ihrem stickigen, alten Haus schwand seine überzüchtete, überfüllte Welt dahin, und auch er empfand es als schwierig, an die Menschenmassen zu glauben, die in die Großstädte drängten, die Welt beschmutzten und auch das Beste, was irgend jemand für sie tun oder planen konnte, wie ein Schwamm aufsaugten, so daß es folgenlos blieb.

Es gab herzlich wenig Geld für Forschungszwecke, für neue Ideen, für Träume. Aber seine Eltern begriffen diese Tatsache nicht. Sein Vater schüttelte den Kopf einen Millimeter in jeder Richtung, während er zuhörte, wie Nigel redete; der ältere Mann war sich wahrscheinlich nicht bewußt, daß er seine Reaktion verriet. Als Nigel seine Beschreibung des Ikarus-Einsatzplans beendet hatte, warf sein Vater seiner Mutter einen dieser unidentifizierbaren Blicke zu und gab Nigel dann in sehr ruhigem Ton den Rat, den Einsatz abzulehnen, auf etwas Besseres zu warten. Bestimmt würde sich etwas ergeben. Bestimmt, ja. Von ihrer Seite der Grenzlinie aus sahen sie

alles sehr deutlich. Er hatte ihnen bis jetzt noch keine Schwieger-
tochter beschert, keine Enkel, hatte in den letzten Jahren wenig Zeit
zu Hause verbracht. All das schwang unausgesprochen in der un-
scheinbaren Kopfbewegung seines Vaters mit, und Nigel nahm sich
vor, daß er sie öfter besuchen würde, wenn die Ikarus-Geschichte
vorbei und erledigt war.

Sein Vater, der in der Angelegenheit offensichtlich sehr belesen
war, erwähnte die unbemannten Unterstützungsflüge. Robotson-
den, ausgestattet mit einer Reihe atomarer Antriebe. Warum konnte
sich Houston nicht allein auf sie verlassen? Es sei eine Frage der
Wahrscheinlichkeiten, erklärte Nigel, der froh war, sich auf der
Ebene der Tatsachen bewegen zu können. Aber er wußte trotz der
Berichte der Kommission, daß die Vorteile angezweifelt werden
konnten. Vielleicht war ein Mensch besser, aber wer war sich da
schon sicher? Selbst wenn nur Menschen den Kern von Ikarus inmitten all dieses Staubes aufspüren konnten, warum sollte es ausgerechnet Nigel sein? Leichte Antworten: Jugend; Reflexe; und
schließlich deshalb, weil nicht mehr so furchtbar viele ausgebildete
Männer übriggeblieben waren. Nigel erwähnte nichts von alledem,
als er den Schaukelstuhl bewegte, Tee trank, etwas in die geschich-
tete, unbewegte Luft des alten Hauses hineinmurmelte. Er würde es
machen, so oder so. Sie wußten es. Und jener letzte Abend endete
in Schweigen.

Im Flugzeug, das ihn zurück zum Ameisenhügel Houston
brachte, nahm er das eine Buch in die Hand, das ihm im Bücherregal
seines alten Schlafzimmers aufgefallen war und das er spontan mitgenommen hatte. Der Rücken des vergilbten Buches war gebro-
chen, die Seiten steif und voller Flecken durch die Unfälle der Ju-
gendzeit. Er erinnerte sich daran, daß er es kurz nach seiner
Bewerbung für das US-amerikanisch-europäische Gemeinschaftsprogramm gelesen hatte, um ein Gespür für die Amerikaner zu bekommen. Er überblätterte Szenen, an die er sich noch immer entsann, und gegen Ende der Geschichte stieß er auf die eine Stelle, die
er unabsichtlich auswendig gelernt hatte:

> *Und dann redete Tom und redete und sagt da, los, wir haun
> alle drei hier ab, in einer der nächsten Nächte, und besorgen
> 'ne Ausrüstung und gehn zu die Injaner, drüben in dem Ge-
> biet, tolle Abenteuer erleben wir da, so für'n paar Wochen
> oder zwei; und ich sag' da, prima, das gefällt mir...*

Während er da so in dem der Körperform angepaßten Flugzeugsessel saß, fühlte er sich mehr wie Huck Finn als wie der berechnende Europäer, für den ihn die anderen hielten.

Dave Fowles' Stimme unterbrach seine Gedanken.

»Wir haben eine Neuberechnung der Aufschlagschäden, Nigel. Sieht ziemlich übel aus.«

»Oh?«

»Zweikommasechs Millionen Menschen tot. Folgeschäden im Umkreis von vierhundert Kilometern um die Aufschlagstelle. Keine größeren indischen Städte werden getroffen, aber Hunderte von Dörfern...«

»Was ist mit dieser Hungersnot?«

Er seufzte. »Schlimmer als wir erwartet haben. Ich nehme an, die Kleinbauern ließen ihre Äcker im Stich und begannen sich auf das Leben nach dem Tode vorzubereiten, als durchsickerte, daß Ikarus aufschlagen könnte. Das verschlimmerte die Hungersnot noch. Die UN glauben, daß es in den nächsten sechs Monaten mehrere Millionen Tote geben wird, trotz unserer Luftbrücke, und unsere Soziometriker meinen das auch.«

»Und die Abwanderung aus dem Aufschlaggebiet?«

»Schlecht. Herb sagte, daß sie einfach aufgäben und keinen Schritt mehr gehen wollten. Es muß an ihrer Religion liegen oder so. Ich begreife es nicht, wirklich nicht.«

Nigel dachte nach, und ein Gedanke regte sich in seinem Hinterkopf.

»Dave, ich habe da eine Idee.«

»Klar. Wir sind gerade aus der offenen Leitung rausgegangen, Nigel, die Fernsehanstalten bekommen das hier nicht mit. Schieß los!«

»Ich soll doch nach dieser Ruheperiode gleich das Ei legen, richtig? Das Ding besteht aus massiven Metallerzen, das Magnetfeld beweist das. Abwarten wäre sinnlos.«

»Korrekt. Der Einsatzleiter hat mir gerade die Bestätigung dafür gegeben. Wir haben einen Zeitplan erstellt, nach dem du in ungefähr dreizehn Minuten mit dem Abstieg beginnen sollst.«

»Okay. Es geht um folgendes: Ich möchte das Ei in dem Spalt deponieren, den ich entdeckt habe. Es ist ein tiefer, ungleichmäßiger Riß. Wir werden eine bessere Energieübertragung haben, wenn das Ei in einem Loch losgeht, und dies hier sieht schon ziemlich tief aus.«

Das statische Rauschen wurde periodisch lauter und leiser und machte so deutlich, wie die Zeit verstrich. Er sah einen Augenblick lang eine winzige Facette der Oberfläche von Ikarus weiß aufblitzen und wieder dunkel werden; er brannte darauf, sie zu suchen, eine Probe zu entnehmen. Er fühlte sich unter der weißen Sonne zur Bewegungslosigkeit verurteilt.

»Für wie tief hältst du es?« Daves Stimme klang reserviert.

»Ich habe die ganze Zeit über die Bewegung der Schatten beobachtet, als sich der Spalt in der Sonne drehte. Ich glaube, sein Grund muß mindestens vierzig Meter tief liegen. Deshalb wird es einen kräftigen Rückstoß geben, wenn das Ei losgeht. Gleichzeitig kann ich da unten einige interessante Gesteinsproben abschlagen«, endigte er müde.

»Gebe dir in einer Minute Bescheid.«

Len unterbrach die Pause, die darauf folgte. »Meinst du, du kannst das schaffen? Das Ding anzubringen, könnte ganz schön knifflig werden, wenn dort zu wenig Platz ist.«

»Wenn ich es nicht bis zum Boden bringen kann, lasse ich es hängen. Auf der Oberfläche wird das Ei nicht einmal ein Kilo wiegen, ich kann es einfach wie ein Gemälde an die Wand des Risses hängen.«

»In Ordnung. Hoffe, sie lassen sich darauf ein.«

Und dann kam die Übertragung aus Houston herein.

»Wir erteilen Genehmigung für Landeanflug in der Nähe des Randes. Wenn die Spalte weit genug ist...«

Er war bereits dabei, seine Kontrolltafel einsatzbereit zu machen.

2

Es war eine Welt der geraden Linien, ohne beschwingte Parabeln. Er brachte seine Flugeinheit – zylinderförmig; dünne, strahlig angeordnete Speichen zur Verbesserung der Flugstabilität; ein insektenähnliches Profil, das in einem runden Fortsatz auslief, der das Ei war – langsam heran und beobachtete dabei seinen Radarschirm. Es war schwierig, in dieser kieselsteingroßen Welt unter ihm das Potential zu erahnen, auf der Erde einen Krater von vierzig Kilometern Durchmesser schlagen zu können. Sie sah träge aus, schwerfällig.

»Bist du sicher, daß du keine Hilfe brauchst?« meldete sich Len.

Nigel lächelte, und sein gebräuntes Gesicht wurde faltig. »Du weißt, Houston wird nicht zulassen, daß wir die Verbindung verlieren. Der Hochleistungsantennenverstärker von *Dragon* funktioniert vielleicht nicht in all dem Staub und...«

»Ich weiß«, sagte Len, »und wenn wir beide auf der sonnenzugewandten Seite von Ikarus wären, würde die Erde in meinem Funkschatten sein. Gut. Laß mich bloß wissen, wenn...«

»Natürlich.«

»Mach sie ein, alter Junge.«

Die strukturierte Oberfläche wurde größer. Er flog auf die Dämmerungslinie zu, und die kleinen Pockennarben und Kanten wurden deutlicher. Die Steuerraketen flüsterten hinter seinem Rücken. Er konzentrierte sich auf Entfernungen und relative Geschwindigkeiten und darauf, die automatischen Kameras schneller laufen zu lassen, bis er genau über dem Spalt schwebte. Er wendete die Flugeinheit, um bessere Sicht zu bekommen, und schob sich Zentimeter um Zentimeter näher heran.

»Er ist tiefer, als ich dachte. Ich kann fünfzig Meter tief hineinsehen, und der Eingang ist ziemlich groß.«

»Klingt ermutigend«, sagte Dave.

Ohne eine weitere Durchsage abzuwarten, brachte er die Flugeinheit hinunter zum oberen Ende des Spaltes. Verbranntes Gestein erhob sich vor ihm; Braun verfärbte sich dort zu Schwarz, wo winzige Spuren von Gas weggebrannt worden waren.

In seinen Kopfhörern krachte und sprudelte es. »Ich bekomme deine telemetrischen Angaben nicht mehr«, kam Lens Stimme herein.

Nigel brachte die Flugeinheit zum völligen Stillstand. »Schau mal, Len, ich kann nicht weiter hineinfliegen, ohne daß mich das Gestein abschirmt.«

»Wir können den Kontakt nicht unterbrechen.«

»Also...«

»Vielleicht sollte ich näher heranfliegen.«

»Nein, bleib aus dem Staub raus. Bewege dich in Richtung Sonne und hinter mich – dort wird immer noch eine kegelförmige Zone mit gutem Empfang sein.«

»Okay, bin schon unterwegs.«

»Hört mal zu, Leute«, sagte Dave, »falls ihr mit dieser Sache Probleme habt, sollten wir vielleicht einfach...« Nigel schaltete ihn aus. Die Minuten verrannen.

Er drehte die Flugeinheit, um eine komplette Folge von Aufnahmen zu bekommen. Ikarus war ein unebener, runder Hügel, der schräg abfiel, wohin er auch schaute. Gebräunte Erhebungen und Spalten ergaben eine Miniaturlandschaft; sie sahen größer aus, als sie tatsächlich waren, da das Auge versuchte, sie einer vertrauten Sichtweise anzupassen. Er warf einen Blick auf die Uhr. Es war genug Zeit verstrichen; er berührte einen Schalter, und das Surren der Statik kehrte zurück.

»Wie läuft's denn, Len?« fragte er.

»He, hast du Schwierigkeiten mit der Übermittlung? Ich habe dich da drüben einen Augenblick lang verloren gehabt.«

»Mußte über etwas nachdenken.«

»Oh. Dave sagt, daß sie sich da unten die Sache gerade reiflich überlegen.«

»Das habe ich vermutet. Aber andererseits sind sie nicht hier, oder?«

Len lachte leise. »Ich glaube nicht.«

»Wie weit bist du jetzt herumgekommen? Bist du soweit, daß ich hineinfliegen kann?«

»Fast. Brauche noch ein paar Minuten. Wie sieht's denn da unten aus?«

»Ganz schön öde. Ich frage mich, warum Ikarus beinahe die Form einer Kugel hat. Ich habe etwas Gezacktes erwartet.«

»Kann nicht an der Gravitation liegen.«

»Nein, die ist nicht mal stark genug, um Geröll auf der Oberfläche zu halten – alles ist kahl, es liegt kein bißchen Schutt herum.«

»Vielleicht hat die Sonnenerosion den ganzen Asteroiden abgerundet.«

»Ich fliege jetzt hinein«, sagte Nigel plötzlich.

»Okay, ich glaube, ich kann deinen Weg von hier aus verfolgen.«

Die Drehung von Ikarus hatte die linke Wand nähergebracht. Mit einem winzigen Kraftstoß brachte er das Fahrzeug wieder zur Mitte zurück, wobei er sich daran erinnerte, als er zum erstenmal aus irgendeinem längst vergessenen wissenschaftlichen Lehrbuch erfahren hatte, daß sich die Erde drehte. Wochenlang war er davon überzeugt gewesen, daß immer, wenn er hinfiel, sich die Erde unter ihm bewegt hatte, ohne daß er es bemerkte. Er hatte es für eine erstaunliche Tatsache gehalten, daß jeder Mensch fähig war, aufrecht zu stehen, wo doch die Erde offensichtlich versuchte, ihn umzustoßen.

Er lächelte und steuerte das Fahrzeug hinein.

Ein steinerner Rachen öffnete sich um ihn herum. Unregelmäßige Bruchstücke von etwas Glimmerähnlichem glitzerten aus den verbrannten Felsen. Nigel hielt ungefähr auf halbem Wege nach unten an und kippte seine Suchscheinwerfer hoch, um die Unterseite eines Felsvorsprungs sehen zu können; sie war rauh und rissig, von bräunlicher Farbe. Er glitt auf die Wand der Spalte zu und fuhr eine Greifklaue aus. Ihre Zähne gruben sich mit dumpfem Krachen geschickt in die Wand und brachten einige Pfund ausgedörrten Gerölls zurück. Len meldete sich; Nigel antwortete einsilbig. Er bewegte die Flugeinheit ein wenig weiter abwärts; seine Bewegungen waren in der verdüsterten Stille äußerst vorsichtig. Er benutzte ein Transportgefäß in Gestalt einer Vertiefung auf der Außenhaut des Fahrzeugs, um die Probe zu lagern, und fügte weitere Klauen voll Gestein in anderen Vertiefungen hinzu.

Er war beinahe am Boden angelangt, ehe er es bemerkte.

Der narbige Boden war ein Durcheinander von Felsen, die sich aus pechschwarzen Pfützen erhoben. Nigel konnte keinerlei Einzelheiten erkennen; er wandte seine Suchscheinwerfer nach unten.

Ein tiefer Riß zog sich in der Mitte durch den rauhen Boden. Er war vielleicht fünf Meter breit und völlig schwarz.

In unregelmäßigen Abständen ragte etwas aus dem Riß hervor, eckige Dinge, die stumpf waren und verkohlt. Einige warfen funkelndes Licht zurück, als ob sie teilweise geschmolzen wären und sich verbunden hätten.

Nigel glitt näher heran.

Eines der Objekte war ein langes, gewundenes Band eines kupferhaltigen Metalls, das ein kompliziert verschränktes Gewebe von Spiralen beschrieb.

Er saß in der Stille da und sah es an. Die Zeit verging.

In zehn Metern Entfernung war ein zerknittertes, vormals quadratisches Gebilde in dem Spalt eingeklemmt, als ob es von einem starken Wind zum Teil herausgetrieben worden wäre. Er sah noch weitere; er fotografierte sie.

Len hatte schon seit einiger Zeit versucht, ihn zu erreichen.

Als er durchkam, drückte Nigel einen Knopf, um zu senden, und sagte: »Wir müssen sofort alles neu berechnen, Len. Ikarus ist kein Eisklumpen oder Felsbrocken oder sonst etwas. Ich denke...« – er zögerte, da er es immer noch nicht ganz glaubte –, »es muß ein Schiff sein.«

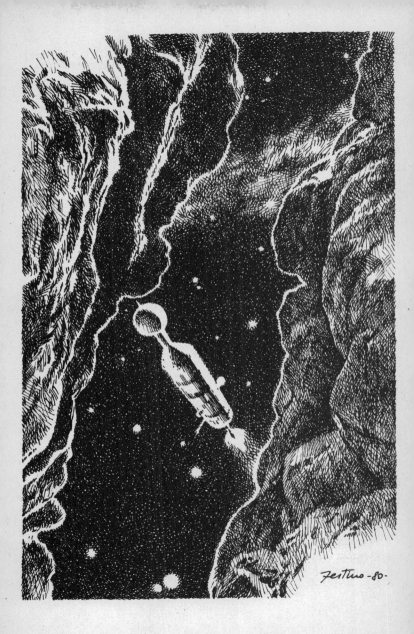

3

Houston brauchte eine Stunde, um zuzustimmen, daß er die Flugeinheit verlassen mußte. Sowohl er als auch Len mußten sich mit einem Projektleiter auseinandersetzen, der glaubte, daß sie jetzt schon zuviel Zeit vergeudet hatten; der Mann nahm ihnen offensichtlich nichts von dem ab, was sie berichteten; er hielt alles für ein Lügenmärchen, das sie sich ausgedacht hatten, um Nigel mehr Zeit für das Einsammeln von Proben zu geben. Len konnte kaum davon abgehalten werden, selbst in die Wolke hineinzufliegen, und nur die Notwendigkeit, den Einsatz neu zu beurteilen, bremste ihn.

Selbst nachdem Houston zugestimmt hatte, verlangten sie einen Preis. Das Ei sollte zuerst am Boden des Spaltes angebracht werden. Dies konnte erledigt werden, ohne daß Nigel die Flugeinheit verließ, und anstatt sich auf eine Debatte einzulassen, arbeitete er schnell und geschickt, damit er es rasch erledigt hatte.

Das Ei war eine matte, graue Kugel, in deren Außenhaut Sicherungsbolzen eingelassen waren. Nigel manövrierte es in die Nähe der dunklen Wand des Risses und sprengte die Bolzen ab, die es festhielten. Die Kugel schwebte frei im Spalt.

Bevor sie zu weit abtreiben konnte, zündete er die hinteren Sicherungsbolzen. Sie flogen im Bogen durch den freien Raum zur Wand und gruben sich in das Gestein ein. Stahlkabel rollten sich auf und zogen das Ei dicht an den Fels heran. Nichts konnte es jetzt bewegen, und nur Len oder Nigel konnten seine fünfzig Megatonnen detonieren lassen.

Nigel aß etwas, ehe er die Flugeinheit verließ. Houston war uneinig über Eventualprogramme; Dave gab ihm eine Zusammenfassung, der er nur halb zuhörte. Er und Len hatten noch Luft für weitere zweiundzwanzig Stunden, und an ihrer Bremsflugbahn zurück zur Erde konnten einige Veränderungen vorgenommen werden.

Die beiden unbemannten Unterstützungsflüge wurden jetzt forciert, aber sie machten inzwischen einen weniger aussichtsreichen Eindruck. Die automatischen, radargesteuerten Flugeinheiten mußten sich Ikarus mit hoher Geschwindigkeit nähern, und der Staub und die Steinchen in der Wolke, die bei diesen hohen Geschwindigkeiten mit großer Wucht aufprallten, konnten die Sprengköpfe unbrauchbar machen, ehe sie Ikarus selbst ausfindig gemacht hatten.

»Lasse jetzt den Deckel aufspringen«, meldete sich Nigel und schaltete auf das Funkgerät in seinem Raumanzug um. Die Luke schwang mit einem dumpfen Bums auf. Er tastete sich behutsam hinaus, seilte sich Hand über Hand an der Sicherungsleine der Flugeinheit ab und stand schließlich auf Ikarus.

»Die Oberfläche knirscht etwas unter meinen Füßen«, sagte er, da er wußte, daß Len ihn mit Fragen durchlöchern würde, wenn er nicht für eine beständige Flut von Kommentaren sorgte. Sie waren beide fünf Wochen lang in einer kleinen, verschwitzten Kabine geflogen, um Ikarus aufzuhalten, und jetzt entging Len ein Lohn, der größer war als alles, was sie sich erträumt hatten. »Es muß so etwas Ähnliches wie Schlacke sein. Ausgedörrt. So sieht's jedenfalls aus.«

Eine Pause.

»Ich bin an der Kante des Risses. Er ist hier ungefähr zwei Meter breit, und die Seiten sind ziemlich glatt. Ich hänge jetzt über dem Riß, schaue hinein. Die Wände reichen ungefähr vier Meter tief, und dann ist es nur noch schwarz. Meine Lampen können nichts erfassen, was darunter liegt.«

»Vielleicht ist da drin ein Loch«, sagte Len.

»Könnte sein.«

Ehe ihn Dave unterbrechen konnte, fügte Nigel hinzu: »Ich gehe jetzt hinein«, und griff nach einer Felskante, um sich in den Riß hineinzuziehen.

Als hinter ihm der Fels abbrach, sah er vor sich nur eine matt schimmernde Spiegelung. Ein weißes Rechteck kam undeutlich in sein Gesichtsfeld, während er weitertrieb. Es schien auf einer Seite einer größeren Platte eingesetzt zu sein, die mit einer geraden, glatten Kante am Gestein abschloß und eine Seitenlänge von wenigstens hundert Metern hatte. In dieser Platte waren merkwürdig geformte Öffnungen, einige mit Schnörkeln verziert und gemaserten, steinernen Bögen, die wie plastische Satzzeichen aussahen. Nigel verlor die Orientierung, als er näher kam, und er mußte mit den Armen rudern, um seine Füße herumzudrehen. Es gab ein schwaches, hell klingendes Geräusch, als er aufkam.

Das weiße Material hatte den dumpfen Glanz von Metall. Nigel benutzte ein Schneidwerkzeug, um einen Splitter herauszubrechen. Direkt daneben tauchte ein gewundenes, rotes und grünes Gebilde auf, das aus dem weißen Metall herauswuchs, ohne daß eine Fuge erkennbar war. Für Nigel sah es wie eine abstrakte Plastik aus. Als er es berührte, verspürte er ein leichtes Zucken in seinen Fingern;

27

ein Arm des Gebildes bewegte sich ein winziges Stückchen, verharrte dann reglos. Sonst geschah nichts.

Er ging weiter, untersuchte andere Gegenstände, und dann schien ein Licht aus einem der Löcher in der Fläche herab. Die Öffnung war ein großes Oval, und in der Ferne konnte er sehen, wo es andere dunkle Gänge kreuzten.

Er ging hinein.

Eine lange Röhre, die aus dem Gestein herausgeschlagen worden war. Er entnahm eine Probe. Vulkanischen Ursprungs? Etwas seltsam seine körnige Struktur.

Ein Gewölbe. Graue Wände, von grellem Licht gebranntes Braun. Dahintreiben.

Ausgedehnte Linien nehmen Gestalt an... über... eine eifrige Bündelung zu Schwellungen. Sollte er noch weiter gehen? Unterhalb seines Scheinwerfers pendelten Schatten mit jeder Bewegung seines Armes; sie ähnelten Augen, die sich nichts entgehen lassen wollten. Dahinfließende Muster.

Muster.

In den Wänden?

Sollte er? Hinter jedem Lächeln lauern Zähne.

Tiefer, tiefer jetzt. Ebene. Gleiten. Beine baumeln

baumeln

weich

etwas Ähnliches wie ein Kissen, aber er sieht nichts, nur die Schatten, die jetzt zerfließen, verschmelzen – etwas wird

    heiß

       dann kalt   alt

und zieht ihn wieder hinunter, schiebt ihn zusammen, in neue Würfel von Räumen, allesamt schräg, jetzt in eine Kugel, die rot glüht, wo das Licht seiner Lampe auftrifft, oder spielen ihm die Augen einen Streich? – Sie haben Schwierigkeiten, sich anzupassen, wahrscheinlich Verlust der vertikalen Orientierung, ein altes Problem in der Schwerelosigkeit; eine einzige Drehung des Kopfes wird das in Ordnung bringen...

Ausgetretene, steinerne Stufen führen unmöglich weit hinauf, hinauf in eine jetzt zerknitterte Decke, die mit orangefarbenen Tropfen gesprenkelt ist, die in seinem fahlen Licht wie Öl schimmern. Plötzlich erinnert sich Nigel, undeutlich... Ein alter Film. Ein Film über das Grab von Tut-ench-Amun, der Schakalgott Anubis fällt über neun besiegte Feinde her. In der Schatzkammer stand eine Truhe; nach einem Raub war sie von den Wächtern der Totenstadt an eine Wand nahe der Grabkammer gezerrt worden. Sie enthielt die mumifizierten Leichen zweier totgeborener Säuglinge, vielleicht der Kinder Tut-ench-Amuns, in Gummi, Harzen und Ölen.

Das Grab öffnen.

Hineintreten.

Und hervor aus dem Tal der Könige, aus Karnak und Luxor, sich den Nil entlang nach Alexandria winden, eine Frau, uralt, mit geröteten Handgelenken und empfindungslosen Beinen, die von einer nagenden, auszehrenden Krankheit dahingerafft wird...

Nigel schüttelte benommen den Kopf.

Die Stufen waren nur Markierungen. Sie führten nirgendwo hin. Er fotografierte sie *klick surr* und bewegte sich weiter.

Wieder das merkwürdige Summen. Es gab keine Luft hier drin – wieso konnte er es hören? Er tastete sich eine enger werdende Röhre entlang. Das Summen war hier stärker. Vor ihm ragte eine Kugel auf. Sie war nicht mit den Wänden verbunden. Nigel berührte sie. Sie bewegte sich nicht. Das Summen nahm zu. Er preßte das haftende Gewebe auf den Außenseiten seiner Handschuhe gegen die Kugel und benutzte den festen Halt, um sich um sie herumzuschwingen. Dahinter gähnte schwarze Leere. Seine Lampe lugte hinein und fand nichts. Das Licht schwand einfach. Nichts reflektierte das Licht. Das Summen hielt an.

Er bewegte sich zur anderen Seite der Kugel und spähte in den Abgrund. Nichts.

Plötzlich verstärkte sich das Summen, jammerte, schrie, gellte – und hörte auf.

Nigel blinzelte, war verblüfft. Stille. Um ihn herum war eine Zone der Dunkelheit. Die Kugel sah, als er sich umdrehte, um sie zu betrachten, irgendwie träge aus, erschöpft.

Nigel runzelte die Stirn. Er ließ sich von seinen Antriebsdüsen zurück zur Kugel tragen, kämpfte sich um sie herum und bewegte sich auf dem gleichen Weg durch den Tunnel zurück, auf dem er gekommen war, und suchte.

4

Drei Stunden später, als er seine Filmdosen aufgebraucht hatte und müde zu werden begann, kehrte er zurück. Das Netz der Gänge war ein einfaches, aber platzsparendes Geflecht raffiniert gekreuzter, kugelförmiger Hohlkörper, und er hatte keine Schwierigkeiten, den Weg nach draußen zu finden.

»Ich bin wieder in der Kabine«, sagte er aufseufzend; er verspürte eine bleierne Müdigkeit.

»Mein Gott, wo hast du bloß gesteckt, Nigel? Stundenlang keinen einzigen Ton – ich war fast schon soweit, daß ich runterkommen wollte, um dich zu holen.«

»Es gab dort eine ganze Menge zu sehen.«

»Houston ist in der Leitung – und noch dazu verdammt sauer –, also fang an zu reden.«

Er führte sie überallhin, beschrieb die kleinen Räume mit kunstvollen Netzwerken, die einmal Schlafquartiere gewesen sein mochten; die Säle, die Versammlungsstätten glichen; die Decken voller tanzender Lichter; alle Ähnlichkeiten, die er entdecken konnte.

Und die Fremdartigkeit: Stellen, die mit einem aus unendlich vielen Schichten bestehenden grünen Film gefüllt waren, der sich nicht in das umgebende Vakuum verflüchtigte, sondern zu wogen begann, als er an ihnen vorbeiging; Räume, die ihre Abmessungen zu verändern schienen, während er sie betrachtete; ein Ort, der durchdringende Schwingungen aussandte, die er durch seinen Anzug spürte.

»Gab es dort irgendeine Beleuchtung?« fragte Dave.

»Ich konnte keine entdecken.«

»Wir haben vor mehreren Stunden einen starken Funkimpuls aufgefangen«, sagte Dave. »Wir haben vermutet, daß du versucht hast, von innen heraus zu senden.«

»Nein«, entgegnete Nigel. »Ich konnte mit dem Gerät in meinem Anzug weder Len noch sonst irgend etwas erreichen, deshalb habe ich es ausgemacht und mich bloß umgesehen.«

»Das Signal war auf keiner uns zugeteilten Frequenz«, sagte Len.

»Wir haben es verpaßt und nicht aufgezeichnet – dauerte nur eine Sekunde oder so, und unsere ganze Überwachung läuft über die Telemetriefrequenzen«, sagte Dave.

»Mach dir nichts draus«, meinte Len. »Hör mal, Nigel. Ist das Ding da drin nur verlassen? Keine Anzeichen von Bewohnern?«

Nigel zögerte. Es gab einiges, was er ihnen sagen wollte, einiges, was er gefühlt hatte. Aber wie konnte er es ihnen vermitteln? Auf der Erde wollte man Tatsachen.

Nigel sah plötzlich in einem geistigen Bild, wie er tolpatschig durch jene seltsamen, ausgedehnten Gänge stolperte. Die Kugel. Dieses Summen. Hatte er unabsichtlich etwas ausgelöst?

»Nigel?!«

»Ich glaube, daß es seit langer Zeit leersteht. Innen drin sind große, offene Wölbungen mit einer Seitenlänge von mehreren hundert Metern. Irgend etwas muß in ihnen dringewesen sein – vielleicht Wasser oder Nahrung...«

»Oder Maschinen? Treibstoff?« sagte Len.

»Könnte sein. Was immer es auch war, es ist weg. Wenn es flüssig war, ist es wahrscheinlich entwichen, als sich dieser Spalt geöffnet hat.«

»Ja«, sagte Dave, »das könnte es sein, was den flammenden Kometenschweif gebildet hat.«

»Ich glaube, daß es das gewesen ist. Das und die Atmosphäre, die durch den Riß herausströmte. Innen drin ist ein ganz schön großes Durcheinander – von den Wänden heruntergerissene Gegenstände liegen verstreut herum; einige Vertiefungen in den Gängen, die von herumfliegenden Teilen stammen können. Ich habe einiges von dem kleineren herumliegenden Zeug aufgelesen und herausgebracht.«

Eine Zeitlang sagte niemand etwas. Nigel legte eine Hand an eine Stelle der Wand der Kabine, die in seiner Nähe lag, und ertastete ihre Ganzheit. Er schaute hinaus zu einem gebräunten Felsvorsprung und spürte das Problem, das vor ihm lag. Es war etwas, das er in einem Handteller halten und umwenden konnte, um zu beobachten, wie seine Facetten das Licht auffingen, fast auf die gleiche Weise, wie er einmal vor seinem geistigen Auge Ikarus leise mit dreißig Kilometern pro Sekunde auf die Erde hatte zugleiten sehen, wie er und Len hinausflogen, um mit dem stürzenden Berg zusammenzutreffen, den Stoß zu verabreichen, nach Hause zu rasen. Das war ein klares Problem mit leichten Lösungen gewesen, aber jetzt zerknitterte es und schwand, um durch eine andere, düsterere Vision ersetzt zu werden, die langsam Gestalt annahm, in seinem Kopf an Klarheit gewann...

Kurz bevor er in den Staubschweif eindrang, während Len noch in

Sichtweite war, hatte Nigel deutlich sichtbare Sterne angepeilt, um sein Trägheitsgyroskop einstellen zu können. Es war ein einfacher Vorgang, der mit Leichtigkeit in der dafür vorgesehenen Zeit beendet werden konnte. Bevor er das Teleskop vom Sichtfenster wegschwenkte, zog ein Lichtpunkt Nigels Aufmerksamkeit auf sich, und er stellte ihn scharf ein. Er schwoll zu einer Scheibe an, blau und weiß und flach, und er erkannte, daß er die Erde ansah. Einen Kreis ohne wahrnehmbare Merkmale, friedlich und vollkommen. Allein. Eine Zielscheibe, ohne es selbst zu bemerken. Ihre gleichmäßige, bestimmte Rundung schien mehr zu bedeuten als einen Fleck vor einem Hintergrund von Sternen; nein, sie war der Mittelpunkt. Ein Loch, durch das Licht von der anderen Seite des Universums einfiel. Vollkommen. Er hatte sie einen langen Augenblick betrachtet.

Durch unregelmäßig knisterndes statisches Rauschen sagte Dave: »Also, wir können dir die Zeit für einen weiteren Ausflug ins Innere bewilligen, Nigel. Hol alles raus, was du kannst, mach noch weitere Aufnahmen. Dann können du und Len mit dem Rendezvousmanöver beginnen und das Ei loswerden und ...«

»Nein.«

»Wie bitte?«

»Nein. Wir werden das Ei nicht explodieren lassen, oder, Len?«

»Nigel ...«, begann Dave und schwieg dann.

»Ich weiß nicht«, sagte Len. »Was hast du vor?«

»Begreifst du nicht, daß das hier alles verändert?«

»Ist mir nicht so ganz klar«, sagte Len undeutlich. »Wir versuchen hier, Millionen von Leben zu retten, Nigel. Wenn Ikarus aufschlägt, wird er einen großen Brocken Land völlig vernichten, Dreck in die Luft schleudern und wahrscheinlich das Klima verändern. Irgendwie ...«

»Aber das wird er nicht! Jetzt sowieso nicht. Begreifst du denn nicht, Ikarus ist *hohl*. Er hat nur einen Bruchteil der Masse, die wir vermutet haben. Sicher, es wird eine ganz schön starke Explosion geben, wenn er Indien erreicht, aber nichts von der Größenordnung der Katastrophe, an die wir geglaubt haben.«

Len sagte: »Vielleicht hast du damit recht.«

»Ich kann das Volumen des restlichen Gesteins berechnen ...«

»Nigel, ich habe gerade mit einigen Leuten hier in Houston gesprochen. Wir haben damit begonnen, die Dynamik der Kollision und die Bahnkurve neu auszurechnen, nachdem du entdeckt hast, daß der Kern hohl ist. Wir werden die Ergebnisse recht bald haben, aber bis dahin möchte ich mal mit dir darüber reden.« Dave machte eine Pause.

»Schieß los!«

»Selbst wenn die Masse von Ikarus ein Zehntel dessen ist, was wir angenommen haben, wird die beim Aufprall freiwerdende Energie immer noch zigtausendmal größer sein als die vom Krakatau. Denk an die Menschen in Bengalen.«

»Was von ihnen übriggeblieben ist, meinst du wohl«, sagte Len. »Die regelmäßigen Hungersnöte haben schon Millionen umgebracht, und seit über einem Jahr wandern sie bereits aus dem Aufschlaggebiet aus. Da die indische Regierung die Kontrolle verloren hat, weiß niemand, über wie viele Seelen wir im Moment reden, Dave.«

»Das stimmt. Aber wenn sie dir schon egal sind, Len, dann denk doch an den Staub, der in die oberen Schichten der Atmosphäre geschleudert werden wird. Der allein könnte eine neue Eiszeit verursachen.«

Nigel hörte auf, auf einem Riegel Nahrungsmittelkonzentrat herumzukauen. Er fühlte eine merkwürdige, schwebende Erschöpfung, sein Körper war entspannt und schwach. Die Anregungsmittel, die er eingenommen hatte, hielten ihn zwar munter, doch konnten sie die Mattigkeit nicht wegspülen, die durch seine Arme und Beine sickerte.

»Ich will sie doch nicht umbringen, Dave«, sagte Nigel. »Hör auf, so pathetisch zu reden. Aber wir müssen doch anerkennen, daß das, was wir aus diesem Relikt lernen können, vielleicht einige Menschenleben wert sein kann.«

»Was schlägst du denn vor, häh? Was für einen bescheuerten Plan hast du ausgebrütet?«

»Daß wir hier eine Woche, vielleicht zehn Tage lang bleiben und aus dem Inneren alles rausholen, was wir nur können. Du fliegst uns zusätzliche Luft und zusätzliches Wasser ein – nimm dafür einen der unbemannten Abfangjäger, die im Moment gerade Sprengköpfe tragen. Wir werden von Ikarus rechtzeitig verschwinden, damit die anderen Abfangjäger auf Ikarus zusteuern können, und wir werden auch das Ei einsetzen.«

»Klingt so, als ob es funktionieren könnte«, sagte Len, und Nigel fühlte, wie in ihm Hoffnung aufwallte. Er würde es tun; sie konnten ihn nicht abblitzen lassen.

»Ihr *wißt* doch, daß die Abfangjäger in dieser Staubwolke nicht zuverlässig arbeiten – deshalb seid ihr ja jetzt da draußen, Leute. Und je näher Ikarus der Erde ist, wenn wir zuschlagen, desto geringer wird die tatsächliche Ablenkung bis zur Stunde Null sein. Wenn in letzter Minute irgend etwas schiefgeht, könnte er dennoch auf uns stürzen.«

»Die Sache ist das Risiko wert, Dave«, meinte Len.

»Stehst du wirklich auf seiner Seite, Len? Ich hatte gehofft...«

»Wir haben auch unsere Hoffnungen«, sagte Nigel in einer plötzlichen Gefühlsaufwallung. »Die Hoffnung, daß wir hier etwas lernen können, was die Menschheit aus dem Schlamassel herausholt, in dem sie jetzt steckt. Einen neuen naturwissenschaftlichen Gedanken, irgendeine Erfindung, die hierbei herauskommen könnte. Die Wesen, die di!s hier erbaut haben, waren uns überlegen, Dave, sogar in der Körpergröße – die Türöffnungen und Gänge sind groß, weit.«

»Aber das *Risiko*, Nigel! Wenn das Ei nicht schafft, was es schaffen soll, und...«

»Das Risiko müssen wir eingehen.«

»...wir haben euch da rausgeschickt, Leute, um eine Arbeit zu erledigen. Und jetzt macht...«

Nigel fragte sich, warum Daves Stimme so gelassen klang, sogar jetzt. Vielleicht hatten sie ihm gesagt, daß er bewußt beherrscht sein und nicht noch mehr provozieren sollte. Er fragte sich, was seine Eltern hiervon hielten, daß er für Erforschung auf Kosten von Menschenleben eintrat. Oder ob sie es überhaupt wußten – die NASA hatte wahrscheinlich jegliche Berichterstattung unterbunden, als sie merkte, daß irgend etwas nicht stimmte; es war nicht mehr bloß eine heldenhafte Rettungsmission. Er bemerkte, daß seine Hände zitterten.

»Einen Moment mal, bitte, einen Moment«, sagte Dave. »Ich hatte nicht die Absicht, euch so anzuschnauzen, Leute. Wir wissen alle, daß ihr glaubt, das Richtige zu tun.« Eingehüllt in das ruhige Schnarren der Statik machte er eine Pause, als ob er seine Worte in Schlachtordnung antreten lassen würde.

»Allerdings ist etwas Neues aufgetaucht. Mir ist gerade die neuberechnete Bahnkurve hereingereicht worden, die die verminderte Masse von Ikarus berücksichtigt. Das ändert die Lage gewaltig.«

»Was heißt das?« sagte Nigel.

»Er kam schon vorher in recht schrägem Winkel zu den obersten Schichten der Atmosphäre, wie du dich erinnern wirst. Aber mit geringerer Masse wird er ein wenig springen – nicht viel, aber genug. Er wird wie ein flacher Stein auf einem Teich hüpfen und dann fallen. Dadurch wird er deutlich vom indischen Subkontinent weggetrieben, und der Aufschlagpunkt verschiebt sich nach Westen.«

Nigel spürte, wie sich ein gewaltiger Stein aus Angst in seinem Magen bildete.

»Das Meer?«

»Ja. Ungefähr zweihundert Meilen vor der Küste.«

Die Unwiderruflichkeit der Feststellung verzehrte ihn. Ein Aufprall aufs Meer war wesentlich schlimmer. Anstatt Energie abzugeben, während er im Fall die oberste Gesteinsschicht der Erdkruste aufriß, würde Ikarus vom Meeresboden einen turmhohen Geysir aus Wasserdampf hochschleudern. Der Dampfstrahl würde sich fächerförmig in der oberen Atmosphäre ausbreiten und den Planeten völlig mit Wolken verhüllen; er würde gewaltige Stürme über eine lichtlose Welt jagen. Die aufgeworfene Flutwelle würde jede Küstenstadt der Erde vernichten, und der größte Teil aller Zivilisation wäre binnen Stunden verschwunden.

»Sind sie sich sicher?« fragte Len.

»So sicher, wie sie nur sein können«, sagte Dave, und etwas, das in seiner Stimme verborgen war, holte Nigel aus seinen Überlegungen zurück.

»Schalt Houston mal einen Moment ab, Len«, sagte er.

»Klar. So. Was ist denn?«

»Woher wissen wir, ob Dave nicht lügt?«

»Oh... ich glaube, das können wir nicht.«

»Es klingt ein wenig komisch. Ein großer Brocken, der auf der Atmosphäre springt – einer der Astrophysiker erwähnte das in einer Einsatzbesprechung, aber er sagte, daß das bei einer so großen Masse wie der von Ikarus nicht passieren könnte.«

»Wie steht's mit einem Zehntel dieser Masse?«

»Ich weiß nicht. Und – verdammt! – es wird kritisch.«

»Ein Aufprall aufs Meer... Wenn das geschieht, werden Milliarden Menschen...«

»Stimmt.«

»Weißt du... ich glaube, ich möchte nicht, daß...«

»Ich auch nicht.« Nigel schwieg. Und etwas huschte durch seinen Kopf.

»Wart mal eine Sekunde«, sagte er. »Hier ist etwas sonderbar. Dieser Felsbrocken ist hohl, das macht ihn leichter.«

»Klar. Geringere Masse.«

»Aber dadurch ist er auch leichter aufzuteilen. Die Wahrscheinlichkeit, daß noch ein großer Gesteinsklumpen übrigbleibt, nachdem wir das Ei haben detonieren lassen, sinkt auch.«

»Das nehme ich doch an.«

»Aber warum hat Dave das nicht erwähnt? Das *verbessert* doch unsere Chancen.«

Stille.

»Er lügt.«

»Da hast du verdammt recht.« Dadurch, daß er diese Worte sagte, wurde Nigel davon überzeugt.

»Also stehen unsere Chancen gut.«

»Jedenfalls besser, als Dave behauptet. Sie müssen es sein.«

»*Wenn* das Ei überhaupt losgeht. Wir haben es den ganzen langen Weg transportiert, vielleicht ist es inzwischen beschädigt. Bevor wir losgeflogen sind, hat man uns gesagt, daß dafür eine Wahrscheinlichkeit von sieben Prozent besteht, erinnerst du dich? Möglicherweise funktioniert das Ding überhaupt nicht, Nigel.«

»Ich wette allerdings, daß es funktioniert.«

»Um was?«

»Wie bitte?«

»Um was willst du wetten? Das Leben des Restes der Menschheit?«

»Wenn ich muß.«

»Du bist verrückt.«

»Nein. Die Chancen stehen gut. Dave belügt uns.«

»Warum sollte er das tun?«

Nigel runzelte die Stirn. Lens Zweifel begannen seine eigenen zu verstärken. Wie sicher war er sich wirklich? Aber er schüttelte diese Gedanken ab und sagte: »Die wollen doch überhaupt *kein* Risiko haben, Len. Die wollen zwei Helden und eine Menge geretteter Menschenleben und keine überflüssige Aufregung. Sie wollen die Sache einfach unkompliziert lassen.«

»Und du bist hinter...«

»Ich will wissen, was dieses Ding ist. Wer es erbaut hat. Wie sie es antrieben, wo sie herkamen...«

»Damit erwartest du aber eine ganze Menge von einem Haufen Artefakten.«

»Vielleicht nicht. Ich glaube, ich habe da drin einige Schalttafeln und Konsolen gesehen. Könnte sein, daß die Computeraufzeichnungen, die sie verwendeten, immer noch da sind.«

»Wenn sie überhaupt Computer verwendeten.«

»Müssen sie wohl. Wenn wir an einige der Speichereinheiten herankommen könnten...«

»Glaubst du wirklich, daß wir das könnten?«

Nigel zuckte die Achseln. »Ja, ich glaube schon. Ich *weiß* es nicht – niemand kann das. Aber wenn wir hier etwas Neues entdecken können, Len, könnte es sich auszahlen. Neue Technologien könnten uns aus dem Schlamassel herausholen, in dem die Welt steckt.«

»Wie was zum Beispiel?«

»Eine neue Energiequelle. Vielleicht etwas mit höherer Effizienz. Die wäre das Risiko wert.«

»Vielleicht.«

»Nun ja...« Nigel fühlte, wie seine Energie zu versickern begann. »Wenn du nicht auf meiner Seite stehst, Len...«

Es folgte Stille.

Ping machte die Kapsel und dehnte sich unter der ungleichmäßigen Erhitzung durch die Sonne aus. Eine metallische Stimme, die *tick ping* ihre eigenen Fragen stellte. Könnte er es wirklich tun? Nein, absurd. Sinnlos. Wozu denn schließlich? Warum dieses sonderbare Risiko? (Warum England verlassen? Warum in den Weltraum fliegen? *Ping*.) Er wußte, daß sich seine Eltern das gefragt hatten, obwohl sie es nie gesagt hatten. Sie hatten sich Sorgen gemacht, wo das alles hinführen würde, sogar als sie ihn vorwärts drängten. Und wonach würde er da drin *wirklich* suchen? Neuem Wein, in diesem felsigen, alten Schlauch? Oder hatte die Menschheit schon genug Wein getrunken, danke, die Hand flach über die Öffnung des Glases gelegt, nein. Nein, absurd. Jetzt war er unhöflich. Das ganze Zeug, das er gemacht hatte, die ganze Arbeit, ehrlich, was war der Sinn, verstehen Sie? Zu forschen ist ja sehr schön, aber wer bezahlt die Rechnung? Wußte er – an dieser Stelle verkrampften sich seine Hände, wurden weiß –, wußte er, wonach er suchte? Sich einen Augenblick lang daneben stellen. Die Angelegenheit betrachten. War es vernünftig? Nein. Absurd. Nein. Er konnte nicht. Er taumelte von *tick* der Stimme weg, aber konnte ihr nicht entkommen. Nein. *Ping.* Er taumelte... taumelte...

Nigel befeuchtete seine Lippen und wartete. Die Sonne lag heiß auf der Felskante oberhalb von ihm. Ihr Licht spiegelte sich in der Kabine und verstärkte die Falten der Anspannung in seinem Gesicht. Er bemerkte, daß er den Atem anhielt.

Dann: »Nigel... schau mal... setz mich nicht so unter Druck.«

Nigel schloß wieder automatisch seinen Anzug. Er griff nach oben und ließ den Lukendeckel aufspringen.

»Ich... ich muß zu Dave halten, Kumpel. Diese Sache ist zu groß für mich, als daß...«

»Okay«, sagte Nigel schroff. »Okay, okay.«

»Schau mal, ich möchte nicht, daß du meinst...«

»Jaja.« Er griff nach oben und zog sich durch die Luke, in das blendende Licht. Als er aufschaute, spielte ihm sein inneres Ohr einen Streich, und plötzlich fühlte er sich, als ob er, von der Sonne angezogen, einen engen Cañon hinunter und in sie hinein stürzen würde. Automatisch klammerte er sich an der Luke fest und wand sich hinaus, wodurch sein Gleichgewicht mit dem Gefühl von Bewegung zurückkehrte. Er fühlte sich merkwürdig gelassen.

»Nigel?«

Er sagte nichts. An der Seite der Flugeinheit befand sich auf halber Länge ein flacher, brauner Behälter von der Größe einer Schreibmaschine. Hand über Hand bewegte er sich mit freischwebenden Beinen auf ihn zu; sein Atem klang dabei unnatürlich laut. Die Klammern an dem Behälter ließen sich leicht öffnen; mit einer Hand schwang er ihn an seine Seite und befestigte ihn an seinem Vielzweckgürtel.

»Nigel? Dave will wissen...«

»Ich bin hier. Wart mal eine Sekunde.«

Er fand die Kanister mit den zusätzlichen Nahrungsmitteln und Luft am hinteren Teil der Flugeinheit – Notvorräte, leicht transportierbar. Mit all diesen Gegenständen, die an seiner Hüfte hingen, fühlte er sich unförmig; doch wenn er sich überlegt bewegte, sollte es ihm möglich sein, sie eine Zeitlang zu tragen, ohne zu ermüden. Langsam und bedächtig führte er den Abstieg zu dem bräunlichschwarzen Gestein unter ihm durch.

»Nigel?«

Er überprüfte seinen Anzug. Alles schien in Ordnung zu sein.

Seine Schulter juckte an der Stelle, wo sich die Verstärkung seines Anzugs befand, und er versuchte sich zu kratzen, indem er sich bewegte.

Die Ironie war unübersehbar: Der Ausstoß von Gasen durch die Spalte ließ den Kometenschweif aus diesem uralten Schiff hinauslodern, der ihn und Len veranlaßt hatte, herzukommen und es zu entdecken – doch diese gleiche Eruption lenkte Ikarus so stark ab, daß er auf die Erde stürzen würde, und machte seine Zerstörung notwendig. Das Schicksal ist eine zweischneidige Klinge.

»Nigel?«

Er begann sich auf die Öffnung zuzubewegen und blieb dann stehen. Er könnte die Sache ebensogut zu Ende bringen.

»Hör mal zu, Len – und vergewisser dich, daß Dave das hier auch mitbekommt. Ich habe hier das Schaltsystem, das das Ei scharf macht, und den Zünder. Ihr könnt das Ei ohne sie nicht detonieren lassen. Ich nehme beides jetzt mit in die Spalte.«

»He! Sieh mal…« Hinter Lens Stimme hörte man schwach mehrere Aufschreie aus Houston. Nigel ging weiter.

»Ich werde sie gleich da drin irgendwo verstecken. Selbst wenn du mir folgst, wirst du sie nie finden können.«

»Großer Gott! Nigel, du begreifst wohl ni…«

»Sei still! Ich mache das, um Zeit zu gewinnen, Len. Es wäre besser, wenn Houston uns mehr Luft und Vorräte schicken würde, denn ich werde die ganze Woche, die wir meines Wissens an Spielraum haben, ausnutzen. Eine Woche – um etwas zu suchen, was wert ist, aus diesem Wrack gerettet zu werden. Vielleicht diese Computerspeicher, falls da überhaupt welche sind.«

»Nein, nein, hör zu!« sagte Len mit einem leichten Unterton von Verzweiflung in der Stimme. »Du spielst nicht bloß mit dem Leben dieser Inder, Mann. Oder sogar dem aller Menschen, die in der Nähe der Küsten wohnen, falls dich das überhaupt interessiert. Wenn das Ei nicht funktioniert und Houston diesen Gesteinsbrocken nicht mit den unbemannten Sprengköpfen erreichen kann und er aufs Wasser aufschlägt…«

»Stimmt.«

»Es wird Stürme geben.«

»Stimmt.«

»Die stark genug sind, um zu verhindern, daß eine Raumfähre hochkommt, die uns in die Erdumlaufbahn zurückbringt.«

»Ich glaube sowieso nicht, daß sie sich dann noch die Mühe machen wollen«, sagte Nigel ironisch. »Wir werden nicht sonderlich beliebt sein.«

»*Du* wirst nicht sonderlich beliebt sein.«

»Die Suche wird doppelt so effektiv sein, wenn du herunterkommst und hilfst, Len.« Nigel lächelte vor sich hin. »Auf diese Weise kannst du dafür sorgen, daß wir etwas Zeit sparen.«

»Du mieses Schwein!«

Er begann wieder, sich auf die Öffnung zuzubewegen. »Beeil dich lieber, Len. Ich werde nicht mehr lange hier draußen herumstehen, um dich hineinzuführen.«

»Scheiße! Du warst immer ein netter Bursche, Nigel. Warum benimmst du dich jetzt wie ein verdammter Dreckskerl?«

»Ich hatte niemals zuvor die Möglichkeit, wegen etwas, an das ich glaubte, ein verdammter Dreckskerl zu sein«, sagte er und bewegte sich weiter voran.

1

Als er erwachte, sonnte er sich in dem orangefarbenen Glühen auf seinen Augenlidern. Ein stechender, gelber Lichtstrahl flutete durch die Akazien vor dem Fenster herein und wärmte seine Schulter und sein Gesicht. Nigel räkelte sich wie eine Katze, er fühlte sich warm und träge. Obwohl es früh war, erfüllte der schwere Duft der Frühlingshitze von Pasadena bereits das Schlafzimmer. Er wälzte sich herum und sah Alexandria anerkennend an, die sich ernst im Spiegel musterte.

»Eitelkeit«, sagte er mit vom Schlaf undeutlich klingender Stimme.

»Zur Sicherheit.«

»Warum kannst du nicht einfach ein unbeschwerter Springinsfeld sein, so wie ich?«

»Das Geschäft«, sagte sie kühl, während sie unterhalb ihrer Augen etwas auftrug. »Ich werde heute viel zuviel zu tun haben, um auf mein Aussehen achten zu können.«

»Und du mußt toll aussehen, wenn du vor die Öffentlichkeit trittst.«

»Hmmm. Ich glaube, ich stecke mein Haar hoch. Es ist eine Katastrophe, aber ich habe keine Zeit, um ...«

»Warum nicht? Es ist noch früh.«

»Ich will ins Büro kommen und noch einigen Papierkram vom Tisch kriegen, bevor diese Handelsvertreter aus Brasilien ankommen. Und ich muß früh von der Arbeit weg – ich habe einen Termin bei Doktor Hufman.«

»Schon wieder?«

»Er hat diese Tests zurückbekommen.«

»Was ist das Ergebnis?«

»Das muß ich gerade rauskriegen.«

Nigel blinzelte sie benommen an und versuchte, ihre Stimmung zu deuten.

»Ich glaube nicht, daß es besonders wichtig ist«, meinte sie, ohne auf die entsprechende Frage zu warten.

Das Bett schaukelte, als er sich herauswälzte und schwankend auf einem Fuß zu stehen kam, wobei er in einer theatralischen Geste einen Arm in die Luft streckte.

»Der Elefant im Porzellanladen«, sagte Alexandria lächelnd, während sie an ihrem Haar verschiedene Frisuren probierte.

»Das hast du letzte Nacht nicht gesagt.«

»Als du aus dem Bett gefallen bist?«

»Als *wir* aus dem Bett gefallen sind.«

»Die obenliegende Partei ist für die Navigation verantwortlich. Seerecht.«

»Meine Gedanken müssen woanders gewesen sein. Wie dumm von mir.«

»Hm. Wo ist das Frühstück?«

Er tappte nackt über die Dielen. Das Gefühl, das das Knarren und Nachgeben des eingeölten, lackierten Holzes vermittelte, war einer der Reize dieses alten, dreigeteilten Hauses und allein die Miete wert. Er ging ins Badezimmer, hob den elfenbeinfarbenen Toilettensitz und pinkelte ausgiebig; die erste Freude des Tages. Als er fertig war, klappte er den Sitz und seinen magentaroten Deckel herunter, drückte aber nicht den Hebel. Da eine Wasserspülung fünfunddreißig Cents kostete, hatten er und Alexandria beschlossen, den Gestank Gestank sein zu lassen, bis es absolut unerträglich war. Sie hatten zwar das so gesparte Geld nicht unbedingt nötig, dennoch wäre es eine Verschwendung gewesen, hätten sie es nicht getan.

Er schlüpfte an der Stelle in seine Sandalen, wo er sie in der vergangenen Nacht abgestreift hatte, und ging durch den Türbogen aus dicken Eichenbalken in die Küche. Der gekachelte Raum hielt die Nachtkälte noch lange, nachdem der Rest des Hauses vor dem Tag längst kapituliert hatte. Er hörte, wie das Klappern seiner Sandalen widerhallte; er stellte die Audio-Kanäle an und suchte zunächst Musik, danach – da er so früh nichts fand, was ihm gefiel – die Kurznachrichten.

Er zerrieb etwas würzigen Cheddar-Käse, während ihm eine ruhige, unbeteiligte Stimme erzählte, daß sich ein neuer großer Streik zusammenbraute, der drohte, wieder den Ladebetrieb in den Häfen lahmzulegen. Er schlug sechs Eier auf, dachte einen Moment lang nach und fügte dann noch zwei hinzu; er durchstöberte den Kühlschrank auf der Suche nach dem weichen, feinen Streichkäse, den er am Tag zuvor gekauft hatte. Der Präsident, so erfuhr er, hatte eine ›sehr heftige, energisch zupackende‹ Rede gegen geheime Retortenbaby-Programme privater Gesellschaften gehalten; ähnliche Regierungsprojekte erwähnte der Nachrichtensprecher mit keiner Silbe. Zwei der unlängst bekannt gewordenen Hermaphroditen hatten geheiratet und die erste menschliche Beziehung proklamiert, die frei von Klischees wäre. Nigel seufzte und kippte die Eier in den Mixer. Er fügte ein wenig von einer wässerigen, braunen Sauce hinzu, die er schon vorher portionsweise angerichtet hatte und genau für diesen Zweck gedacht war, und streute Majoran, Salz und Pfeffer hinein. All das verwandelte der Mixer summend in eine glatte Suppe. Er holte Tomatensauce, während das Audio weitererzählte. Einem neuen industriellen Bündnis hatte sich eine gleichermaßen eindrucksvolle Menge von Gewerkschaften angeschlossen; ihr gemeinsames Ziel war es, ein Gesetz zu unterstützen, das Waren aus Brasilien, Australien und China außerordentlich hohe protektionistische Einfuhrzölle auferlegte. Zur Abwechslung und des reinen Experimentes wegen fügte er Koriander zu der Mischung hinzu, goß sie in eine Auflaufform und ließ sie backen. Die emsige Hitze bollerte im Ofen.

Alexandria duschte gerade, als er sich anzog. Er räumte im Schlafzimmer auf; als sie letzte Nacht ins Bett gestolpert waren, hatten sie einen Teil der Unterwäsche wie die Trümmer von einem häuslichen Zusammenstoß verstreut. Er krempelte die schreiend bunten Ärmel seines Hemdes hoch, da er einen heißen Tag erwartete, und Alexandria tauchte aus der Dampfdusche auf. Ihr ausdrucksvoller Hintern wackelte unter einem Schimmer von Feuchtigkeit.

Sie zog die Badekappe von ihrem zusammengebundenen Haar und sagte: »Lies mir mein Horoskop vor, ja? Es liegt auf dem hinteren Tisch, da.«

Nigel verzog das Gesicht. »Ich für mein Teil bevorzuge Eingeweideschau. Soll ich mir mal eine kleine Ziege besorgen, sie unters Messer legen und dir eine Tagesprognose stellen?«

»Lies!«

»Ist doch viel befriedigender, sollte man meinen. Die Eingeweide haben's in sich...«

»Lies!«

»Zwillinge, 20. April bis 20. Mai.« Er machte eine kurze Pause. »Laß mal sehen. ›Sie sind gewandt, intelligent und insgesamt gut beieinander. Versuchen Sie, diese Eigenschaften heute zu Ihrem Vorteil einzusetzen. Unglücklicherweise werden andere Menschen wahrscheinlich dazu neigen, Sie für übermäßig aggressiv zu halten. Versuchen Sie, Ihre Fähigkeiten nicht öffentlich zur Schau zu stellen, und widerstehen Sie dem Drang, kleine Tiere zu verletzen – das ist ein schlechter Charakterzug. Gehen Sie heute Kernen in Orangensaft und Zwergen aus dem Weg.‹ Ein brauchbarer Rat, möchte ich meinen.«

»Nigel...«

»Na ja, wozu ist ein Ratschlag gut, wenn er nicht konkret ist? Ein Haufen platter Allgemeinplätze wird dir nicht viel darüber sagen, welche Aktien du für diese Leute aus Brasilien einkaufen solltest – das heißt, wenn es heute noch Aktien gäbe.«

»Sie wollen *uns* kaufen, das ist doch der springende Punkt.«

»Die ganze Fluggesellschaft?«

»Richtig. Mit allem Drum und Dran.«

»Und dein Job?«

»Oh, sie wollen uns nur besitzen, nicht die Gesellschaft leiten.«

»Ach so. Na gut.« Er warf einen Blick auf seine Uhr. »Der Auflauf à la Nickerchen ist fast schon soweit.«

Er ging in die Küche, holte Gabeln, Teller und Servietten und trug alles zur Eßecke. Die Eßecke war einmal eine geräumige Kammer in dem alten Haus gewesen, das damals noch von einer Familie bewohnt worden war; jetzt zeichnete sich die Eßecke durch ein Fenster aus, das in einem Winkel der Nische eingesetzt war und aus dem man in den Hinterhof sehen konnte. Ein Jakarandabaum, der Anzeichen erkennen ließ, daß er Interesse hatte, zu einem samtweich blauen und weißen Etwas zu erblühen, begrenzte auf einer Seite den grünen Rasenstreifen.

Nigel sah wieder auf seine Uhr, die ihn stumm darauf hinwies, daß dieser Tag der einunddreißigste April war. Stimmte das, bei dem neuen Kalender? In Gedanken ging er das alte Gedicht durch – dreißig Tag hat der November, und, und...? Er konnte sich die teuflischen kleinen Gedächtnisstützen nie in die Erinnerung zurückrufen, wenn sie einmal hätten nützlich sein können. Aber er kannte den April gut genug, zweifellos: Nächste Woche würden seit der Ikarus-Geschichte genau fünfzehn Jahre vergangen sein.

Fünfzehn. Und trotz all der Konferenzen, internationalen Symposien und Dissertationen hatte das Ikarus-Abenteuer herzlich wenig an greifbaren Erfolgen eingebracht. Ihm und Len war es gelungen, eine recht beträchtliche Menge interessanter Artefakte in diversen Ecken und Winkeln der *Dragon*-Einheit unterzubringen und sogar noch mehr auf der Außenhülle festzuzurren. Aber woher sollten sie im Umgang mit dem völlig Fremden nur die richtigen Entscheidungen treffen können? Was ein komplexes Netz aus elektronischen Bauteilen zu sein schien, entpuppte sich als unerfindliche Folge von Schaltkreisen, die keinen Sinn ergaben; der grünliche Nebel, der die riesigen Höhlen im Inneren von Ikarus durchzog, war ein organisches Kettenmolekül, wahrscheinlich ein im Vakuum wirksames Schmiermittel.

Interessant war es wohl; aber es gab keine Schlüssel zu einer grundlegenden Entdeckung. Einige originelle technische Tricks kamen insgesamt heraus – eine fortgeschrittene Trägersubstanz für Mikroelektronik, höchst widerstandsfähige Metallegierungen, einige raffinierte chemische Präparate – aber irgendwie war ihnen die *Fremdartigkeit* des Dinges durch die Finger geglitten. Nichts von ihrem Fund legte stilles Zeugnis ab von der Herkunft von Ikarus. Alles in ihm hätte aus irdischen Materialien hergestellt sein können, vor langer Zeit – und ein kleiner Teil der Wissenschaftler, die an dem Fund arbeiteten, glaubte das auch. Keiner hatte überzeugende Beweise für eine frühere Hochkultur auf der Erde vorgebracht, aber die bloße Gewöhnlichkeit von Ikarus schien dafür zu sprechen.

Für Nigel und Len war es eine langsam dämmernde Niederlage gewesen, die sich vor allem nach dem Sturm der Entrüstung abzeichnete, der sie erwartete, nachdem sie die Fähre aus der Erdumlaufbahn heruntergebracht hatte. Die NASA hatte sie zunächst abgeschirmt, doch zu viele Menschen waren über das von Nigel eingegangene Risiko entsetzt. Die Inder brachen die diplomatischen Beziehungen ab, selbst nachdem er und Len das Ei gezündet und Ikarus zu harmlosem Kies pulverisiert hatten. Kongreßabgeordnete forderten Gefängnisstrafen für sie beide. Die *New York Times* brachte in einem Monat drei Leitartikel, die in Folge immer drastischere Maßnahmen gegen die NASA und Len und ganz besonders Nigel verlangten.

Er sprach einige Male zu größtenteils feindselig eingestellten Zuhörern, verteidigte seine Vorstellungen und Gefühle und gab dann auf. Worte waren keine Taten und würden es niemals sein. Glücklicherweise war er Zivilist. Sein Verstoß gegen das moralische Gleichgewicht fiel peinlicherweise durch die Maschen der Gesetze. Ein Bundesstaatsanwalt erhob Anklage mit der Begründung, daß Nigel jeden Bewohner der Vereinigten Staaten seiner Bürgerrechte beraubt hätte, doch die Klage wurde abgewiesen; schließlich waren es die Inder, die bedroht worden waren. Und die NASA hielt sich bei der ganzen öffentlichen Balgerei sehr zurück; sie gab sich allergrößte Mühe, die Tatsache zu verschleiern, daß Dave hinter seinem berechnenden, mediengerechten Honigkuchenpferdgrinsen gelogen hatte. Die ganze Geschichte, daß Ikarus wie der Kieselstein eines Kindes auf der oberen Schicht der Atmosphäre springen könnte, war nichts anderes als aus dem Stegreif improvisierter Schall und Rauch.

Und so war es vorübergegangen.

Nach einem Jahr und einem letzten, von der *Times* inszenierten Nachhutgefecht (›Erinnerungen an den Abgrund‹) ließen andere Sorgen die Welt die Stirn runzeln. Nachdem sie erst einmal dem Rampenlicht entronnen war, versuchte die NASA sanft, sich Lens und Nigels zu entledigen. Merkwürdigerweise lauerte in der Dunkelheit die größere Bedrohung. Die Enthüllung von Daves Lüge in aller Öffentlichkeit hätte die NASA Sympathien von allen Seiten gekostet. Doch wenn die obskuren Tatsachen nur in das Blickfeld einer Kommission wankten, und das noch Jahre später, würden sie wenig Schaden anrichten; das Timing war das alles Entscheidende. Die Trumpfkarten, die er und Len in der Hand hielten, verloren allmählich an Wert, wie eine Währung zu Zeiten der Inflation. Daher kam die schlimmste Zeit erst, als er schließlich wieder einen Supermarkt betreten konnte, ohne beleidigt zu werden, die Leviten gelesen zu bekommen, in eine ekelerregende Diskussion verwickelt zu werden.

Auch das hatte er überlebt.

»Schon fertig?« fragte Alexandria und brachte den Krug mit Orangensaft zur Eßecke. In dem Krug klirrten Eiswürfel.

»Richtig.« Nigel schüttelte die trübe Stimmung ab und holte den Auflauf. Als er ihn mit einer breiten Holzgabel aufteilte, brach die Kruste auf und entließ eine Wolke, die nach Omelette duftete. Sie aßen hastig, da sie beide hungrig waren. Sie hatten die Gewohnheit, praktisch kein Abendessen zu machen und dafür ein reichhaltiges Frühstück; Alexandria meinte, daß der Körper das Frühstück während des Tages aufbrauchen und ein Abendessen dagegen lediglich in Fett umwandeln würde.

»Shirley kommt heute abend nach dem Essen vorbei«, sagte Alexandria.

»Gut. Hast du den Roman ausgelesen, den sie dir gegeben hat?«

Alexandria schnupperte anmutig. »Nö. Er bestand zum größten Teil aus dem üblichen Gesuhle in postmoderner Angst, mit Randepisoden in Technicolor.«

Nigel stopfte sich eine Sübitter-Traube in den Mund; sie war so herb, daß sich seine Lippen zusammenzogen.

Alexandria griff nach einer Traube und zuckte zusammen. »Verdammt.«

»Tun die Handgelenke immer noch weh?«

»Ich habe geglaubt, daß sie besser geworden seien.« Sie legte ihr rechtes Handgelenk in die andere Hand und rieb es versuchsweise. Ihr Gesicht verzog sich einen Augenblick lang vor Schmerz, und sie hörte auf. »Nein, es ist immer noch da, was es auch sein mag.«

»Vielleicht hast du sie verstaucht?«

»Beide Handgelenke gleichzeitig? Ohne es zu merken?«

»Scheint unwahrscheinlich zu sein.«

»Verdammt«, sagte Alexandria heftig. »Weißt du, ich glaube, ich möchte doch nicht, daß diese Brasilianer unsere Gesellschaft bekommen.«

»Hä? Ich dachte...«

»Ja, ja. Ich habe alles in Gang gesetzt. Die ersten Schritte unternommen. Aber verdammt noch mal, sie gehört *uns*. Wir könnten das Kapital gebrauchen, klar...« Sie verzog den Mund nach einer Seite hin; es war eine vertraute Geste, die Verärgerung ausdrückte, »...aber mir war nicht klar...«

»Das gehörte allerdings zu der sanften Tour dazu. Sie wollten etwas durch und durch Amerikanisches bekommen – die *American Airlines*.«

»Wenn man sie mit uns vergleicht, damit, wie wir alles erledigen, können sich diese herausgeputzten Gecken nicht einmal die Schuhe ohne Lehrbuch zubinden. Sie wissen absolut *nichts*.«

»Aha.« Es bereitete ihm Vergnügen zu beobachten, wie Eifer und Erregung das Unterkühlte und Korrekte aus ihren Gesichtszügen vertrieben und sie erröten ließen. Als er sie so betrachtete, wie sie über Kennziffern und Gewinnspannen und zu versteuernde Kapitalien weiterplapperte, nicht mehr ganz die sanfte und unbeschwerte Alexandria der Nacht, aber noch nicht die erst allmählich hervortretende korrekte, tüchtige Geschäftsfrau des Tages, da wußte er wieder, warum er sie liebte.

Wenige Minuten nachdem Alexandria gegangen war, machte er

sich auf den Weg zur Versuchsanstalt, sowie er das Geschirr abge-
spült hatte, und erwischte gerade noch seinen Bus. Er schlängelte
sich, selbst so spät am Vormittag noch zu drei Viertel besetzt, Fair
Oaks entlang. Nigel zog seinen eigenen Ohrstecker aus der Tasche
und stöpselte ihn in den Anschluß des Sechskanal-Audiosystems.
Er fischte einen pseudomusikalischen Lärm heraus, der für
Schwachsinnige geeignet war; die Wiederholung einer Sportüber-
tragung; dann blieb er kurz bei den Nachrichten – Psychologen waren über eine überraschende Welle von Kindesmorden besorgt – und
schaltete zum ›klassischen‹ Kanal um. Eine kurze, improvisierte
Trompetenintrada endete gerade, und eine schwermütig-rührselige
Symphonie von Brahms begann, die mit unzähligen Streichern
überladen worden war. Er schaltete das Gerät aus, steckte seinen
Ohrstecker in die Tasche und studierte die Aussicht, während sich
der Bus die Hügel von Pasadena hinaufquälte. Eine rötlich-braune
Tönung lag über dem Land. Er zog seine Atemmaske vors Gesicht
und sog den süßen Duft ein. Einige Dinge wurden niemals besser.
Er war sich dessen bewußt, daß sich die politische Lage verschlech-
terte, alle Welt wegen den Importen und Exporten zappelig war,
doch ihm schien es so zu sein, daß Luft, die wie nach einem nächtlichen Regen frisch und gereinigt duftete, und ein wenig Beethoven
auf dem Weg zur Arbeit insgesamt gesehen wichtigere Angelegen-
heiten wären.

Nigel lächelte vor sich hin. In diesen Gefühlen erkannte er ein
Echo seiner Mutter und seines Vaters. Kurz nach der Ikarus-Sache
waren sie zurück nach Suffolk gezogen, und er hatte sie regelmäßig
besucht. Ihr Horizont war auf die Dimensionen der behaglichen
englischen Landschaft geschrumpft: reine Luft und Streichquar-
tette. Je mehr er sich an der Welt rieb, desto mehr sah er sie in sich
selbst. Dickköpfig war er, ja, genau wie sein Vater, der einfach nie
glauben wollte, daß Nigel richtig gehandelt hatte, als er zu Ikarus
geflogen war, oder, in der Tat, als er danach noch weiter in Amerika
geblieben war. Und doch war es genau die gleiche Dickköpfigkeit,
die ihn bleiben ließ. Wenn er jetzt redete, umgeben von diesen dünnen amerikanischen Stimmen, hörte er die weichen Vokale seines
Vaters. Angina und eine Wundgeschwulst hatten ihm diese beiden
miteinander verschmolzenen Persönlichkeiten schließlich genommen, dennoch fühlte er sich hier in diesem ihm manchmal fremden
Land inniger mit ihnen verbunden als zuvor.

Die Versuchsanstalt war ein Wirrwarr rechtwinkliger Klötze, die auf einen noch immer grünen Abhang gesetzt worden waren. Als der Bus schnaufend anhielt, hörte er Gesang und sah drei Neue Jünger, die das Haupttor blockierten und Schriften verteilten. Er nahm eine ihrer Broschüren und zerknüllte sie, nachdem er einen flüchtigen Blick darauf geworfen hatte. Es schien ihm, als ob ihre Straßenwerbung schlechter wurde; offenkundig mystische Appelle würden bei der Belegschaft der JPT* nichts fruchten.

Er passierte drei Wachen, zeigte jeder widerwillig seine Dienstmarke vor – die Anstalt war ein bevorzugtes Ziel der Bombenleger, aber es war trotzdem lästig – und ging den vertrauten Weg durch kühle Korridore, die vom bleichen Neonlicht erhellt wurden. Als er sein Büro erreichte, fand er dort Kevin Lubkin vor, den Projektleiter, der bereits auf ihn wartete. Nigel nahm einige Ausgaben von *Ikarus*, der wissenschaftlichen Zeitschrift, aus einem Sessel, damit sich Lubkin setzen konnte, schob sie in den Papierhaufen auf seinem Schreibtisch und zog die Jalousie vor seinem Fenster hoch, damit sich ein schwacher Lichtstrahl in die gegenüberliegende Wand bohren konnte. Er arbeitete in einem Flügel ohne Klimaanlage, daher war es eine gute Idee, so rasch wie möglich für etwas Durchzug zu sorgen; der Nachmittag war immer unerträglich. Außerdem war für ihn das Hochschieben der Jalousie ein Ritual, das jeden Morgen den Arbeitsbeginn anzeigte, deshalb sagte er außer einer Begrüßung nichts zu Lubkin, bevor er es erledigt hatte.

»Stimmt was nicht?« fragte er anschließend und ließ damit eine gekünstelte Aufmerksamkeit durchscheinen.

So abgelenkt, klappte Kevin Lubkin eine Mappe zu, in der er gelesen hatte. »Der Jupiter-Monitor«, sagte er knapp. Er war ein stämmiger Mann mit rötlichem Gesicht, sanfter Stimme und einem Bauch, der kürzlich begonnen hatte, so stark hervorzuquellen, daß man die Gürtelschnalle nicht mehr sehen konnte.

»Technischer Fehler?«

»Nein. Er wird gestört.« Er warf Nigel einen verwirrten Blick zu und wartete.

Nigel zog eine Augenbraue hoch. Eine seltsame Spannung war plötzlich in den Raum gekommen. Er hätte ja noch durch das Früh-

---

* JPT = Jet Propulsion Laboratories (Versuchsanstalt für Strahlantriebe) in Pasadena.

stück unkonzentriert sein können, aber so langsam begriff er auch dann nicht, daß er mit einem Büroscherz hätte hereingelegt werden können. Er sagte nichts.

»Jaja, ich weiß«, sagte Lubkin und seufzte. »Klingt unmöglich. Aber es ist passiert. Ich habe dich deswegen angerufen, aber...«

»Was ist denn los?«

»Heute morgen um zwei haben wir einen Untersuchungsbericht vom Jupiter-Monitor bekommen. Die zweite Nachtschicht konnte nichts damit anfangen, deshalb riefen sie mich an. Es schien, als ob der Bordcomputer glaubte, die große Parabolantenne hätte Probleme.« Er nahm seine helle Brille ab, um sie in seinem Schoß zu wiegen. »Ich kam zu dem Schluß, daß es das nicht war. Die Antenne ist in Ordnung. Aber jedes Mal, wenn er versucht, uns etwas zu senden, reflektiert irgend etwas das Signal nach zwei Minuten zurück.«

»Reflektiert?« Nigel kippte seinen Stuhl und betrachtete die Titel einiger Bücher in seinem Regal, während er in Gedanken den Schaltplan der Funkausrüstung des J-Monitors durchging. »Zwei Minuten sind für jede Art von Rückkopplungsproblemen viel zuviel – du hast recht. Falls nicht das ganze Programm einen Stich weg hat und die Mitteilungen vom Monitor selbst neu aufgezeichnet werden. Er könnte verwirrt werden und glauben, er würde ein hereinkommendes Signal registrieren.«

Lubkin winkte ungeduldig ab. »Daran haben wir gedacht.«

»Und?«

»Die Eigendiagnostik sagt nein – alles stimmt.«

»Ich gebe auf«, sagte Nigel. »Trotzdem kann ich erraten, daß du eine Theorie hast.« Er spreizte die Finger. »Was ist es also?«

»Ich glaube, der J-Monitor erhält tatsächlich ein hereinkommendes Signal. Er sagt uns die Wahrheit.«

Nigel schnaubte. »Wie bist du denn auf die Idee gekommen?«

»Nun, ich weiß...«

»Funkmeldungen vom Jupiter brauchen in seiner jetzigen Position fast eine *Stunde*, um uns zu erreichen. Wie kann irgend jemand Monitors eigene Mitteilungen in zwei Minuten zu ihm zurücksenden?«

»Indem er einen Sender in die Umlaufbahn von Jupiter bringt – einen Sender wie Monitor.«

Nigel blinzelte. »Die Russen? Aber die haben doch zugestimmt...«

»Nicht die Russen. Wir haben das über den heißen Draht überprüft. Sie sagen nein, sie haben schon seit Ewigkeiten absolut nichts mehr in diese Richtung geschossen. Unsere Nachrichtendienstleute sind sicher, daß sie die Wahrheit sagen.«

»Chinesen?«

»Die spielen noch nicht in unserer Liga.«

»Wer denn sonst?«

Lubkin zuckte die Achseln. Die traurigen, blassen Falten in seinem Gesicht sagten mehr als seine Worte. »Ich war schon am Überlegen, ob du mir nicht vielleicht helfen könntest, es herauszufinden.«

So, wie der Mann es sagte, klang es ein wenig nach Niederlage – der Tonfall fiel Nigel auf, weil er ihn noch nie zuvor gehört hatte. Normalerweise hatte Lubkin spröde, harte Züge, trat er kühl und überlegen auf. Jetzt trug sein Gesicht nicht den üblichen reservierten Ausdruck; es sah offen aus, sogar verletzbar. Nigel rätselte, warum der Mann um zwei Uhr nachts selbst hergekommen war, anstatt die Arbeit zu delegieren – um seinen Leuten zu zeigen, ohne es ihnen mit vielen Worten sagen zu müssen, daß er die Arbeit selbst erledigen konnte, daß er den festen Kontakt nicht verloren hatte, daß er die Tücken, Verschrobenheiten und Feinheiten der Maschinen kannte, die sie überwachten. Aber jetzt hatte Lubkin den Knoten nicht gelöst. Die zweite Nachtschicht war in eine graue Dämmerung weggegangen, deshalb konnte er jetzt gefahrlos um Hilfe bitten, ohne aufdringlich zu erscheinen.

Nigel lächelte schief vor sich hin. Immer rechnen, immer abwägen.

»Gut«, sagte er. »Ich werde helfen.«

2

Das Sonnensystem ist unermeßlich groß. Das Licht benötigt elf Stunden, um es zu durchqueren. Versprengte Trümmer – Gestein, Staub, verschiedenste Eisbrocken, Planeten – umkreisen den gewöhnlichen weißen Stern so, daß jedes Fragment eine Seite auf das weißglühende Zentrum richtet, von dem es Wärme empfängt, während die andere dem interstellaren Abgrund zugewandt ist.

Das Raumschiff, das sich 2011 dem System näherte, kannte nicht einmal diese einfachen Tatsachen. Da es in schwarzer Unermeßlichkeit schwamm, erkannte es nur, daß es wieder einmal auf einen Stern gewöhnlichen Typs zuflog und das vertraute Ritual wieder beginnen mußte.

Obwohl es eine lange und sorgfältige Untersuchung dieses Spiralarms durchführte, war dieser spezielle Stern nicht zufällig ausgewählt worden. Lange vorher, als es mit einem recht hohen Bruchteil der Lichtgeschwindigkeit ein wenig unterhalb der Ebene der Galaxis gekreuzt hatte, hatte es aus dem flüsternden statischen Rauschen ein kurzes Signal herausgefiltert. Die Nachricht war verschwommen und entstellt. Es gab jedoch drei bekannte Bezugspunkte, die das Raumschiff zusammensetzen konnte; und diese ähnelten einem uralten Code, den ehrfurchtsvoll zu beachten das Raumschiff gelehrt worden war. Die Maschine begann in einem großen Bogen zu wenden, der auf eine Sterngruppe deutete; die zappelige Nachricht hatte nicht lange genug gedauert, um eine exakte Ortung vornehmen zu können.

Wesentlich später, während der Annäherung, stach ein stärkerer Ausbruch von Radiostrahlung aus dem Meer der Wasserstoff-Mikrostrahlung heraus. Ein SOS-Ruf. Versagen der Lebenserhaltungssysteme. Ein Riß in der Kruste, Mißachtung der lebenswichtigen Integritätskennziffern...

Da endete es. Die Richtung, aus der das Signal kam, war deutlich erkennbar. Aber kam es aus dem System, das vor dem Raumschiff lag, oder von einer sehr viel weiter entfernten, dahinter liegenden Quelle? Unter solchen Umständen verfiel das Schiff auf sein übliches Programm.

Seine erste Aufgabe war einfach. Es hatte bereits seine Geschwindigkeit so stark verringert, daß der interstellare Staub nicht mehr mit Blasen erzeugender, zerstörerischer Schnelligkeit auf es aufprallen konnte. Das Raumschiff konnte jetzt gefahrlos die Magnetfelder abschalten, die es umhüllten, und damit beginnen, seine Sensoren auszufahren. Eine Luke öffnete sich der absoluten Kälte und spähte nach vorn. Eine Blende schob sich vor das Bild des herannahenden Sterns, damit auch kleinste Lichtpunkte in der näheren Umgebung verzeichnet werden konnten.

Das dabei benutzte Teleskop hatte einen Durchmesser von 150 Zentimetern und unterschied sich nicht wesentlich von denen, die auf der Erde verwendet wurden; einige Konstruktionsmerkmale, die von Naturgesetzen bestimmt werden, sind universal. Das Raumschiff kroch mit einer Geschwindigkeit voran, die weit unter der des Lichts lag. Unter leisem Murmeln trafen Isotope in der schmalen Säule der Ausströmungen des Schiffes aufeinander. Nach vorn ausgestreckte Finger der Magnetfelder rissen die richtigen Atome aus dem interstellaren Gas und saugten sie an. Nur dieser Vorgang, durch den im Staub ein Zylinder geformt wurde, störte die lautlosen Weiten.

Das Raumfahrzeug beobachtete geduldig. Falls irgendwelche Planeten den vor ihm liegenden Stern umkreisten, waren sie noch weit entfernt; und es war schwierig, ihre Bewegungen vor dem gesprenkelten Hintergrund unbeweglicher Sterne auszumachen. Als das Schiff auf vier Zehntel eines Lichtjahrs herangekommen war, einigten sich die aktivierten Schaltkreise und ihre beratenden Unterstützungssysteme: Ein gelbbrauner Fleck nahe dem weißen Stern war ein Planet. Höhere Funktionen der Computer spürten das prickelnde Erwachen von Aktivität und erfuhren von der Entdeckung. Eine Spezialbibliothek zur Planetentheorie wurde zu Rate gezogen. Die verschwommene, blasse Scheibe vor ihnen schimmerte, als das Schiff durch eine hauchdünne Staubwolke glitt, während die Maschine ihr Ziel einordnete und systematische und detaillierte Messungen vornahm.

Der Planet war groß. Er könnte genügend Masse besitzen, um in seinem Kern thermonukleare Brände zu zünden, doch die Erfahrung lehrte, daß sein Licht dafür zu schwach war. Die Computer überlegten, ob sie das System als Doppelstern klassifizieren sollten, und entschieden sich schließlich dagegen. Der anwachsende Lichtpunkt vor ihnen gab weiterhin Anlaß zur Hoffnung.

Der Morgen verging mit komplizierten Diskussionen.

Nigel war nicht ganz bereit, die Hypothese aufzugeben, daß Jupiter-Monitor einen technischen Fehler hatte. Die Flugingenieure – ein stahlharter Verein, der Nichtspezialisten gegenüber mißtrauisch war und das eigene Fachchinesisch schätzte – dachten anders. Sie verloren widerwillig an Boden und spielten kühle, klare Logik gegen Nigels unbestimmte Zweifel aus. Ein vollständiger Probelauf von J-Monitors Fehlerfindungs-Einrichtungen, eine neue diagnostische Analyse, eine manuelle Überprüfung der Übertragungsgeräte – all das ließ nicht erkennen, daß etwas nicht in Ordnung war. Es gab keinen mechanischen Fehler.

Das sonderbare Echo war kurz nach drei Uhr schwächer geworden und dann verstummt. Der Monitor war nicht mehr auf seiner ursprünglichen, ellipsenförmigen Umlaufbahn um Jupiter; einen Monat zuvor waren seine Antriebsmaschinen zum Leben erwacht und hatten gezündet, um ihn mit einem sanften Stoß auf eine Umlaufbahn um Kallisto, den fünften Jupitermond, zu bringen. Jetzt hatte seine Bahn die kunstvolle Form eines Orangenstückchens, und er schoß alle acht Stunden über das eisige Funkeln der Pole von Kallisto hinweg.

Nigel brach einen Keks entzwei und verspeiste ihn mit etwas lauwarmem Tee, wobei er kaum bemerkte, wie sich Süßes und Saures vermischte. Er schloß die Augen zu dem *Geklingel* und Geklapper der Telemetrie. Die Flugingenieure waren schließlich in ihren Bau zurückgegangen; und er und Lubkin saßen im Hauptkontrollraum an einem der halbkreisförmigen Tische, umgeben von zahllosen Digitalrechnern.

»Damit hätten wir also die einfachen Möglichkeiten abgehakt«, sagte Nigel. »Ich glaube, wir werfen am besten mal einen Blick auf die Umlaufbahn um Kallisto.«

»Versteh' ich nicht«, sagte Lubkin.

»Wenn das Signal von einer Quelle *außerhalb* von J-Monitor gekommen ist, dann hat etwas es unterbrochen. Das Echo muß deswegen verstummt sein, weil Kallisto zwischen die Quelle und J-Monitor gekommen ist.«

Lubkin nickte. »Das ist plausibel. Das gleiche ist mir auch eingefallen, aber...« Er schaute auf seine Uhr. »Es ist fast Mittag. Warum ist das Echo nicht heute morgen so gegen sieben zurückgekehrt, als J-Monitor hinter Kallisto *hervor*gekommen ist?«

Nigel hatte das unangenehme Gefühl, daß er Lubkin gegenüber, dem gelehrten Professor, die Rolle des dummen, frischgebackenen Universitätsabsolventen spielte. Aber schließlich war das genau der Eindruck, so wurde ihm klar, den ein geschickter Verwalter hervorzurufen versuchen würde.

»Nun... vielleicht wird die andere Quelle von Jupiter selbst verdeckt. Jetzt befindet *sie* sich im Schatten.«

Lubkin spitzte den Mund. »Vielleicht, vielleicht.«

»Können wir nicht eine Art Umlaufbahn für die Quelle entwerfen, mit der Voraussetzung, daß eine Dreiecksstellung zu Kallisto besteht?«

Lubkin nickte.

Jeden Stern umgibt eine kugelförmige Hülle von Weltraum, und irgendwo inmitten der Dichte dieser Hülle sind die Temperaturen mild. Den richtigen Ur-Stups vorausgesetzt, wird bei einer erdähnlichen Welt folglich Wasser auf der Planetenoberfläche flüssig sein.

Als es ein Drittel Lichtjahr von dem glühenden Goldstück, dem Stern, entfernt war, überprüfte das Raumschiff die Leben ermöglichende Zone und befand, daß sie gut war. Es gab keine Anzeichen für einen großen Planeten wie den gelbbraunen Gasriesen, der weiter draußen kreiste. Dies war ein entscheidender Test, denn eine große und schwere Welt nahe der Sonne hätte eine weitere stabile Umlaufbahn innerhalb der lebenspendenden Zone unmöglich gemacht. Hätte das Schiff einen solchen Planeten gefunden, wäre der Dauerbefehl – er war so alt, tief verwurzelt, verkrustet, daß er wie ein Instinkt arbeitete – zur Anwendung gekommen, durch das System zu beschleunigen, alle möglichen Daten für die astrophysikalischen Tabellen zu sammeln und einen Kurs zur nächsten in einer langen Reihe von Sonnen festzulegen, die als Kandidaten in Frage kamen.

Statt dessen verstärkte das Schiff das Dröhnen, das beim Abbremsen entstand. Es öffnete sein Teleskop immer öfter und spähte immer länger nach vorn. Ein blauweißer Klecks löste sich in einen weiteren Gasriesen auf, der kleiner als der erste war und weiter von der Sonne entfernt. Seine Abbildung ließ keine genauere Beschreibung zu. Das Raumschiff bemerkte einen verschwommenen, zierlichen Kreis bläulichen Lichtes – der Himmelskörper besaß einen Ring, eine nicht seltene Erscheinung bei schweren Planeten.

Ein weiterer großer Planet wurde entdeckt, den ein schmaler Ring umgab, dann noch einer, wobei jeder weiter von dem Stern entfernt war als der vorige. Die Maschinen begannen, die Möglichkeit von Leben in diesem System als weniger wahrscheinlich einzuschätzen. Dennoch nährten frühere Erfahrungen einen Hoffnungsschimmer. Kleine, blasse Welten könnten noch dichter bei der Sonne liegen, auch wenn das Gewicht von Theorie und Beobachtungen dies unwahrscheinlich erscheinen ließ. Durch Zufall könnte sich das Schiff einer Welt von der Nachtseite her nähern und sie völlig übersehen. Das Raumschiff wartete.

Als sie ein Sechstel Lichtjahr entfernt waren, entdeckten die Computer einen undeutlichen blauen und braunen und weißen Fleck: einen Planeten nahe der Sonne. Belohnungskreise wurden ausgelöst. Die Maschinen verspürten in ihrem Inneren eine Welle der Erleichterung und der Freude, eine überschwappende elektrische Erregung. Sie waren komplexe Apparate, Impulsnetze, die darauf programmiert waren, Erfolg haben zu wollen, und die doch gegen große Enttäuschungen abgeschirmt waren, falls sie keinen Erfolg haben sollten.

Für den Augenblick waren sie zufrieden. Das Schiff flog weiter.

Sphärische Trigonometrie, die Empfangsrichtung der Hauptantenne von J-Monitor, Kalkül, Parameter der Umlaufbahn, Schätzungen, Winkel. Überprüfung und nochmalige Überprüfung.

Langsam kam die wahrscheinlichste Antwort zum Vorschein – um 15 Uhr 30, in einer Stunde. Bis dahin müßte die Quelle ins Blickfeld der Hauptantenne von J-Monitor geraten sein. Nigel stellte sie sich als Lichtpunkt vor, der sich langsam von den heftig bewegten braunen Querstreifen der Jupiteroberfläche ablöste und über dem Horizont aufstieg. Auf seiner Ellipsenbahn würde J-Monitor die unter ihm liegenden Schneefelder von Kallisto mit der ihm eigenen mechanischen Intensität mustern; Krater, runzelige Bergketten, Spalten, glitzernde blaue Eisberge.

»Eine Stunde«, sagte Lubkin.

»Können wir die Hauptantenne denn in so kurzer Zeit neu ausrichten, ohne das normale Beobachtungsprogramm zu beeinträchtigen?« fragte Nigel.

»Wir müssen«, entgegnete Lubkin entschlossen. Er nahm den Telefonhörer und wählte die Nummer der Einsatzleitung.

»Sag ihnen auch, daß sie die Kameraplattform drehen sollen«, sagte Nigel rasch.

»Du glaubst, daß auf diese Entfernung irgend etwas zu sehen sein wird?«

Nigel zuckte die Achseln. »Möglich.«

»Die Kamera mit Teleobjektiv? Wir können nicht beide in...«

»Stimmt. Wir sollten eine Serie von Aufnahmen ausarbeiten. Die Filter benutzen, von Ultraviolett bis herunter zu Infrarot. Die Abfolge übernimmt die Automatik.«

Lubkin begann schnell und präzise ins Telefon zu sprechen; jetzt lächelte er zuversichtlich, da Befehle erteilt und Männern gesagt werden mußte, was sie zu tun hatten.

Das Schiff flog immer noch in völliger Stille dahin, weit entfernt von der Wärme des Sterns, als es begann, Radiowellen wahrzunehmen. Weitere höhere Funktionen des Raumschiffs wurden lebendig. Die schwachen Signale wurden sorgfältig untersucht. Nachdem sie das übliche Sternrauschen herausgefiltert hatten, fanden sie eine matte Emissionsspur, deren Ursprung auf den Planeten lokalisiert wurde.

Die stärkste Quelle war der innerste Gasriese. Das war ein hoffnungsvolles Zeichen, denn die Welt kreiste in relativ geringem Abstand um ihren Stern. Wenn sie lediglich eine transparente Atmosphäre hätte, wäre sie zu kalt, doch die Analyse zeigte, daß sie von großen, dichten Wolken verhüllt wurde. Das Schiff wußte, daß sich solche Planeten selbst wärmen konnten, nämlich durch Gravitationskontraktion und Wärmereflexion – den Treibhauseffekt. Leben konnte sich in ihren Himmeln und Meeren durchaus entwickeln.

Dennoch bedeuteten solche klumpigen Hüllen aus Gas und Flüssigkeit furchteinflößende Druckverhältnisse. Lebensformen auf ähnlichen Welten entwickelten nur selten Skelette und konnten deshalb auch keine Werkzeuge handhaben; im Logbuch des Schiffes waren viele Beispiele dieser Art verzeichnet. Solche Lebewesen waren in ihren tiefen Bassins voller Ammoniak und Methan gefangen; sie waren unbelastet von verwickelten Technologien und konnten sich auch nicht verständigen – und das Schiff konnte sicherlich nicht in solche Drücke hineinfliegen, um sie zu suchen.

Eine kleinere Quelle von Radiowellen lag weiter innen. Es war der dritte, blaue und weiße Planet. Die Signale webten komplexe, sich überlappende Muster, bildeten ein mattes Zucken, das von atmosphärischen Phänomenen herrühren konnte: von Gewittern, Blitzen; vielleicht war es auch die Strahlung einer Magnetosphäre. Trotzdem, die Welt wurde von einem klaren Gas umhüllt, ein hoffnungsvolles Zeichen. Das Raumschiff flog in Richtung Sonne.

Gegen 18 Uhr wurden sie entmutigt. Die Hauptantenne des Monitors war neu programmiert worden, um an der Stelle einen systematischen Suchplan ausführen zu können, wo die unbekannte Radioquelle auftauchen sollte.

Es funktionierte. Die Daten kamen herein. Alle Schritte verliefen ohne Schwierigkeiten.

Und es gab absolut keine Ergebnisse.

Der Stab der Flugingenieure lief durcheinander, schrieb Tagesberichte, wollte nach Hause gehen. Für sie war das Echoproblem eine zeitweilige Abweichung, die sich von selbst erledigte. Solange sie nicht wiederkam, kein Grund zur Aufregung.

Laut den revidierten Schätzungen hätte das Objekt um 15 Uhr 37 am Jupiterrand auftauchen müssen. Unter Berücksichtigung der Zeitverzögerung von Signalen vom Jupiter begann die Einsatzleitung kurz vor 16 Uhr 30 Daten zu empfangen. Die Suche über die Hauptantenne war binnen einer Stunde ausgeführt. Sie konnten die Kamera mit Teleobjektiv nicht benutzen – es waren nicht genügend Techniker vom Projekt Mars-Bodensonden und den planetaren Satelliten frei. Es deutete sowieso nichts darauf hin, daß dort irgend etwas war, was zu sehen sich lohnte.

»Scheint ja ein schöner Reinfall zu sein«, sagte Nigel.

»Entweder ist die ganze Idee ein Hirngespinst...«, begann Lubkin.

»Oder wir haben die Bahn falsch berechnet«, beendete Nigel den Satz. Ein Flugingenieur mit drahtlosen Kopfhörern kam den gekrümmten Gang entlang, bat Lubkin, ein Blatt auf einer Klemmplatte zu unterschreiben, und ging wieder.

Lubkin lehnte sich auf seinem Drehstuhl zurück. »Jaja, das gibt's immer wieder.«

»Wir können's morgen noch mal versuchen.«

»Klar.« Lubkins Antwort klang nicht besonders begeistert. Er stand von der Konsole auf und schritt im Gang auf und ab. Es gab nicht viel Platz; weiter hinten stieß er fast mit einem Techniker zusammen, der vor der Konsole für die Antennensysteme Ausdrucke überprüfte. Nigel beachtete die Geräuschkulisse des Kontrollraums nicht und versuchte nachzudenken. Lubkin lief noch weiter und setzte sich schließlich. Die beiden studierten ihre grünen Bildschirme, die nach hinten geneigt waren, um besser betrachtet werden zu können. Auf den Schirmen wurden fortwährend Ergebnis- und Programmdaten projiziert und wieder gelöscht. Gelegentlich überschritten die Computertabellen die eingeräumten Grenzwerte der Parameter, und der Schirm sprang von gelber Schrift auf grünem Grund zu grüner Schrift auf gelbem Grund um. Nigel hatte sich nie daran gewöhnen können; er blieb verwirrt und gereizt, bis jemand den Fehler gefunden hatte und der Schirm wieder umsprang.

Das Telefon auf der Konsole klingelte, was seine Konzentrationsfähigkeit noch weiter beeinträchtigte. »Da ist ein auswärtiger Anruf für Sie«, sagte eine unpersönliche Frauenstimme.

»Vertrösten Sie sie eine Weile, ja?«

»Ich glaube, es ist Ihre Frau.«

»Ach so. Lassen Sie sie in der Leitung.«

Er wandte sich zu Lubkin. »Ich möchte morgen gerne die Kamera freihaben.«

»Zu welchem Zweck?«

»Nenn es wilde Spekulation«, sagte er kurz. Er war ziemlich müde und wollte einer Diskussion aus dem Wege gehen.

»Okay, versuch's«, sagte Lubkin, warf seinen Stift hin und kam mühsam auf die Beine. Sein weißes Hemd war zerknittert. In der Niederlage schien er Nigel liebenswürdiger zu sein, war er weniger ein bissiger Geschäftsführer, der seine Züge genau überlegte, bevor er sie ausführte. »Bis morgen dann«, sagte Lubkin und wandte sich ab; seine Schultern waren eingefallen.

Nigel drückte hastig einen Knopf am Telefon.

»Tut mir leid, daß ich so lange gebraucht habe. Ich...«

»Nigel, ich bin bei Doktor Hufman.

»Was ist...«

»Ich, ich brauch' dich hier. Bitte.« Ihre Stimme klang dünn und seltsam fern.

»Was ist los?«

»Er will mit uns beiden sprechen.«

»Warum?«

»Ich weiß es nicht, ehrlich. Nicht ganz.«

»Wie ist die Adresse?«

Sie nannte ihm eine Nummer in der Thalia. »Ich gehe jetzt wegen einiger Labortests hinunter. Eine halbe Stunde oder so.«

Nigel dachte nach. »Ich weiß nicht, welche Buslinie dahin fährt...«

»Kannst du denn nicht...?«

»Natürlich. Natürlich. Ich werde mir einen Wagen der Versuchsanstalt geben lassen, ihnen sagen, daß ich ihn morgen dienstlich brauche.«

»Danke, Nigel. Ich, ich bin einfach...«

Er spitzte den Mund. Sie schien verstört zu sein, heftig erregt, beunruhigt; ihre professionelle Lebendigkeit schwand dahin. Normalerweise versickerte ihr Tüchtigkeit signalisierendes Auftreten nicht vor dem Abend.

»Gut«, sagte er. »Ich gehe jetzt.« Er legte den Hörer wieder auf die Gabel.

3

Eine graue Dunstschicht verschluckte alle Gebäude ab dem vierten Stock und gab der Thalia Avenue ein seltsam verstümmeltes Aussehen. Der enge Wagen mühte sich mit gelegentlichen, ungleichmäßigen *Packeta-Packetas* vorwärts, als sich Nigel aus dem Fenster lehnte, um Hausnummern zu suchen. Er hatte sich niemals an die merkwürdige amerikanische Zurückhaltung gewöhnt, was das Verraten von Adressen betraf. Gewaltige, imponierende Klötze aus Stahl und Beton standen anonym da, sie forderten den dagegen winzigen Fußgänger dazu heraus zu entdecken, was in ihnen war. Nach einigem Suchen stellte sich heraus, daß Thalia 2636 ein elegant gefurchtes, flaches Steingebäude war, der jüngste Neubau in diesem Häuserblock, der offensichtlich lange nach der Zeit des Überflusses an Baumaterial des zwanzigsten Jahrhunderts errichtet worden war.

Dr. Hufmans Wartezimmer hatte die besänftigende Vorzimmeratmosphäre, die jede Privatpraxis auszeichnet. Ein öffentliches medizinisches Zentrum hätte dagegen nur aus Fliesen, hellbraunen Trennwänden und einer anonymen Einrichtung bestanden. Als Nigel hineinging, kehrte seine Aufmerksamkeit zu Alexandrias unausgesprochener Anspannung zurück, und er sah sich im Wartezimmer in der Erwartung um, sie dort zu sehen.

»Mister Walmsley?« sagte eine Schwester aus einem Glaskasten heraus, der eine Wand des Zimmers bildete. Er ging zu dem Kasten.

»Wo ist sie?« Er sah keinen Sinn darin, Zeit zu vergeuden.

»Im Laboratorium, nebenan. Ich wollte erklären, daß ich nicht... daß wir nicht wußten, daß Miß Ascencio... äh...«

»Wo ist das Laboratorium?«

»Sehen Sie, sie gab in ihrem Fragebogen an, daß sie ledig wäre und daß ihre Schwester die Person wäre, die verständigt werden sollte. Deshalb wußten wir nicht...«

»Sie hat bei mir gewohnt. Schon gut. Wo ist...?«

»Und Doktor Hufman möchte gerne, daß beide Beteiligten anwesend sind, wenn...«

»Wenn was?«

»Nun, ich... äh... wollte mich nur entschuldigen. Wir, ich hätte Miß Ascencio ja sonst gebeten, mit Ihnen zu kommen, wenn wir...«

»Mister Walmsley. Kommen Sie doch herein.«

Dr. Hufman war ein unauffälliger Mann in einer schlechtsitzenden braunen Jacke, ohne Krawatte, mit großen, gepolsterten Schuhen. Sein schwarzes Haar lichtete sich an den Schläfen und brachte eine schneeweiße Kopfhaut zum Vorschein. Er wandte sich um und ging in sein Sprechzimmer zurück, ohne abzuwarten, um zu sehen, ob Nigel ihm folgte.

Das Sprechzimmer unterschied sich im Detail, nicht aber im großen und ganzen von jedem anderen Arztsprechzimmer, das Nigel jemals gesehen hatte. Dort gab es altmodische, richtig gebundene Bücher, einige davon in Leder oder einem überzeugenden Synthetikmaterial. Lange Reihen von medizinischen Fachzeitschriften – die meisten von ihnen überholt – paradierten auf den Regalen an einer Wand, hie und da von einem Schiffsmodell unterbrochen. Auf dem Schreibtisch und einem Beistelltisch lag eine Sammlung kleiner, dicker afrikanischer Puppen. Nigel fragte sich, ob Ärzte auf der Universität ein Seminar über Innenarchitektur besuchten, mit besonderer Berücksichtigung von die Patienten beruhigenden Nippessachen, besinnlichen Gemälden und Menschlichkeit suggerierenden Kleinigkeiten.

Er war gerade dabei, sich in den von Hufman angebotenen Sessel zu setzen, als sich eine Tür zu seiner Linken öffnete und Alexandria hereintrat. Sie zögerte, als sie Nigel sah, und schloß dann leise die Tür. Ihre Hände sahen knochig und weiß aus. In ihrem Auftreten war etwas, das Nigel noch nie zuvor gesehen hatte.

»Danke, Liebling, daß du so schnell gekommen bist.«

Nigel nickte. Sie setzte sich in einen anderen Sessel, und beide wandten sich Hufman zu, der hinter einem riesigen Mahagonischreibtisch saß und in eine Aktenmappe blickte. Er schaute auf und schien sich zu sammeln.

»Ich habe Sie gebeten herzukommen, Mister Walmsley, weil ich ziemlich schlechte Neuigkeiten für Miß Ascencio habe.« Er sprach fast beiläufig, doch Nigel spürte ein sorgfältig in die Worte gelegtes Gewicht.

»Kurz, sie hat Lupus erythematodes, eine Systemerkrankung.«

»Was ist das?« fragte Nigel.

»Tut mir leid, ich habe gedacht, Sie hätten vielleicht davon gehört.«

»Aber ich habe«, sagte Alexandria ruhig. »Es ist heute die zweithäufigste Todesursache, nicht wahr?«

Nigel sah sie fragend an. Es erschien unwahrscheinlich, daß

Alexandria so etwas wußte, wenn sie nicht – wenn sie nicht vermutet hatte, daß sie an dieser Krankheit litt.

»Ja, alle möglichen Arten von Krebs liegen immer noch an erster Stelle. Lupus hat in den letzten zwei Jahrzehnten rapide zugenommen.«

»Weil er von der Umweltverschmutzung verursacht wird«, sagte sie.

Hufman lehnte sich in seinem Sessel zurück und betrachtete sie. »Das ist eine weitverbreitete Meinung. Sie ist natürlich schwer zu beweisen, wegen der Schwierigkeiten beim Isolieren der Entstehungsfaktoren.«

»Ich glaube, ich habe davon gehört«, murmelte Nigel. »Aber...«

»Oh. Eine Erkrankung des Bindegewebes, Mister Walmsley. Sie befällt vor allem die Haut, Gelenke, Nieren, das Herz, das Fasergewebe, das die Organe im Inneren des Körpers stützt.«

»Ihre verstauchten Handgelenke...«

»Genau, ja. Wir können weitere Entzündungen erwarten, wenn auch nicht in so starkem Maße, daß sie zu Deformationen führen. Das ist jedoch nur ein Symptom, nicht die ganze Krankheit.«

»Was gehört noch dazu?«

»Wir wissen es nicht. Es ist ein innerer Prozeß. Er könnte auf die Gelenke beschränkt bleiben oder könnte sich auch auf die Organe ausbreiten. Wir haben sehr wenige diagnostische Möglichkeiten. Wir behandeln ihn einfach...«

»Wie?«

»Aspirin«, sagte Alexandria schwach mit einem matten Lächeln.

»Das ist doch absurd!« rief Nigel. »Eine solche Krankheit mit...«

»Nein, Miß Ascencio hat recht mit dem, was sie sagt. Das ist die empfohlene Behandlungsmethode in den leichteren Stadien. Doch ich fürchte, daß sie über die jetzt hinaus ist.«

»Was werden Sie ihr geben?«

»Corticosteroide Hormone. Vielleicht Chloroquine. Ich möchte betonen, daß das keine Heilmittel sind. Sie lindern nur die Symptome.«

»Was heilt sie denn?«

»Nichts.«

»Was, verdammt! Es muß doch etwas geben, das...«

»Nein, Nigel«, sagte sie. »Es muß überhaupt nichts geben.«

»Mister Walmsley, wir haben es hier mit einer potentiell tödlichen Krankheit zu tun. Einige Spezialisten schreiben die Zunahme von Lupus spezifischen Schadstoffen wie Blei oder Schwefel oder Stickstoffverbindungen in Autoabgasen zu, aber wir kennen seine Ursachen wirklich nicht. Auch keine Heilmittel.«

Nigel bemerkte, wie er sich an den Sessellehnen festklammerte. Er lehnte sich zurück und legte die Hände in den Schoß. »Und nun?«

»Miß Ascencios Zustand ist nicht kritisch. Ich muß Sie jedoch dahingehend warnen, daß das subakute oder chronische Stadium dieser Krankheit in dem Maße kürzer und kürzer geworden ist, wie ihre Häufigkeit in der Bevölkerung zugenommen hat. Es gibt auch Fälle, in denen die Krankheit andauert, aber nicht zum Tode führt.«

»Und?« sagte sie.

»Andere Fälle kommen manchmal binnen eines Jahres zum Abschluß. Aber das ist *kein* Mittelwert. Der Verlauf der Krankheit ist völlig unvorhersehbar.« Er beugte sich ernst nach vorn, um diesen entscheidenden Punkt zu betonen.

»Einfach die Medikamente zu nehmen und abzuwarten, raten Sie dazu?« fragte Alexandria.

»Wir werden die weitere Entwicklung genau verfolgen«, sagte Hufman mit einem Seitenblick auf Nigel. »Das versichere ich Ihnen. Jedes heftigere Aufflackern der Krankheit können wir wahrscheinlich mit stärkeren Mitteln kontrollieren.«

»Was bringt denn dann die Leute um?« fragte sie.

»Die Ausbreitung in den Organen. Oder schlimmer noch, die Unterbrechung des Bindegewebes im Nervensystem.«

»Wenn das passiert...«, begann Nigel.

»Oftmals wissen wir es nicht sofort. Gelegentlich kommt es früh zu Krämpfen. Manchmal entwickelt sich eine Psychose, aber das ist selten. Das klinische Spektrum dieser Krankheit ist breit.«

Nigel saß da und lauschte mit zusammengepreßten Lippen, als der Mann fortfuhr; Alexandria hörte mit ordentlich gefalteten Händen zu. Die Stimme des Mannes brummte in der milden Luft monoton voller Fakten und Theorien; sein großer Zeigefinger pochte gelegentlich auf Alexandrias Akte, um eine Bemerkung zu unterstreichen; seine Sätze marschierten auf, um neue Aspekte von Lupus erythematodes des Körpersystems zu enthüllen, immer neue Latinismen, die einem im Halse stecken blieben; die Worte liefen wie ein Rudel gelehrter Wölfe zusammen, um gierig einen neuen Schnipsel Kausalprinzip, Diagnose, Remission, Exacerbation zu verschlingen. Nigel schluckte alles, er war wie betäubt, fühlte ein schwaches Beben in seiner Brust, das er nicht benennen konnte.

Während der Fahrt nach Hause konzentrierte er sich. Der Verkehr war seit der Abdankung des privaten Automobils immer schwach, und die breiten Avenues von Pasadena erschienen als unendliche Ebenen, auf der sie mit Newtonscher Geschicklichkeit dahinglitten. Er spielte das Spiel aus seiner Jugend, als jedermann fuhr, aber das Benzin furchtbar knapp war. Er beobachtete, wie die Ampeln von Rot auf Gelb umsprangen, und bemaß sein Heranfahren, damit er den Weg der geringsten Energie fand. Am besten glitt man das letzte Drittel eines Häuserblocks entlang und ließ sich durch die Straßenreibung und den sanft vorbeirauschenden Wind so lange abbremsen, bis das Gelb zu Grün wechselte. Falls sein Timing nicht stimmte, schaltete er in den dritten, dann in den zweiten Gang zurück, um die kinetische Energie zu speichern, die er sich als kostbare Flüssigkeit vorstellte, die im Wagen umherfloß und irgendwo zwischen Motor und Achse vorübergehend in Flaschen gegossen wurde. Wenn er abbog, wartete er immer bis zum letzten Moment, ehe er zurückschaltete, weil er hoffte, so die Grünphase verlängern zu können; dann warf er den Schaltknüppel nach vorn, während sein Fuß das Kupplungspedal fast bis zum Bodenblech durchtrat, brachte den aufgedunsenen Wagen brummend auf höchste Drehzahlen, wobei die Reifen durch den Energieverbrauch leicht quietschten. Sie bogen in einen neuen geradlinigen Weg ein und wurden auf dem Straßennetz von Pasadena in Richtung der Berge geleitet. So spielte er wieder das Spiel aus seiner Jugend, und Falten durchzogen sein Gesicht.

»Du kannst es nicht akzeptieren, nicht wahr, Nigel?« sagte sie in die lange Stille hinein.

»Was?«

Sie beugte sich hinüber und streichelte seinen Unterarm, dabei richtete sich das blonde Haar auf. Ihre ureigenste Geste; keine andere Frau hatte ihn jemals auf diese Weise berührt. »Entspanne dich«, sagte sie.

Er ließ die Stille zwischen ihnen anwachsen, während sie an mehreren Häuserblocks vorbeifuhren, die ein einheitlich stumpfsinniges Sammelsurium von Leuchtreklamen zierte; die Schnellrestaurants wurden in mattes gelbes Licht getaucht.

»Ich versuch's. Aber manchmal... ich versuch's.«

Vor ihnen flammte etwas auf. Als sie näher kamen, konnten sie ein großes Freudenfeuer auf einem verfallenen Grundstück erkennen; Flammen leckten an der Halbkugel des sich verdunkelnden Himmels. Vor dem gelben Flackern bewegten sich Gestalten.

»Neue Jünger«, meinte er.

»Langsam«, sagte sie. Er hob den Fuß, und sie beobachtete das Feuer.

»Warum ist es rund?« murmelte sie.

»Es ist ein Ringfeuer. Eines ihrer Symbole.«

»Das verborgene Zentrum. Göttlichkeit in jedem Menschen.«

»Vermutlich.«

Mehrere Gestalten wandten sich von den tanzenden Flammen ab und winkten dem Wagen zu; sie sollten kommen.

»Sie schichten ihre Holzreste zu einem Kreis auf, die Mitte bleibt leer. Ein Paar bleibt dort, wenn sie das Holz anzünden. Solange das Feuer brennt, sind sie frei. Nichts kann sie erreichen. Sie können tanzen oder...«

»Woher weißt du das alles?« sagte er.

»Irgend jemand hat es mir erzählt.«

Eine hochgewachsene Frau löste sich aus der Reihe der winkenden Gestalten und bewegte sich auf die Straße, auf ihren Wagen zu. Sie war der Mittelpunkt mannigfaltiger, sich verändernder Schatten.

Nigel legte den ersten Gang ein, und sie brausten in die düstere, trockene Nacht hinein.

»Freiheit im Zentrum«, murmelte er. »Freibrief zum Vögeln in der Öffentlichkeit, möchte ich wetten.«

»So etwas Ähnliches habe ich gehört«, sagte sie sanft.

Als sie in die Wohnung kamen, lag Shirley auf der Couch und las. »Ihr seid spät dran«, sagte sie schläfrig.

Nigel erklärte ihr die Geschichte mit dem Wagen, die Geschichte mit Dr. Hufman; und dann kam alles auf einmal heraus. Alexandria und Nigel wechselten sich beim Erzählen ab. Lupus. Entzündete Handgelenke. Bindegewebe. Chloroquine. Anschwellende Gelenke.

Shirley stand wortlos auf und umarmte sie beide. Nigel sprudelte noch eine Weile weiter, füllte das Zimmer mit einem emsigen, angenehmen Geräusch. Zwischen seine verbalen Pfeile schob Alexandria eine Bemerkung über das Abendessen, und ihrer aller Aufmerksamkeit wurde auf die praktischen Fragen abgelenkt, die das

Essen betrafen. Nigel erbot sich, einen einfachen Gemüseeintopf zu bereiten. Eine gründliche Suche im Kühlschrank offenbarte, daß kein bißchen Fleisch im Hause war. Alexandria wollte freiwillig die zwei Straßenzüge zu einem Lebensmittelhändler gehen und verschwand, ohne sich auf eine Diskussion einzulassen. Nigel war am Hackblock mit einer Unmenge Sellerie und Zwiebeln beschäftigt, als sich die Tür hinter ihr schloß, und Shirley wusch Spinat, wobei sie gleichzeitig die Stengel abbrach.

Auf einmal senkte sich Stille über sie.

»Es ist ernst, nicht wahr?« sagte sie. Er schaute auf. Shirleys dunkle Augenbrauen wurden so nach unten gepreßt, daß sie lange Leisten unterhalb ihres hochaufgetürmten schwarzen Haares bildeten.

»Ich glaube schon.« Er hackte wieder weiter. Dann, plötzlich: »Scheiße! Ich wünschte, ich wüßte es; wüßte wirklich, was los ist.«

»Hufmans Ausführungen hören sich nicht besonders mitfühlend an.«

»Er ist es auch nicht. Ich glaube nicht, daß er das gewollt hat. Er hat uns bloß mit dieser ausdruckslosen Stimme die verdammten Tatsachen erzählt.«

»Man braucht eine Weile«, sagte sie sanft, »um mit Tatsachen klarzukommen.«

Er klopfte mit dem Hackmesser auf das Brett und verstreute Zwiebelschalen. »Stimmt.«

»Was meinst du, was wir tun sollten?«

»Tun?« Er hielt verblüfft inne. »Abwarten. Weitermachen, nehme ich an.«

Shirley nickte. Sie krempelte die Ärmel ihres schimmernden, blauen Kleides bis zu den Ellbogen auf. Sie reichte ihm den Spinat in schnittfertigen Bündeln. »Ich glaube, ihr solltet verreisen«, sagte sie.

»Wie bitte? Wozu denn?«

»Um sie abzulenken. Und dich auch.«

»Glaubst du nicht, daß ihr normaler Trott eher das Richtige wäre?«

»Das ist genau der springende Punkt«, sagte Shirley schroff. »Ihr zwei hängt hier fest, weil du deine Arbeit bei der JPL nicht verlassen willst...«

»Und sie will es auch nicht«, meinte er gelassen. »Sie hat einen Beruf.«

»Verflucht!« Sie warf ein Bündel Spinat auf den Tisch. »Sie kann in einem Jahr tot sein! Glaubst du denn nicht, daß sie das begriffen hat? Auch wenn du's nicht hast?«

»Ich habe es begriffen«, sagte er steif.

»Dann benimm dich auch entsprechend!«

»*Wie denn?*«

Shirleys Stimmung wechselte abrupt. »Wenn du beweglicher wirst, Nigel, wird sie es auch. Du wirst so sehr von dieser verdammten Versuchsanstalt, diesen Raketen in Anspruch genommen, daß du das nicht erkennen kannst.« Ihre Lippen teilten sich leicht, wurden ein winziges bißchen aufgeworfen. »Ich liebe euch beide, aber ihr seid so scheißblind.«

Nigel legte das Hackmesser beiseite. Ihm fiel auf, daß er in kurzen, heftigen Zügen atmete, und fragte sich, warum. »Ich... ich kann nicht einfach alles über den Haufen werfen...«

Shirleys Augen wurden feucht, und ihr Gesicht schien sich nach unten zu neigen. »Nigel... du glaubst, daß diese ganze Weltraumforschung furchtbar wichtig ist, ich *weiß* das. Bis jetzt habe ich nie etwas gesagt. Aber jetzt kann deine Besessenheit Alexandria auf eine Weise schrecklich verletzen, die du vielleicht niemals auch nur *bemerkst*.«

Er schüttelte stumm den Kopf, mit halb geschlossenen Augen.

»Wenn die Arbeit wirklich so ungeheuer wichtig wäre, würde ich ja nichts sagen. Aber sie ist es nicht. Die wahren Probleme sind hier auf der Erde...«

»Kompletter Unsinn.«

»Doch, *wirklich*. Du schuftest da bei dieser Arbeit, nach allem, was sie mit dir gemacht haben, und benimmst dich, als ob es um etwas Lebenswichtiges ginge.«

»Besser das, als jeden Tag Almosen verteilen.«

»Glaubst du denn, daß ich *das* mache?« sagte sie mit einer Stimme, die zwischen Bitterkeit und echter Neugier schwankte.

»Na ja...«

»Keinen unwichtigen Kleinkram machen. Ist es das etwa?«

»Nicht ganz. Ich *weiß* einfach, daß das nichts für mich ist.«

»Mit deiner Intelligenz, Nigel, könntest du einen wichtigen Beitrag leisten bei der Bewältigung von...«

»...menschlichen Problemen, wie du sie nennst. Sie sind selten allein durch Intelligenz lösbar. Man braucht Geduld, Mitgefühl, all so was. Du hast recht. Ich nicht.«

»Ich glaube, du bist sehr mitfühlend. Unter dieser Oberfläche, meine ich.«

»Hör bloß damit auf!« sagte er verkniffen.

»Nein. Wirklich. Ich, ich weiß, daß du es in irgendeiner Weise bist, sonst wäre das mit dir und mir und Alexandria nicht möglich, es könnte nicht funktionieren.«

»Funktioniert es denn?«

»Ich glaube schon«, sagte sie fast flüsternd.

»Tut mir leid. Ich hab' das nicht so gemeint. Ist mir nur so rausgerutscht.«

»Wir brauchen Leute bei dem Projekt in Alta Dena, in Farensca. Es ist nicht leicht, einen Gemeinschaftsgeist zu schaffen, nach all dem, was passiert ist. Diese Soziometriker...«

»Haben keinen Schimmer, wie es funktionieren soll, ich weiß. Gut zur Diagnose und zu herzlich wenig sonst.«

»Ja.« Ihr zart geschnittenes Gesicht nahm einen traurigen, nach innen gekehrten Ausdruck an.

»Ich glaube, du solltest heute nacht hierbleiben.«

»Ja, natürlich.«

Dann schnappte die Wohnungstür auf, Alexandria kam mit mageren Lendensteaks zurück. Das bloße Vorhandensein von soviel Fleisch besagte, daß es sich um eine festliche Gelegenheit handelte, und Nigel hackte weiter, schweigend, überlegte sich ausführlich, ob man vor dem Kochen eine Flasche Rotwein öffnen sollte. Ohne Zeit dafür zu haben, die Bedeutung dessen begreifen zu können, was Shirley gesagt hatte, versank er in der einlullenden Kleinarbeit und dem Zeremoniell des Abends.

Jedesmal wenn er mit Shirley beisammen war, entdeckte er eine neue Tiefe, eine unerforschte Würze, eine neue, große Wandlung. Die Offenbarung kam immer an der Stelle, an der alle ihre Körperteile zusammenfanden; sein Kopf lag zwischen ihre Schenkel gebettet, der salzige Duft durchzog seine Nasenflügel. Alexandrias Gegenwart war ein warmes O, das über ihn glitt. Er war ein gebogenes Segment ihres Ringes. Seine Hände streckten sich dahin aus, wo sich Shirley und Alexandria berührten, sich Shirleys schwarzes Haar mit Alexandrias brauner Scham vermischte. Seine Hände versuchten erfolglos, eine Kreissehne zu bilden, zu kurz; er wandte seine Hände um und befühlte Shirleys aufgerichtete Brustwarzen. Seine Zunge arbeitete. Shirley war unter seinen massierenden Händen feucht und kühl. Das Gleichgewicht zwischen den dreien veränderte sich und löste sich auf: Alexandrias Zunge erregte ihn zu neuer Leidenschaft; Shirley zog Alexandrias Brüste zu sich herunter, umfaßte sie und rollte die hochgereckten Brustwarzen wie Murmeln zwischen ihren langen Fingernägeln. Er wußte, hier waren sie am besten. Hier sprach der Mechanismus ihrer Körper aus, was Worte nicht sagen konnten oder wollten. Er spürte Shirleys nervöse Anspannung in ihrer Hüfte, die vor verborgener Energie zitterte. Er sank in Alexandrias behütete Ruhe, ihr Mund war flüssig und unmöglich tief. Er fühlte, wie sich seine eigene komplizierte Verwirrung in einer starken Zuckung ausdrückte, die gegen ihre glatte Kehle hämmerte. Ja, hier war ihr Mittelpunkt. Indem sie sich liebten, bewegten sie jeder des anderen Körper, schichteten sie auf wie Sandsäcke zum Schutz vor den Alexandria bedrohenden Fluten, die deshalb jetzt alle drei umschlossen. Shirley bewegte sich. Ihre Beine gaben ihn frei, und ihre Hand streichelte den Rücken seines Halses, wo zwei starre Muskelbänder ein Tal begrenzten. Sie lächelte in dem dämmerigen Licht. Ihre Körper bewegten sich nach den Gesetzen einer neuen Geometrie.

4

Da es ein sehr ungewöhnliches Vergnügen war, ein Auto zur Verfügung zu haben, brachte Nigel Alexandria am nächsten Morgen zur Arbeit. Shirley hatte das Angebot abgelehnt, sie in Alta Dena abzusetzen: Es wäre zu aufwendig, und außerdem hatte sie ihr Motorrad dabei. Leichtfüßig ging sie die Straße einen Häuserblock weit hinunter; startete den Motor, nachdem er anfänglich geröchelt hatte, fuhr um eine Ecke und war verschwunden.

Alexandria war stark mit den Brasilianern beschäftigt; sie bereitete sich auf den zweiten Tag der Verhandlungen vor. Die Vertrauensleute der Angestellten waren sich über die Bedingungen uneinig, die *American Airlines* stellen sollte; sie befürchteten, daß die Kontrolle außer Landes und in Hände geraten würde, die sie nicht verstünden. Alexandrias Aufgabe war es, die Angestellten zu beschwichtigen, ohne den Verlauf der Verhandlungen zu gefährden. Sie wußte immer noch nicht, ob sie mit dem Geschäft einverstanden war oder nicht.

Nigel ließ sich Zeit, als er die sanft ansteigenden Hügel hinauf-

fuhr. Er wählte eine Route, auf der lange Reihen von Eukalyptus-
bäumen Schatten spendeten, und kurbelte das Fenster herunter, um
den frischen, minzartigen Duft einzuatmen. Zu seiner Überraschung entdeckte er immer wieder, daß sich das Thema Alexandria
und Lupus nicht ungebeten in seine Gedanken drängte. Irgendwie
hatte die Nacht es von ihm weggespült, für den Augenblick jedenfalls.

Diese Gegend war ihm unbekannt; er fuhr an mehreren Häuserblocks voller ausgebrannter Ruinen vorbei. Nur die geschwärzten
Ecken der Gebäude waren geblieben; gezackte Spitzen, die aus einem Meer von üppig wucherndem Unkraut aufragten. Er fuhr
langsamer, um sie zu betrachten; um entscheiden zu können, ob sie
Überreste des Erdbebens waren oder die Folge von einem der ›Vor-
fälle‹, die während der letzten zwei Jahrzehnte immer wieder getobt
hatten. Das Erdbeben war es gewesen, vermutete er; es gab keine
sichtbaren gähnenden Krater, und die zerbröckelnden Mauern waren nicht von den Pockennarben großkalibriger Einschläge gezeichnet.

Zu der Zeit, als das Raumschiff in das System eindrang, kannte es
die Planetenpopulation. Von den neun Planeten waren vier vielver-
sprechend. Bis auf den innersten waren nun alle als Scheibe sichtbar. Nahe dem Stern gab es eine vollkommen wolkenverhangene
Welt. Der nächstäußere Planet war der kleinere Aussender von Radiowellen; er zeigte scharfe Sauerstofflinien, und ein gelegentliches
blaues Glitzern ließ auf Meere schließen. Als nächstes folgte eine
kleinere, trockene und kalte Welt, die seltsame Markierungen
trug.

Aber im Moment konzentrierte sich die Aufmerksamkeit des
Raumschiffes auf die vierte Möglichkeit, den gestreiften Riesen.
Seine Radioemission war breit, deckte einen Großteil des Spektrums ab, als ob es sich um eine natürliche Quelle handelte. Aber
sie schien auf ein Amplitudenmuster eingestellt zu sein, das sich in
nahezu identischer Form wiederholte, und zwar in konstanten Zeit-
abständen.

Die rötlich-braune Welt schien als Sitz einer technischen Zivilisation denkbar ungeeignet zu sein. Hier kamen jedoch andere
Überlegungen ins Spiel: Zeit und Energie. Der Antrieb des Raumschiffes arbeitete bei diesen niedrigen Geschwindigkeiten ineffek-
tiv. Trotzdem mußte es den Schub verändern und seine Flugbahn

zur Ebene der Ekliptik hin abflachen. Durch einen Vorbeiflug an dem großen Planeten könnte man Maschinenverschleiß, Energie und Zeit sparen. Wenn das Schiff in einer Schleife durch das Gravitationsfeld flöge und dabei durch die Anziehungskraft beschleunigt würde, könnte es gleichzeitig eine detaillierte Untersuchung durchführen, während es auf einem wünschenswerteren Kurs auf den Weg zur Sonne gebracht würde.

Seine höheren Funktionen diskutierten.

Mit einem sanften Rumpeln änderte es die Klangfarbe seines Antriebs. Gasriese oder nicht, das Radiomuster konnte nicht ignoriert werden. Das Schiff schwebte in einem eleganten Bogen auf die wartende Welt zu.

»Die hintere Kamera hat es erwischt«, sagte Nigel.

»Was? Hast du den Fehler gefunden?« Lubkin stand überraschend behende auf und ging um seinen Schreibtisch herum.

»Keine Fehlfunktion. Diese Echos waren real, die Techniker haben sie richtig aufgefangen. Wir haben einen Schnark.«

Nigel warf ein Bündel Datenbögen auf den Tisch. Sie leuchteten sogar im gedämpften Bürolicht, gelbe Schnörkel auf grünen Ausdrucken.

»Schnark?«

»Englisches Fabeltier.«

»Da draußen ist wirklich etwas?«

»Dies hier sind optische und spektroskopische Analysen. Telemetrische Fehler sind bereits korrigiert und zahlenmäßig ausgeglichen.« Er zog einen Bogen aus dem Stapel und deutete auf mehrere Linien.

»Was ist das?«

»Unser Schnark hat die gleichen Spektrallinien wie ein ganz schön heißer atomarer Brand. Fast eine Milliarde Grad.«

»Also *wirklich*.« Lubkin blinzelte skeptisch hinter seiner hellen Brille hervor.

»Ich hab's mit Knapp überprüft.«

»Verdammt«, sagte Lubkin. Er schüttelte den Kopf. »Seltsam.«

»J-Monitor hat ihn einen Augenblick lang deutlich gesehen, bevor Kallisto wieder dazwischenkam. War nicht zu vermeiden, auch nicht mit der neuen Umlaufbahn, in die wir ihn geschickt haben.«

Er ließ eine glänzende optische Fotografie aus dem Stapel rutschen.

»Nicht viel zu sehen«, sagte Lubkin.

Nahe einer Ecke war ein winziger orangefarbener Klecks auf einem vollkommen schwarzen Hintergrund. Lubkin schüttelte wieder den Kopf. »Und das ist mit *Teleobjektiv* durch das Teleskop gemacht worden? Muß ganz schön weit weg sein.«

»Ist es auch gewesen. Fast genau auf der entgegengesetzten Seite der Umlaufbahn um Kallisto. Ich glaube nicht, daß wir ihn beim nächsten Umlauf wieder sichten können.«

»Irgendein Funkkontakt?«

»Keiner. Keine Zeit. Ich hab's heute morgen gleich probiert, nachdem ich hergekommen war und etwas bemerkt hatte – wußte nicht sofort, was es war –, konnte es nicht gut genug erwischen, mit diesem Foto. Der dünne Radiostrahl, den Monitors Hauptantenne aussendet, muß besser eingestellt werden.«

»Versuch's noch mal.«

»Hab' ich. Kallisto ist dazwischengekommen, dann Jupiter selbst.«

»Scheiße.«

Beide Männer standen da, die Hände an den Hüften, und starrten auf die Datenbögen. Ihre Augen forschten durch die matten Muster, beachteten Details; keiner von beiden bewegte sich.

»Das werden ganz schön große Neuigkeiten, Nigel.«

»Das will ich meinen.«

»Ich glaube, wir sollten es noch eine Weile für uns behalten, bis ich eine Gelegenheit finde, mit dem Direktor zu reden.«

»Hmmm. Vermutlich.«

Lubkin schaute ihn unverwandt an.

»Es gibt nicht viel Zweifel daran, was dieses Ding ist.«

»Keins von unseren«, sagte Nigel. »Das ist sonnenklar.«

»Ist ja irgendwie komisch, daß du es entdeckt hast. Du und McCauley, ihr seid die einzigen Menschen, die jemals etwas Außerirdisches gesehen haben.«

Nigel sah überrascht zu Lubkin auf. »Deshalb bin ich doch bei dem Programm geblieben. Ich dachte, du wüßtest das. Ich wollte da sein, wo es passierte.«

»Du hast vermutet, daß etwas passieren würde?« Lubkin schien wirklich verblüfft zu sein.

»Nein. Es war ein Glücksspiel.«

»Du weißt doch, daß einige Leute wegen der Ikarus-Geschichte immer noch ganz schön wütend sind.«

»Das habe ich gehört.«

»Sie sehen es vielleicht nicht gerne, daß du jetzt...«

»Die können mich mal sonstwo lecken.« Nigels Gesichtszüge wurden starr. Er hatte Lubkins Fragen zu Ikarus schon vor Jahren beantwortet und sah keinen Grund dafür, die Vergangenheit jetzt wieder lebendig werden zu lassen.

»Na ja, ich wollte nur... ich werde mit dem Direktor reden...«

»Ich hab's entdeckt. Ich will mitentscheiden, was gemacht wird. *Merk dir das!*« sagte er wütend.

»Das Militär wird sich an das letzte Mal erinnern.« Als beschwichtigende Geste spreizte Lubkin die Finger und wandte Nigel die Handteller zu.

»Und?«

»Ikarus war gefährlich. Vielleicht ist es dieses Ding auch.« Nigel blickte finster. *Politik. Kommissionen. Lieber Gott!*

»Das kannst du dir alles abschminken«, sagte er. »Sollten wir nicht am besten erst mal rausbekommen, wo es hinfliegt? Ehe wir uns darüber zerfleischen, was zu tun ist, wenn es hierherkommt?«

Der Gasriese war eine Enttäuschung gewesen. Die nichtzufälligen Radioemissionen waren natürlichen Ursprungs, folgten dem Rhythmus des Umlaufs seines rötlichen inneren Mondes. Das Raumschiff analysierte systematisch die größeren Monde und fand nur Eisflächen und graues Gestein.

Als es an dem Riesenplaneten in einer kunstvollen Parabel vorbeitrieb, beschloß es, sich auf die Wasserwelt zu konzentrieren. Die von dort kommenden Signale waren eindeutig künstlich. Aber während es dies tat, beanspruchte ein kurzer Ausbruch von Radiostrahlung seine Aufmerksamkeit. Die Signale wiesen starke Korrelationen auf, doch nicht genug, um einen natürlichen Ursprung auszuschließen; in der Natur gab es viele wohlgeordnete Erscheinungen. Unglaublicherweise war die Quelle ganz in der Nähe.

Gemäß dem Dauerbefehl sandte das Schiff das gleiche elektromagnetische Signal wieder in Richtung der Quelle zurück. Dies geschah mehrere Male in recht rascher Folge, aber es gab kein Zeichen von der Quelle, daß die Sendung des Schiffes empfangen worden war. Dann hörte das Signal abrupt auf. Nichts stach aus dem statischen Rauschen hervor.

Das Schiff überlegte. Das Signal könnte durchaus eine natürliche Ursache gehabt haben, besonders die starken Magnetfelder, die den

Gasriesen umgaben, kamen hierfür in Frage. Ohne weitere Nachforschungen gab es keine Möglichkeit, das zu entscheiden.

Die Quelle schien der fünfte Mond zu sein, eine kalte und öde Welt. Das Schiff stellte fest, daß dieser Mond so an den Gasriesen gekoppelt war, ihm immer die gleiche Seite zuwandte. Seine Umdrehung in bezug auf das Schiff war deshalb recht langsam. Daher erschien es unwahrscheinlich, daß die Quelle der Strahlung so schnell hinter dem sichtbaren Rand verschwunden sein sollte.

Außerdem war die Stärke des Signals gering, aber es war auch nicht so schwach, daß das Schiff es vorher nicht entdeckt haben konnte. Vielleicht war es ein weiteres Strahlungsmuster der Elektronengürtel, die den Planeten umgaben, und wurde durch den fünften Mond ausgelöst, anstatt durch den ersten.

Das Schiff dachte nach und entschied sich. Die Hypothese über den natürlichen Ursprung schien wesentlich wahrscheinlicher zu sein. Es würde Brennstoff und Zeit kosten, dies weiter nachzuprüfen, und die Region nahe dem Gasgiganten war gefährlich. Daher war es klüger, weiter zu beschleunigen.

Es bewegte sich auf die Sonne zu, auf die wärmende Glut.

Nigel arbeitete noch lange an einem Such- und Beobachtungsprogramm, mit dem die Spur des Schnark entdeckt werden sollte. Er hatte nicht viel Hoffnung, daß es funktionieren würde, weil Jupiter-Monitor nicht für diese Aufgabe ausgerüstet war und die Fluggeschwindigkeit des Schnarks ihn bald außer Reichweite bringen würde. Aber seine Schritte waren beschwingt, als er die Versuchsanstalt verließ, und er summte in den verdunkelten Korridoren ein altes Lied. Als Junge hatte er sich die alten Filmkassetten angesehen und den Ehrgeiz gehabt, John Lennon zu werden, herumzustolzieren und zu singen und herumzualbern und unsterblich zu werden, sich mit seinen Liedtexten einen Platz in der Geschichte zu sichern. Es war schon Jahre her, daß er sich das letzte Mal an diese fixe Idee erinnert hatte. Diese Phase dauerte ungefähr ein Jahr: Er trug Dokumente und Bilder zusammen, lieh sich wochenweise eine Gitarre aus, beschäftigte sich gründlich mit einem oder zwei Liedern, posierte im Profil für den Spiegel (mit blau ausgeleuchtetem Hintergrund, einer Mütze als besonderer Attraktion und füllig gefröntem Haar), lernte den noch überraschend aktuellen Slang. Der Traum verblaßte und verschwand, als er erfuhr, daß er nicht singen konnte.

Nahe dem Eingang tanzte er ein wenig Twostep, pfiff, hüpfte, trällerte und stieß dann die Tür auf und ging hinaus in die matter werdende Frühlingssonne.

Die Wache am Tor hielt ihn an. Sie betrachtete das Foto auf seinem Dienstausweis und dann wieder sein Gesicht.

»Können Sie dieses verfallene Gesicht nicht mit dem engelhaften Foto zusammenbringen?«

»Oh, Entschuldigung. Ich wußte, daß Sie hier arbeiten, Sir, und ich bin neu, ich hatte Sie noch nicht gesehen. Ich habe Sie im Drei-D gesehen, als ich noch ein kleines Mädchen war.« Sie lächelte ihn liebenswürdig an, und plötzlich fühlte er sich erheblich älter.

Er lief in Richtung Bus, hielt ihn an und winkte der Wache zu, als er sich hineinschwang.

Berühmtheit. Er wußte, daß ihn Lubkin darum beneidete, und allein diese Tatsache reichte aus, um ihn gleichzeitig weinen und lachen zu machen. Zum Teufel, wenn er das Rampenlicht gewollt hätte, wäre er bei dem für die Öffentlichkeit am deutlichsten sichtbaren Teil des Programms geblieben, den Zylinderstädten, die gerade bei den Lagrange-Punkten gebaut wurden. Erschaffet eine Welt, neu und rein. (*Cylcits** nannte sie das 3D, eine typisch amerikanische Perversion der zugegebenermaßen hurenhaften Sprache – das war schon fast so schlimm wie das Wort *skyscraper*, Wolkenkratzer, aus dem letzten Jahrhundert.)

Nein. Er hatte Glück gehabt, sogar fürchterlich viel Glück, daß er diese Stelle bekommen hatte.

Als sie ihn und Len aus der Sardinenbüchse *Dragon* herausholten und sich dann auf Zehenspitzen von der juristischen Rauferei wegschlichen, hatte Nigel eine Menge gelernt. Die Angriffe der *New York Times* waren Mückenstiche verglichen mit dem, was sie bei der NASA erwartete. Und doch bereiteten ihn die Erfahrungen mit der Öffentlichkeit auf den internen Nahkampf vor. Parsons, der zu jener Zeit Chef der NASA war, hatte Nigel im wahrsten Sinne des Wortes als Jungen losgeschickt, als flinken und ernsthaften Burschen, der fähig war, nach Belieben durch Selbsthypnose seine Atemfrequenz zu senken und seinen Stoffwechsel zu verlangsamen. Das Aufsehen, das die Ikarus-Geschichte erregte, machte ihn zum Mann, gab ihm Zeit, die Galle zu neutralisieren, die sich in ihm ansammelte, so daß ihm etwas von seinem Humor blieb.

---

* Cylcits = Cylinder Cities

Zugegebenermaßen war er kein zweiter Lindbergh. Doch er brachte sein Äußeres auf Hochglanz und ging dann, als die Nacht der langen Messer innerhalb der NASA ihre Schatten vorauswarf, mit den Tatsachen an die Öffentlichkeit. Er legte eine Falle in Form eines zurückblickenden Interviews im 3D, hielt zur rechten Zeit einige Reden, fletschte die Zähne. Als er nach der Rolle von Honig-kuchenpferd-Dave bei der Mission befragt wurde, erfand er einen Limerick über ihn, den zwar die NBC aus ihrer Abendsendung her-ausschnitt, CBS jedoch sendete.

Die Dinge entwickelten sich. Er trat in einer leicht intellektuell angehauchten Talkshow auf und ließ eine mehr als nur beiläufige Kenntnis der Werke von Louis Armstrong und der Jefferson Air-plane erkennen, die beide gerade wieder in Mode kamen. Er wurde während eines langen Marsches durch die Wüste des Elends der Sierras interviewt, wobei er einen Trainingsanzug trug und über Meditation und die Achtung geschlossener Lebenssysteme (wie der Erde) sprach. Kein umwerfendes Material, nein. Doch es stellte sich heraus, daß die leitenden Angestellten der 3D-Gesellschaften ein sonderbarer Schlag waren; sie hielten alles für Champagner, was sie in der Nase kitzelte.

Er hatte unverschämt viel Glück. Immer wieder brodelte etwas aus seinem Unterbewußtsein hervor, und er faßte es in ein oder zwei Sätze, und plötzlich war Parsons oder Honigkuchen-Dave in Schwierigkeiten. Er landete Volltreffer bei ihrer Doppelzüngigkeit während der Ikarus-Ereignisse, bei der Mittelkürzung beim Pro-gramm der Zylinder-Städte (das war wirklich selten dämlich; die erste Stadt brachte bereits gänzlich neuartige, unter Bedingungen der Schwerelosigkeit und niedrigster Temperatur arbeitende In-dustriezweige hervor, die die amerikanische Wirtschaft retten könnten).

Und die gütige Zeit, sie eilte dahin, und da sie erfüllet ward, war Parsons nicht mehr Direktor der NASA.

Honigkuchen-Dave werkelte irgendwo in Nevada vor sich hin, sein Grinsen kam allmählich zu Schaden.

Ein Nachrichtenkommentator sagte, daß Nigel die Gabe hätte, die rechte Wahrheit zur rechten Zeit zu sagen – recht für Nigel –, und es kam um so überraschender, daß ihn dieses Talent völlig ver-ließ, nachdem Parsons zurückgetreten war. Einige leitende Ange-stellte der NASA drängten ihn, nicht aufzugeben, noch ein paar tumbe Fossilien über den Haufen zu rennen. Aber sie taten es in abgelegenen Winkeln bei Cocktailpartys, murmelten etwas über sein taktisches Geschick in ihre Leitungswasser-Bourbon-Mischungen. Er ließ sie mit einem Achselzucken stehen und wußte, daß ihre barbarische Bewunderung unangebracht war. Er hatte Parsons und Dave aus reiner persönlicher Abneigung zur Strecke gebracht, Prinzipien hatten dabei nicht die geringste Rolle gespielt, und sein Unterbewußtsein wußte das.

Sobald die entsprechenden Reize verschwunden waren, versank der durchtriebene Medici in ihm in Schlummer, die Bosheit floß von ihm ab, und Nigel wurde wieder aktiver Astronaut.

Wie es nun einmal war.

Die NASA spürte seine potentielle Macht (gebranntes Kind wird paranoid) und – siehe da – behielt ihn und Len im aktiven Dienst. Len entschied sich für Wartungsarbeiten in der Erdumlaufbahn. Nigel schaffte es mit ein paar Tricks, auf den Mond zu kommen.

Die älteren Männer waren allesamt verheiratet, gingen auf die vierzig zu und stanken nach muffigen Provinztugenden. Die NASA mußte sich durch Einnahmen selbst finanzieren, deshalb wollte sie, daß der Mond möglichst rasch im Hinblick auf eventuelle wirtschaftliche Nutzbarmachung erforscht wurde. Die Cylcits brauchten Rohstoffe, die Erde brauchte unverseuchte Standorte für Produktionsanlagen, und das alles mußte natürlich zu niedrigen Preisen geliefert werden. Und in einem Zeitalter, in dem Ruhm und Ehre eigentlich verschwunden waren, kam so die Rückkehr der tapferen und ritterlichen Männer mit gebleichtem und kurzgeschorenem Haar. Er schlich sich in ihre Reihen ein, für einen achtzehnmonatigen Aufenthalt auf der Mondbasis Hipparch.

Als er wieder auf der Erde war, verwandelte sich sein dortiger Rotationsplan in einen Dauerposten. Die Wirtschaft erholte sich, es konnten wieder Männer ausgebildet werden, die jünger, schlanker und zäher waren und schärfere Augen hatten. Er und Len waren immer noch oft im Flugsimulator von Moffatt Field, um den Anforderungen für die Einstufung in den untersten Tauglichkeitsgrad zu entsprechen, und alle drei Monate flogen sie nach Houston, um an dem zweitägigen Grundlehrgang teilzunehmen.

Eines Tages würde er vielleicht wieder in der Schwerelosigkeit arbeiten, aber er bezweifelte es. Sein Leibesumfang nahm zu, sein treues Herz pumpte jetzt unter höherem Blutdruck, und er war einundvierzig.

Es war an der Zeit, wie ihm jedermann zu verstehen gab, etwas Neues anzufangen.

Aber was? Verwaltung? Die synthetische Erfahrung, anderer Leute Arbeit anzuleiten? Nein; er hatte niemals gelernt, auch dann zu lächeln, wenn er es eigentlich nicht wollte. Oder die Wirkung seiner Worte abzuschätzen. Er redete spontan; sein ganzes Leben war eine Rohfassung.

Er starrte hinaus auf die verwitterten Hügel von Pasadena. Dann vielleicht ein ganz anderer Beruf? Vor einigen Jahren hatte er einen recht langen Artikel über Ikarus für *Worldview* geschrieben. Der Artikel war gut angekommen, und eine Zeitlang hatte er erwogen, sich ins Literaturgeschäft zu stürzen. Dort könnte er seinen seltsamen, alle Regeln mißachtenden Sprachspäßen, seinen verschrobenen Wortspielen freien Lauf lassen. Vielleicht würde das die gelegentliche Bitterkeit versickern lassen, die in ihm aufstieg.

Nein, das wäre doch wohl nichts. Er wollte mehr, als sich auf einem Blatt Papier auszulassen.

Er schnaubte verächtlich. Es gab da einen alten Liedtext von Dylan, der auf ihn zutraf: ›the only thing he knew how to do was to keep on keepin' on‹; das einzige, was er konnte, war weitermachen weiterzumachen.

Ob ihm das nun paßte oder nicht.

5

»Heute nachmittag hat es in meinen Knöcheln angefangen.«

Er hielt inne; seine Hand war schon halb gehoben, um einen Kellner herbeizuwinken. »Was?«

»Meine Knöchel tun weh. Schlimmer als meine Handgelenke.«

»Nimmst du das Chloroquine?«

»Natürlich, ich bin doch nicht *blöd*«, sagte Alexandria gereizt.

»Vielleicht muß es sich ein paar Tage setzen. Um zu wirken«, meinte er mit vorgetäuschter Leichtigkeit.

»Vielleicht.«

»Möglicherweise fühlst du dich besser, wenn du eine Kleinigkeit gegessen hast. Wie wär's mit dem Birani?«

»Bin nicht in Stimmung dafür.«

»Ach, komm! Ihre Curries sind immer recht gut. Warum teilen wir uns nicht eine Portion, mittelscharf?«

»Okay.« Sie lehnte sich auf ihrem Stuhl zurück und drehte ihren Kopf träge von einer Seite auf die andere. »Ich muß mich entkrampfen. Bestell mir ein Bier, ja? *Lacanta.*«

In der abgestandenen, mit betäubenden Wohlgerüchen getränkten Luft schien sie in einer verträumten Entfernung zu schweben. Zwei Tage waren vergangen, seit er den Schnark gesichtet hatte, und er hatte ihr bis jetzt noch nichts erzählt. Er entschied, daß dies der richtige Augenblick wäre; es würde sie von dem Schmerz in ihren Gelenken ablenken.

Er machte sich bei einem Kellner bemerkbar und gab ihre Bestellung auf. Sie saßen zurückgezogen nahe der Rückwand des Restaurants, abgeschirmt durch einen klickenden Glasperlenvorhang, so daß es unwahrscheinlich war, daß sie belauscht werden konnten. Er sprach gedämpft, kaum lauter, als es das Stimmengewirr der Unterhaltungen der anderen Gäste war.

Die Neuigkeiten erregten sie, und sie bombardierte ihn mit Fragen. Die letzten zwei Tage hatten nichts Neues enthüllt, aber er beschrieb ihr ausführlich die Arbeit, die er bei der Organisation der systematischen Suche nach weiteren Spuren des Schnarks geleistet hatte. Er hatte gerade einen Teil einer komplizierten Erklärung gegeben, als er bemerkte, daß ihr Interesse geschwunden war. Sie stocherte in ihrem Essen herum, nahm einige Schlückchen Bier. Sie blickte flüchtig auf kommende und gehende Gäste.

Er hörte auf zu reden und machte sich über den vor ihm stehenden Curryberg her, fügte Gewürze hinzu, experimentierte mit zwei Chutneys. Nach einer höflichen Pause wechselte sie das Thema. »Ich... ich habe über etwas nachgedacht, was Shirley gesagt hat, Nigel.«

»Über was denn?«

»Dr. Hufman hat sowohl Ruhe als auch diese Pillen empfohlen. Shirley glaubt, die beste Ruhe sei, vom Alltagstrott wegzukommen.« Sie betrachtete ihn nachdenklich.

»Einen Urlaub, meinst du?«

»Ja, und kurze Reisen hierhin und dorthin. Ausflüge.«

»Diese Schnark-Geschichte wird meine Zeit wohl...«

»Das weiß ich. Ich wollte nur meine Ansprüche als erste anmelden.«

Er lächelte liebevoll. »Natürlich. Es gibt keinen Grund, weshalb wir nicht mal auf einen kurzen Sprung nach Baja fahren sollten und ein paar Sachen mitnehmen.«

»Ich habe ein ganz schön großes Guthaben an Reisen angesammelt. Wir könnten mit der *American* überall in der Welt hinfliegen.«

»Ich bin überrascht, daß du so viel Zeit verschenken willst, wo doch jetzt diese Verhandlungen laufen.«

»Von Zeit zu Zeit können sie auf mich verzichten.«

Während sie dies sagte, änderte sich der Ausdruck ihrer braunen Augen, zog sich ihr Mund fast unmerklich nach unten, und er blickte plötzlich in sie hinein, in ein trauriges und ängstliches Zentrum.

Es war schon spät, als sie das Restaurant verließen. Einige der eleganteren Geschäfte waren immer noch geöffnet. Zwei Polizistinnen in Kampfjacken überprüften ihre Faxcode-Ausweise und gingen dann die Straße hinunter. Die beiden Frauen hielten die meisten der Passanten an, auf die sie stießen, zogen sie in die orangefarbenen Lichtkegel unter den in günstigen Abständen aufgestellten Straßenlaternen und verlangten die Ausweise. Eine Frau stand dabei mit gezogenem Gummiknüppel in sicherer Entfernung, während die andere die Zentrale anrief und die Ferrit-Erkennungsmatrix der Faxcodes überprüfte. Nigel sah nicht hin, als unweit von ihm eine Frau plötzlich vor den Polizistinnen davonlief und in ein Kaufhaus rannte. Der Mann, der bei ihr war, versuchte auch wegzulaufen, doch eine Polizistin zwang ihn zu Boden. Die andere Polizistin zog eine Pistole und stürmte in das Geschäft. Der Mann schrie etwas, protestierte. Die Frau schlug ihn mit ihrem Gummiknüppel, und sein Gesicht wurde weiß. Er fiel vornüber. Gedämpfte Schüsse drangen aus dem Inneren des Kaufhauses.

Ihr Bus kam. Nigel stieg rasch ein.

Alexandria stand unbeweglich da; eine Hand hatte sie halb gehoben, um damit ihr Gesicht zu bedecken. Der Mann versuchte gerade, auf die Knie zu kommen. Er krächzte einige Worte. Ihre Lippen kräuselten sich vor Abscheu, und sie schrie etwas. Nigel rief ihren Namen. Sie zögerte. »Alexandria!«

Er streckte die Hand nach ihr aus. Sie stieg wie betäubt die Stufen hinauf, ihre Beine bewegten sich steif. Sie setzte sich neben ihn, als sich die Türen des Busses keuchend schlossen. Sie atmete schwer.

»Mach dir nichts draus«, sagte Nigel. »So ist es nun einmal.«

»Was heißt hier, so ist es nun einmal?« erwiderte sie heftig.

Der Bus setzte sich brummend in Bewegung. Sie glitten an dem

Mann auf dem Bürgersteig vorbei. Die Polizistin drückte ihr Knie in seinen Rücken, und er starrte glasig auf das geborstene Pflaster. Alle Einzelheiten waren in dem matt orangefarbenen Licht recht deutlich zu erkennen.

Ehe Lubkin seinen gedehnten Satz beenden konnte, war Nigel aus seinem Stuhl heraus und lief auf und ab.

»Da hast du verdammt recht, daß ich was dagegen habe«, sagte Nigel. »Das ist die dämlichste, blödeste...«

»Schau mal, Nigel, ich stimme mit dir doch vollkommen überein. Schließlich sind wir beide Wissenschaftler.«

Nigel dachte mürrisch, daß er ohne größere Schwierigkeiten eine stichhaltige Argumentation allein gegen diese Bemerkung zusammenzimmern könnte, wenigstens was Lubkin anging. Aber er ließ den Satz durchgehen.

»Wir mögen diese ganze Geheimniskrämerei nicht«, fuhr Lubkin fort. Er wählte seine Worte sorgfältig. »Jedoch kann ich gleichzeitig die Notwendigkeit strengster Sicherheitsmaßnahmen in dieser Angelegenheit verstehen.«

»Für wie lange denn?« fragte Nigel scharf.

»Lange?« Lubkin zögerte. Nigel vermutete, daß der Rhythmus seiner vorbereiteten Rede unterbrochen worden war. »Ich weiß es wirklich nicht genau«, sagte Lubkin lahm. »Vielleicht für alle Zukunft, obwohl...« – er sprach schneller, um Nigels Entgegnung zu unterbinden – »wir möglicherweise nur von ein paar Tagen sprechen. Du verstehst schon.«

»Wer sagt das?«

»Was?«

»Wer hat bei dieser Sache das letzte Wort?«

»Na ja, der Direktor natürlich, er war der erste. Er meinte, daß wir auch militärische Kanäle neben den zivilen benutzen sollten.«

Nigel hörte auf umherzulaufen und setzte sich hin. Lubkins Büro wurde nur um seinen Schreibtisch herum erleuchtet, die Ecken waren düster. Nach Nigels Vorstellung sollte das abgetrennte Licht die Wirkung haben, ihn und Lubkin wie in einem Boxring einzufassen, zwei Gegenspieler, die sich über Lubkins Eichenschreibtisch hinweg gegenüberstanden. Nigel rückte vor, die Ellbogen auf den Knien, und starrte in das aufgedunsene Gesicht des anderen Mannes.

»Was zum *Teufel* hat die gottverdammte Air Force...?«

»Sie würde es *sowieso* herausfinden, über bestimmte Kanäle.«

»Warum?«

»Wir brauchen möglicherweise ihr Sensornetz im Weltraum, um die Spur des... äh... Schnarks zu verfolgen.«

»Lächerlich. Das Netz existiert doch nur in Erdnähe.«

»Vielleicht fliegt der Schnark ja dahin.«

»Eine entfernte Möglichkeit.«

»Aber eine, deren Wahrscheinlichkeit größer als Null ist. Das mußt du zugeben. Außerdem *könnte* das auch für die Sicherheit der ganzen Welt wichtig werden, wie du weißt.«

Nigel dachte einen Augenblick lang nach. »Du meinst, wenn sich der Schnark der Erde nähert und das nukleare Monitorsystem die Flamme seines Atomantriebs entdeckt...«

»Ja.«

»...und glaubt, es sei eine Rakete oder ein explodierender Sprengkopf...«

»Du mußt zugeben, das *ist* eine Möglichkeit.«

Nigel ballte seine Hände zu Fäusten und sagte nichts.

»Das behalten wir für uns, sagen es keinem sonst«, meinte Lubkin betont freundlich. »Die Techniker haben noch nie die ganze Wahrheit erfahren. Wenn wir nichts weiter sagen, werden sie es vergessen. Du, ich, der Direktor, vielleicht ein oder zwei Dutzend Leute in Washington und bei der UNO.«

»Wie zum Teufel *arbeiten* wir denn? Ich kann nicht jeden einzelnen aufleuchtenden planetaren Monitor überwachen. Wir brauchen Schichten...«

»Du wirst sie bekommen. Aber wir können die Arbeit in kleinste Einzeluntersuchungen aufteilen. Dann kennt kein Techniker oder Ingenieur den Zweck.«

»Das ist doch scheißineffektiv. Wir müssen ein ganzes Sonnensystem absuchen.«

Lubkins Stimme wurde streng und klanglos. »So wird es laufen, Nigel. Und wenn du bei diesem Programm mitarbeiten willst...« Er beendete den Satz nicht.

In der Nacht rüttelte sie ihn sanft, dann heftiger, und schließlich erwachte er; sein Blick war verschleiert, und sein Geist trieb immer noch im Nebel dahin.

»Nigel, ich habe Angst.«

»Was? Ich...«

»Ich weiß nicht, ich bin einfach aufgewacht und habe mich gefürchtet.«

Er setzte sich auf und wiegte sie in seinen Armen. Sie verbarg ihr Gesicht an seiner Brust und zitterte, als ob sie frieren würde. »Hattest du einen Traum?«

»Nein. Nein, es war nur... mein Herz schlug so laut, daß ich glaubte, du müßtest es gehört haben, und meine Beine waren so verkrampft... Sie tun immer noch weh.«

»Du hattest einen Traum. Du kannst dich bloß nicht mehr an ihn erinnern.«

»Meinst du das wirklich?«

»Sicher.«

»Ich frage mich nur, worum es in dem Traum ging.«

»Irgend etwas Scheußliches aus dem Unterbewußtsein, darum geht es doch immer. Alte Rechnungen werden präsentiert.«

Sie sagte mit kraftloser, hoher Stimme: »Ich wünschte bloß, ich könnte diesen Traum loswerden.«

»Nein, das Unterbewußtsein ist wie die Werbespots im Drei-D. Wenn sie nicht eingeschoben wären, würdest du auch keine guten Sendungen bekommen.«

»Was ist das für ein Geräusch?«

»Regen. Klingt so, als ob es ganz schön pißte.«

»Oh. Gut. Gut, wir brauchen den Regen.«

»Wir brauchen ihn immer.«

»Ja.«

Er saß den Rest der Nacht da, war lange wach, bis er schließlich doch wieder einschlief, lange nachdem sie eingeschlafen war.

Im Bezirksmuseum von Los Angeles:

Alexandria beugte sich vor, um die Tafel unter der schwarzen und grauen Skulptur zu studieren. »Dewadisi bei der Ausführung eines gymnastischen Sexualaktes mit zwei Soldaten, die gleichzeitig einen Schwertkampf austragen. Diese Szene überliefert ein Motiv für ein Schauspiel. Südindien. Siebzehntes Jahrhundert.« Sie krümmte den Rücken, um die Dewadisi zu imitieren, schaffte es aber nur ungefähr zur Hälfte.

»Sieht schwierig aus«, sagte er.

»Unmöglich. Und der Winkel für den Burschen da vorne ist grundsätzlich falsch.«

»Das waren ja noch richtige Sportler.«

Nachdenklich: »Mir gefiel die Große dahinten besser. Die, die nachts Männer zu ›sexuellen Zwecken‹ wegschleppte – erinnerst du dich?«

»Ja. Sehr taktvoll ausgedrückt.«

»Warum hatten sie einen Einsatz in ihrer Vulva?«

»Religiöse Bedeutung.«

»Ha!«

»Na, dann zu Wartungszwecken. Schloß vermutlich den gelegentlichen Wunsch kurz, seine Initialen in sie zu ritzen.«

»Unwahrscheinlich«, meinte sie. »Hmmm. ›Der ewige Tanz von Jogis und Lingam‹ steht unter der nächsten hier. Ewig?« Sie betrachtete sie einen langen Augenblick und wandte sich dann schnell ab. Ihr Mund fiel herab. Sie schwankte unsicher über die glatten Fliesen. Nigel nahm ihren Arm und stützte sie, als sie auf eine Stuhlreihe zuhinkte. Er bemerkte, daß es in der Galerie seltsam still war. Sie setzte sich schwerfällig hin, ihr Atem entwich unter starkem Keuchen. Sie taumelte und starrte vor sich hin. Auf ihrer Stirn standen plötzlich Schweißperlen. Nigel schaute auf. Jeder Besucher der Galerie hatte aufgehört, sich zu bewegen, und stand da, beobachtete Alexandria.

»Sie sollte eigentlich diesen verdammten Job *jetzt* aufgeben«, sagte Shirley resolut.

»Sie mag ihn.«

Nigel nahm einen Schluck von seinem Kaffee. Er war ölig und dickflüssig, aber wahrscheinlich immer noch besser als das, was er in den JPL bekommen konnte. Er sagte sich, daß er jetzt aufstehen und das Frühstücksgeschirr spülen sollte, da Alexandria zu ihrem Treffen gegangen war, doch Shirleys kalte, besonnene Wut hielt ihn in der Eßecke fest.

»Sie hält sich über Wasser, sie hält sich *gerade so* über Wasser. *Merkst* du das denn nicht?« Ihre Augen blitzten ihn an, wobei ihr Glitzern durch die hohen, geschwungenen schwarzen Augenbrauen betont wurde.

»Sie möchte an der Brasilien-Sache beteiligt sein.«

»Verdammt noch mal! Sie ist verschüchtert. Ich bin weggewesen – wie lange? Fünf Minuten? –, und als ich zurückgekommen bin, hat sie immer noch in dieser Galerie gesessen, weiß wie ein Laken, und du hast ihre Hand getätschelt. Das ist nicht normal, das ist nicht die Alexandria, die wir kennen.«

Nigel nickte. »Aber ich hab' mit ihr geredet. Sie...«

»...scheut sich davor, es zur Sprache zu bringen, zu zeigen, wie verängstigt sie ist. Sie fühlt sich deswegen *schuldig*, Nigel. Das ist eine weitverbreitete Reaktion. Die Leute, mit denen ich arbeite, sind schuldig, arm oder alt oder krank zu sein. Es ist deine und meine Aufgabe, ihnen das auszureden. Damit sie sich selbst als...«

Ihre Stimme versickerte. »Ich komme nicht an dich 'ran, oder?«

»Doch, doch, du kommst.«

»Ich glaube, du solltest sie wenigstens dazu überreden, daß sie zu Hause bleibt und sich ausruht.«

»Mach' ich.«

»Wenn sie sich besser fühlt, werden wir einen Ausflug machen«, sagte Shirley rasch und sicherte ihren Erfolg ab.

»Gut. Einen Ausflug.« Er stand auf und begann Teller aufzustapeln; ihre Porzellanränder kratzten aneinander, die Bestecke klapperten. »Ich fürchte, ich hab's nicht gemerkt. Meine Arbeit...«

»Ja, ja«, sagte Shirley grimmig, »ich weiß über deine verdammte Arbeit Bescheid.«

Er erwachte inmitten eines Sumpfes zerknitterter, feuchter Decken. Die Julihitze war in den oberen Zimmern dieses alten Hauses gefangen; sie lag im Hinterhalt und wartete auf die Nacht, klammerte sich in den stickigen Winkeln fest. Er rollte sich langsam aus dem Bett, so daß Alexandria sanft vom gemächlichen Schwappen des Wassers gewiegt wurde. Tief in ihrer Kehle murmelte sie benommen etwas und verstummte wieder.

Die kalte Nachtluft traf ihn wie ein Hieb und rüttelte ihn wach. Im Zimmer war es also doch nicht stickig und schwül. Der Schweiß, der jetzt prickelnd trocknete, war von irgendeinem inneren Feuer verursacht worden, einem vage erinnerten Traum. Er sog die kalte, trockene Luft ein und fröstelte.

Dann erinnerte er sich.

Er tappte in das hohe, gewölbte Wohnzimmer und schaltete eine Lampe an, deren Licht nicht ins Schlafzimmer fiel. Er griff sich mehrere Bände der *Encyclopaedia Britannica* heraus und fand schließlich die Eintragung, die er gesucht hatte. Während er bereits las, tastete er nach der Couch und setzte sich.

Lupus erythematodes. Kann jedes Organ oder den gesamten Organismus befallen. Bevorzugt Membrane, die Flüssigkeit absondern, wie die der Gelenke oder diejenigen, die den Bauch auf der Innenseite überziehen. Führt zu modifizierten Antikörpern und verändertem Protein. In längeren Zwischenzeiten können die Symptome nachlassen. Die Ausbreitung im Körper ist in der Regel nicht feststellbar, bis Hauptsymptome auftreten. Die Übertragung auf das Zentralnervensystem ist in den letzten Jahren ein durchgängiges Merkmal der Krankheit geworden. Untersuchungen, die das Auftreten der Krankheit und den Grad der Umweltverschmutzung in Beziehung setzen, lassen einen deutlichen Zusammenhang erkennen, obwohl das genaue Ursachen-Wirkungs-Verhältnis nicht bekannt ist. Behandlung…

Bis zu diesem Augenblick war ihm alles nicht als wirklich real vorgekommen. Er las den Artikel einmal durch, dann noch einmal, und schließlich hörte er auf zu lesen, als er bemerkte, daß er weinte. Seine Augen brannten und waren feucht.

Er stellte den Band zurück und entdeckte ein neues Buch im Regal. Eine in Acryl gebundene Bibel mit Reliefmuster. Er schlug sie neugierig auf. Einige Seiten waren abgegriffen. Shirley? Nein, Alexandria. Hatte sie darin gelesen, auch schon vor ihrer Zusammenkunft mit Hufman? Hatte sie bereits vorher einen Verdacht gehabt? Er setzte sich und begann zu lesen.

6

»Der Präsident *weiß* nicht, wie lange es dauern wird, Nigel«, sagte Lubkin streng. »Er will, daß wir alle weitermachen und versuchen, es zu finden.«

»Glaubt er denn, daß irgend jemand Nachrichten über etwas von dieser Größenordnung *ewig* unterdrücken kann? Es ist jetzt schon *fünf* Monate her. Ich glaube nicht, daß die Leute in Washington oder bei der UNO noch viel länger ruhig bleiben werden.«

Wieder einmal wurden sie von dem Lichtkegel um Lubkins Schreibtisch eingefaßt.

Das eine Fenster in der entgegengesetzten Wand ließ etwas Sonnenlicht herein, das Lubkins bläßlicher Haut eine dunklere, gelbe

Färbung gab. Nigel saß steif aufgerichtet und wachsam da, preßte seine Lippen fest zusammen.

Lubkin lehnte sich lässig auf seinem Stuhl zurück und schaukelte einen Moment lang. »Du willst doch nicht etwa andeuten, daß du eventuell...?«

»Nein, Unsinn. Ich werde es nicht ausplaudern.« Er schwieg einen Augenblick lang und erinnerte sich daran, daß Alexandria Bescheid wußte. Auf sie konnte man sich verlassen, dessen war er sicher. Tatsächlich schien sie die Bedeutung des Schnarks nicht ganz zu begreifen und sprach niemals von sich aus darüber. »Aber der ganze Plan ist dumm. Kindisch.«

»Du würdest das nicht so sehen, wenn du mit mir im Weißen Haus gewesen wärst, Nigel«, sagte Lubkin feierlich.

»Ich bin nicht eingeladen worden.«

»Ich weiß. Ich kann verstehen, daß der Präsident und die NASA die Zahl der Anwesenden niedrig halten wollten. Um zu vermeiden, daß die Aufmerksamkeit der Presse geweckt wird. Und aus Sicherheitsgründen.«

Die Reise war eindeutig der Höhepunkt von Lubkins Karriere gewesen, und Nigel vermutete, daß er darauf brannte, jemandem davon zu berichten. Aber bei der JPL waren nur Nigel und der Direktor in die Sache eingeweiht, und der Direktor war schon selbst im Weißen Haus dabeigewesen. Nigel lächelte.

»Es war wirklich überzeugend, wie es der Präsident ausdrückte, Nigel. Die emotionale Wirkung eines solchen Ereignisses, verbunden mit der religiösen Leidenschaft, die im ganzen Lande, ja, in der ganzen *Welt* grassiert... diese Neuen Jünger Gottes haben jetzt einen Senator, der für sie spricht, mußt du wissen. Sie würden eine ganze Menge Staub aufwirbeln.«

»Welcher Flügel der Neuen Jünger?«

»Flügel? Ich weiß nicht...«

»Heutzutage gibt es sie in allen möglichen und unmöglichen Schattierungen. Die mit den fiebrigen Augen und den schweißnassen Händen können nicht bis drei zählen, ohne ihre Schuhe auszuziehen. Wenn sie überhaupt welche haben. Die Intellektuellen unter den Neuen Jüngern haben sich dagegen eine Lehre zusammengeschustert; sie besagt, daß überall Leben existiert, spricht von der Immanenz Gottes und all solchen Dingen. Das sagt Alexandria. Sie...«

Nigel hörte auf zu reden. Er war sich bewußt, daß er über ein

Randproblem drauflosgesprudelt hatte. Lubkin hatte zweifellos ein Talent dafür, einen vom wesentlichen Thema abzulenken.

»Na ja«, sagte Lubkin, »dann sind da noch die Leute vom Militär. Diese Sache hat sie ganz schön nervös gemacht.« Lubkin nickte sich unbewußt selbst zu, als ob dieser letzten Bemerkung zusätzliches Gewicht verliehen werden müßte.

»Das ist doch verdammt *einfältig* gedacht. Keine Spezies von einem anderen Stern kommt den ganzen langen Weg hierher, um eine Bombe auf uns zu werfen.«

»*Du* weißt das. *Ich* weiß das. Aber einige der Generäle sind eben besorgt.«

»Aber weswegen denn, zum Teufel?«

»Der Gefahr, daß das nukleare Warnnetz ausgelöst wird, obwohl sie jetzt kleiner geworden ist, da mehr Beteiligte über den... äh... Schnark Bescheid wissen. Es kann zur biologischen Verseuchung kommen, wenn dieses Ding in die Atmosphäre eindringen sollte.«

Lubkins Stimme verklang, und beide Männer betrachteten eine lange Weile schwermütig einen Eukalyptusbaum, der wegen des leichten grauen Nebels vor dem Fenster beständig tropfte. Die andauernde Veränderung des Wetterzyklus' der Erde ließ diesen Herbstnebel von Jahr zu Jahr stärker werden; der Vorgang wurde zwar verstanden, war aber außerhalb jeder Kontrolle.

Lubkin klopfte mit seinem Kugelschreiber auf die polierte, schimmernde Platte seines Schreibtisches, und der tickende Rhythmus hallte in dem stillen Zimmer hohl wider. Nigel musterte den Mann und versuchte einzuschätzen, wie Lubkin mit der politischen Seite dieser Situation umging. Er sah sie wahrscheinlich als Frage der Eindämmung an, der getrennten Tätigkeitsbereiche. Lubkin würde tun, was er nur konnte, damit Nigel spurte, den Mund hielt und das Sonnensystem nach dem Schnark durchstöberte. In der Zwischenzeit konnte Lubkin in weiter Ferne bei der UNO den kompetenten Mann der Tat mit den stahlgrauen Augen spielen. Für gepeinigte Diplomaten mußte jemand wie Lubkin, der schnelle, sichere Antworten parat hatte, als guter Tip erscheinen, als vielversprechender Kandidat für höhere Aufgaben.

Nigel verzog den Mund und fragte sich, ob er zum Zyniker wurde. Es war schwer zu sagen.

»Ich glaube immer noch, daß wir eine Verpflichtung haben, die Menschheit über diese Sache zu informieren. Der Schnark ist nicht bloß ein weiteres strategisches Moment«, sagte Nigel.

»Es tut mir wirklich leid, daß du das so siehst, Nigel.«

Es gab keine Antwort. Draußen platschten die Tropfen in einer feuchten, grauen Welt gegen die Scheibe und bildeten Perlen.

»Du erkennst doch die Notwendigkeit der Geheimhaltung in dieser Sache *wirklich* an, oder? Ich meine, trotz deiner persönlichen Gefühle *wirst* du dich doch an die Sicherheitsbestimmungen halten? Ich würde...«

»Ja, ja, ich werde schon so weitermachen«, sagte Nigel gereizt.

»Gut, sehr gut. Andernfalls, fürchte ich, hätte ich dich aus der Gruppe entfernen müssen. Der Präsident ist in dieser Frage *sehr* bestimmt gewesen. Wir, das ist natürlich nicht persönlich gemeint...«

»Gut. Deine einzige Sorge gilt dem Schnark.«

»Äh...ja. So ungefähr. Man ist ein wenig darüber besorgt gewesen, daß man ihm einen so merkwürdigen, mythischen Namen gegeben hat. Könnte Interesse wecken, wenn ihn irgend jemand aufschnappen würde. Das Büro des UN-Generalsekretärs hat vorgeschlagen, daß wir ihm eine Nummer geben, J-27. Da sechsundzwanzig Jupitermonde entdeckt worden sind, ist dies dann der siebenundzwanzigste, verstehst du...«

»Hm.« Nigel zuckte die Achseln.

»...aber natürlich hat der Generalsekretär vor allem sein Interesse daran geäußert, daß wir herausfinden, wo wir ihn als nächstes erwarten können.«

Nigel sah, daß er nicht mehr länger warten konnte. Die Karte in seiner Hand konnte nicht in einen Trumpf verwandelt werden, also konnte er sie auch gleich ausspielen. »Ich glaube, ich weiß das möglicherweise schon«, sagte er ruhig.

»Oh?« Lubkins Gesicht hellte sich auf, und er beugte sich vorsichtig vor.

»Ich vermutete, daß der Schnark einer einigermaßen energiesparenden Bahn folgen würde. Vergeudung von kostbarem Treibstoff wäre sinnlos gewesen. Unter dieser Voraussetzung und mit den ungefähren Messungen, die über die Rotverschiebung der Flamme seines Fusionsantriebs vorliegen, habe ich errechnet, daß er sich auf einer langgestreckten, geneigten Bahn auf den Mars zubewegt.«

»Er ist in der Nähe des *Mars*?« Lubkin stand erregt auf, sein kühles Auftreten war vergessen.

»Nicht mehr.«

»Ich verstehe nicht...«

»Ich habe eine Menge Stunden vor den Marsmonitoren verbracht. Die Mittel aus dem Sonderfonds benutzt und die Kamera und die Teleskopausrüstungen jeden erreichbaren Kubikmeter des Himmels in der Marsumgebung absuchen lassen. Das Programm lief rund um die Uhr, und ich habe jeden Tag die Ergebnisse überprüft. Ich bin dahintergekommen. Gestern habe ich etwas gefunden.«

»Das hättest du mir aber sagen müssen.«

»Ich sage es dir doch gerade.«

»Ich muß sofort in Washington und bei der UNO anrufen. Wenn das Objekt jetzt den Mars umkreist...«

»Tut es nicht.« Nigel verschränkte die Arme. Er fühlte schwach einen bitteren Geschmack im Mund.

»Ich dachte, du...«

»Der Schnark flog nach draußen, vom Mars weg. Ich habe zwei Aufnahmen, im Abstand von zwei Stunden aufgenommen. Die Daten sind sieben Tage alt. Ich habe heute wieder nachgesehen, als ich endlich die eine Woche alten Ausdrucke gelesen hatte, aber er ist weg, außerhalb der Reichweite unserer Geräte.«

Lubkin schien verwirrt zu sein. »Schon wieder weg«, sagte er.

»Selbst wenn wir nur zwei Punkte kennen, ist die Flugbahn doch ziemlich klar. Ich glaube, er hat sich ins Gravitationsfeld zurückfallen lassen, ist eine Schleife geflogen, um einen kurzen Blick auf den Mars zu werfen, und hat durch das Swingby einen Kraftimpuls erhalten.«

Nigel stand jetzt und ging gemächlich zu Lubkins Wandtafel hinüber. Er lehnte sich dagegen, legte seine Hände hinter dem Rücken auf die Kreideschale, spreizte seine Ellbogen zur Seite. In dem matten Licht, in dem Nigel stand, konnte Lubkin den Ausdruck der Überlegenheit in seinem Gesicht nicht erkennen. Nigel wischte aufgewirbelte Wolken aus gelbem Kreidestaub weg und betrachtete Lubkin. Er war froh, ihn wenigstens einmal in eine Art Defensive gebracht zu haben. Vielleicht konnte das Rätsel des Schnarks den Mann von seiner Faszination von Generälen und Präsidenten ablenken.

Lubkin sah verblüfft aus. »Wohin fliegt er als nächstes?«

»Ich glaube... zur Venus«, sagte Nigel.

Das Schiff wußte, sogar bevor es den gestreiften Riesenplaneten verlassen hatte, daß die nächstinnere Welt öde war; ein Ort, wo rötlicher Staub durch die Berührung von kalten, schwachen Winden aufgewirbelt wurde. Das Fehlen eines natürlichen Lebenssystems schloß jedoch die Möglichkeit von Bewohnern nicht aus. Das Raumschiff erinnerte sich an mehrere andere solcher Planeten, auf die es in ferner Vergangenheit gestoßen war, die fortgeschrittene Kulturen beherbergten.

Es entschied sich dafür, an dem Planeten vorbeizufliegen, ohne ihn zu umkreisen. Dadurch könnte es während des Swingby im Gravitationsfeld zusätzliche Winkelbeschleunigung gewinnen, wodurch das Schiff für das Wagnis des weiteren Fluges ins Innere dieses Sonnensystems bereit gemacht werden würde.

Dies schien jetzt von allergrößter Wichtigkeit zu sein, denn die blaue und weiße Welt verlangte den größten Teil der Aufmerksamkeit des Schiffes. Viele sich überlagernde Radiosignale erklangen von dort im Chor, ein riesiges Stimmengewirr.

Eine Diskussion kam im Schiff auf.

Ermessensfragen wurden durch Abstimmung von drei gleich fähigen Computern entschieden, bis intelligente Signale entziffert werden konnten. Es verblieb nur noch wenig Zeit, bis eine vorläufige Analyse der hereinkommenden Sendungen fertiggestellt sein würde. Dann würden noch höhere Teile des Raumschiffes durch Wärme belebt werden.

Einer der Computer plädierte für eine sofortige Änderung der Flugbahn, um die trockene, rosarote Welt auszulassen und, unter höherem Treibstoffverbrauch, zu der blauen Welt weiterzufliegen.

Ein anderer glaubte, daß die verblüffende Flut von Radiostimmen, die zwar schwach, aber alle verschieden waren, von Chaos auf dem dritten Planeten zeugten. Am besten nähme man sich reichlich Zeit, um diese verwirrenden Signale zu entziffern. Der Kurs, der den geringsten Energieverbrauch bedeutete, brachte noch einen weiteren Vorbeiflug mit sich, eine Schleife um den zweiten Planeten, die Welt, die von dichten, cremefarbenen Wolken verhüllt wurde. Mit dieser Bahn würde man Zeit gegen Treibstoff eintauschen, ein kluger Handel.

Der dritte Computer war einen Augenblick lang unschlüssig und stimmte dann mit dem zweiten zusammen ab.

Sie beeilten sich; die ausgedörrte Scheibe vor ihnen schwoll rasch an. Das Raumschiff huschte an dieser Welt vorbei, die nur aus verwehtem Staub und eisigen Polen bestand, es speicherte die gesammelten Daten auf winzigen Magnetteilchen tief in seinem Inneren;

eine weitere Eintragung in einer stattlichen Sammlung astronomischen Wissens.

Das Raumschiff dämpfte das Dröhnen seines Atombrenners und
begann den langen Gleitflug zum verschleierten zweiten Planeten.
Komplizierte Schritte wurden zur abschließenden Wiederbelebung
seiner vollständigen geistigen Fähigkeiten eingeleitet. In der Zwischenzeit spitzten sich elektromagnetische Ohren in Richtung der
blauen Welt und fingen das Flüstern vieler Zungen auf. Eine einzige
Sprache zu verstehen, ohne irgendwelche gemeinsamen Bezüge zu
kennen, würde eine immense Arbeit erfordern. Tatsächlich könnte
der Versuch sogar scheitern. Das Raumschiff war schon zuvor gescheitert, in anderen Systemen, und war gezwungen gewesen, sie
angesichts von Feindseligkeit und Mißverständnissen zu verlassen.
Aber vielleicht würde es hier...

Die Maschinen machten sich eifrig an die Arbeit.

Er und Shirley saßen auf dem festen Sand und beobachteten, wie
Alexandria vorsichtig in die schäumenden, weißen Wellen hinein-
watete. Sie hielt bei jedem kalten Wasserschwall in einer komischen
Geste ihre Unterarme hoch, als ob die hebende Bewegung sie hoch-
ziehen, aus dem kalten Stechen des Meeres empor- und wegtragen
würde. Ihre Brüste zitterten und tanzten.

»Es ist schön, daß sie ins Wasser geht«, sagte Nigel beiläufig. Er
und Shirley hatten gut zehn Minuten damit verbracht, Alexandria
dazu zu bewegen, daß sie etwas tat.

»Es ist aber auch *wirklich* kalt«, meinte Shirley. »Meinst du, daß
ein Stück abgebrochen ist von dem...?« Sie deutete mit einem Finger träge auf den blauweißen Berg, der über der gekräuselten,
blauen Oberfläche aufragte. Der Eisberg trieb einige Kilometer vor
der Küste, ein wenig südlich von Malibu.

»Nein, man faßt ihn ziemlich fest ein. Läßt den größten Teil des
frischen Wassers auf das Meerwasser fließen.« Ein leichter, küh-
lender Wind bewegte den Sand um sie herum. »Diese Brise könnte
trotzdem von dem Berg kommen«, fügte er hinzu.

Alexandria sprang jetzt in die sich brechenden Wellen. Die Gischt
der Brandung schlug über ihr zusammen. Sie kam wieder mit
klatschnassen und jetzt etwas dunkleren Haaren zum Vorschein,
schüttelte den Kopf, blinzelte und tauchte beherzt in das tiefer werdende Tal der nächsten Welle hinein. Sie schwamm mit überraschend kräftigen Zügen aus ihr heraus.

»Das war eine gute Idee, Shirley«, sagte er. »Sie spricht darauf an.«

»Ich wußte, daß sie das tun würde. Sie *fort*zuschaffen, weg von diesem Geschäft mit den Brasilianern, ist das einzige, was wirken wird.«

»Hast du das bei euren nächtlichen Spritztouren herausbekommen?«

»Ah – *ha*«, sagte sie mit einem langgezogenen Lächeln. »Du fragst dich also, wo wir hinfahren.«

»Na ja, ich habe...«

Neben ihnen zeigte ein alter Mann – sein tonnenförmiger Oberkörper wurde von streichholzdünnen, gebräunten Beinen getragen – aufs Meer hinaus. »He. Ja«, sagte er.

Nigels Blick folgte dem zitternden Zeigefinger des Mannes. Alexandria zappelte im Sog. Ein Arm tauchte auf, wollte etwas greifen. Sie drehte sich in dem weißen Schaum. Ihr Kopf wurde hochgeschleudert; sie riß den Mund auf, um mehr Luft einsaugen zu können. Sie paddelte ziellos umher, ihre Arme waren kraftlos.

Nigel spürte, wie sich seine Fersen in den kiesigen Sand gruben. Von den Dünen bis zum zischenden Wasserrand ging es bergab, und er legte die Strecke mit wenigen langen Schritten zurück. Er sprang hoch und lief durch die ersten brechenden Wellen. Er stürzte über die nächste Welle, kam wieder auf die Füße und blickte mit halb zugekniffenen Augen zurück, in denen das Salz brannte.

Er konnte Alexandria nicht sehen. Eine gewölbte Wasserwand erhob sich, leckte an seinen Füßen. Er tauchte hinein.

Als er an die Oberfläche kam, streifte etwas sein Bein, etwas Weiches und Warmes. Er griff hinunter in das schäumende, weiße Wasser und zog. Alexandrias Bein ragte aus der Brandung hervor.

Er setzte seine Füße auf festen Boden und hob angestrengt. Sie kam nur langsam nach oben, als ob ein gewaltiges Gewicht sie festhielte. Er stolperte durch die kleineren, am Strand auslaufenden Wellen; blaue Ströme umspülten seine Beine.

Er strich ihr die Haare aus dem Gesicht. Unbeholfen bewegte er ihren Körper, bis sie mit dem Gesicht auf dem Boden lag. Er schlug ihr auf den Rücken, und ein Wasserstrahl schoß aus ihrem Mund hervor. Sie keuchte. Würgte. Atmete.

Er und Shirley standen genau in der Mitte des Ringes von Fremden. Ihre stumpfen, starrenden Blicke richteten sich auf den jungen

Mann, der ruhig mit Alexandria sprach und einzelne Rubriken eines Vordrucks auf einer Klemmplatte ausfüllte. Die Nachmittagssonne bleichte die Szene, und Nigel wandte sich ab, seine Muskeln zuckten nervös vom Restadrenalin.

Shirley sah ihn mit einer Mischung aus Angst und Erleichterung an. »Sie... sie sagte, daß ein Schwächegefühl sie überkommen hätte«, berichtete Shirley. »Sie konnte nicht mehr schwimmen. Eine Welle erfaßte sie und schleuderte sie auf den Grund.«

Nigel legte einen Arm um sie und nickte. Sein Körper war fahrig, drängte ihn, daß er etwas tat. Er betrachtete den Haufen der versammelten Strandbesucher, der summend Vermutungen austauschte und sie beide ungebetenerweise fragend musterte. Ein Ring nackter Primaten. In weiter Entfernung versprach ein großes Schild am geraden Strand ERNIES BLITZBEDIENUNG. Shirley drängte sich näher an ihn heran. Ihre Hand krampfte sich zusammen und entspannte sich, krampfte sich zusammen und entspannte sich. Er bemerkte, daß sich diese Geste absurderweise kaum einige Zentimeter von seinem Penis entfernt abspielte. Bei diesem Gedanken schwoll er an, wurde dicker, zitterte und stürzte ihn in ein Durcheinander der Gefühle.

Er mietete einen Wagen, um sie von Malibu nach Pasadena zu fahren. Er war unglaublich teuer, doch Alexandrias kränklicher und erschöpfter Gesichtsausdruck sagte ihm, daß der Bus unzumutbar sein würde.

Während der langen Fahrt erzählte Alexandria die Geschichte immer wieder. Die Welle. Am Salzwasser ersticken. Auf dem Grund kämpfen. Das erdrückende, peitschende Gewicht des Wassers.

Mitten in der vierten Wiederholung schlief sie ein, sank ihr Kopf zur Seite. Als sie ihr Haus erreichten, erwachte sie benommen und gestattete sich, daß man sie nach oben führte. Er und Shirley zogen sie aus, badeten sie und steckten sie dann ins Bett.

Sie bereiteten eine Mahlzeit und aßen schweigend.

»Nach dieser Sache möchte ich...«, begann Shirley. Sie legte ihre Gabel hin. »Nigel, du solltest wissen, daß sie und ich abends immer zu den Neuen Jüngern gegangen sind.«

Er sah sie bestürzt an. »Eure... Spritztouren?«

»Sie braucht es. Ich fange an zu glauben, daß *ich* es auch brauche.«

»Ich glaube, du brauchst...« Aber er ließ den angefangenen Satz unbeendet, der stechende Unterton wich aus seiner Stimme. Er langte über den Tisch und berührte ihre schimmernde Wange, an der langsam eine Träne herunterfloß.

»Wer weiß schon, was wir brauchen. Gott weiß es«, sagte er dumpf.

Dr. Hufman sah ihn verblüfft an. »Natürlich kann ich sie längere Zeit im Krankenhaus unterbringen, aber ich versichere Ihnen, Mister Walmsley, daß dafür keine Notwendigkeit besteht.«

Er griff nach einer der kleinen, gedrungenen afrikanischen Puppen, die in einer Ecke seines Schreibtischs aufgebaut waren. Nigel sagte einen Augenblick lang nichts, und der Doktor drehte die Puppe in seinen Händen und betrachtete sie, als ob er sie noch niemals zuvor gesehen hätte. Er trug einen schwarzen Anzug, der unter den Armen knitterte.

»Mehr Zeit würde nichts helfen? Einige weitere Tests im Krankenhaus...«

»Das ganze Arsenal ist erschöpft. Wir müssen diese Symptome häufiger überprüfen, aber dadurch wird nichts gewonnen...«

»Verflucht!« Nigel lehnte sich vor und fegte die Puppensammlung vom Mahagonischreibtisch. »Sie *ißt* nicht. Schafft kaum noch den Weg zur Arbeit und wieder zurück. Sie, sie hat keine *Lebensfreude*. Und *Sie* erzählen mir, daß nichts...«

»Bis die Krankheit in einen Gleichgewichtszustand kommt, ist das so.«

»Angenommen, daß das nicht geschieht?«

»Wir geben ihr jetzt alles, was wir können. Sie ins Krankenhaus einzuliefern, würde nur...«

Nigel brachte ihn mit einer Handbewegung zum Schweigen. Plötzlich hörte er das ferne Rauschen des Verkehrs draußen auf der Thalia Avenue, als ob irgendwo jemand den Lautstärkeregler abrupt aufgedreht hätte.

Er blickte Hufman starr an. Der Mann war ein Techniker, der seine Arbeit machte, er war nicht verantwortlich für die Rötungen und Schwellungen, die Alexandria jetzt angriffen. Nigel sah das ein, hatte niemals daran gezweifelt, aber jetzt, im verdichteten, stickigen Raum dieses Büros, erdrückten ihn die Tatsachen, und er suchte einen Ausweg. Es mußte eine Befreiung aus dem enger werdenden Kreis der auf sie einstürzenden Ereignisse geben.

Hufman starrte ihn unverwandt an. In dem zusammengekniffenen Gesicht des Mannes las er die Wahrheit: daß Hufman diese Reaktion schon früher mehrmals gesehen hatte, sie als ein Stadium des Prozesses verstand, als etwas, das genauso unzweifelhaft durchgemacht werden mußte wie die Schmerzen und Krämpfe und starken Zuckungen. Er wußte, daß dies auch eine der konvergierenden Linien war. Wußte, daß es weder Befreiung noch Erlösung gab.

7

Lubkin reagierte nicht besonders freundlich, als Nigel um einen längeren Urlaub bat.

Er appellierte an Nigels Verpflichtung dem Projekt gegenüber, seine Loyalität zum Präsidenten (ohne an seine britische Herkunft zu denken), zur JPL. Nigel schüttelte matt den Kopf. Er brauchte Zeit, um mit Alexandria zusammenzusein, sagte er. Sie wollte verreisen. Und – beiläufig, ohne Lubkin direkt in die Augen zu sehen – er wäre mit seinen Flugsimulationen im Rückstand. Um seinen Status als Astronaut beibehalten zu können, mußte er eine ganze Woche bei der NASA in Ames zubringen; die Arbeit konnte er sich dann so einteilen, daß er nie länger als ein paar Stunden von Alexandria getrennt war.

Lubkin stimmte zu. Nigel versprach, wenigstens alle zwei Tage anzurufen. Sie nahmen neue Männer herein, Ichino und Williams, um das Beobachtungsprogramm vervollständigen zu können. Ob Nigel jetzt mit ihnen sprechen wollte...

Nigel wollte nicht.

Die drei gingen wieder zum Strand, teils um die schreckliche Erinnerung zu vertreiben, teils weil es Oktober und die Menschenmassen verschwunden waren. Sie faulenzten, sie wateten im Wasser. Die Frauen machten jetzt regelmäßig ihre Meditationen. Sie setzten sich immer gegenüber, zeichneten den Ring in den Sand zwischen ihnen, faßten sich an den Händen und versanken in ihrer eigenen hypnotischen Traumwelt. Nigel schloß die Augen, legte sich auf den Rücken in den Sand und träumte. Von Alexandria, von der Vergangenheit. Von den Jahren nach Ikarus.

Was die *New York Times* abstieß, zog Frauen an. Sie ließen sich bei Partys immer in seine Nähe treiben, spitzten den Mund, betrachteten scheinbar Cézanne-Drucke und stießen dann plötzlich auf ihn; ihre runden Rehaugen wurden in höflicher Überraschung größer, wenn er seinen Namen murmelte (ja, er war das), wobei eine Hand unbewußt zum Hals ging, um eine Kette oder ein Tuch zu tätscheln, eine merkwürdig sinnliche Geste, die er deuten konnte, wie er wollte, wenn er das wollte.

Oftmals wollte er. Für ihn waren sie elektrisierende Frauen, Frauen der durchtechnisierten Gegenwart, und doch fühlten sie, daß sich in dem Ikarus-Ereignis etwas Fundamentales und Barbarisches verbarg, ein geheimnisvoller männlicher Ritus, der sich jenseits des Hornbrillenhorizonts der Gelehrten abspielte und – was am wichtigsten war – jenseits der Welt der Frauen.

Es gab viele Arten von ihnen, viele Typen. (*Wie maskulin,* sagte eine, während sie ihr blaues Haar zurechtrückte, *sich Frauen als Typen vorzustellen.* Er lachte verlegen – denn dies geschah in New York, wo Unterscheidungen in jenem Jahr unmodern waren – und schüttelte etwas Chablis in die Kehle; er verließ sie kurz danach, weil er zu dem Schluß gekommen war, daß er ihren Typ doch nicht so ganz mochte.) Er probierte sie aus: die Junonische; die Ausdauernde und Empfindsame; die dunkle, mandeläugige Sinnliche; das Mädchen à la Rubens; die anderen. Warum sollte man sie nicht Typen nennen? Der Drang zu klassifizieren hatte ihn erfaßt, zu analysieren und inspizieren. Zum Schluß war es soweit gekommen, daß er sich selbst wie aus großer Entfernung betrachtete, seine Reaktionen lenkte, niemals völlig im Jetzt lebte. An diesem Punkt hörte er auf. Der PR-Mann der NASA, der allgegenwärtig um ihn herumwieselte, versuchte dafür zu sorgen, daß er im 3D ›präsent‹ blieb, die Runde durch die Talkshows machte, sein ›saturiertes Image‹ beibehielt, aber Nigel stieg aus. Und fand nach einer Weile Alexandria.

Er lief lange Strecken am Strand zwischen La Jolla und Del Mar, damit er seine Kondition behielt, bahnte sich hartnäckig seinen Weg durch Wälder fester, junger Schenkel; die Sonne schimmerte bei seinen Läufen durch einen feinen Schweißschleier, da sein Schweiß von den buschigen Augenbrauen in die Augen rann. Durch kunstvolle Textilien schwebend gehaltene Brüste – oder, noch modischer, nackte, braun bemalte Brustwarzen, die sich der stechenden Sonne entgegenreckten – schwenkten herum, um seinen Weg zu verfolgen. Er lief in großen Schritten am schäumenden Wasserrand entlang; die Füße klatschten ins Wasser, Arme und Beine wurden bleiern, seine Kehle von trockenen Nadelstichen durchsiebt. Er zerstreute sich damit, daß er die vorbeihuschenden Gesichter studierte, sich so Schritt für Schritt in seine Vergangenheit bewegte. Kleine Familien, zähe Männer, Hunde und Kinder: Er dachte sich für sie alle Rollen aus, führte in seinem Kopf kleine Stücke auf. Er sah flüchtig, wie sie im Lachen erstarrten, in der Langeweile, im trägen Schlaf.

Eine von ihnen hatte ihn offen angestarrt, in einem Augenblick gesehen, in welche Richtung seine Gedanken liefen, und ihn angegrinst. Es war ein schiefes, verrücktes Grinsen. Ihre Blicke trafen sich. Er verlangsamte seinen Lauf, blieb stehen. Versuchte, von den herrlich roten Lippen zu lesen. Kam näher. Und traf Alexandria.

Die Vergangenheit war in Wirklichkeit keine Schriftrolle oder ein Ornament, mit denen der Verstand machen konnte, was er wollte; nein. Sie war ein Nebel, eine weiße Wolke aus bleichen, toten Gehirnzellen, die früher einmal Erinnerungen gespeichert hatten; ihr Verlust bewirkte, daß Einzelheiten und alltägliche Ereignisse abgeschliffen wurden, bis nur noch einige wenige Augenblicke, zufällige, warme gelbe Lichter, durch den Nebel leuchteten. Ob er Shirley zuerst getroffen hatte oder Alexandria, wußte er nicht mehr genau. Er war vor dem ganzen bedrückenden NASA-Mist geflohen, ohne es zu merken, und als Alexandria auftauchte, wurde er an ihren Strand gespült. Er erinnerte sich daran, wie er sehr ernsthaft mit ihr sprach; damals tranken sie beide aus klaren Gläsern Vouvray, der so stark gekühlt war, daß er beim Trinken die Lippen fast empfindungslos werden ließ. Erinnerte sich an Wanderungen auf den südlichen Abhängen von Mount Palomar, vorbei an den Ruinen des großen Observatoriums, als Eidechsen im Sonnenlicht umherhuschten. Und trockene Nächte, die nach Sonnenuntergang düster und seltsam wurden, geschwängert mit dieser kühlen Trägheit, die die kalifornischen Küstenstädte durchdringt.

Ganz am Anfang, als alles noch reifte, sahen sich Shirley und Alexandria noch getrennt, nach sorgfältig ausgearbeiteten Zeitplänen, doch bald erkannten sie die Komik der Situation und verhielten sich natürlicher. Ihr Freundeskreis verkleinerte sich, bis er und Alexandria ein Kreis aus nur zwei Personen wurden, der so schon vollkommen war, ohne zwanghaft zu sein, ohne daß sie sich aneinander festklammerten. Jeder von ihnen lebte in der äußeren Welt, arbeitete und agierte, sie bei den American Airlines und er bei der NASA, aber jeder tat dies auf einer Umlaufbahn, deren Mittelpunkt genau definiert war: der Ort, an dem sie sich beide trafen. Shirley umkreiste diesen Mittelpunkt, ein Mond, der von ihrem planetaren Einfluß gehalten wurde. Obwohl sie sich immer veränderten, immer bewegten, waren die Räume um die drei herum immer noch von pythagoreischer Klarheit, sie bildeten eine Einheit, die auf den zweien beruhte.

»Nigel. Wach *auf*, Nigel!«

Shirley ragte über ihm auf, verdunkelte die Sonne. »Wir müssen gehen. Sie fühlt sich wieder schlecht.«

Er setzte sich auf. Einige Meter entfernt lächelte Alexandria matt, ihre Augen waren hohl und düster; ein Schatten der Frau, die er sich vor einem Augenblick vorgestellt hatte. Er wandte seine Augen hastig ab.

Sie fuhren mit dem Schnellbus zur Herbstmesse von Orange County, glitten hoch oben auf dem Santa Ana Freeway dahin, über den durchlöcherten, gebräunten Ruinen von La Mirada und Disneyland, zwischen denen wieder große Orangenhaine angelegt waren.

Alexandria warf auf sich bewegende Pappfiguren, streckte drei mit Papierkugeln nieder und gewann eine Holzpuppe, deren irres Grinsen Liebe ausdrücken sollte. Sie fuhren mit der Achterbahn, genossen die herrlichen Sekunden des freien Falls. Sie besichtigten die unglaublich fetten, gemästeten Rinder, starrten in die leeren, braunen Augen von Lämmern, streichelten die verfilzten Haare auf den Köpfen junger Ziegen.

Ein Ring von singenden Neuen Jüngern trat an sie heran. Nigel fuhr sie an und schickte sie weg. Alexandria blieb zurück, um mit ihnen zu sprechen, außerhalb seiner Hörweite.

Sie saßen unter Sonnenschirmen und aßen typische Messespeisen: Tacos, Salate mit zähflüssigen Saucen, knusprige *Sangschen*. Nigel trank aus einem Krug.

Und Alexandria sagte mit überraschender Endgültigkeit: »Wir hätten Kinder haben sollen.«

»Alexandria, *nein*, wir haben uns das doch gründlich überlegt. Unsere Jobs...«

»Aber dann hätte es wenigstens *etwas* gegeben...«

Ihre Augenlider klappten mehrmals kurz herunter, sie schluckte und biß in ihr Simbani mit Nudeln.

Nigel fühlte sich unbehaglich und warf einen Blick zum Nachbartisch. Eine Mutter drängte ihren Sohn, seinen Taco aufzuessen, damit die Familie weggehen und sich die Rinderschau ansehen konnte. »Hmmm, mmmm, Mami.« Der Junge schob den Taco ungeschickt in seine linke Hand und ließ ihn mit theatralischer Geste auf den Boden fallen. Das Manöver war zeitlich gut geplant; seine Mutter sah rechtzeitig in seine Richtung, um den Taco fallen zu sehen, doch nicht früh genug, um seine Vorbereitungen zu bemerken. »Oh«, sagte er wenig überzeugend.

»Fertig«, meinte Alexandria.

Nigel wandte sich um und sah, daß sie wieder lächelte.

»Gut, das verstehe ich. Was ich nicht begreifen kann, ist, warum *ich* mir ein Kontrollgerät einbauen lassen muß.« Nigel beugte sich mit vorgereckten Schultern nach vorn, legte die Ellbogen auf Hufmans Schreibtisch. Alexandria saß still mit gefalteten Händen da. Hufman schnitt eine Grimasse und fing wieder von vorn an:

»Weil ich mich nicht darauf verlassen kann, daß Alexandria immer ihre mobile Monitoreinheit mit sich trägt. Ihr Kontrollgerät ist wesentlich komplexer als Ihres – es ist direkt an das Nervensystem angeschlossen –, aber sein Funksender hat nicht genügend Reichweite. Wenn sie zu weit von der mobilen Einheit entfernt wäre, könnte sie eine Blutung im Hirnstamm bekommen, ins Koma fallen, und Sie würden glauben, daß sie nur dösen würde. Aber wenn Ihnen ein mobiles Kontrollgerät hinter dem Ohr eingesetzt werden würde, wüßten Sie auch dann, daß etwas nicht stimmt, wenn sie ihren Monitor nicht dabei hätte.«

»Und würde Sie holen.«

»Ein Notteam, nicht mich.« Hufman seufzte, er sah ausgelaugt und müde aus. »Wenn Sie beide verreisen oder auch nur lange Spaziergänge machen wollen, sind die Kontrollgeräte notwendig.«

»Es wird doch wohl nicht mein inneres Ohr oder meinen Gleichgewichtssinn durcheinanderbringen oder so etwas Ähnliches? Die NASA muß zustimmen, wenn...«

»Ich weiß, Mister Walmsley. Sie werden es genehmigen, ich habe nachgefragt.«

»Nigel, dein Gerät ist nur ein...« Alexandria schaute zu Hufman hinüber.

»Akustischer Umsetzer«, ergänzte Hufman.

»Ja. Mein Gerät ist ein kompletter diagnostischer Kommunikator. Wir werden beide auf den gleichen Sendecode geschaltet, aber dein Gerät wird nur, na, ein Warnlicht für mich sein. Du...«

»Ich weiß, in Ordnung«, sagte Nigel und sprang auf. Er lief nervös auf und ab. »Sie sagen, daß mein Gerät ganz einfach wieder rausgeholt werden kann, man muß bloß den Stöpsel ziehen, und ich bin wieder so gut wie neu?«

»Schmerzlos.« Hufman betrachtete ihn unbewegt. »Wir werden in der Lage sein, Alexandrias Diagnosegerät zu befragen oder zu überprüfen, ob Ihr Kontrollgerät ordnungsgemäß empfängt, ohne einen von Ihnen zu berühren.«

Nigel blinzelte heftig, war nervös. Er haßte Operationen aller Art, ertrug gerade noch die Untersuchungen bei der NASA. Aber was ihn hier aufregte, war die sichere, ruhige Art und Weise, in der Hufman und Alexandria über die Möglichkeit schwerer Schädigungen ihres Nervensystems sprachen. Von einer verheerenden Krankheit, einem langsamen Schwinden der Körperfunktionen. Dann die Blutung. Dann...

»Natürlich. Natürlich werde ich es machen. Jetzt, wo ich es verstehe. Natürlich.«

Er flog wegen der Routinetests und der damit verbundenen Einschätzung seiner zukünftigen Verwendbarkeit nach Houston. Nigel kam dort zusammen mit zwei anderen Astronauten an; sie alle arbeiteten am Boden, blieben jedoch in Bereitschaft für Operationen im Weltraum. Sie kamen mit Linienmaschinen; die Zeiten, in denen es Privatflugzeuge für Astronauten gegeben hatte, waren schon lange vorbei. Die beiden anderen Männer waren vom üblichen Schlag: robust, gutmütig, auf Konkurrenzverhalten eingestellt. Nigel bestand die körperlichen Tests, den mit Abstand schlimmsten eingeschlossen – kaltes Wasser, das in ein Ohr gegossen wurde, ließ die Augäpfel herumwirbeln, während das verwirrte Gehirn mit unterschiedlichen Informationen aus den beiden Bogengängen kämpfte, die eine besagte: warm, die andere: kalt; die Welt schwankte wie wild. Dann ein Tag in einem Übungsgerät, versunken in ein Universum aus Schaltern, Verteilern, Rohrleitungen, Tanks, Sensoren, Ventilen, Steckern, Hardware ohne Ende. Sie verwendeten es als Zentrifuge, schleuderten ihn herum, maßen seine Reflexe. Er lernte wieder den Trick, wie man unter hohen Drücken atmete: Man muß die Lungen erst einmal ganz mit Luft füllen und dann immer mit kurzem, raschem Schnaufen Luft einsaugen, also ganz flach atmen. Am fünften Tag flog er dann schließlich mit einer Trainings-Raumfähre in eine niedrige Umlaufbahn. In der Schwerelosigkeit sammelte sich sein Blut an verschiedenen Stellen seines Körpers und verleitete ihn so dazu zu glauben, daß seine Blutmenge zugenommen hätte. Sein Urinausstoß stieg an, sein Hormonspiegel veränderte sich, alles im Rahmen der erlaubten Werte. Er bestand, erhielt eine neue Bescheinigung und raste zurück zur Erde. Die Raumfähre landete in Nevada. Als er wieder in ihrer Wohnung eintraf, erfuhr er, daß Alexandria für diese Nacht wegen einer Biopsie ins Krankenhaus eingeliefert worden war, eine reine Routineangelegenheit, und entdeckte, daß Shirley allein in der Wohnung war und las.

Beim Auspacken kramte er nervös in verschiedenen Schubladen und Schränken herum. Als sie ins Bett gingen, fiel Nigel auf, daß dies das erste Mal seit der Zeit war, in der er Shirley über Alexandria kennengelernt hatte, daß sie die Nacht zusammen verbrachten. Sogar dann hatte ihr Beisammensein etwas Gezwungenes, eine scheinbare Unvermeidlichkeit ohne eigenen inneren Impuls. Als er sie berührte, suchte er unbeholfen nach dem richtigen Rhythmus. Sie gingen ungeschickt mit dem Körper des anderen um wie mit einer unbekannten Verpackung, die sie nicht öffnen konnten. Schließlich gaben sie auf, mit gemurmelten Entschuldigungen über Müdigkeit und die späte Stunde, und sanken in erleichterten Schlaf, Rücken an Rücken, so daß die Decken ein lockeres Zelt über dem Raum zwischen ihnen bildeten.

An den langen Nachmittagen, an denen sich Alexandria ausruhte, vertiefte er sich in die Ergebnisse jahrzehntelanger wissenschaftlicher Forschung und Spekulationen. Er erkannte, daß es da eine bestimmte Entwicklung gab: Im Laufe des zwanzigsten Jahrhunderts veränderte sich der Rang der Behauptung, daß Leben im Universum nichts Ungewöhnliches sei, von dem einer unglaubwürdigen Hypothese zu einer weitverbreiteten Annahme, bis die radioastronomischen Suchprogramme begannen. Nach mehreren Jahrzehnten ohne jedes Ergebnis wich dann die Begeisterung aus dem Unternehmen. Teure Radioteleskope spitzten ihr Ohr und lauschten dem Zischeln des interstellaren Wasserstoffs. Dann wurden die Mittel knapp, und die Programme wurden gestrichen. Es gab keine dramatischen Veränderungen in der wissenschaftlichen Grundlage – die Entwicklung der Materie ließ die Entstehung von Leben an vielerlei Orten geradezu als notwendig erscheinen –, doch es mangelte an Glauben. Wenn es in der Milchstraße vor Leben nur so wimmelte, warum gab es dann keine auffälligen Radio-Leuchtfeuer, um uns zu führen? Warum keine galaktische Bibliothek? Vielleicht war der Mensch einfach zu ungeduldig; er sollte ein Jahrhundert lang ruhig lauschen, ohne auf die Kosten zu achten. Nigel fragte sich, wie sich die Diskussion über die Verwendung der Radioteleskope verändern würde, wenn sich die Entdeckung des Schnarks herumspräche. Würde das Beispiel eines Besuchers die Chancen so stark verbessern? Ihre emotionale Einschätzung, vielleicht. Der Schlüssel war der Schnark selbst.

Sie gingen immer noch zu Partys in den Wohnungen von Freunden oder besuchten Shirleys winziges Apartment in Alta Dena, doch Alexandria merkte, daß sie immer weniger Alkohol vertrug. Sie wurde schnell müde und bat dann darum, nach Hause gebracht zu werden.

Ihr Arbeitsplan verringerte sich von drei Tagen pro Woche auf zwei, dann einen. Das Brasiliengeschäft ging weiter und nahm juristisch die Komplexität eines Wollknäuels an, um das weitere Fäden gewickelt wurden. Sie konnte der Sache nicht mehr ganz folgen und erhielt immer begrenztere Aufgaben zur Bearbeitung.

Nigel widerstand Shirleys Überredungsversuchen, daß er – Treffen? Kundgebungen? Gottesdienste? der Neuen Jünger besuchen sollte. Er konnte nicht sagen, ob Shirley wegen Alexandria ging oder umgekehrt. Alexandria erwähnte es kaum, da sie ihn besser kannte.

Er stand früh am Morgen auf und las die Bücher der Neuen Jünger, die *Neuen Offenbarungen*, den intellektuellen Überbau. Es schien ihm eine zusammengepfuschte Religion zu sein, zusammengesetzt aus den abschraubbaren Zahnrädern und Getrieben früherer Glaubensrichtungen. Im Zentrum des Ganzen lief die Turbine, die er erwartet hatte, eine Parodie des alttestamentarischen Gottes, besessen von der Macht seines eigenen Namens, der der minuziösen Buchführung über die Leben der Frommen fähig ist, um über ihr Seelenheil zu entscheiden. Dieser Gott schleppte den ganzen großen Koffer mit sich herum, voller Kriege, Krankheiten, Überschwemmungen, Erdbeben und Martertode, um die Ungläubigen heimzusuchen. Und glaubte augenscheinlich an lachhafte Verbindungen zwischen Buddha, Christus, John Smith und Albert Einstein; ja, in der Tat hatte er sie alle ins Leben gerufen, durch ein Schnippen mit den heiligen Fingern.

Nigel knallte die *Neuen Offenbarungen* über diesen bösartigen Gott zu und schlich leise ins Schlafzimmer. Alexandria lag schlafend da, mit zurückgeneigtem Kopf und offenem Mund.

Er hatte sie noch nie zuvor so schlafen gesehen. Die Stellung ihres Körpers schien der Tatsache der Ruhe zu widersprechen. Angespannt, doch verwundbar. Er hatte eine plötzliche Vorstellung vom Tod, ein kleines Ding, das sich aus der Entfernung näher bewegte, mit gemächlichen Flügelschlägen durch die Nachtluft flog, während sie schlief. Das Haus ausfindig machte. Durch ein Fenster. In das verdunkelte Schlafzimmer hinein. Still, langsam. Es flatterte. Flatterte in ihren offenstehenden Mund hinein.

8

Lubkin rief regelmäßig an. Nigel hörte zu, sagte aber von sich aus wenig; man hatte nichts mehr weiter über den Schnark erfahren, deshalb schienen Spekulationen zwecklos zu sein. Lubkin zitterte am ganzen Körper wegen der Berufung eines Exekutivkomitees durch den Präsidenten. Das Komitee wurde von einem Mann namens Evers geleitet und sollte die Lage überwachen. ExKom, nannte es Lubkin. Das Komitee werde sich in einer Woche in den JPL treffen; ob Nigel komme?

Er kam, wenn auch ungern. Es stellte sich heraus, daß Evers ein tiefgebräunter, athletisch aussehender Bursche war, gepflegt und neutral. Er hatte das Auftreten eines Mannes, der schon so lange eine verantwortliche Stellung innegehabt hatte, daß seine Führerschaft vorausgesetzt wurde; es war eine Tatsache, über die es sich kaum lohnte, ein Wort zu verlieren. Vor dem offiziellen Treffen nahm Evers Nigel beiseite und fragte ihn nach einer Beurteilung des Schnarks aus, was er im Schilde führe, wohin er fliegen werde. Nigel hatte seine eigenen Vorstellungen, aber er sagte Evers, daß er keine Ahnung habe.

Das Treffen selbst erwies sich als eine Menge Gerede mit herzlich wenig neuen Daten. Das Rendezvous mit der Venus erschien jetzt als ziemlich wahrscheinlich, nach genauer Analyse der Begegnung mit Mars. Warum der Schnark dies tun sollte, war eine andere Frage. Seitdem das Netz der Nachrichtensatelliten in den 1990er Jahren vollendet worden war, war die Erde nicht mehr länger eine starke Emissionsquelle von Radio- oder Fernsehwellen. Ein magnetischer, implosionsinduzierter Regenbogen, der in Saudi-Arabien künstlich hergestellt worden war, wurde direkt per Richtstrahl über einen Satelliten nach Japan übermittelt; keinerlei Signale sikkerten mehr durch die Atmosphäre hinaus. Es war vorstellbar, daß der Schnark keine deutlichen elektromagnetischen Signale von der Erde empfangen hatte, ehe er nahe dem Mars gewesen war. Aber trotzdem, warum die Venus? Warum sollte er dorthin fliegen?

Nigel verspürte eine gewisse bittere Belustigung über Evers und seine wissenschaftlichen Berater. Wenn sie bei einer Frage zu einer Aussage gezwungen waren, dann wichen sie immer wieder aus und verfielen in ihren neutralen Jargon; ein einfaches ›ich glaube‹ wurde zu ›es wird vermutet, daß‹; Meinungen wurden im Passiv geäußert, ohne daß der Urheber erkenntlich wurde.

Als man die Sitzung abbrach, kam ihm zu Bewußtsein, daß er, verglichen mit diesem aalglatten Komitee und dem undurchschaubaren Evers, wahrscheinlich das Rätsel vorzog, das jetzt zur Venus schwebte, ein Ding, das sie nur durch die orangefarben blühende Flamme seines atomaren Antriebs kannten.

Lubkin rief an. Der Schnark reagierte weder auf ein ausgestrahltes Radiosignal noch auf einen Laserimpuls.

Natürlich nicht, dachte Nigel. Das Ding ist nicht mehr so naiv. Es hat einige Blicke auf das Tagesprogramm vom 3D geworfen und ist vorsichtig geworden. Es will erst einmal Zeit haben, uns zu studieren, ehe es eine Zehe ins Wasser hält.

Weitere Neuigkeiten: Evers erhöhte den Etat. Neue Spezialisten wurden hinzugezogen, obwohl keinem die ganze Wahrheit gesagt wurde, keiner wußte, worum es bei der ganzen Sache wirklich ging. Der Bursche namens Ichino entwickelte sich gut. Die Beobachtung ging weiter. Kein Zeichen vom Schnark.

Nigel nickte, murmelte etwas und ging zurück zu Alexandria.

Und er erkannte, daß Alexandria recht hatte: Sie beide bewegten sich schon seit Jahren auf einem Plateau. Er erinnerte sich an den Jungen bei der Herbstmesse von Orange County. Leute mit Kindern hatten einen natürlichen Maßstab. Sie wuchsen heran, entwickelten sich: Man konnte sehen, wie sich die eigenen Bemühungen in einem lebendigen menschlichen Wesen niederschlugen, einem neuen Element in der Zusammensetzung der Welt. Alexandria war in einem kollektiven Ameisenhügel hochgeklettert. Sie bewegte sich lediglich vertikal, ohne menschliche Dimension. Die Brasilianer würden die verdammte Fluglinie aufkaufen, soviel war inzwischen klargeworden, und wie könnte das im einzelnen die Bilanz ihres Lebens beeinflussen?

Nigel verließ normalerweise die Sitzungen des ExKoms, sobald sie offiziell geschlossen wurden. Ohne eine genaue und kontinuierliche Erfassung der Flugbahn des Schnarks schien es wenig zu diskutieren zu geben. Nach einer dieser Sitzungen folgte ihm Lubkin aus dem Konferenzraum und in einen Aufzug. Nigel nickte zerstreut eine Begrüßung. Er kratzte sich geistesabwesend an der Backe, die von einem einen Tag alten Bart verdunkelt wurde; das schabende Geräusch klang in dem Aufzug sehr laut.

»Weißt du«, sagte Lubkin plötzlich, »was ich bei einer Sache wie dieser hier irgendwie mag, so einem Gemeinschaftsunternehmen, an dem nicht so furchtbar viele Leute beteiligt sind, das ist, daß die Leute irgendwie gegenseitig auf ihre Hilfe angewiesen sind.«

»Das ist bei Gin genauso.«

Lubkin lachte bellend, kurz und heftig. »Mann, bin ich froh, daß Evers das nicht gehört hat. Der wäre jetzt so sauer wie eine Kröte, der man die Warzen abgefeilt hat.«

»Oh? Warum das denn?«

»Er... na ja, er möchte sicher sein, daß wir eine zuverlässige Gruppe haben.«

»Dann muß er also Zweifel wegen mir haben.«

»Nene, so würde ich das nicht sagen. Wir haben alle irgendwie das Gefühl, daß du in bestimmter Weise... anders bist.«

»Warum denn?«

»Na ja.« Lubkin betrachtete ihn ernst und angestrengt, als ob er versuchte, etwas Bestimmtes aus Nigels Gesicht herauszulesen. »Du bist dort gewesen. Auf Ikarus. Du hast einige Dinge gesehen, die, na ja, kein anderes Mitglied der Menschheit jemals sehen wird.«

Nigel sagte einen Augenblick lang nichts. Er kaute auf der Lippe.

»Du hast doch die Fotos gesehen, die ich gemacht habe. Sie...«

»Das ist nicht dasselbe. Verdammt – was du gemacht hast, Nigel – in Ikarus einzudringen – hat uns möglicherweise den Schnark beschert.«

»Du meinst diesen Ausbruch von Radiostrahlung?«

»Ja, genau. Weshalb würde ein Wrack so ein starkes Signal aussenden?«

Nigel zuckte die Achseln und hob die Augenbrauen auf eine leicht komische Weise; er hoffte, damit Lubkins düstere Stimmung auflockern zu können. »Da komme ich nicht mehr mit, fürchte ich.«

Die Tür des Aufzugs glitt auf. »Wenn du da nicht mehr mitkommst, bin ich mir ziemlich sicher, daß wir da alle nicht mehr mitkommen, Nigel.« Er scharrte mit den Füßen, als ob er irgendwie verlegen wäre. »Oh, ich muß mich jetzt aber beeilen. Grüß Alexandria von mir, ja? Und denk an die Party, hm?«

»Bestimmt.«

Als Nigel das Gebäude verließ, war er froh, Lubkin entkommen zu sein, einem Mann, von dem er glaubte, daß man ihn prinzipiell nur schwer mögen konnte, der ihn aber trotzdem bei diesem kurzen Gespräch einen Augenblick lang irgendwie emotional beeindruckt hatte. Der Ausdruck von Lubkins Gesicht erinnerte ihn an andere Leute bei der NASA, die früher mit ihm gesprochen hatten. Manchmal stellten sie sich ihm in Gängen oder Kantinen einfach in den Weg, auch die, die ihm völlig unbekannt waren. Sie wollten dann irgend etwas Ausgefallenes über Ikarus wissen oder eine technische Frage stellen, die in den Berichten zu kurz gekommen war; so etwas Ähnliches behaupteten sie jedenfalls. Einige waren kühl und sachlich, andere ließen immer bestimmte Redewendungen lange unvollendet im Raum stehen, als ob sie zwar Nigels augenblickliche Situation sehr genau kannten (der entweder gerade ein Tablett mit Essen balancierte oder darauf wartete, zu einer Sitzung gehen zu können, und trotzdem nicht unhöflich erscheinen wollte), ihn aber dennoch nicht gehen lassen konnten. Einige murmelten kurz irgend etwas und räumten dann das Feld, während andere nach ein paar schwermütigen Bemerkungen zu irgendeinem Detail plötzlich dröhnend joviale Phrasen von sich gaben, seine Hand drückten und dann verschwunden waren, ehe er antworten konnte. Und bei diesen Begegnungen hörte er immer wieder die gleichen Floskeln: *Sie sind dort gewesen... Sie haben einige Dinge gesehen, die... die Bilder, das ist nicht dasselbe... zeigen nicht, wie es wirklich war... Sie sind dort gewesen...*

Nigel merkte, daß ihn Lubkin und die anderen wirklich respektierten und anerkannten, was er war. Er konnte sich logisch erklären, daß andere Menschen eine Aura spürten, die ihn umgab. Er ignorierte sie recht erfolgreich. Ab und zu kam ihm der Gedanke, daß dies den ersten Astronauten hätte zustoßen müssen. Er hatte sich aufgemacht und die Bücher aus jener Zeit gelesen; sie brachten ihm wenig neue Erkenntnisse. Er bewahrte sich eine Vision von Buzz Aldrin, wie er sich in alkoholisch-depressive Saufereien zurückzog, sich von seiner Frau scheiden ließ, allein lebte, die Türen und Fenster seiner Wohnung verriegelte, den Stecker der Telefonleitung aus der Wand zog und trank, tagelang trank, nur trank und nachdachte und trank. War vielleicht seine eigene Persönlichkeit von diesem Dämon gestreift worden, der sich an Aldrin herangemacht hatte, wer auch immer er sein mochte? Durch die schwierig zu handhabende Last der Erwartungen, die andere Menschen ihm gegenüber hegten?... *Sie sind dort gewesen... haben es berührt...* Na gut, hatte er also. Und war vielleicht dadurch verändert worden. Und veränderte sich durch das, was es für andere Menschen bedeutete.

Einige Tage später erhielt Nigel einen erinnernden Wink von dem Computeranschluß in seiner Wohnung, aus dessen Memorex-Speicher. KATEGORIE: ASTRONOMIE, 1b (planetarische); periodische Ereignisse, wie gewünscht. Eine partielle Sonnenfinsternis würde an der südlichen kalifornischen Küste sichtbar sein, in zwei Tagen, um 14 Uhr 46 (Zeitzone Pazifikküste). Also verschoben sie das Mittagessen und machten ein ausgiebiges Picknick auf dem Rasen hinter dem Haus. Ein Auflauf aus Bohnen, Zwiebeln, Rindfleischwürfeln und Gewürzen; Käse, hellgelb; Tomaten, Gurkenscheiben; Gazpachos; fritierte Artischocken mit Zitronensaft; ein guter Pinot Noir; schließlich Macadamia-Nußeis. Alexandria aß mit Genuß. Sie schob die Artischocken in exakt quadratisch geschnittenen Stückchen mit der Gabel zwischen die Zähne, wobei sie sich zurücklehnte und auf einen bereits steif gewordenen Arm stützte, die gespreizte Hand versank bis zum Handgelenk in frischem Gras. Ihr roter Rock rutschte von den hochgestellten Knien nach oben und setzte zwei blasse Oberschenkel dem Stechen der Sonne aus, einer Sonne, die bereits am Rand angeknabbert wurde. Diese träge Bewegung, durch die die bleichen Innenseiten ihrer Schenkel entblößt wurden, als ob sie ein unbekannter und geheimnisvoller Ort wären, ließ irgend etwas seinen Hals einschnüren. Über ihnen verschlang der Mond die Sonne. Alexandria legte sich seufzend ins Gras und schlug Nigel vor, die spezialgetönten Sonnenbrillen aufzusetzen, die sie gekauft hatten. Er ließ den Kopf auf die harte und gerundete Erde sinken und spürte, wie sie sich unter ihm krümmte und sich zum Horizont wegdrehte. Einen Augenblick lang wurde ihm klar, daß er von Mr. Newton gegen etwas gepreßt wurde, was tatsächlich ein Ball war, eine Kugel, und nicht das täuschende Plattland, das die Menschen zu bewohnen glaubten (und er erinnerte sich daran, daß ein Wilder laut Dr. Johnson jemand war, der zwar Geister sah, nicht aber das Gesetz der Schwerkraft). Er entsann sich, daß einige der frühesten Beobachtungen von Sonnenfinsternissen dem Memorex zufolge von den geistigen Stützen des alten Alexandria vorgenommen worden waren. Dort hatte zur Zeit von Ptolemäus und danach die gewaltige Bibliothek gestanden, in der sich griechisches und römisches Wissen vereinte – bis sie im Verlauf eines unbedeutenderen kriegerischen Scharmützels ausbrannte. Er blinzelte. Dunkelheit nagte an der Sonne. Alexandria neben ihm stellte Fragen, und er antwortete, seine Sätze wurden allerdings durch den Pinot Noir und den betäubenden Schleier der Nachmittagssonne leicht verzerrt. Doch die Wärme versiegte. Ein kalter Hauch näherte sich über den Rasen. Das Verschlingen über ihren Köpfen ging weiter, anhaltende Dunkelheit schluckte das Zentrum der Sonne. Es war eine partielle Verfinsterung. Langsam schob sich ein Vorhang vor die tote, aber ungestüme Materie, er deformierte den Stern zu einer Sichel, bemerkte Nigel plötzlich, einem unvollständigen Kreis mit Hörnern, die nicht miteinander verbunden waren und wie Wunden offenstanden, ihre Spitzen brannten grell mit unvorstellbarer Energie. Etwas drehte sich in ihm, *ich sterbe, Ägypten, sterbe*, es schnürte seine Kehle zu, und er blinzelte, blinzelte, um den ewigen Höllenschlund zu sehen, der über ihnen hing.

9

Alexandria bestand darauf, daß sie zu Lubkin gingen. Sie fand die Idee irgendwie interessant, und sie brachte glitzerndes Leben in ihre Augen. Sie war schon immer mit größerer Begeisterung in Feiertagsstimmung gekommen als er, und jetzt verbesserten die ersten Dezemberwochen ihre Laune. Nigel erwähnte es Hufman gegenüber. Der Doktor meinte, unter Berufung auf Laborberichte, daß sie eine stabile Ebene erreicht haben könnte. Vielleicht wirkten die Me-

dikamente. Möglicherweise würde die Krankheit nicht weiter fort-
schreiten.

Wie aufs Stichwort erholte sich Alexandria weiter. Sie kaufte ein
Kleid, das raffiniert ihre linke Brust entblößte, und trieb ein Hemd
mit schwarzen und braunen Rüschenärmeln für Nigel auf. Er kam
sich sehr auffällig darin vor, als sie bei Lubkins Party eintrafen,
doch innerhalb einer halben Stunde hatte er sich den größten Teil
einer Flasche chilenischen Rotweins einverleibt, den er in der Bar
entdeckt hatte. Alexandria war wieder ganz die alte; sie nahm eine
Eckposition im Wohnzimmer ein, und allmählich sammelten sich
die Gäste um sie, größtenteils Leute aus dem Umkreis der JPL. Nigel
sprach mit ein paar Besuchern, die er kannte, doch irgendwie kam
der Fluß der Worte zwischen Geist und Zunge nie so richtig in
Gang. Er durchstreifte Lubkins Haus und betrachtete den Abend-
nebel draußen, der durch eine Reihe von Jakarandabäumen hindurch zu ihnen den Hügel emporstieg. Das Haus war im neuen Stil
erbaut worden, aus behauenem Stein und mit dünner Verschalung,
sowie mit großen, ovalen Fenstern, von denen aus man ganz Pasadena überblicken konnte, das immer im Dunst lag.

»Hör mal, Nigel, ich dachte mir, du würdest gerne Mister Ichino
kennenlernen.«

Nigel drehte sich unbeholfen um. Lubkins Vorstellung war uner-
wartet gekommen, und Nigel war nicht auf den kleinen, drahtigen
Mann vorbereitet, der eine Hand ausstreckte. Er glaubte normalerweise, daß die Gesichter von Japanern teilnahmslos und undurch-
dringlich seien, doch dieser Mann schien eine stille Spannung aus-
zustrahlen, bevor er auch nur ein Wort gesagt hatte.

»Äh, ja« – sie gaben sich die Hand –, »ich vermute, Sie sollen sich
um die Telemetrie kümmern und die Computerzusammenschaltung
mit Houston.«

»Ja, das soll ich«, sagte Ichino. »Bis jetzt habe ich die allgemeinen
Aspekte des Problems studiert. Ich muß sagen, Ihr Programm für
den Schnark-Suchplan ist bewundernswert.«

Bei diesem letzten Satz erstarrte Lubkin.

»Es tut mir leid«, sagte Ichino rasch. »Ich werde solche Begriffe
in der Öffentlichkeit nie wieder verwenden.«

Lubkins angespanntes und verzerrtes Gesicht entspannte sich
leicht. Er nickte, schaute die beiden Männer einen Augenblick lang
unschlüssig an und murmelte dann etwas von Drinks, um die er sich
kümmern müsse, und war verschwunden. Ichino preßte seine Lip-

pen zusammen, um ein Lächeln zu verbergen. Er und Nigel wechselten einen Blick. Für einen Moment gab es totale Kommunikation zwischen ihnen.

Nigel kicherte. »Kunst ist...« – er nippte an seinem Wein – »als das geschickte Arbeiten innerhalb von Grenzen definiert worden.«

»Dann sind wir Künstler«, meinte Mr. Ichino.

»Nur nicht aus eigener Wahl.«

»Stimmt.« Mr. Ichino strahlte.

»Haben Sie... äh... das Objekt schon entdeckt?«

»Entdeckt...?« Mr. Ichinos walnußbraune Stirn verzog sich zu einem Runzeln. »Wie könnten wir?«

»Radar. Man muß Arecibo und das große Goldstone-Netz zusammen benutzen.«

»Das soll funktionieren?«

»Ich schätze, daß es das wird.«

»Aber jedermann weiß, daß wir Raketen im Weltraum nicht mit Radar verfolgen können.«

»Weil sie zu klein sind. Zugegebenermaßen haben wir das... das Ding niemals gesehen, deshalb kennen wir seine Größe nicht. Aber ich habe die scheinbare Helligkeit seiner Antriebsflamme als Ausgangspunkt genommen und berechnet, welche Masse diese Ausströmung durch die Gegend geschoben hat.«

»Es ist groß?«

»Sehr. Eine Seite kann nicht kleiner sein als ein oder zwei Kilometer.«

»Zwei Kilometer? Wenn wir Arecibo benützen würden, könnten wir leicht...«

»Genau.«

»Sie haben Doktor Lubkin davon erzählt?«

»Nein. Ich habe eigentlich gedacht, daß das inzwischen jemand untersucht hätte.«

An dem Ausdruck von Mr. Ichinos Gesicht konnte Nigel recht deutlich sehen, daß Lubkins üblicher Stil immer noch Geltung hatte; Lubkin tat, was ihm aufgetragen wurde. Zum Teufel mit allen Neuerungen und volle Kraft voraus.

Ein Tablett mit kleinen Imbissen wurde herumgereicht. Nigel nahm etwas von der violetten Fischpaste und schmierte sie auf einen Cracker. Er fühlte sich plötzlich hungrig und verschlang eine Handvoll Rinderhack-Zwieback. Er fragte den Kellner, ob noch mehr von dem chilenischen Rotwein vorhanden sei. Ichino hatte gerade einen Teil eines sehr elegant in Worte gefaßten Berichts darüber abgeliefert, was sich zur Zeit bei der Suche nach dem Schnark tat – offensichtlich verdammt wenig –, als der Rotwein eintraf. Nigel ließ reichlich viel in sein Glas schwappen und machte eine ausladende Geste: »Gehen wir doch ein bißchen herum, ja?«

Ichino folgte still, das Eis klirrte in seinem wässerigen Drink. Nigel schob sich durch eine Diele, drückte eine angelehnte Tür auf. Der Aufenthaltsraum der Familie. Er sah sich die übliche Schrankwand an, die Schreibtischkonsole, die Simu-Sensoren.

»Ein beachtlicher Bildschirm, stimmt's?« Er ging quer durchs Zimmer zum dunklen 3D-Gerät. Er schaltete es ein.

– Ein Mann in einer orangefarben-schwarzen Uniform, der ein langes, blutiges Schwert in der Hand hielt, schlitzte einem jungen Mädchen den Bauch auf...

– Das Ding mit den versilberten Rückenflossen machte eine eindeutige Geste, grinste mit starrem Blick. Männlich? Weiblich? Undefinierbar? Es murmelte sinnlich, krümmte...

»Ganz schön pikant, scheint mir«, sagte Nigel und schaltete um.

»Vielleicht sollten wir seine privaten Auswahlsendungen nicht ansehen...«, meinte Mr. Ichino.

»Nur zu wahr«, sagte Nigel. Er wechselte auf die öffentlichen Kanäle. »Hab' schon lange keinen so großen mehr gesehen.«

Eine protzige Szenerie wurde erst verschwommen, dann klarer sichtbar. Die beiden Männer betrachteten sie einige Augenblicke lang. »Ah, ja, er ist ein Hibernationsverbrecher«, erklärte Nigel, »und er ist fest entschlossen, diesen Unterwasserkomplex zu zerstören, die Frau da auch, die in Rot...« Er brach ab. »Furchtbarer Mist, stimmt's?« Er drehte an der Wählscheibe.

– Die eingefetteten Körper schlängelten sich in langen Reihen dahin. Unter dem grellen Licht der Scheinwerfer, die man natürlich nicht sah, bildeten sie die heiligen Kreise. Die Helligkeit der Scheinwerfer übertraf nicht die des Feuers, das in der Mitte stürmisch loderte und von dem ein Funkenregen in den Himmel aufstieg. Füße stampften auf den ausgelaugten Boden. Ein dumpfer Gong gab den Rhythmus an. Drehen. Wirbeln. Stampfen. Singen.

»Noch schlimmer als vorher«, meinte Mr. Ichino sanft. Er griff nach der Wählscheibe. Nigel hielt ihn auf. »Nein«, sagte er.

– Sie sangen, wirbelten zu einem betäubenden Rhythmus; die Körper glänzten vor Schweiß. Ihr holpriger Chorgesang schwoll zu neuer Stärke an.

Laufen leben springen schweben
Fließen lieben fliegen sterben
Nur einmal und miteinander
Freudig singen Glück auf immer

Ringe umkreisten das Feuer in der Mitte. Drehen. Wirbeln. Stampfen. Singen.

»Insgesamt gesehen«, sagte Nigel schleppend, »glaube ich, daß ich Opium als Religion der Massen vorziehen würde.«

»Aber da irren Sie sich, Sir«, sagte eine Stimme von der Tür her. Dort stand ein aufgedunsener Mann neben Alexandria. Seine Augen schimmerten zwischen Fleischfalten hervor, und er lachte dunkel.

»Brot und Spiele brauchen wir nun einmal. Wir können nicht unbegrenzt für Brot sorgen. Also...« Er breitete die Hände weit aus. »Unbegrenzte Spiele. Elektronisch.«

Die Vorstellung: Er war Jacques Fresnel, Franzose; er beendete gerade einen zweijährigen Studienaufenthalt in den Vereinigten Staaten. (»Oder dem, was davon übriggeblieben ist«, fügte Nigel hinzu. Fresnel nickte unsicher.) Sein Fachgebiet waren die Neuen Jünger mit allen ihren Verzweigungen und verwandten Strömungen. Deshalb hatte Alexandria ein Gespräch mit ihm angefangen und ihn zu Nigel geführt, da sie eine interessante Konfrontation ahnte. (Und Nigel spürte trotz der Tatsache, daß die Neuen Jünger nicht gerade sein liebstes Gesprächsthema waren, wie ein Glücksgefühl in ihm aufstieg, angesichts dieses Zeichens ihrer neuen Lebhaftigkeit. Sie ging wieder unter Menschen, genoß wieder etwas, und sie kam bei dieser Party leichter mit Leuten ins Gespräch als er.)

»Sehen Sie, sie sind der soziale Kitt«, erklärte Fresnel. Er hielt sein Glas zwischen zwei massigen Händen, als ob er es zerbrechen wollte, und starrte Nigel gebannt an. »Sie sind *notwendig*.«

»Um die Fundamente zusammenzuhalten«, sagte Nigel höflich.

»Genau, genau. Sie haben sich erst diese Woche mit zahlreichen protestantischen Glaubensbekenntnissen vereinigt.«

»Das waren keine Glaubensbekenntnisse. Das waren Verwaltungsstrukturen ohne Gemeindemitglieder, die sie hätten am Leben halten können.«

»Sozial gesehen ist Vereinigung von überragender Bedeutung.

Eine neue Bindung. Eine Umstrukturierung von Gruppenbeziehungen.«

»Nigel«, sagte Alexandria, »er glaubt, daß sie ein hoffnungsvolles Zeichen sind.«

»Wovon denn?«

»Dem Tod unserer vormaligen Kultur der Sinnlichkeit«, meinte Fresnel ernsthaft.

»Und die wird abgelöst von – was? – Fanatismus?«

»Nein, nein.« Er winkte ab. »Unsere verfallende Kunst der Sinnlichkeit wird bereits *jetzt* beiseite gefegt. Keine Leere und keine Exzesse mehr. Wir werden uns dem Harmonischen-Aufsteigenden-Asketischen zuwenden.«

»Keine Nazis mehr im Drei-D, die zum Vergnügen Blondinen abschlachten?«

Alexandria runzelte die Stirn und warf einen Blick auf Lubkins 3D-Gerät, das jetzt dunkel war.

»Sicherlich nicht. Wir werden mythische Themen haben, intuitive Kunst, Arbeiten, denen erhabene Ziele zugrunde liegen. Ich brauche wohl nicht zu betonen, daß dies die Gefühle sind, die uns allen bitter fehlen, sowohl in Europa als auch hier und in Asien.«

Alexandria sagte: »Warum kommt das als nächstes, nach dem Sinnlichen?«

»Nun, dies sind modifizierte Auffassungen, die auf Sorokins streng schematischen Entwurf zurückgehen. Wir könnten natürlich auch zum Heroisch-Prometheischen übergehen...« – er machte eine Pause und strahlte reihum alle an –, »aber erwartet das irgend jemand von uns? Niemand fühlt sich in diesen Tagen prometheisch, nicht einmal in Ihrem Land.«

»Wir bauen gerade die zweite Zylinderstadt«, warf Mr. Ichino ein. »Zweifellos die Konstruktion einer neuen Welt...«

»Eine Fluktuation«, meinte Fresnel vergnügt. Er streichelte seine Weste mit der Fingerspitze. »*Ich* bin ja immer für solche Abenteuer. Aber wie viele Menschen können denn in diesen – diesen Cylcits leben?«

»Wenn wir sie schnell genug mit Rohstoffen vom Mond bauen...«, begann Alexandria.

»Nicht genug, nicht genug«, sagte Fresnel. »Es wird immer solche Dinge geben, und sie sind gut, aber die Haupttendenz ist klar. Die letzten paar Jahrzehnte, die Greuel – was haben wir gelernt? Es wird immer Andersdenkende geben, Abtrünnige, Abweichler, Unverwüstliche, Ausgeflippte, Leute im Untergrund, sogar Ketzer und natürlich die widerwilligen oder nominellen Konformisten.«

»Sie sind die Mehrheit«, sagte Mr. Ichino.

»Ja! Die Mehrheit! Deshalb müssen wir, um überhaupt *irgend etwas* Nützliches mit ihnen anzufangen, um diese *gewaltige* Energie zu kanalisieren und zu konzentrieren – wie sagt man? –, sie alle unter ein Dach bringen.« Fresnel formte mit seinen Händen einen Turm, seine Steinringe wirkten dabei wie Wasserspeier.

»Die Neuen Jünger«, sagte Nigel.

»Eine wahre kulturelle Innovation«, meinte Fresnel. »Sehr amerikanisch. Ebenso wie Ihre Mormonen ergänzen sie diejenigen Elemente, die in den traditionellen Religionen fehlen.«

»Umrühren, nach Geschmack würzen und servieren«, ergänzte Nigel.

»Du gibst ihnen keine echte Chance, Nigel«, sagte Alexandria mit plötzlicher Ernsthaftigkeit.

»Verdammt richtig. Will jemand was zu trinken haben?« Er nahm Alexandrias Glas und machte sich auf den Weg zur Bar.

Der Teppich schien aus einem elastischen Material zu bestehen, das ihn nach jedem Schritt leicht in die Luft hob. Er steuerte durch Grüppchen von JPL-Leuten, ließ gelegentlich ein automatisches Lächeln aufblitzen und mied den Kontakt mit anderen. An der Bar vertilgte er ein Körbchen mit knusprigen gerösteten und gesalzenen Kürbissamen. Der chilenische Rotwein war weggetrunken worden; er wechselte zu einem anonymen Bordeaux. Plötzlich tauchte Mr. Ichino neben ihm auf. »Ich habe gehört, Sie bleiben aktiver Astronaut, Mister Walmsley?«

»Bis jetzt.« Er schüttete den Bordeaux in sich hinein und hielt dem Barmixer sein Glas hin, damit er es wieder füllen konnte.

»Sollten Sie etwa auf Ihr Gewicht achten?«

»Sie haben wirklich einen guten Blick. Recht gut.« Nigel drückte einen Finger in seinen Bauch. »Ich nehme etwas zu.«

»Alkohol hat eine bemerkenswerte Menge…«

»Stimmt. Abgesehen von Zement und ähnlichem Zeug, das man ja vermutlich nicht gerade eimerweise verschlingt, sind starke Drinks – ich liebe diesen Ausdruck – das Wirkungsvollste, was man zu sich nehmen kann, um sich die Pfunde anzumästen. Aber Wein – je herber, je besser – hat diesen Effekt nicht. Ein Glas hat kaum mehr Kalorien als ein paar Gramm Macadamianüsse. Das heißt, wenn man noch Macadamianüsse bekommen *könnte*.«

Er hörte auf zu erzählen; er merkte, daß er wahrscheinlich zuviel redete. Mr. Ichino stimmte Nigels Rat mit einem ernsten Nicken zu und bat den Barmann um ein Bier. Nigel beobachtete aufmerksam, wie der eiskalte Schaum im Glas aufstieg. »Wollen wir zu unserem Soziometriker zurückgehen?« fragte er, und die beiden gingen wieder in den Aufenthaltsraum.

Eine kleine Gruppe von Leuten hatte sich um Fresnel versammelt. Die meisten von ihnen hatten hochmodisches pechschwarzes Haar, das exakt schulterlang geschnitten war. Sie diskutierten gerade das Humanistisch-Säkulare. Der wichtigste strittige Punkt schien die Verwendung von elektronisch verstärkten Handschuhen durch den Papst zu sein und ob dies bedeutete, daß er sich auf die Seite der Neuen Jünger schlagen würde. Die Medien sagten, daß beide die Frage zusammen ausmauschelten; eine Mensch-Computer-Verbindung hatte die Absorption der Katholiken binnen drei Jahren vorausgesagt, auf der Grundlage von benennbaren soziometrischen Parametern.

Nigel gab Alexandria ein Zeichen, und sie trennten sich von der Gruppe. Shirley tauchte auf, sie kam zu spät. Sie küßte Alexandria und bat Nigel, ihr einen Drink zu holen. Als er zurückkam, sprach Alexandria gerade mit einigen Russen, und Shirley zog ihn beiseite.

»Kommst du mit uns?«

»Wohin?«

»Die Immanenz. Wir wünschen uns so sehr, daß du mit uns gehst, wenn wir ihn besuchen, Nigel.«

Er musterte ihre Augen, die tief in den Höhlen oberhalb der hohen Wangenknochen lagen, um zu sehen, wie ernst sie das meinte. »Alexandria hat es erwähnt.«

»Ich weiß. Sie sagte, daß sie keine Fortschritte mache. Du redest ja einfach nicht mehr darüber.«

»Sehe nicht viel Sinn darin, Unfug zu reden.«

»Du magst es anscheinend nicht, mit uns *überhaupt* zu sprechen«, sagte sie mit plötzlicher Leidenschaft.

»Was soll das heißen?« fragte er zornig.

»Ohh!« Sie schmetterte ihre Faust als dramatische Betonung gegen die Wand. Sie verdrehte die Augen, und Nigel konnte nicht verhindern, daß er über diese Geste lächelte. *Sie hätte Schauspielerin werden sollen*, dachte er.

»Nigel, verflucht noch mal, du *bewegst* dich nicht mit der Sache.«

»Die Sprache versteh' ich nicht, tut mir leid.«

»Ohh!« Wieder die verdrehten Augen. »Du und deine Sprachfetische. Gut, mit einem Wort: Alexandria und ich wissen nicht mehr, wo du *bist*.«

»Verdammt, ich bin den größten Teil des Tages mit ihr zusammen zu Hause.«

»Ja, aber – lieber Himmel! – emotional, meine ich. Du arbeitest weiter an dieser Sache, was es auch sein mag, in den JPL. Liest deine verdammten astronomischen Bücher. Alexandria braucht jetzt mehr von dir...«

»Sie bekommt doch eine ganze Menge«, sagte Nigel etwas steif.

»Du bist da drin abgeschlossen, Nigel. Ich meine, *etwas* kommt durch, aber...« Shirley zog die Augenbrauen zusammen, um sich zu konzentrieren. »Es ist mir noch nie vorher aufgefallen, aber ich glaube, das könnte der Grund sein, warum du dich in eine Dreierbeziehung einfügen kannst. Die meisten Männer können das nicht, aber du...«

»Ich könnte mir vorstellen, daß eine Dreierbeziehung *mehr* Kommunikation verlangt, nicht weniger.«

»Einer gewissen Art, nehme ich an, ja. Aber Alexandria ist der Mittelpunkt. Wir umkreisen sie. Wir sind kein echtes Dreieck.«

Sie lehnte sich mit vorgebeugten Schultern gegen die gepolsterte Wand der Diele und musterte den Teppich. Ihre linke, nackte Brust hatte inmitten der weichen Schatten das Aussehen einer Träne, ihre Spitze war ein brauner Fleck. Nigel schien sie plötzlich offener, verwundbarer zu sein, als sie während der gesamten letzten Monate ausgesehen hatte. Ihr pastellfarbiges Kleid spannte über Hüfte und rechter Brust und ließ sie irgendwie nackt aussehen, als ob der Stoff schützte, ohne zu verbergen. Das Oval um ihre linke Brust hing da wie das Auge einer tieferen Schicht von ihr.

Er seufzte. Er war sich dessen bewußt, daß der Atem, der aus ihm strömte, ein dichter alkoholischer Dunst war, ein Liter eines so substantiellen Stoffes, daß er fast erwartete, die Wolke in der Diele schweben zu sehen, unvermischt mit der gewöhnlichen Luft. »Vermutlich hast du recht«, sagte er. »Ich werde mitgehen und diesen Kerl besuchen, wenn ihr das möchtet. Aber das muß passieren, ehe wir abreisen – und das wird in einer Woche sein.«

Shirley nickte. Er küßte sie mit seltsamer Feierlichkeit.

Drei Leute kamen plaudernd aus einem nahegelegenen Zimmer, und die Stimmung, die zwischen ihnen herrschte, zerstob.

Mr. Ichino ging früh. Verdammt früh, dachte Nigel benebelt, denn er hatte den Mann auf den ersten Blick gemocht. Außerdem war es eine gute Party, eine recht gute. Lubkins Feiern waren in der Vergangenheit ohne Ausnahme die allerlangweiligsten einer traurigen Menge von Partys gewesen, die aus der tödlichen Fröhlichkeit der Weihnachtszeit keimten. *Weg mit dem Weihnachtsmann, her mit dem Christkind,* dachte er und machte sich auf zur nächsten Runde an die Bar. Der Bordeaux war inzwischen auch ausgegangen, aber ein passabler kalifornischer Rotwein ließ sich recht gut trinken. Lubkin war nicht kleinlich, was seine Weine anging, und das sprach sehr für ihn. Keine ungenießbaren, gepanschten kalifornischen Weine, keine geheimnisvollen Gemische. Nigel schwante dunkel, daß er auf dem besten Wege war, stockbesoffen zu werden. Und das auf Lubkins Kosten – um so besser. Er hatte sich schon halb dazu entschlossen, Lubkin ausfindig zu machen, ihm überschwenglich zu danken und unterdessen einen befriedigend reichlich bemessenen Schluck Wein direkt in seiner Gegenwart herunterzukippen.

Er machte sich auf, um seine Mission auszuführen, und merkte, daß er mit einer überraschend schwierigen Ecke fertig werden mußte, als er aus dem Hobbyraum hinauskommen wollte. (Gestattete Lubkin gelegentliche Ausschweifungen in dem ausschweifenden Hobbyraum? Nur eine harmlose kleine Enthauptung, vielleicht auch zwei, in Farbe, mit chinesischen Hackmessern und dem ganzen Zeug? Nein, nein; der Ärgernis erregende Charakter des Reinemachens würde den Mann verletzen.) Die Ecke bildete einen stumpfen Winkel, war unverständlich. Er hatte bemerkt, daß der Grundriß des Zimmers fünfeckig war, mit gelegentlich eingezwängten Vorsprüngen, aber wie sollte er sich da orientieren?

Er setzte sich hin, um einen klaren Kopf zu bekommen. Vorbeigehende Leute sahen aus, als ob sie hinter Glas wären.

Er grübelte über den unverständlichen Winkel nach. Wunderlichkeiten der Sprache: Im Englischen hieß Winkel *angle,* wenn man zwei Buchstaben vertauschte, wurde *angel* daraus, der Engel. Einfach, so einfach. Eine kleine Umstellung verwandelte etwas behaglich Euklidisches in – puff – etwas orthodox Religiöses. Zwei einzelne Buchstaben konnten so weit springen, den Abgrund überwinden. Lächerlich einfach.

Uff! Wieder auf die Beine und raus! Im Wohnzimmer sichtete er Land in Gestalt von Shirley und Alexandria. Sie waren der Mittelpunkt der üblichen Gruppe von JPL-Ingenieuren, Männern mit kurzgeschorenem Haar und billigen Kugelschreibern, die Tag und Nacht in ihren Hemdtaschen steckten. Sie lächelten matt, als er näher kam; sie sahen aus, als ob sie eben wachgerüttelt worden wären.

Nigel glitt an diesen Konstellationen elegant vorbei, dann ließ er sich in dem dumpfen Wohnzimmer von Gespräch zu Gespräch treiben:

– SoCal hat die Berufung beim regionalen EIB verloren?

– Klar. Ich hab's erwartet.

– Dann wird unser Wasserkontingent wieder gekürzt?

– Klar. Wird verteilt auf Speicher für je 18000 Personen, obligatorisch. Wir werden das durch kontinuierlichen Rückgang wettmachen. Restriktive Einwanderungsgesetze werden durchkommen. Und die Regionalunterstützungszuweisungen des Bundes werden zusammengestrichen. Wir...

Weiter:

– Angenommen, wir hätten die Terroristen mit Plutonium 240 aufgehalten. Was dann? Seit der Geschichte in Neu-Delhi wissen wir doch, daß man den verdammten Asiaten nicht trauen kann, wenn...

Weiter:

– und dann fand ich die Szene so toll, als die *ganze* Bühne voller Sperma war; in Wirklichkeit war's ja bloß gefrorenes CO_2, aber was war das für ein *Effekt*, als es ins *Pub*likum spritzte...

Hie und da begann Nigel zu sprechen; er fühlte, wie sich die Sätze in seinem Inneren ganz formten, bevor er sie auszusprechen begann. Er öffnete die Reißverschlüsse der schlaffen Hüllen von Worten und ließ sie flink und glänzend herausspringen. Die Leute betrachteten ihn, als ob er in einer Grube sitzen würde, aus großer Höhe. Worte verschmolzen.

Nigel: Sie sprechen ›kleiden‹ aus, als ob es ›gleiten‹ wäre.

Frau: Na ja, meinen sie denn nicht dasselbe?

Nigel: Wie ist's denn mit ›trauen‹ und ›trauern‹?

Und dann weg! Zur Bar, wo ein annehmbarer Wein aus der Rheingegend in sein erhobenes, schimmerndes Glas gluckerte. Er nippte daran. Ein Riesling? Nein. Zu süß. Gewürztraminer? Möglicherweise.

In dem Zimmer war es unangenehm heiß. Er schob sich durch die ekelhafte, drückende Luft. Halbmondförmige Schweißflecken hatten sich unter seinen Achseln gebildet. Er begab sich in den Aufenthaltsraum.

Leer. Das 3D-Gerät. Er schaltete es ein. Der Bildschirm flimmerte ihn mit einem Lichtbrei an, der zu einer Luftaufnahme der zwei Ringe zerfloß. Zusammengepreßte Körper. Eine Stimme dröhnte über der Masse. Brot und Wein. Findet zur Erfüllung.

Kein Altargitter und keine Hostie, nicht hier. Keine Taufe durch Untertauchen, keine leeren hebräischen Phrasen, die in einer Sprache, die sie nicht verstehen konnten, etwas von einem Pharao erzählten. Keine Gottesdienstordnung. Die *wahre* Religion, direkt von der Quelle. Nur einmal und miteinander. Freudig singen Glück auf immer. Sic transit, Gloria!

Nigel schwankte weg, zur gegenüberliegenden Wand, die von einer Klammerleuchte in gelbes Licht getaucht wurde. Er drückte auf einen Knopf, schlug auf einen anderen. Musik-Center für die ganze Familie, stand darauf.

Gut, in Ordnung. Mal sehen, ob es ein bißchen Eine kleine Knackmusik gibt. Er suchte einen Sender. Wellsbys Chorimprovisationen dröhnten aus den Lautsprechern. Er drückte wieder. Jazz: King Oliver. Blecherne Trompete, Schlagzeug. Aber wo war der Bach? Etwas aus den sechziger Jahren, eines seiner Lieblingsstücke von den Beatles? Oder mußte er sich mit irgendeinem modernen Kakophonisten begnügen?

Er kehrte zum 3D zurück. Schlug nochmals auf einen Knopf.

Wieder die sich windenden Neuen Jünger. Wie sie einen freudigen Lärm auf den Haufen losließen.

Er hieb auf den Schalter.

Das schwarze Hakenkreuz vibrierte auf der orangefarbenen Uniform. Die glühende Schwertspitze ritzte den Leib des Mädchens. Sie flehte kreischend. Der Mann hob das Schwert und senkte es tief in sie hinein. Blut spritzte aus ihr. Sie zerrte an den Stricken, die ihre Hände fesselten, aber dadurch schnitt das Schwert nur ein Kreuz in sie hinein. Sie schrie auf. Etwas Rotes schlängelte sich an ihren Beinen hinunter.

Nigel drehte es hastig ab. Er schwitzte; der Schweiß lief ihm in die Augen. Er wischte über die Stirn und taumelte weg.

In der Diele machte er halt, um sich zu ernüchtern. Weingeist tut's leichter als großen Geistern gelingen, Gottes Wege allen Menschen nahezubringen. Willkommen im einundzwanzigsten Jahrhundert. Sic transit, Gloria! Oder hieß es Alexandria?

Er schaffte es, auf die Terrasse zu gelangen. Kalte Luft umspülte ihn. Der Nebel unter ihm hatte sich über die Jakarandabäume gelegt und umgab die Lichter von Pasadena mit einem zusätzlichen, matteren Schein. Nigel stand da, atmete tief durch, betrachtete den dichter werdenden Schleier.

»Mister Walmsley? Ich wollte unsere Diskussion fortsetzen.«

Fresnel kam durch die geöffnete Schiebetür näher, eingerahmt von der murmelnden Gesellschaft hinter ihm.

Der Frosch kommt auf kleinen, platten Füßen daher, dachte Nigel. Er schleuderte sein Weinglas weg und wandte sich um, um dem Mann gegenüberzutreten.

»Sie begreifen doch sicherlich, daß wir alle, ohne Ausnahme, letztendlich mit uns selbst ins reine gekommen sind, nicht wahr? Mit unserer Endlichkeit? Unserer Begrenztheit? Unseren kleinen amüsanten Perversionen? Mister Lubkins Drei-D war eine überzeugende Demonstration. Es veranschaulicht, wie weit wir gekommen sind. Fortgeschritten. Ökonometriker...«

Nigel beobachtete verwundert, wie sich seine Hand in der Luft zur Faust ballte und nach einer exakt elliptischen Bahn genau auf Fresnels Stirn landete. Es gab ein fleischiges, schmatzendes Geräusch. Fresnel wankte. Taumelte. Fiel nicht. Nigel konzentrierte sich und schätzte mit scharfem Auge die Geometrie der Situation ab. Fresnel torkelte, ein schwieriges Ziel, eine echte Herausforderung. In dem silbernen Licht war das Gesicht des Mannes von Schweißperlen übersät. Nigel schleuderte seine linke Faust entlang einer ansteigenden Parabel. Im Winkel gegen den Engel. Es gab einen Aufprall, der beide erschütterte. Fleisch kollidierte mit nassem Fleisch. Seine Hand wurde empfindungslos. Leckte die Lippen: salzig. Fresnel sank in sich zusammen. Durch seine Nasenflügel sog er kratzend neue Luft ein. Nigel schwankte. Entspannte sich. Senkte sich in der milden Luft. Es schien sehr lange zu dauern.

10

Seine Immanenz residierte in einer kürzlich erworbenen Baptistenkirche. Das Gebäude lag geduckt an einer verwinkelten Straßenecke, die stark an den Mittelwesten erinnerte, inmitten des Flachlandes des unteren Los Angeles. Nigel schielte es mißtrauisch an und verlangsamte seinen Schritt, aber Alexandria und Shirley, die auf beiden Seiten neben ihm gingen, zerrten ihn weiter.

Sie hätten ihn niemals hierherbekommen, wäre da nicht ein Augenblick der Reue wegen Fresnel gewesen. Kaum jemand hatte es bei der Party bemerkt außer Alexandria, die flüchtig sah, wie Nigel umkippte. Fresnel war schwer beleidigt gewesen, aber überraschenderweise leider unverletzt; die Frauen entsetzt; Nigel hatte die ganze Schlägerei eher genossen und erfreute sich immer noch an der Erinnerung, wie Fresnel zu Boden gegangen war, erst der Kopf, dann der Hintern.

Er nahm für die bevorstehende Qual seine Kraft zusammen. Sie traten durch eine Seitentür ein und gingen durch ein großes, bis zum Bersten gefülltes Auditorium, in dem Gestalten in safrangelben Gewändern einem Vortrag zuhörten. Rasierte Schädel, leuchtende Blumengirlanden. Der penetrante, salzige Geruch von japanischen Speisen. Durch einen klickenden Perlenvorhang, zur Hintertür hinaus, um den Tempel herum. Sie betraten ein kleines Gärtchen durch ein Bambustor und ließen die Klinke laut zurückschnappen.

Ein kleiner, gebräunter Mann saß im Lotossitz auf einem breiten, abgemähten Stück Grün. Eine Brise bewegte leicht die Bäume über ihnen. Der Mann sah ihn mit flinken, abschätzenden gelben Augen an. Mit einer Geste bedeutete er den dreien, daß sie sich setzen sollten, und Alexandria holte drei runde, gelbe Kissen hervor. Nigel saß in der Mitte.

Sie tauschten Höflichkeiten aus. Dies war ein Flügel der Neuen Jünger; sie waren diejenigen, die fühlten, daß sie mit den östlichen Wurzeln des religiösen Erbes der Menschheit übereinstimmten. Der sitzende Mann mit einem Gesicht aus herabhängendem Fleisch war eine Immanenz, denn es gab nicht eine alleinige Immanenz, ebenso wie ein universaler Gott eine unendliche Fülle von Vergegenständlichungen besaß.

Nigel erklärte mit langen, unangenehmen Pausen seine eigene rationale Skepsis jeglicher Religion gegenüber. Die meisten Menschen suchten irgendein undefinierbares Etwas, und Nigel gab zu, daß auch er es tat, aber die grotesken Verdrehungen der Neuen Jünger...

Die Immanenz pflückte ein Blatt von einem Busch und hielt es vor Nigels Augen. Er blinzelte und starrte es dann unverwandt an.

»Sie sind doch Wissenschaftler. Warum würde irgend jemand sein Leben damit verbringen, dieses Blatt zu studieren? Wo wäre der Nutzen?«

»Jede Form von Wissen hat eine Chance, als Resonanzkörper für andere Arten zu dienen«, entgegnete Nigel.

»Und?«

»Angenommen, das Universum sei eine Parabel«, sagte Nigel unsicher. »Indem wir einen Teil von ihr studieren, können wir das Ganze verstehen.«

»Das Universum in einem Sandkorn.«

»So etwas Ähnliches. Ich habe das Gefühl, daß die Gesetze der Wissenschaft und die Weise, in der die Welt zusammengesetzt ist, keine Zufälle sein können.«

Die Immanenz überlegte einen Augenblick lang.

»Nein, es sind keine Zufälle. Aber abgesehen von ihrer praktischen Anwendung waren sie immer unbedeutend. Die physikalischen Gesetze sind nur die Gitter eines Käfigs.«

»Nicht, wenn man sie begreift.«

»Der entscheidende Punkt ist nicht, die Gitter zu untersuchen. Das Wichtigste ist, aus dem Käfig herauszukommen.«

»Ich glaube, die Tätigkeit des Herausgreifens ist alles.«

»Wenn Sie zur Erfüllung gelangen wollten, müßten Sie aufhören zu greifen und einen fundamentaleren Geist bekunden.«

»Indem ich in zwei Kreisen tanze?«

»Ein anderer Aspekt der vielen Wege. Nicht unserer, aber ein Weg.«

»Ich habe meinen eigenen Weg.«

»Diese Welt kann am ehesten als eine Irrenanstalt begriffen werden. Keine Anstalt für den Geist, nein. Für die *Seele*. Nur die Verunstalteten bleiben hier. Sind immer noch hier.«

»Ich muß mein Herausgreifen hier erledigen. Heraus durch das verdammte Gitter, wenn das der Weg ist...«

»Das ist gar nichts. Man muß versuchen zu entfliehen und den Käfig transzendieren.«

Nigel begann hastig zu reden, und der alte Mann wischte seine Argumente beiseite.

»Nein«, sagte er. »Das ist nichts. Gar nichts.«

Unsinn, dachte Nigel. *Völliger Unsinn, was diese verhutzelte Pflaume von einem Mann gesagt hatte.* Während er dies dachte, kippte er einen Flügel. Die Tragfläche fing ihn wieder ab, und er spürte ein Reißen, Druck. Er stieg hoch auf, das flüchtige Bild dieses furchtbaren Immanenz-Kerls verblaßte so schnell, wie es gekommen war (*komisch, hier daran zu denken, jetzt*), und der Wind sang zwischen den Verstrebungen.

»Wie ist es denn, Nigel?« klang Alexandrias Stimme in seinen Ohren.

»Unvorstellbar«, sagte er in sein Kehlkopfmikrofon. Er schaute hinunter auf die sich drehende Erde – wovor ihn der Ausbilder gewarnt hatte, aber was, zum Teufel, sollte das Ganze überhaupt, wenn man das nicht tun konnte? – und sah sie, einen orangeroten Fleck.

»Kannst du die Spirale halten?« rief sie.

»Geht ganz schön auf die Arme«, brummte er.

»Der Ausbilder sagt, daß du dich im Anzug entspannen sollst.«

»Gut. Ich versuch's. Huuch...« Er taumelte. Der Gleiter war in einen Aufwind geraten und stieg steil. Der unsichtbare Lufttrichter, der warm vom Pazifik heranbrauste, trieb ihn weiter in seiner trägen Spirale empor. Hier an der Küste erhob sich der Wind wie eine durchsichtige Fontäne; hier trafen die landeinwärts ziehenden Brisen zuerst auf die steilen Hügel und dann auf die westliche Mauer von Arcosoleri, der kilometerhohen Stadt aus Würfeln und Spitzen. Nigel warf einen kurzen Blick auf die glitzernden Fenster von Arc, als er näher an sie heranschoß, und schätzte die Entfernung ab. Er hatte immer noch einen Sicherheitsabstand von der rötlichen Betonkante. Der kreisende Lufttunnel hielt ihn auf Distanz.

Unter ihm die sich drehende Welt.

Purpurne, schwere Wolken sprenkelten den Meereshorizont, Regenschauer hingen wie Röcke unter ihnen. Und hier hatte Nigel, während er stieg und sich in Kurven legte, auf einmal eine Empfindung, als ob ihn ein – *Phuuh* – Atem verließ, als ob sich zugleich sein Geist aus diesem Spiralen fliegenden Körper befreite und in die Luft aufstieg, um sich mit ihr zu verbinden. Er schüttelte sich. Es war, als ob er aufgehört hätte zu kämpfen, aufgehört hätte zu versuchen, durch Schlamm zu schwimmen. Der scharfe Wind ächzte in der Ritze seiner Gesichtsmaske, und er stellte seine Flügel schräg, um höher zu steigen; er war der wiedergeborene Ikarus, als er alles unter sich zurückließ. Es war jetzt alles Vergangenheit, so hoffte er – Alexandria wurde wieder gesund, der Schnark war unterwegs. Eine reine, blinde Freude erfüllte ihn. Die uneingestandene Angst, die ihn zu Beginn des Fluges ergriffen hatte, fiel jetzt von ihm ab wie ein schwerer Stein; er fühlte sich ausgeglichen und gewandt, wie ein Vogel, als er in diesen hohen Winden dahinschoß. Sich in die Höhe wand, immer höher, weg von der einhüllenden Erde. Lautloses Glück. Die Sterblichkeit tropfte aus ihm, gefror in der kalten Höhenluft und stürzte auf das Kalifornien unter ihm, um mit einem kristallenen Klirren zu zersplittern. Er wendete in einem langsamen Bogen, ritzte die Lufthaut der Erde; glitzernde Meereswellen unter ihm winkten ihm gelegentlich zu. Ein Flügel bewegte sich hin und her, legte sich dann gerade. Ikarus. Flügel aus Wachs. Steige nicht kraftlos in diesen guten, alten Himmel. Gleiten. Die sich drehende Erde ein Korb tief unten. Die doppelten Punkte von Shirley und Alexandria wie Nadeln auf einer Karte an der Wand

      Münzen in seiner Hand

      Ja.

      Er schwebte frei in der Höhe.

Sie blieben über Nacht lieber in einer Luxussuite der Arc, anstatt sich darum zu bemühen, einen südwärts fahrenden Bus nach Los Angeles zu erreichen. Shirley stellte ein Holo ein, und Nigel legte sich in die Vertiefung in der Mitte ihres Zimmers; er ließ den köstlichen Schmerz, der eine Folge des Trainings war, durch seinen Körper ziehen.

»Glaubst du wirklich, die NASA wird es billigen, daß du so ein Risiko eingehst?« sagte Shirley.

»Hmmm? Einen Einmanngleiter zu fliegen, meinst du?« Nigel zuckte die Achseln. »Jetzt können sie ja wohl noch mächtig viel dagegen unternehmen.«

»Ich dachte, du wärst dazu verpflichtet, dich mit ihnen abzusprechen, wenn du irgend etwas Gefährliches vorhast.«

»Scheiß der Hund drauf!« Nigel seufzte geräuschvoll und beobachtete, wie flinke Farbspritzer wie Juwelen auf der Innenseite seiner Augenlider umherhuschten.

»Du fühlst dich nicht durch das eingeschränkt, was sie davon halten werden?«

»Wohl kaum.«

»Dann würde es dir also auch nichts ausmachen, einen Volksentscheid zu unterstützen?«

Nigel öffnete träge die Augen. Das Holo-Bild war eine bewegte Erscheinung zwei Meter über der Vertiefung, es war wie ein ausdrucksvoller Rubin in Öl. »Worum geht's denn?«

»Das Verbot von Lebensmitteln mit L-Zucker.«

»L-Zucker?« Nigel runzelte die Stirn. Jeder, der einen Antrag für einen Volksentscheid unterschrieb, sicherte zu, daß er für die Ko-

sten einer nationalen Abstimmung über die betreffende Frage mit-
aufkommen werde, falls die Mehrheit der Wähler dabei mit Nein
stimmen sollte.

»Linksdrehender Zucker. *Du* weißt das doch. Wir verdauen nur
Zucker mit rechtsdrehenden Molekülspiralen.«

»So ist doch natürlicher Zucker – rechtsdrehend.«

»Ja. Allerdings stellt man heute linksdrehenden Zucker für Nahrungsmittel her, damit ihn der Körper nicht in Fett umwandeln
kann. Es ist eine Art Diätkost.«

»Na und?«

»Wenn wir so etwas zulassen, ist das ein schwerer Affront gegen
andere Länder. Wo doch Menschen verhungern, fast überall auf der
Welt, meine ich. Wirst du unterschreiben, Nigel?«

Er neigte den Kopf nach hinten und betrachtete das verzierte Be-
tongewölbe über ihnen. Irgend jemand hatte ihn einmal gebeten, einen Antrag für einen Volksentscheid gegen diese Arc zu unterschreiben, obwohl es zu der Zeit offensichtlich wurde, daß die erste,
Arcosanti, bereits ein gewaltiger Erfolg war. Sie entwickelte sich
immer noch schneller als Phoenix, das sechzig Kilometer südlich
von ihr lag, und vergeudete trotzdem weder Raum noch Energie für
Verkehrssysteme. Jeder, der dort lebte, konnte zu Fuß in fünfzehn
Minuten Arbeitsplatz, Spielplätze, Freizeiteinrichtungen und Ein-
kaufszentren erreichen. Sie bot städtische Komplexität ohne Losan-
gelisierung, die Trennung von der Natur. Doch irgend jemand hatte
sie bekämpft, aus Gründen, an die sich niemand mehr erinnerte.

Er seufzte. »Ich glaube nicht.«

Ihr ›Oh?‹ war sorgfältig betont.

Er öffnete wieder die Augen und musterte sie. Sie trug ein besonders einfaches, schwarzes Kleid. Lange Streifen aus einem hauch-
dünnen Stoff setzten an dem tiefen Ausschnitt an. Sie waren kunst-
voll arrangiert, um auf die sonnengebräunte Haut darunter
anzuspielen. Ihre Nase schimmerte hell vom vielen Reiben, doch ihr
Gesicht wurde von einer seltsamen, verkrampften Anspannung
verdüstert.

»Shirley, Liebes, du weißt doch, daß ich kein Revolutionär
bin.«

»Denkst du auch genauso über das, was diese Brasilianer vorhaben?« sagte sie schroff. »Sie haben wunderbare kleine Ideen, wie
man die Fluggesellschaft wieder rentabel machen kann.«

»Was für welche?« fragte Nigel vorsichtig.

»Sie beabsichtigen, während der Spitzenzeiten, in denen die Computersysteme nicht genügend Kapazität besitzen, um alles schaffen zu können, menschliche Nervenzellen einzusetzen.«

Nigel blinzelte überrascht. »Davon hat mir Alexandria nichts gesagt.«

»Sie will dich wahrscheinlich nicht belästigen, während du damit beschäftigt bist, eure Reise zu planen.«

»Wahrscheinlich... Ja, aber warum verwendet man denn nicht Tiere dafür? Man könnte sie doch auch an die Computer anschließen, um zusätzliche Gedächtniskapazität zu bekommen.«

»Sie haben keine – wie nennt man das? –, egal, sie vergessen zu leicht Einzelheiten.«

»Holografische Datenspeicherungsfähigkeit, meinst du.« Er schwieg einen Augenblick lang. »Ich hatte von den Experimenten gehört, aber... Bei den heutigen Baukosten für Computer und dem Energiemangel vermute ich, daß dahinter bloß clevere wirtschaftliche Erwägungen stecken...«

»Meinst du das im *Ernst*? *Wirtschaftliche Erwägungen*? Wenn man arme Menschen an Maschinen anschließt, sich ihre Stirnlappen ausleiht?«

»Es ist unschön, zugegeben. Vermutlich das Leben eines Zombies.«

»Es ist unter der menschlichen Würde.«

»Wie würdevoll ist es denn zu verhungern?«

Shirley beugte sich vor und sagte wütend: »Glaubst du denn wirklich so einen dummen...? Du glaubst das wirklich, stimmt's? Nigel, du bist habgierig. Du weißt *absolut nichts* von sozialen Problemen und willst in Ruhe gelassen werden.«

»Habgierig?«

»Natürlich! Sieh dir mal dieses Zimmer an. Es ist mit allen nur denkbaren Vergnügungen eines Reichen vollgepackt.«

»Ich habe gar nicht bemerkt, daß du zögernd draußen vor der Tür stehst.«

»Gut, auch ich genieße einen Urlaubstag. Aber...«

»Warum bist du denn nicht da unten in Brasilien? Das werden diese Kerle doch machen, oder? – die armen Schweine aus Brasilien dazu verwenden, amerikanische Computer – du entschuldigst den Ausdruck? – fleischiger zu machen? Warum gehst du nicht auf der Stelle da runter und arbeitest mit den armen Menschen, in irgendeinem gottverlassenen Kaff?«

»Hier ist meine Heimat«, sagte Shirley steif. »Hier sind die Menschen, die ich liebe.«

»Allerdings. Und du hast wunderbare Schenkel, Shirley, aber sie können nicht alle drängenden Probleme der Welt umschließen.«

»Sarkasmus wird wohl…«

»Hör mal zu!« Nigel richtete den Kopf auf. »Alexandria kommt gerade von ihrem Spaziergang zurück. Ich möchte keinen Streit wegen dieser Sache, Shirley. Ich will keinen Ärger, ehe wir abreisen. In Ordnung?«

Sie nickte; dabei verzog sich ihr Mund leicht, als ob er unter Druck stünde.

Nigel bemerkte, daß die Stimmung im Zimmer erkennbar sein würde, wenn Alexandria hereinkäme, deshalb lehnte er sich zurück, gähnte ausgiebig und begann gedehnt:

»Ich hab mein Häärz in Heidelberg verlohoren,
in einer lauauauhän Soommernaacht…«

11

Er und Alexandria erhoben sich drei Tage später in die Luft. Sie hatten lange im voraus gebucht, um einen Flug über die Pole zu bekommen; sie traten als eine flammende rote Linie wieder in die Atmosphäre ein, die in den Himmel über dem Nordatlantik gekratzt wurde.

In England war die Lage etwas besser als während ihres letzten Besuchs vor einigen Jahren. Bei der Gepäckausgabe waren nur wenige umherschlurfende Bettler, und sie schienen sogar gültige Lizenzen zu besitzen. Der größte Teil des Flughafens war beleuchtet, wenn auch nicht geheizt. Ihr Hubschrauber in den südlichen Teil Englands erhob sich leicht mit einem Klappern in den schneidend kalten Wind. Kohlenrauch verdunkelte das riesige Londoner Stadtgebiet.

Sie erreichten ihr Ziel ohne Schwierigkeiten: ein ungefähr 350 Jahre altes, gut erhaltenes englisches Gasthaus, das gut geführt und sicher bewacht wurde. Sie verbrachten Weihnachten dort, geborgen vor den stürmischen Winden. Am nächsten Tag mieteten sie einen Wächter und eine Limousine und besichtigten Stonehenge.

Nigel fand das Erlebnis seltsam bewegend. Im Geiste war er kaum noch Engländer, nachdem sich der Wohlfahrtsstaat in den

Fahrt-wohl-Staat verwandelt hatte. Diese mächtigen emporragenden Säulen verrieten ihm jedoch etwas von einem anderen England. Der waagrechte Stein war so fantastisch ausgerichtet, der himmlische Computer so genau, daß er sich mit den Männern verwandt fühlte, die ihn erbaut hatten. Sie hatten diese grauen messenden Zeiger vor das Uhrwerk des Himmels geschoben, um es zu verstehen. Die Neuen Jünger hatten schon seit langem die pantheistische Seite der Druiden hochgespielt, die allgemein für die Erbauer dieses Steinhaufens gehalten wurden, ohne jemals etwas anders zu erwähnen – daß sie keine Menschen gewesen waren, die gedankenlos anderer Leute Ideen nachliefen.

Nigel schaute auf die Straße hinaus, wo eine Kolonne modifizierter Schimpansen Unterspülungsschäden beseitigte. Sie wiegten ihre Spezialschaufeln und schleuderten Schlamm mit einem Wurf dreißig Meter weit. Alexandria stand neben ihm, sie kaute geistesabwesend an einem Fingernagel: Evolutionsrest der tierischen Kralle. Er fröstelte und brachte sie zurück ins Gasthaus.

Paris war noch deprimierender. Der zweite Tag, den sie frierend in einem unbeleuchteten Hotel verbracht hatten, endete damit, daß in der ganzen Stadt für den Rest der Woche das Wasser abgestellt wurde.

In den Vergnügungskuppeln der Saudis drängten sich ungeheure Menschenmassen. Wolkenbildner huschten über der Wüste umher und schnitzten erotische weiße Riesen, die sich schwerfällig in gewaltigen Orgasmen umschlangen.

Über Südafrika war der Prunk bescheidener. Gegen Abend tauchten die aufgeschwemmten älteren Herrschaften auf, runzelige Finanzbarone, und genossen ein orchestriertes Wetterbild, während sie speisten. Nigel und Alexandria beobachteten einen pulsierenden Regenbogen, der purpurne Gewitterwolken einrahmte; Wolken, die sich mit der würdevollen Anmut viktorianischer Majestäten bewegten.

In einem Restaurant in Brasilien deutete Alexandria mit dem Finger: »Sieh mal. Das ist einer der Männer, mit denen wir wegen der Fluggesellschaft verhandeln.«
    »Welcher?«

»Der untersetzte Mann. Brille mit Maticgläsern. Ein Hemd mit geschwungenem Muster. Kurzes Jackett mit Applikationen. Khaki.«

»Richtig, ich sehe ihn.«

Sie drehte sich um und sah wieder Nigel an. »Warum lächelst du?«

»Ich habe diesen Blick für Kleidung verloren, den du hast. Ich sehe so was nie.« Er griff nach ihrer Hand. »Ich habe dich wieder.«

Einen großen Teil des Planeten konnten sie nicht besuchen. In den ausgedehnten Gebieten ohne Bodenschätze oder Industrie war ein Weißer automatisch ein Feind, jemand, der – gemästet und vollgefressen – Kinder verhungern läßt, ein Ausbeuter, ein Kolonialist, ein Dieb; dafür hatte die Politik der letzten dreißig Jahre gesorgt. In Sri Lanka gingen sie von ihrem Hotel eine Straße weiter, um zu essen. Als sie einen Teil ihres Currys verzehrt hatten, trieb sie das Gemurmel im Restaurant und eine aufkommende Spannung hinaus auf die stinkende Straße. Ein vorbeikommendes Taxi brachte sie zurück, dann zum Flughafen, und dann ging es nach Australien.

Sie ließen sich gerade an einem polynesischen Strand von der Sonne braten, als sein elektronischer Kleiner Helfer summte. Es war Lubkin. Ichino hatte ihm die Idee von der Suche durch Radar übermittelt. Sie hatten einen Leuchtfleck entdeckt. Er war größer als zwei Kilometer und drehte sich. Er würde innerhalb von elf Tagen die Venus erreichen, falls er nicht beschleunigte. Lubkin fragte, ob Nigel vorzeitig zurückkehren könnte, um das Hauptkontrollteam zu leiten. Nigel sagte ihm, daß er darüber nachdenken werde.

Als sie außerhalb von Kyoto eine Landstraße entlanggingen, erbrach sich Alexandria plötzlich in einen Straßengraben. Eine zweitägige Biopsie ergab, daß sich an ihrem Zustand seit drei Monaten nichts geändert hatte. Ihre Organsysteme schienen stabil zu sein.

Ihr tragbares Kontrollgerät hatte keinen Laut von sich gegeben. Nigel überprüfte den Apparat, der sich an seinem Kopf befand. Er war in Betrieb und funktionierte. Er piepte auf Verlangen. Alexandria war einfach nicht krank genug gewesen, um ihn auszulösen.

Am nächsten Tag fühlte sie sich besser. Am Tag darauf hatte sie einen guten Appetit. Sie machten eine Wanderung. Als sie anschließend schlief, rief Nigel zu Hause an und annullierte ihre

Festino -80-

restlichen Buchungen. Er ließ sich mit Hufman verbinden; das Gesicht des Mannes zeigte sich auf dem Schirm als zitternde Maske. Hufman meinte, daß sich Alexandria in der Nähe von zu Hause ausruhen müsse.

Sie nahmen das nächste Flugzeug nach Kalifornien, das sie in einem hohen Bogen über den bleichen Pazifik trug.

12

Der Hauptkontrollraum: eine sichelförmige Konsolenreihe, bei der jede einzelne mit Input-Tafeln gesprenkelt war, die wie stacheliger Zuckerguß aussahen. Männer, die auf Schreibtischstühlen mit Rollen saßen, waren vor jeder Konsole postiert; sie beobachteten die grünen-gelben Bildschirme, auf denen fortwährend Informationskleckse aufflimmerten. Der Kontrollraum war abgeriegelt; es waren nur die Mitglieder des Personals anwesend, die direkt mit dem Projekt J-27 zu tun hatten.

»Arecibo hat ihn erfaßt«, sagte Nigel.

Aus der Gruppe von Männern, die um seinen Stuhl herumstanden, stiegen Ausrufe aus. Nigel horchte in seine Kopfhörer. »Sie sagen, der Dopplereffekt bestätige einen Vorbeiflug.«

»Sie sind der gleichen Meinung wie Arecibo?« fragte Evers, der direkt neben Nigel stand.

Nigel schüttelte den Kopf. »Unser Satellit, Venus-Monitor, kann ihn nicht orten. Das ist alles, was wir haben.« Er tippte Programmanweisungen auf seiner Tastatur.

»Spektrografische Anzeige«, erklärte Lubkin. Ein mit Hilfe der Telemetrie gemachtes Foto wurde Zeile für Zeile auf den Bildschirm gezeichnet. Auf der oberen Kante des Schirms war ein winziger Lichtfleck, er war kaum mehr als einige helle Punkte auf der Bildröhre.

»Die Intensität des Spektrums zeigt, daß er radioaktiv ist. Muß eine teuflisch heiße Antriebsflamme haben.« Nigel sah auf und betrachtete die Männer von der NASA, dem Verteidigungsministerium und der UNO. Die meisten von ihnen konnten offensichtlich mit dem abgebildeten Wellenlängendiagramm nichts anfangen; sie schauten in dem fluoreszierenden Glühen des Kontrollraums düster drein, sahen in ihren eleganten grünen Anzügen fehl am Platze aus.

134

»Wenn er *wirklich* auf seinem Kurs an der Venus vorbeifliegt, wird er fast sicher als nächstes hierher kommen«, sagte Evers zu den Männern.

»Möglich«, meinte Nigel.

»Er versucht vielleicht zu landen, bringt eventuell unbekannte Krankheiten mit«, fuhr Evers geschliffen fort. »Das Militär wird in der Lage sein müssen, ein solches Vorhaben zu vereiteln.«

»Wie denn?« fragte Nigel, ohne auf den erhobenen Finger von Lubkin zu achten, der ihm klipp und klar sagte, daß er schweigen sollte.

»Na ja... äh... vielleicht ein Warnschuß.« Evers' Gesicht verzog sich leicht. »Ja«, sagte er barscher, während er Nigel ansah. »Ich fürchte, das müssen wir selbst entscheiden.«

In der Gruppe erhob sich eine Diskussion.

Lubkin tippte an Evers' Arm. »Ich glaube, wir sollten wieder versuchen, ein Signal zu senden.«

Evers nickte. »Ja, das muß getan werden. Das ExKom wird die Botschaft ausarbeiten. Wir haben noch einige Stunden Zeit, sie zu diskutieren, oder?« Er wandte sich Nigel zu.

»Drei oder vier Stunden wenigstens«, sagte Nigel. »Die Männer brauchen eine Pause. Wir sind schon seit über zehn Stunden am Arbeiten.«

»Gut. Gentlemen«, sagte er mit dröhnender Stimme, »dieser Ort ist nicht sicher genug für weitere Diskussionen. Ich schlage vor, daß wir uns nach oben zurückziehen.«

Die Gruppe bewegte sich unter Evers' Führung hinaus. Lubkin bedeutete Nigel, daß er folgen sollte.

»Ich werde noch eine Weile hierbleiben. Den Beobachtungsplan erstellen. Und ich will nach Hause gehen, um mich auszuruhen. Bei euren Beratungen werde ich nicht gebraucht.«

»Nun, Nigel, wir könnten dein Wissen ausnutzen, das du über den...« Lubkin zögerte. »Äh, vielleicht hast du recht. Bis später!« Er beeilte sich, um die Gruppe einzuholen.

Nigel lächelte. Lubkin behagte die Aussicht offenkundig nicht, einen streitsüchtigen Nigel bei der ExKom-Sitzung dabeizuhaben. Aufmüpfige Untergebene werfen kein gutes Licht auf ihre Vorgesetzten.

Er fuhr mit einem Motorroller der JPL nach Hause, legte sich schräg in die Kurven, als er die abschüssigen Avenues hinunterschoß, die trockene Abendluft durchschnitt. Die Sterne schimmerten schwach hinter einem Schleier aus Industrieabgasen. Er fuhr ohne Schutzbrille oder Helm, weil er das Brausen des Windes spüren wollte. Er wußte, daß die Behandlung der Begegnung Schnark–Venus kompliziert werden würde, besonders dann, wenn sich Evers und Lubkin und ihr farbloses Komitee eine Mitteilung ausdachten. Dann würde Nigel seine eigene irgendwie einschieben müssen, bevor das Komitee dahinterkam. Er hatte seit Monaten an dem Code gearbeitet; er hatte die ganze alte Literatur über Funkkontakte mit außerirdischen Zivilisationen gelesen und einige der dort vorgebrachten Ideen verarbeitet. Die Mitteilung mußte einfach, aber offensichtlich ein bewußtes Zeichen für den Schnark sein. Andernfalls würde der Schnark wahrscheinlich annehmen, daß er einen weiteren konventionellen irdischen Rundfunksender aufgefangen hätte, und es ignorieren.

Wirklich? Warum blieb der Schnark stumm? Konnte er lokale irdische Sender etwa nicht leicht empfangen?

Nigel jagte den Roller voran, raste die Hügel hinunter. Er verspürte eine wachsende Begeisterung. Er würde nachsehen, wie es Alexandria ging, die bald von der Arbeit nach Hause kommen mußte, dann warten, bis Shirley eintraf, die Alexandria Gesellschaft leistete, während er weg war. Dann zurück zu den JPL, der Venus und dem Schnark...

Im Leerlauf rollte er in die Einfahrt, klappte den Ständer herunter und lehnte die Maschine darauf, ging auf die Haustür zu. Das Schloß schnappte auf, und er lief die gewundene Treppe hoch. Am Treppenabsatz blieb er stehen, um den Schlüssel ins Schloß der Wohnungstür zu stecken, und war überrascht, als er merkte, daß seine Ohren klingelten. Zuviel Aufregung. Vielleicht brauchte er wirklich eine Ruhepause; die Venusbegegnung würde ja mindestens bis zum Morgen dauern.

Er öffnete und ging hinein. Die Wohnzimmerlampen strahlten in einem sanften Weiß.

Jetzt klingelte nur ein Ohr. Er war müder, als er gedacht hatte.

Er ging durch das Wohnzimmer und in den gewölbten Durchgang zwischen Küche und Eßecke. Seine Schritte hallten auf den braunen mexikanischen Fliesen, der Balken des Bogens warf sie zurück. Der Klingelton in seinem Kopf klang höher. Er hielt sich mit einer Hand das Ohr zu.

Ein Frauenschuh lag auf den Fliesen.

Ein Schuh. Er lag direkt unter dem Bogen, der ins Schlafzimmer führte.

Nigel machte ein paar Schritte vorwärts. Das Klingeln ließ seinen Schädel beinahe bersten.

Er ging schwankend ins Schlafzimmer. Schaute nach links.

Alexandria lag regungslos da. Gesicht nach unten. Die Hände ausgestreckt, verkrampft; die Handgelenke rot angeschwollen.

Der Krankenwagen schlängelte sich durch die verdunkelten Straßen, schrie gellend in den Nachtnebel. Nigel saß stumm neben Alexandria und beobachtete, wie der Begleiter ihre Lebensfunktionen überprüfte, Spritzen gab, hastig, mit abgehackter Stimme in seinen Kopfsender sprach. Lichter huschten vorbei. Nach einigen Minuten erinnerte sich Nigel an sein Kontrollgerät. Es schrillte immer noch. Alexandrias Gerät liefe ab, sagte der Begleiter, wobei er den größten Teil seiner Energie dazu benutzte, der Kassette des Krankenwagens diagnostische Daten zu senden. Er zeigte Nigel den Punkt hinter dessen rechtem Ohr, wo er rhythmisch drücken mußte, um das Gellen abzustellen. Nigel klopfte dagegen, und das Klagen verschwand. Ein dünnes Piepen blieb; sein Kontrollgerät hörte auch weiterhin Alexandrias diagnostische Telemetrie mit. Er lauschte betäubt dieser quiekenden Stimme aus ihrem Innersten. Ihr Gesicht war eingefallen und hatte eine gräuliche, blasse Farbe. Hier sprachen er und sie nun miteinander, verbunden durch Mikroelektronik. Das unentzifferbare Gerede war eine dünne Kette, aber er klammerte sich daran. Es würde auch dann nicht aufhören, wenn sie stürbe; trotzdem war es jetzt ihre einzige Stimme.

Sie bogen ab, schaukelten eine Rampe hinunter, kamen mit einem Ruck unter rotem Neonlicht zum Stehen. Die Blase, die ihn und Alexandria umhüllt hatte, zerplatzte – die hintere Tür des Krankenwagens sprang auf, sie wurde unter einer weißen Decke hinausgerollt, Leute murmelten. Nigel stieg unbeholfen steifbeinig aus, ohne von den Begleitern beachtet zu werden, und folgte den Krankenhausärzten, die durch eine automatische Tür liefen.

Eine Krankenschwester hielt ihn auf. Fragen. Formulare. Er nannte Hufmans Namen, aber das wußten sie bereits. Sie sagte sanft beruhigende Dinge. Sie führte ihn in einen mit Teppichen ausgelegten Warteraum, zeigte ihm einige Fax-Zeitschriften, ein 3D-Gerät und war verschwunden.

Er saß dort für eine lange Zeit.

Sie brachten ihm Kaffee. Er lauschte auf ein fernes Brummen von Verkehr.

Er dachte sehr gründlich über nichts nach.

Als er das nächstemal aufsah, stand Hufman in der Nähe und streifte gerade durchsichtige Handschuhe ab.

»Es tut mir leid, Mister Walmsley, aber ich glaube, es ist das eingetreten, was ich befürchtet habe.«

Nigel sagte nichts. Sein Gesicht fühlte sich an, wie mit einem festen Wachs überzogen, steif, als ob nichts es zerbrechen und hindurchgelangen könnte.

»Eine beginnende Blutung im Hirnstamm. Der Lupus hat in ihren Organen *tatsächlich* einen Gleichgewichtszustand erreicht, wie ich gedacht habe. Ihr wäre es soweit ganz gut gegangen. Aber dann hat er sich in das Zentralnervensystem ausgebreitet. Es hat einen Zusammenbruch im Hirnstamm gegeben.«

»Und?« sagte Nigel hölzern.

»Wir wenden jetzt Gerinnungsmittel an. Die könnten die Blutung vielleicht aufhalten.«

»Was dann?« fragte eine weibliche Stimme.

Hufman wandte sich um. Shirley stand in der Tür. »Ich fragte, *was dann?*«

»Wenn sie sich stabilisiert... könnte sie am Leben bleiben. Wahrscheinlich ist es bis jetzt noch nicht zu einem größeren Hirnschaden gekommen. Wenn jedoch ein Spasmus auftritt, ausgelöst durch den Lupus oder unsere Behandlung...«

»Dann wird sie sterben«, sagte Shirley heftig.

»Ja«, sagte Hufman und neigte den Kopf zurück, um sie zu betrachten. Er fragte sich einfach, wer diese Frau war.

Nigel stellte sie zögernd vor. Shirley nickte Hufman zu, wobei sie die Arme unter ihren Brüsten verschränkte; sie stand linkisch da, voller angespannter Energie.

»Konnten Sie denn nicht vorher *sehen,* daß der Lupus schlimmer wurde?« sagte sie.

»Diese Form ist sehr heimtückisch. Das Nervensystem...«

»Deshalb mußten Sie also warten, bis sie *zusammenbrach.*«

»Ihre nächste Biopsie...«

»Vielleicht *gibt* es keine nächste...«

»Shirley!« sagte Nigel heftig.

»Ich muß gehen«, meinte Hufman steif. Er ging mit unbeholfenen Bewegungen hinaus.

»Jetzt hast du aber ganz schön Mist gebaut«, sagte Nigel. »Den Mann durcheinandergebracht, dessen Urteil darüber entscheidet, ob Alexandria überlebt.«

»*Das* kannst du dir schenken. Ich wollte wissen...«

»Dann *frag* doch!«

»...weil ich gerade hergekommen war, hatte ich noch mit niemandem gesprochen und...«

»Woher wußtest du, daß Alexandria zusammengebrochen war?«

Nigel hatte geglaubt, daß er das Gespräch allmählich auf ein anderes Thema bringen und sie beruhigen könnte. Er war überrascht, als Shirley ihn anfunkelte und verstummte, wobei sie ihre Arme nervös zur Seite streckte. Ihr Gesicht war aschfahl. Ihr Kinn zitterte leicht, bis sie dies bemerkte und ihre Kaumuskeln versteifte. In der Ferne konnte er das Stakkato irgendeiner stampfenden Maschine hören.

»Shirley...«, begann er, um das bedrückende Schweigen zwischen ihnen zu durchbrechen.

»Ich habe gesehen, wie der Krankenwagen abgefahren ist, als ich von meinem Spaziergang zurückgekommen bin.«

»Spaziergang?«

»Ich kam früher in die Wohnung. Alexandria und ich hatten ein Gespräch. Einen Streit, genaugenommen. Wegen dir, weil du so viele Überstunden machst. Ich... ich wurde wütend, und Alexandria schrie mich an. Wir stritten, stritten wirklich in einer Weise, wie wir es noch nie zuvor getan hatten. Deshalb ging ich weg, bevor es noch schlimmer wurde.«

»Und hast sie im Stich gelassen. Erregt. Allein. Wo Hufman doch schon gesagt hat, daß sie in ihrem Zustand keine Aufregung verkraften kann.«

»Das mußt du mir nicht...«

»Unter die Nase reiben? Tue ich ja nicht. Aber ich würde gerne wissen, warum du immer darauf herumreitest, daß ich mir Zeit für die JPL nehme. *Du* arbeitest doch auch.«

»Aber du bist ihr, na ja, sie stützt sich halt mehr auf dich als auf mich, und als ich in die Wohnung kam und sie so schwach und bleich war und auf dich wartete und du dich verspätet hattest, da...«

»Sie könnte sich ja auf *dich* stützen. Das ist doch der Kern unserer Beziehung. Erweiterte Teilnahme, ist das nicht der richtige Jargon?«

»Nigel...«

»Weißt du, was ich glaube? Du willst der Tatsache nicht ins Auge sehen, daß du Alexandria verlieren wirst, und du gibst mir auf eine unheimlich beschissene Weise die Schuld dafür.«

»Du bist so verflucht unabhängig. Du *beteiligst* dich nicht, Nigel, du...«

»Den *Scheiß* kannst du dir sonstwohin stecken.« Er machte einen krampfhaften, mechanischen Schritt auf sie zu und faßte sich wieder. »Das, das ist deine eigene Illusion.«

»Eine ziemlich überzeugende.«

»Ich hab' versucht...«

»Wenn du dich *wirklich* einmal gehen läßt, kommt etwas Unerfreuliches dabei heraus. Wie zum Beispiel in dieser Nacht, als du dich betrunken hast.«

Nigel hielt einen Augenblick lang seinen Atem an und ließ ihn in einem gepreßten, keuchenden Seufzer entweichen. »Vielleicht. Dort hat sich alles auf meinen Schultern aufgetürmt. Alexandria, meine ich. Und dann diese Neuen Jünger; ich konnte einfach nicht...«

Er blickte Shirley direkt ins Gesicht. In dem bleichen Licht sah ihre Haut durchscheinend aus, die dünn über ihre Wangenknochen gespannt war. »Wir haben uns niemals gegenseitig unterstützt, oder? Nie!«

Sie musterte ihn. »Nein. Ich bin mir auch nicht sicher, ob ich das jetzt möchte.«

Stille. Ein Klirren von Glas vom Korridor her.

»Ich auch nicht«, sagte er über den bedrückenden Raum hinweg, der sich zwischen ihnen aufgetan hatte.

»Es sollte nicht so sein.«

»Nein.«

»Wir... wir wuchsen nicht zusammen. Nie.«

»Nein.«

»Dann... glaube ich, egal was mit Alexandria wird, daß...«

»Es ist zu Ende. Mit dir und mir.«

»Ja.«

Bei jedem Wortwechsel hatte er gespürt, wie sich eine Glasscheibe geräuschlos in den Raum zwischen ihnen schob. Es gab kein Zurück mehr.

»Da ist irgendein, irgendein *Knoten* in dir, Nigel. Ich konnte nicht an ihn herankommen. Alexandria schon.«

Sie schloß ihre zitternden Augenlider. Tränen quollen unter ihnen hervor. Sie begann lautlos zu weinen.

Nigel streckte eine Hand nach ihr aus, und dann beanspruchte ein leises, trottendes Schlurfen seine Aufmerksamkeit. Mehrere Personen kamen den Korridor entlang.

»Oh«, sagte Shirley; das Wort quoll aus ihr wie eine dicke Blase. »Oh.« Sie wandte sich um, ließ ihre Arme durchgestreckt an den Seiten herabhängen und ging zur Tür.

Zwei Männer in Gewändern traten ein. Jeder stützte einen Arm Seiner Immanenz. Der kleine, gebräunte Mann zwischen ihnen bewegte sich mit arthritischer Langsamkeit, doch seine gelb gefärbten Augen wanderten flink von Shirley zu Nigel, um die Situation abzuschätzen.

»Alexandria möchte ihn vielleicht wiedersehen«, sagte Shirley zu Nigel. »Ich habe ihn von der Wohnung aus angerufen und gebeten zu kommen.«

»Du kannst dem Kuttenscheißer sagen, daß er verschwinden soll«, sagte Nigel gepreßt.

»*Nein*«, erwiderte Shirley. »Sie braucht ihn mehr, als sie dich braucht…«

»Mit dem Spruch kannst du dir den Hintern abwischen. Die…«, und etwas umklammerte seine Gurgel, würgte die Worte ab. In seinem Kopf drehte sich alles. Er spürte schwach, daß Alexandria irgendwo in der Nähe lag, dem Tode nahe, und Shirley hier war, diese widerlichen Männer, das schreckliche, wabbelnde Fleisch des Alten. Sie erdrückten ihn. Drückten. Er wandte sich um, streckte eine Hand aus, um wieder ins Gleichgewicht zu kommen. Hinsetzen. Ausruhen.

Aber er wußte, daß sie ihn um seine letzten Nerven bringen würden, wenn er demütig dasäße und sich ihr monotones Gerede anhörte. Der Raum war plötzlich ein überfüllter, stickiger Ort, erfüllt von dem widerwärtig süßen Weihrauch der Neuen Jünger, die sich in alles einmischten. Er kam schwankend auf die Beine und schnappte nach Luft. Etwas zerrte an seinem Gedächtnis. Der Schnark. Venus. Die flache Kurve, die er berechnet und gezeichnet hatte; sie erreichte jetzt ihren höchsten Punkt. Zeit verrann, der Schnark…

»Nein!« Er hob die Hände, die Handflächen nach vorn. Er drückte die Lufthülle von sich weg, drückte sie gegen Shirley und die Männer, die jetzt in dem blassen Licht zurückwichen, drehte sich plötzlich zur Seite und taumelte aus der Tür hinaus. Ein Ziel formte sich in seinem Geist. Die glänzenden Plastaformwände des Korridors glitten an ihm vorbei. Die dichte antiseptische Luft des Krankenhauses teilte sich vor und schloß sich hinter ihm, sein Durchgehen verursachte sich ausbreitende kleine Wellen.

13

Er duckte sich und zwängte sich auf den Rücksitz des Taxis, und er plante. Er rieb die Hände so aneinander, daß einen Augenblick lang immer eine Hand die andere in der eisigen Luft umklammerte. Seine Zähne klapperten leicht, bis er seine Kiefer zusammenpreßte. Die Vergangenheit fiel von ihm ab und ließ nur ein klares, geometrisch präzises Problem zurück. Er konnte nicht zulassen, daß Evers und das ExKom schwere Fehler machten, wenn sie versuchten, mit dem Schnark Kontakt aufzunehmen. Zugegeben, sie hatten genug Verstand gehabt, um Nigels Entwurf zu übernehmen, eine Reihe Primzahlen, die im Binärsystem dargestellt wurden. Wenn man sie zu einem Rechteck anordnete, ergab die lange Zahlenreihe mehrere Bilder: eine graphische Darstellung des Weges des Schnarks durch das Sonnensystem, mit Ringen für die Planetenbahnen; ein Abriß elementarer irdischer Chemie; ein auf leichte Übermittelbarkeit zugeschnittener Erkennungscode, wenn der Schnark erst einmal verstanden hatte, daß sich jemand mit ihm in Verbindung setzen wollte.

Aber wenn der Schnark reagierte, was würde das ExKom antworten? Dann würde Nigel die Kontrolle über die weitere Entwicklung verloren haben. Doch er hatte auch für dieses Problem wenigstens eine partielle Lösung. Er hatte einen zweiten Mitteilungswürfel angefertigt, der mit seinem früheren, vom ExKom gebilligten Würfel identisch war, abgesehen davon, daß er es ermöglichte, ein Antwortsignal des Schnarks über die Funkstelle der JPL zu einem ganz bestimmten Empfänger zu leiten, egal welchen Empfänger der Funktechniker auswählte. Und dieser Empfänger würde Nigel sein, durch den einzigen privaten Kanal, den er besaß – sein Kontrollgerät. Gleichzeitig würde die Botschaft gespeichert und dann, wenn sie beendet wäre, für die JPL-Mannschaft im Hauptkontrollraum abgespielt werden.

Nigel schnitt eine Grimasse. Zugegeben, Evers hatte Nigels Botschaft akzeptiert. Zugegeben, die Umleitung der Antwort bedeutete so etwas wie einen kleinen Verrat. Aber er würde Nigel einige Augenblicke Zeit geben, um zu verstehen, bevor das ExKom seinen Auftritt hatte – einen kostbaren Vorsprung von ein paar Minuten, in denen er den Schnark über das Kontrollgerät hören konnte, in denen er versuchen konnte dahinterzukommen, wie die richtige Erwiderung aussehen müßte. Und dann würde er, falls er verstehen könnte, was der Schnark sagte, die Rückantwort des ExKom verhindern müssen; diese Männer würden fast mit Sicherheit kopflos reagieren. Jeder Fehler könnte sich verhängnisvoll auswirken. Der Schnark hatte wahrscheinlich deshalb die ganze Zeit geschwiegen, weil er vorsichtig war. Wenn die Erwiderung des ExKom unklar oder unfreundlich war, könnte der Schnark vielleicht einfach durch das Sonnensystem passieren und wegfliegen. Verschwunden. Für immer.

Die zahlreichen gelben Lichtpunkte der Fenster der JPL gaben ein Leuchtfeuer inmitten der verdunkelten Hügel ab. Nigel bezahlte das Taxi, ließ sich an den Wachen kontrollieren und lief, anstatt direkt zum Hauptkontrollraum zu gehen, in sein Büro. Er schloß seinen Schreibtisch auf und griff in der linken Schublade ganz nach hinten. Er fischte den zweiten Mitteilungswürfel aus Ferrit heraus, der dem Aussehen nach mit dem identisch war, den das ExKom jetzt hatte. Er steckte ihn ein und ging bei der Herrentoilette vorbei, um sein Äußeres im Spiegel zu überprüfen. Seine Augen waren rot, und sein Gesicht schien nur aus Winkeln zu bestehen, war starr und scharfgeschnitten. Er kämmte sein Haar mit nervösen Bewegungen und übte sich darin, entspannt auszusehen. Du mußt jetzt locker sein. Ruhig. Ja.

Er erstarrte, atmete in flachen Zügen, als er sich betrachtete. Da hinten lag Alexandria, er konnte ihr nicht helfen, doch er konnte sich um sie sorgen. Und hier stand er nun, zog bei diesem Spiel ein As aus dem Ärmel, vertraute den Männern nicht, mit denen er zusammengearbeitet hatte; eine dünne Schweißschicht kühlte die Haut unterhalb seiner Augen. Er war überzeugt, daß ihm das alles töricht vorkommen würde, unverständlich, wenn er sich neben sich stellen könnte, um sich selbst zu beobachten. Was bedeutete ihm der Schnark überhaupt? Ein Spinner, das war er. Er ballte eine Faust und preßte sie gegen seinen Oberschenkel. Alexandria war jetzt in ihrem Reich, die Welt zermürbte und zerfraß sie. Laß es auf dich zukommen! Entspann dich! sagte er sich. Sei vernünftig, Nigel, handle überlegt! *Ping* Die gemütlichen Zeiten sind schon lange vorbei. Die ganze Sache ist schon weit jenseits der Gefilde der geliebten reinen gottverdammten Vernunft. O ja, o ja.

Vor der Tür zum Hauptkontrollraum drückte er auf den Punkt hinter seinem Ohr. Sein Kontrollgerät piepte weiter. Er öffnete die Tür.

Das Komitee war dort, und Evers und Lubkin. Nigel mischte sich unter sie, befragte, gab Ratschläge. Zusammen mit den Technikern überprüfte er neuere Entwicklungen. Lubkin zeigte ihm einige Ex-Kom-Materialien zu einem zweiten Signal für den Schnark – ungeschickt, mehrdeutig, zu kompliziert. Nigel nickte, murmelte etwas. Lubkin gab ihm den Ferritwürfel mit ihrem Signal darin, und Nigel machte ein Schauspiel aus seiner Eingabe in die Funktafel.

Die zwanglose Stimmung im Kontrollraum war verpufft. Der Schnark befand sich noch immer auf dem errechneten Kurs. Minuten verrannen. Eine halbe Stunde. Im Komitee schwirrten Vermutungen und Sorgen umher. Nigel ließ ihre Fragen an sich abprallen und beobachtete, wie der Schnark näher kam. Venus-Monitor zeigte immer noch nur einen unaufgelösten Lichtpunkt.

Nigel sprach in sein Kopfmikrofon; er befahl Venus-Monitor, das Tandemkontrollschema aufzugeben, das die JPL normalerweise benutzte; jetzt würde der Satellit nur auf Nigels Tafel ansprechen. Er gab die Anweisung, daß sich der große Parabolspiegel des Monitors drehen sollte, und fütterte die Zielkoordinaten ein.

Gleichgültig fischte er seinen eigenen Ferritwürfel aus der Tasche und gab ihn in die Tafel ein. Er drückte Befehle, und der ExKom-Würfel wurde im Speicher zur Ruhe gesetzt, während seiner vorgezogen wurde, bereit zur Sendung war.

»Was machst du denn da?« fragte Lubkin. Die Männer um Nigels Stuhl verstummten.

»Senden«, sagte Nigel.

Er tippte den entscheidenden Teil ein: den Erkennungscode. Er hatte den Code seines Kontrollgeräts vor Monaten auswendig gelernt, in Hufmans Praxis, und jetzt instruierte er seine Tafel, die Antwort des Schnarks ihm zu übermitteln. Die Tafel würde direkt zum Kontrollgerät senden, so daß Nigel die Antwort hören konnte, bevor sie im Hauptkontrollraum für das Komitee abgespielt wurde.

»Auf geht's!« sagte Nigel. Er drückte einen Knopf, und die Tafel sendete ein Erkennungssignal aus; sein Kontrollgerät piepte wohlwollend in seinem Ohr.

Er befahl Venus-Monitor, damit zu beginnen, dem Schnark die Botschaft zu senden.

Das Schiff glitt mit abgestelltem Antrieb ruhig dahin, als das starke Signal es fand.

Es war ein cleverer Code, der mit einem Diagramm der eigenen Flugbahn des Schiffes durch dieses Planetensystem begann. Dann hatten die Lebewesen des dritten Planeten also die ganze Zeit über seine Bahn verfolgt und abgewartet. Dies jetzt zu verraten, war ein eindeutiges Zeichen nichtfeindlicher Absichten; sie hätten ihre Fähigkeiten ja geheimhalten können.

Das Raumschiff lokalisierte rasch den Ursprung des Impulses, er umkreiste diesen von Wolken verhüllten Planeten. War diese Welt etwa auch bewohnt? Es erinnerte sich an eine alte amphibische Rasse, die sich auf einer Welt entwickelt hatte, die von dieser nicht sehr verschieden war; die Unfähigkeit dieser Rasse, die Sterne durch die Wolkendecke hindurch zu sehen, hatte sie für immer zurückgeworfen. Und es dachte an andere Welten, die von kochenden Gasschichten eingeschlossen waren, wo das gemaserte Gestein selbst Intelligenz erlangte, zusammengeschnürt von leitenden Metallen und weißglühenden Kristallen.

Die Maschinen studierten den Radioimpuls für den Bruchteil einer Sekunde. Hier gab es viel zu verstehen. Komplizierte Ketten von Deduktionen und Hypothesen führten zu einer einzigen Folgerung: Der dritte Planet war der Schlüssel. Vorsicht war nicht mehr gerechtfertigt.

Die Computer würden die schlummernde Intelligenz wieder zum Leben erwecken müssen, die sich mit diesen Problemen auseinandersetzen konnte. Sie würden diesem gewaltigen Geist untergeordnet werden. Der Erfolg ihrer Mission hatte einen bitteren Beigeschmack; ihre Persönlichkeit würde erlöschen. Der Übergeist würde sich jeden Kanal heraussuchen, den er brauchte, um diese neue Spezies zu verstehen, und diese einfacheren Computer würden in seinen Strömen aufgesaugt werden.

Die Wiedererweckung begann.

Das Raumschiff machte sich für die Antwort bereit.

Der Ferritwürfel leerte sich. Nigel hörte verworrene, gestammelte, schrille Schreie.

»He! Was machen Sie...?«

Lubkin hatte den Austausch der Würfel bemerkt. Ein Fehler bei der Speicherung? Lubkin griff über Nigels Schulter nach den Kontrollschaltern.

Nigel sprang auf. Er hielt Lubkins Arm fest und drehte ihn von der Kontrolltafel weg.

Jemand rief etwas. Nigel schwang sich aus seinem Stuhl heraus und zerrte an Lubkins Arm, schleuderte ihn gegen einen anderen Mann. Am Ärmel von Lubkins Jackett riß eine Naht.

»Finger weg!«

Sein Kontrollgerät piepte. Der Schnark antwortete. Nigel erstarrte. Das Muster war deutlich, wenn auch beschleunigt: Der Schnark sendete Nigels ursprüngliche Botschaft zurück.

Nigel taumelte. In dem glänzenden, doch unscharfen Licht schwammen die Gesichter von Evers und Lubkin auf ihn zu. Er konzentrierte sich auf das Brodeln in seinem Kopf. Dort hatte der Schnark das Zurücksenden von Nigels Signal gerade beendet. Nigel empfand eine aufwallende Freude. Er hatte den Durchbruch geschafft. Sie konnten jetzt mit...

Jemand packte ihn am Arm, schlug ihm in die Rippen. Er öffnete den Mund, um etwas zu sagen, sie zu beruhigen. Stimmen murmelten.

Sein Kontrollgerät schrillte. Gellte.

Geräusche explodierten in seinem Kopf. Die Welt wand und drehte sich um ihn.

Er fühlte, wie sich etwas Dunkles, Massives durch ihn hindurchbewegte. Eine gewaltige Woge rollte heran, erfüllte... Die Flut schluckte seine Persönlichkeit.

Nigel keuchte, krallte sinnlos in die Luft, fiel hin, bewußtlos.

14

Lubkin sprach zu ihm. Unterdessen tauchten blauweiße Glühwürmchen in der Luft auf, flogen schräg an seinem Gesicht vorbei und stießen herab, stachen seine Augen. Sie quälten ihn. Nigel beobachtete, wie die Wolke der summenden Glühwürmchen zwischen ihm und der matten Decke hin und her huschte. Lubkins Stimme dröhnte. Er atmete tief, und die Glühwürmchen verschwanden, kamen dann wieder zurück. Lubkins Worte wurden deutlicher. Ein Gewicht senkte sich in seinen Darm.

Sie verstünden Nigels Geisteszustand, sagte Lubkin. Wegen seiner Frau und so weiter. Das erkläre eine ganze Menge. Evers sei nicht einmal besonders aufgebracht über Nigels Manöver. Ja, zum Teufel, sie könnten verstehen...

Nigel grinste benommen, spöttisch.

Die Glühwürmchen summten, tanzten.

Evers sei ganz schön sauer, weil Nigel sie reingelegt habe, sagte Lubkin mit gerunzelte Stirn. Aber jetzt habe J-27 geantwortet. Das verbessere die Lage. Evers sei bereit, Nigels Betrug zu vergessen. Das heiße, in Anbetracht von Alexandria.

»Was?« Nigel saß aufrecht im Krankenhausbett.

»Nun, ich...«

»Was hast du über Alexandria gesagt?«

Nigel sah, daß er bis zur Taille nackt war. Lubkin leckte seine Lippen auf eine unsichere, nervöse Weise. Seine Augen glitten von Nigels Gesicht weg.

»Doktor Hufman will dich sprechen, sobald ich fertig bin. Wir brachten dich von den JPL hierher, nachdem wir diesen Anruf bekommen hatten, in dem gefragt wurde, wo du seist. Ich meine, dann haben wir begriffen.«

»Haben was begriffen?

Lubkin zuckte beklommen die Achseln, seine Augen waren von Nigel abgewandt. »Na ja, ich wollte nicht derjenige sein...«

»Was zum Teufel willst du damit sagen?«

»Ich wußte nicht, daß sie so *nahe* daran war, Nigel. Keiner von uns wußte das.«

»Na... nahe?«

»Darum ging es in dem Anruf. Sie ist gestorben.«

Eine Schwester trieb einen steifen blauen Kittel für ihn auf. Dr. Hufman begegnete ihm auf dem Flur, wo er sich von Lubkin verabschiedete und ihm die Hand gab: feierlich, schweigend. Nigel sah Hufman an, doch er konnte keinen Ausdruck erkennen.

Hufman nickte ihm zu. Sie gingen den Korridor entlang. Irgendwo rief eine läutende Glocke jemanden. Auf den blankpolierten Wänden konnte Nigel das Spiegelbild des Gesichts eines abgezehrten Mannes sehen, in dem ein ein Tag alter Bart sproß und das in einem düsteren Blick erstarrt war. Die beiden Männer gingen.

»Sie... sie ist gestorben, gleich nachdem ich gegangen bin?« fragte Nigel in einem krächzenden Flüstern.

»Ja.«

»Es... es tut mir leid, daß ich gegangen bin. Sie haben versucht, mich anzurufen...?«

»Ja.«

Nigel betrachtete ihn. Hufmans Gesicht war zusammengekniffen, die Augen unnatürlich groß, seine Züge zusammengepreßt, als ob sie unter Druck stünden.

»Sie... Sie bringen mich zu ihr, damit ich sie sehen kann?«

»Ja.« Hufman erreichte eine graue Metalltür und öffnete sie.

Seine Augen waren starr auf Nigel gerichtet. »Sie ist gestorben, Mister Walmsley. Unkontrollierbare Blutung. Der Operationssaal war belegt. Es gab noch mehr dringende Fälle. Wir legten sie beiseite, damit die Krankenpfleger sie wegbringen konnten. Eine halbe Stunde verging.«

Nigel nickte stumm.

»Dann begann sie, sich zu bewegen, Mister Walmsley. Sie ist von den Toten auferstanden.«

Alexandria war allein. Sie saß in einem komplizierten diagnostischen Rollstuhl; er war mit elektronischen Geräten gespickt. Ihr weißer Krankenhauskittel war oberhalb ihrer Knie zusammengebunden, und Sonden berührten sie an ihren Knöcheln, Waden, Unterarmen, Hals und Schläfen. Sie lächelte matt.

»Ich wußte. Du würdest wiederkommen. Nigel.«

»Ich... ich bin...«

»Ich weiß«, sagte sie sanft. »Du. Hast. Mit Shirley. Gesprochen. Du bist. In Schrecken. Versetzt worden. Durch das... Was geschehen. Ist.« Sie sprach langsam, die Worte wurden einzeln gebildet und durch deutlich wahrnehmbare Pausen voneinander getrennt. Sie mußte sich bei jeder Silbe anstrengen.

»Die Neuen Jünger...«, begann Nigel und wußte dann nicht, wie er fortfahren sollte.

»Du hättest. Dich nicht. Aufzuregen. Brauchen. Nigel. Er hat mir. Gesagt. Daß du es auch. Gespürt hast. Kurz.«

»Er? Wer...?«

»Ihn. Was du gefühlt hast. Bevor du. Die Immanenz. Zurückgewiesen hast.«

Nigel merkte, daß Hufman die Tür hinter ihnen schloß. Er stand an einem Punkt, von dem aus er zwar jedes Wort verstehen, nicht aber in das Gespräch eingreifen konnte. Alexandria schien sich in einem zarten Gleichgewicht zu befinden, zerbrechlich zu sein, durch irgendeine innere Sicherheit in einem Schwebezustand gehalten zu werden. Verhüllt.

»Du hast ihn gefühlt. Nigel. Mein Liebling. Vielleicht. Hast du Ihn. Nicht erkannt. Für dich. War Er lange Zeit. Der Schnark.«

Nigel war für einen langen, bestürzten Moment stumm. »Das Kontrollgerät«, sagte er aus einem Mundwinkel zu Hufman.

»Ja. Ja«, sagte Alexandria mit klangloser Stimme. »So ist Er. In mich. Eingedrungen. Aber ich. Habe Ihn. Erkannt. Sein wahres Wesen.«

Sie schloß die Augen, und ihre Brust hob sich in flachen, hastigen Atemzügen. Nigel blickte kurz zu Hufman hinüber. Seine Beine waren empfindunglos, und er fühlte sich an diese Stelle gefesselt; er war unfähig, auf Alexandria zuzugehen oder sich zurückzuziehen. Die Anzeigen ihres Rollstuhldiagnosegeräts schimmerten matt und veränderten sich laufend.

»Kann irgend jemand – irgend *etwas* – das tun?« fragte er in einem beunruhigten Flüstern. »Über den Schaltkreis von diesem Kontrollgerät senden?«

Hufmans Stimme war in dem kleinen Raum ein volltönender Baß. »Ja, sicher. Ihr Gerät hat sowohl akustischen als auch elektrischen Kontakt mit ihrem Nervensystem. Die meiste Zeit arbeitet es passiv, aber wir können es dazu benutzen, Echosignale durch die Zentralnerven zu schicken.«

»Ist es das, was gerade geschieht?«

Hufman trat an Nigels Seite und legte zu Nigels Überraschung einen Arm um seine Schultern. »Ich glaube es. Ich habe niemandem davon erzählt, weil, na ja, zuerst habe ich gedacht, ich hätte irgendeinen furchtbaren Fehler gemacht.«

»Irgend etwas kommt *in* sie *hinein*. Über dieses Kontrollgerät.«

»Offensichtlich. Sie sind zusammengebrochen, oder? In den JPL? Wahrscheinlich eine Überlastung. Oder wer auch immer senden mag, hat Ihren Input durch Kurzschluß lahmgelegt und sich auf ihren konzentriert.«

»Aber sie war *tot*.«

»Ja. Alle Funktionen waren erloschen. Ich schätze, daß sie nur höchstens fünf, allenfalls zehn Minuten lang keinen Sauerstoff mehr bekam. Irgendwie weckte ein Stimulus aus dem Kontrollgerät ihre Atmung. Ließ sie wieder funktionieren. Die Überlastung ihrer Nieren ist auch abgeklungen.«

»Ich begreife nicht, wie...«

»Ich auch nicht. Zur Zeit arbeitet man daran, neurologische Impulsgeber verwendungsfähig zu machen, ja, aber sie sind hochgradig gefährlich. Und unzuverlässig.«

»Es bringt sie ins Leben zurück«, sagte Nigel schwach.

» *Was?* Wer macht das?«

»Das kann ich nicht sagen.«

Hufman sah ihn durchdringend an. »Das wollen Sie nicht, meinen Sie. Sie und diese andere Frau haben etwas...«

»Welche andere Frau?«

»Die, die ich getroffen habe. Sie haben sie mir vorhin vorgestellt. Alexandria hat nach ihr gefragt. Ich habe wohl nicht besonders gründlich nachgedacht; ich habe sie hereingelassen und...«

»Nigel?« Alexandrias Augenlider flatterten wie Motten, und sie bewegte ihre rechte Hand schwächlich, um ihn heranzuwinken. Nigel ging zu ihr.

»Er Sieht. Durch mich. Nigel. Er möchte. Daß du. Das weißt.« Nigel warf einen hilflosen Blick zu Hufman.

»Nein, du brauchst. Keine Angst. Zu haben. Er möchte. In dieser Welt. Sehen. Fühlen. Gehen.«

»Wer ist – *er*, Alexandria?« Nigels Stimme überschlug sich, als er ihren Namen aussprach.

»Er ist die Immanenz«, sagte sie, als ob sie mit einem Kind spräche. »Ich weiß. Was Er getan hat. Du und der Doktor. Ihr braucht nicht. Zu flüstern. Ich weiß.«

»Er – es – hat dich zurückgebracht.«

»Ich weiß. Von den Toten. Um zu sehen.«

» *Warum?* «

Sie sah ihn gelassen an. Irgendeine innere Fröhlichkeit durchströmte sie, ließ Fältchen um ihre Augen auftauchen. »In dem Sinn. Wie du das meinst. Liebling. Weiß ich. Es nicht. Aber ich. Stelle Ihn. Nicht in Frage. Oder stelle. In Frage. Wie ich diesen. Augenblick. Durchlebe.«

In dem antiseptischen Licht leuchtete ihr blutleeres Gesicht sowohl fremd als auch vertraut, jede Pore war deutlich erkennbar und rein.

Hufmans Stimme drängte sich dazwischen: »Nach allem, was ich herausfinden konnte, wird sie von dem Stimulus des Kontrollgeräts am Leben erhalten. Irgendwie wird der synaptische Zusammenbruch ausgeglichen. Vielleicht erfüllt das Gerät Kontrollfunk-

tionen für ihr Herz und ihre Lungen und nimmt den Platz des beschädigten Gewebes ein. Ich glaube jedoch nicht, daß dieser Zustand lange anhalten kann.«

Alexandria starrte ihn unverwandt an. Ihr Lächeln war dünn und blaß. »Er ist. Mit mir hier. Doktor. Das allein. Ist wichtig.«

Nigel nahm ihre Hand, hockte sich neben den schweren Rollstuhl nieder und musterte sie mit gerunzelter Stirn. Widersprüchliche Gefühle spiegelten sich in seinem Gesicht.

Jemand klopfte an die graue Metalltür.

Hufman warf Nigel einen unsicheren Blick zu. Nigel war in seine Gedanken vertieft. Hufman zögerte und öffnete dann die Tür.

Shirley stand draußen. Mit entschlossenem Gesicht. Hinter ihr war ein halbes Dutzend Neuer Jünger, die mit Dhotis und Jacken bekleidet waren. Ein Mann in einem guten, dunklen Straßenanzug drängte sich nach vorn.

»Wir sind gekommen, um sie abzuholen, Doktor«, sagte Shirley. Ihre Stimme hatte einen harten, spröden Unterton. »Wir kennen ihre Wünsche. Sie wolle heraus, hat sie mir gesagt. Und wir haben einen Rechtsanwalt hier, der sich mit Ihrem Krankenhaus auseinandersetzen wird.«

15

Stellen Sie sich dünne Metallplatten vor, die aufrecht stehen und wenige Millimeter voneinander getrennt sind. Im grellen Licht werden sie zu metallisch weißen Linien. In Zeitlupe trifft ein Geschoß – trudelnd, die Farbe von Rauch – auf die erste Platte. Das dünne Metall wird zerknittert. Die Platte wird in die zweite Schicht zurückgedrückt, lautlos, während der Film weiterläuft. Obwohl sich alles mit schwerfälliger Langsamkeit abspielt, kann man nichts unternehmen. Die zweite Platte wird verformt. Am Punkt des Aufschlags zerplatzt die Kugel, verwandelt sich in Flüssigkeit. Aber es geht weiter. Die dritte silbrige Linie wird in die vierte gepreßt; die Linien bilden eine Parabelschar; Stoßwellen, deren Brennpunkt die Spitze der jetzt herabstürzenden, schmelzenden Kugel ist. Und man kann es nicht aufhalten. Jede Platte drückt sich in die nächste. Jede Handlung...

Nigel sah diesen Traum, durchlebte ihn Nacht für Nacht, und er konnte doch nichts tun. Die Ereignisse drängten sich zusammen.

Jeder Moment dieser Tage stieß gegen den nächsten, trug ihn in einem Strom der Augenblicke weiter voran.

– Im Krankenhaus. Hufman protestierte mit zusammengebissenen Zähnen. Der Rechtsanwalt höflich, aalglatt, Sicherheit schwang in seiner Stimme mit. Nigel hatte keinerlei gesetzliche Gewalt über Alexandria; er war nicht ihr Ehemann. Und Alexandria sagte, daß sie weggehen wolle. Das Gesetz, dünne, sich zusammendrückende Platten, war eindeutig. Sie wollte unter den Neuen Jüngern leben oder sterben. Sie verstanden. Sie wünschten, daß sie mit Ihm ging.

– Der Rollstuhl. Er blinzelte laufend mit Leuchtzahlen mit den neuesten Angaben, summte, wurde nicht beachtet. Die Neuen Jünger in Dhotis schoben sie aus dem Krankenwagen und auf die Baptistenkirche zu. Der alte Mann, die Immanenz. Sein Gesicht stumpfes Silber, erleuchtet durch Bogenlampen, die die Kirche umgaben. Er bildete mit seinen Händen einen Becher und nickte Shirley zu. Alexandria saß zwischen ihnen, der Mittelpunkt einer anschwellenden Menschenmenge. Shirley sprach ehrfurchtsvoll zu der gebeugten, knorrigen Immanenz. Nigel glaubte, daß er inmitten der sich bewegenden Schatten einen Blick dieser gelben Augen erhascht hatte. Einen abwägenden, einschätzenden, taxierenden Blick. Der alte Mann gestikulierte. Eine kaum merkliche Bewegung kam in die Menge. Die Flut der Körper, die sich vor Alexandrias Rollstuhl geöffnet hatte, schloß sich jetzt hinter ihr. Schnitt sie von ihm ab. Shirley am Rand, die Immanenz, mit gerötetem, wabbelndem Gesicht, in der Mitte. Auf die Kirche zu. Aufgeregtes Gemurmel. Und die fließende Menge strömte zwischen Nigel und die anderen. Keilte ihn ein. Verlangsamte ihn. *Shirley!* schrie er auf. *Alexandria!* Shirley war die Stufen vor der Kirche emporgestiegen. Sie drehte sich um, blickte zurück über das wogende Meer der Gesichter. Sie rief etwas, etwas über Liebe, und war dann verschwunden. In die Schatten. Folgte dem blinkenden Rollstuhl.

– Im 3D.
Sie war genauso – ruhig, kurz und bündig, strahlte eine innere Sicherheit aus. Das lawinenartig anwachsende Interesse an ihr hatte diesen Wesenskern nicht berührt. Die Augen lagen tief in den Höhlen, richteten sich nicht auf die Fragen, die ihr von ihren Interviewern vorgelegt wurden; sie besichtigten, beobachteten. Nigel

sah sie in ihrer verdunkelten Wohnung, die nur von dem leuchtenden 3D-Gerät erhellt wurde. Er sah Shirley in der Menge im Hintergrund. Ihr Gesicht sah entrückt aus, ebenso wie die um sie herum. Drei verschiedene Immanenzen der Neuen Jünger geleiteten Alexandria eine zeremonielle Rampe hinunter. Sie waren alle große und würdevolle Männer mit eingefallenen Wangen; sie hielten die Handflächen in einer rituellen Geste nach vorn; waren asketisch; hager. Sie waren sehr um sie besorgt, ihr erstes anerkanntes Wunder. Das Programm wurde kurz unterbrochen, um einige Aufnahmen von Hufman zu zeigen, aufgebracht, mit zusammengepreßten Kiefern. Auf direkte Fragen hin gab er zu, daß Alexandria gestorben war. Was bescheinigt wurde. Sie wurde allein liegengelassen. Und stand dann wieder auf.

»Hatte sie eine Erklärung dafür?« fragte der Interviewer.

Hufmans übermüdetes Gesicht wurde auf dem Bildschirm ausgeblendet, um durch das von Alexandria ersetzt zu werden.

Sie lächelte, schüttelte den Kopf, nein. Und etwas bewegte sich weit hinten in ihren Augen.

– In die Kirche wollten sie ihn nicht hineinlassen. Für Nigel waren alle Türen verschlossen.

Als seine Geschichte die Leute vom 3D erreichte, interviewten sie ihn, waren interessiert, versprachen greifbare Ergebnisse. Aber als das Interview gesendet wurde, erschien Nigel als verbitterter, bösartiger Mann. Hatte er diese Dinge wirklich gesagt? fragte er sich, als er sich selbst sah. Oder stellten sie seine Worte geschickt um? Er konnte sich nicht erinnern. Die metallischen Linien wurden zusammengedrückt, liefen aufeinander zu.

– In den JPL, allein mit Evers und Lubkin. Draußen glitzerte das Sonnenlicht auf Lastwagen, die neue Geräte herantransportierten. Die Anlage wurde gerade vergrößert.

Lubkin: Wir haben gehört, daß sich Alexandria wieder erholt hat, Nigel. Das ist ja eine sehr gute Neuigkeit. Wir haben uns irgendwie gefragt, ob... äh...

Evers: J-27 sendet auf zwei Kanälen, Walmsley. Indem er eine Schaltung benutzt, die *Sie* in die Tafel eingegeben haben. Wir lassen Ichino am Hauptsignal arbeiten, aber wir scheuen uns, an diesem anderen herumzubasteln. Was auch immer es empfangen mag...

Nigel: Es ist mein Kontrollgerät. Das wissen Sie doch, oder?

Evers: Ja. Wir wollten Ihnen nur die Chance lassen, es zuzugeben.

Lubkin: Du empfängst J-27? Direkt?

Nigel: Nein. Er hat irgendeinen Weg gefunden, mir auszuweichen.

Evers: Dann werden wir es unterbrechen.

Daher mußte er ihnen die Geschichte mit Alexandria erzählen. Und sie darum bitten, die Sendungen über die JPL zu gestatten. Sonst würde sie sterben.

Evers nickte mit versteinertem Gesicht. Er würde den piependen Lebensfaden weiter durch die Anlage laufen lassen. Sie würden ihn sogar überwachen, abhören; versuchen, soviel zu entziffern, wie sie konnten. Der Code war ein Dickicht an Komplexität.

Nachdem Nigel Evers' Büro verlassen hatte, konnte er sich an wenig erinnern, was sonst noch gesagt worden war. Die Ereignisse hatten sich so sehr zusammengedrängt, wurden so sehr zusammengepreßt, daß er Menschen und Augenblicke verwechselte. Doch er konnte sich an Evers' berechnend gütigen Gesichtsausdruck erinnern, den gespitzten Mund, die Anspielung darauf, daß bestimmte Kräfte ein neues Gleichgewicht erlangten.

16

Er saß am staubigen Abhang und beobachtete, wie die Menschen in den V-förmigen Cañon strömten. Die meisten von ihnen hatten die zweistündige Fahrt von Mexico City her hinter sich und trugen Lunchpakete. Doch es gab auch Gruppen aus Asien, die sorgsam von Führern behütet wurden. Und Europäer, die man an ihren genormten braunen Hosen und streng geschnittenen Wollhemden erkennen konnte. Einzelne Bäche, die sich in den Cañon ergossen.

Ein Vogelschwarm flog von Süden her in den Cañon hinein, er flatterte immer höher, je näher er kam. Wahrscheinlich vom Gemurmel der gewaltigen Menge aufgeschreckt, dachte Nigel. Er leckte seine Lippen. Die Morgenluft flimmerte bereits; es war wesentlich heißer als zwei Tage vorher in Kansas. Oder war das Toronto gewesen? Er hatte Schwierigkeiten, die einzelnen Tage auseinanderzuhalten. Jeder Auftritt von Alexandria zog eine größere

Menschenmenge an; diese, so hatte man ihm gesagt, hatte schon vor Tagen ihr Lager aufgeschlagen.

Hundert Meter von ihm entfernt arbeiteten einige Männer daran, zusätzliche Tribünen zu errichten. Es war sinnlos; unermeßliche Menschenmengen saßen bereits auf den Felsvorsprüngen, es waren wesentlich mehr, als in letzter Minute erstellte Konstruktionen aufnehmen konnten.

Auf den Hügeln wimmelte das Leben, die Menge wogte wie Flimmerhaar auf einer gewaltigen Zelle. Auf dem engen Boden des Tales traten die leidenschaftlich Erregten auf: Turner, Selbstgeißler, Psi-Akrobaten, Sänger mit ihrem hohlen, dröhnenden Klang, Tänzer. Die rituellen Ringe drehten sich. Fließen lieben fliegen sterben. Stürz. Schrei. Stöhn. Stampf.

Endlich erhob sich erregtes Gemurmel. Am Ende des Tals blühte ein weißer Punkt auf. Alexandria in ihrem Rollstuhl, eingehüllt in glitzernde Gewänder. Sie füllte eine Plattform inmitten der glühend heißen Felsabhänge aus. Vier Immanenzen standen zu ihren Seiten.

»Zur Erfüllung!« sang die Menge. »Einssein!« Im Himmel brannte ein geflügelter Punkt, ein Ende orangerot. Vor dem blassen Blau des Wüstenhimmels bildete sich eine Wolke. Eine weiße Skulptur für das Ereignis: eine riesige Alabasterfrau. Flügel. Die Hand zum Gruß erhoben, zur Segnung, zur Vergebung. Alexandria.

Worte von einer Immanenz. Musik. Fanfaren schmetterten und hallten von den Steinen wider. Stampfen. Singen. Laufen leben springen schweben. Seelenrettung in der flimmernden, verzaubernden Hitze.

Er kannte die Litanei gut. Sie rauschte ohne jede Wirkung an ihm vorbei. Er war dadurch abgestumpft worden, daß er ihr nachreiste. Er wußte, daß er eigentlich weggehen sollte, doch er war einfach nicht dazu imstande, wenn er immer noch in ihrer Nähe bleiben, sie immer noch aus der Ferne sehen konnte. Einen weißen Punkt. Die laufende, sprechende Tote. Kommet und seht! Lasset Eure Hoffnung bestärken! Erlanget Euren Glauben wieder! Freudig singen Glück auf immer...

Und doch, und doch – beneidete er sie. Und liebte sie.

Er schnitt eine Grimasse.

Plötzlich donnerte ihre Stimme durch den Cañon, dröhnte, brachte die Masse zum Schweigen. Sie sprach von Ihm, dem Einen, und davon, wie Er durch jeden von uns sah. Von einer Vision...

Sie brach zusammen. Etwas schlug gegen das Mikrofon. Ein Mann schrie heiser. Nigel blinzelte und konnte eine Gruppe durcheinanderlaufender Gestalten in Gewändern erkennen, die sich an der Stelle versammelte, wo Alexandria den Augenblick zuvor gestanden hatte. Gellende Stimmen riefen Befehle.

Sie war doch endlich am Sterben. Steif stand er da, klopfte sich Staub von der Hose, starrte vor sich hin. Sterben. Sterben.

In seinem Zimmer in Mexico City ließ er das 3D-Gerät laufen, während er duschte und packte. Ein kleiner Mann mit rosaroter Haut, fleischigen Wangen, schütterem Haar sagte, daß Alexandria einen Rückfall erlitten, sich aber noch nicht mit dem Höchsten Wesen vereinigt habe, wie sie es selbst für die nächste Zukunft vorausgesagt hätte.

Sein Telefon klingelte.

»Walmsley? Sind Sie das?« Evers' Stimme war schrill und rauh. Nigel brummte eine Antwort.

»Hören Sie zu! Wir haben gerade die Nachrichten gehört. Tut uns leid und so weiter, aber es sieht so aus, als ob sie stürbe. Wir wissen, daß Sie ihr die ganze Zeit nachgereist sind. Der Abschirmdienst hat Sie aufgespürt. Ist es Ihnen möglich gewesen herauszufinden, was sie den Neuen Jüngern erzählt hat? Über J-27, meine ich?«

»Nichts. Soweit ich das beurteilen kann.«

»Aha. Gut. Ich habe von weiter oben gesagt bekommen, daß wir höllisch aufpassen müssen, damit nichts nach draußen sickert. Besonders nicht zu diesen... Na ja, dann scheint ja alles in Ordnung zu sein. Wir werden...«

»Evers.«

»Jaa?«

»Unterbrechen Sie den zweiten Kanal nicht. Sie ist noch nicht tot. Wenn Sie das tun, werde ich den 3D-Leuten alles über... J-27 erzählen.«

»Sie sind...« Evers' Stimme brach ab, als ob eine Hand über die Sprechmuschel gelegt worden wäre. Nach einem Augenblick sagte Evers: »In Ordnung.«

»Lassen Sie ihn unbegrenzt offen. Auch wenn Sie hören, daß sie tot sei.«

»In Ordnung, Walmsley, aber...«

»Wiedersehen.«

Lange Zeit stand er am Hotelfenster und beobachtete, wie sich Peditaxis durch die Fahrspuren des Paseo de la Reforma zwängten; es war zum größten Teil der Rest der Menge, die aus dem Chapultepec-Park strömte. Das bienenschwarmartige Treiben der Menschen.

So hatte er also eine letzte Geste gemacht, Evers gedroht. Hielt sie vielleicht noch einige Stunden oder Tage am Leben. Wozu? Er wußte, daß er sie niemals wiedersehen würde. Nur die Neuen Jünger würden diese ihre letzten Augenblicke genießen.

Also... zurück zu den JPL? Wieder von vorn beginnen? Der Schnark wartete immer noch.

Letzten Endes, ja. Er mußte es wissen. Immer das Klare und Sichere, das Endgültige; das suchte er. Um zu *wissen*. Etwas, das Shirley, und vielleicht sogar Alexandria, niemals begriffen hatte.

Oder...

Er bewegte das Fenster, und ein Spalt tat sich in der Mitte auf. Bis unten zur Straße waren es wenigstens zweihundert Meter. In ein Becken voller rasender, gelber Autoscheinwerfer hinein. Zusammengepreßte Linien, sie löschten ihn aus wie eine Kerze, deren Flamme zu klein geworden war.

Er schaute für lange Augenblicke hinunter.

Wandte sich dann um. Nahm seine Taschen und fuhr mit dem Aufzug hinunter zur Eingangshalle. Er bezahlte steif lächelnd seine Rechnung, gab dem Portier ein Trinkgeld, ließ seine Taschen zurück und ging hinaus auf den Bürgersteig. Milde Luft empfing ihn. Er schob die Hände in die Hosentaschen und beschloß, einen Spaziergang rund um den Häuserblock zu machen, um seinen Kopf klarzubekommen.

Er holte ein keilförmiges Plastikplättchen aus seiner Hosentasche. Es enthielt mikrominiaturisierte elektronische Bauteile, eine Energiequelle und Umwandler. Er klemmte es in eine Halterung unter seinem Kragen und vergewisserte sich, daß es nicht herausschaute. Es scheuerte beim Laufen.

Er wollte im Freien sein, wenn er es ausprobierte. Ein Gebäude könnte das Signal bei diesen Entfernungen abschirmen oder verzerren. Er konnte kein Risiko eingehen. Wenn Alexandria starb, konnte der Schnark den Kanal immer noch benutzen...

Er griff hinter sein Ohr und drückte. Das Kontrollgerät erwachte summend zum Leben. Das Stückchen Plastik und Elektronik, das er unter so großem Aufwand erfunden und gebaut hatte, scheuerte an seinem Hals. Er drückte mit einem Daumen gegen das Plättchen und hörte ein schwaches keramisches Klicken.

Er ging. Schritt. Fühlte eine wuchtige, riesige Woge...

Schritt...

Liebe und Neid.

Schritt...

17

Einen Tag später: Er tritt...

— tritt

— auf die Schichten runzeligen Gesteins: steinerne Decks eines irdenen Schiffes, das in dieser hochgelegenen Wüste umhertreibt. Ein Raumschiff aus verwittertem Gestein. Die Jahrtausende haben sich abgelagert und dieses faltige Deck zusammengedrückt; Leben huscht auf ihm hin und her. Plappert. Springt.

Er besteigt den von Rissen durchzogenen Felsen. Ein Skorpion eilt beiseite. Stiefel pressen sich in knirschendes Geröll.

— *Pflanzen umspülen die rauhe Kruste wie Schaum...*

Die undeutlich auftauchende Erscheinung

späht aus

saugt ein

begreift

... und ist still.

In dieser spröden mexikanischen Wüste marschiert er weiter. Die Luft ist kristallklar; Pfützen von einem noch nicht lange zurückliegenden Regen zersplittern das herabfallende Licht.

Mohnblumen, Malven, Zinnien, Kakteen, Wüstengestrüpp und Gruppen gelber Flechten...

— *Boden, von Leben bespült...*

— *Die Sonne dreht sich über der gekrümmten Erde...*

Nigel lächelt. Das Wesen verlagert sich nach hinten, hinter die Augen.

Seine Beine schreiten mühelos aus. Die Ferse eines Stiefels scheuert. Leder knarrt. Arme schaukeln, Waden sind angespannt. Herz pumpt Lungen keuchen Haut warm Stiefel setzt sich auf einen Stein Himmel flach Hemd reibt unter den schweißnassen Achseln wachsartig schimmernder Kaktus auf dem Pfad Feldflasche klappert beim Umdrehen...

Aus diesen bewußten Eindrücken wählt Nigel aus. Das Wesen nicht. Es verschlingt *alles*.

Ein Kaninchen springt zur Seite. Ein Igelsäulenkaktus lockt. Nigel bleibt stehen. Schraubt die Feldflasche auf. Trinkt.

– *fühlt den herabstürzenden silberklaren füllenden Geschmack auf seiner Zunge, der sein Gesicht rot werden läßt ...*

– Und empfindet eine Ahnung dessen, was das andere Wesen fühlen muß. Es achtete die Unverletzlichkeit lebender Geschöpfe; es hätte Alexandria nicht geboten, wieder aufzustehen, wenn sie nicht bereits gestorben gewesen wäre, für ihre eigene Welt bereits tot. So benutzte das Wesen einen Körper, den die Menschen schon beiseite geschoben hatten, um diesen unbekannten Planeten zu sehen.

In jenen ersten Augenblicken des Kontakts mit Nigel, auf der Straße in Mexico City, hätte sich das Wesen beinahe wieder zurückgezogen. Doch als es die zerfetzten Schichten in diesem Mann gesehen hatte, war es geblieben. Mit der Hilfe komplexen Wissens, das es sich durch tausende solcher Kontakte mit chemischen Lebensformen angeeignet hatte, versuchte es eine sanfte Berührung. Und blieb da. Um diese liebliche Welt zu kosten. Um die offenen Wunden dieses Mannes zu pflegen.

– *blauer cremeartiger Himmel, voll flatterndem Leben, dahintreibenden Klecksen, verzerrten Wolken ...*

Dieser Ort ist fremdartig.

Er macht eine Pause, denkt darüber nach, daß der scharfe, gezackte Horizont diese Welt in zwei Hälften teilt. Und sieht das leicht bewegte Gewebe aus Evers und Lubkin und Shirley und Hufman und Alexandria und Nigel. Ein Schauspiel. Ein Netz. Schwerfällige Bewegungen. Jeder ein kleines Universum für sich.

Aber jeder zusammen mit anderen. Herausgehoben. Jeder ein Firmament. Ein Uhrwerk.

So vertraut.

So fremd.

Tief unten, verborgen von den Strömungen der Flut, schwimmt Nigel.

Durch das Schwimmen wird er geheilt.

Die schattenhaft aufragende Erscheinung saß rittlings auf der Flut der Wahrnehmungen und nahm alles auf. Bevor Nigel die Filter seiner Augen, Ohren, Haut, Tast-, Geruchssinn anwenden konnte – vor all dem saugte das Wesen diese neue und fremdartige Welt wie ein Schwamm auf, und es änderte sie durch den Akt der Aufnahme auch für Nigel.

Und eines Tages würde das Wesen verschwinden. Ihn passieren. Dann würde Nigel seinen Kokon zerreißen. Herauskommen. Ans zersplitterte Tageslicht. Auf wackeligen Beinen.

Er würde durch jene Linse hindurchgehen. Alles würde vergehen. Aber im Augenblick ist es so:

Der Schnark   spürt den hämmernden Puls
                       zerstreut die Felsen vor ihm
                       durchpflügt die trockene Luft
                       klatscht Stiefel in nachgebende Erde –

sehend

                       schmeckend

                                                   öffnend.

Läßt ihn vorsichtig in die wärmende Welt hinab.

Bindet ihn liebevoll an das Jetzt.

– EversLubkinShirleyHufmanAlexandriaAlexandria...

Wenn er jetzt an sie denkt, da er weiß, daß er eines Tages in jene Welt zurückkehren wird, fällt ihm ein Stein vom Herzen, und er wälzt und sonnt sich und läßt sich in diesen vertrauten Gewässern der Wüste treiben. EversHufmanShirley...

Fremd; sie sind es, seine Brüder.

So fremd.

Als er erwachte, blickte er hinauf in einen eisengrauen Himmel, in dem die Dämmerung glühte.

Er erwachte allein.

Das Wesen war verschwunden. Der schwache, zitternde Druck hatte sich scheinbar hinter seinen Augen befunden; jetzt empfand Nigel nur die dumpfe Abwesenheit von etwas, an das er sich kaum erinnern konnte.

Er setzte sich in seinem Schlafsack auf, fühlte sich schwindelig, hatte einen brummenden Kopf und legte sich wieder hin. Eine Krötenechse erstarrte auf einem in der Nähe gelegenen Felsen. Dann spürte sie seine Entspannung und schoß davon.

Er dachte daran, daß es zwei Orte gab, an denen sich der Mensch dem Ursprung aller Dinge am nächsten fühlte. Das Meer, mit seinen salzigen Erinnerungen an die Anfänge. Und in der Wüste – die sich ausgebleicht, gekerbt unter einer gelben Flamme drehte, einem Ort, der auf das rauhe, unwirtliche Minimum reduziert war. Und trotzdem lebte sie, beherbergte ein kompliziertes System von Lebewesen. Vielleicht war das der Grund, warum das Wesen hierherkommen wollte.

Er erinnerte sich daran, wie er in einem Laden in Mexico City seinen Rucksack gekauft hatte, den Daunenschlafsack und die Stiefel. An den kurzen Flug in die hochgelegene Wüste. An das Wandern.

Und spürte etwas hinter seinen Erinnerungen...

Davon, daß er an einer hohen Stelle stand, auf ein flaches Schachbrett aus *Dingen* hinuntersah, aus *Kategorien* und Koordinatensystemen und Formen, Strukturen.

Er hatte sich beobachtet. Gesehen, wie ein Vogel in einem Mesquitstrauch Schutz suchte. Die erste Schicht betrachtet: Vogel. Flügel. Ein glänzendes Braun. Stamm–Klasse–Ordnung–Gattung–Art.

Die zweite Schicht betrachtet: Flug. Bewegung. Impuls. Analyse.

Und sah schließlich, daß sich hinter der Art und Weise, in der er aus der Welt Eindrücke filterte, eine grundlegende Erkenntnis verbarg. Daß hinter dem Filter ein Meer lag. Eine Wüste.

Daß der Filter seine Menschlichkeit ausmachte.

Es gab da noch etwas, etwas Größeres. Er griff danach, doch es...

Festino -80-

es huschte an ihm vorbei. Er sah verschwommen die Struktur von etwas... und dann war es verschwunden.

Nigel blinzelte. Er lag auf einer verwitterten Felsplatte, der Daunenschlafsack scheuerte an seinem Körper und wärmte ihn. Der Hügel neben ihm glühte matt und golden; der Horizont war in ganzer Breite in Licht getaucht.

Was hatte er gelernt? dachte er. An Tatsachen, nichts. Es gab erahnte Aspekte, Nuancen, aber nichts Konkretes. Das Wesen war gekommen. Es sorgte während der düsteren Stunden in Mexico City für eine Art Polster für ihn (hatte er wirklich das Fenster geöffnet? daran gedacht, zu springen?). Und das Wesen hatte ihn verlassen, war in die Nacht entschwunden.

Nigel runzelte die Stirn, streckte sich, entspannte sich. Seine Waden schmerzten vom Wandern. In seinem Magen knurrte der Hunger. Er griff nach seinem Rucksack und fischte einen Riegel Dörrobst heraus. Sein Speichel befeuchtete einen Bissen, und der Geschmack von Erdbeeren füllte seinen Mund.

Was war es eigentlich? Nach allem, was er erlebt hatte, wußte Nigel immer noch nichts über den Fremden, das nützlich sein konnte. Keine Fakten, keine Daten. Einem Geist stellt man keine Fragen.

Er kaute, betrachtete den sich mit Wolken füllenden Himmel.

Alexandria, Shirley – alles lag jetzt hinter ihm. Komisch, wie nahe man jemandem stehen konnte, wie sehr er geglaubt hatte, Shirley zu lieben. Heute, nach allem, was sie getan hatte, gab es nur eine trübe, bittere Erinnerung.

Und Fragen. Hatte er Shirley wirklich geliebt, oder war das auch nur Einbildung gewesen? Der einzige Mensch, dessen er sich jemals sicher gewesen war, war Alexandria. Und sie war verstorben. Durch den Schnark hatte er eine Zeitlang einen winzigen Rest von ihr erleben können. Vielleicht blieb ein Stückchen von ihr im Schnark, ein Schatten.

Er schneuzte in ein Taschentuch. Auf dem Stoff zeigten sich mehrere kleine Blutflecke; die Nachtluft hatte seine Nasenhöhlen ausgetrocknet.

Nigel lächelte. War das Blut ein Symbol des Lebens? Oder des Todes? Überall war Mehrdeutigkeit.

Und doch – wollte er antworten. Er mußte *wissen*. Von seiner alten Welt blieb nur ein Bruchstück: der Schnark. Dorthin mußte er gehen. Evers und die NASA würden ihm als Sprungbrett auf dem

Weg nach draußen dienen, und es würde andere geben, andere Menschen, die ihm helfen könnten. Er wußte, daß er mit einigem Widerstand bei der NASA rechnen mußte, besonders nach der Geschichte mit seiner Botschaft für den Schnark. Nigel Walmsley, der verrückte Astronaut. Aber den würde er überwinden.

Er rieb sich die Augen, glättete das Muster der Krähenfüße. Was er brauchte, nach diesen zwei Tagen mit dem Wesen-hinter-den-Augen, waren Menschen. Die bloße Fühlungnahme mit seiner eigenen Art. Und er brauchte Hilfe, wenn er mit der NASA verhandelte. Aber vor allem Menschen.

1

Mr. Ichino blieb in der Tür zum ›Loch‹ stehen. Das leise Murmeln
der Gespräche der Techniker vermischte sich mit dem *ting* und dem
Geklapper der Schreibmaschinen der Computerterminals. Das
Loch war dunkel, die Luft darin abgestanden. Durch Hauben abge-
deckte Konsolen warfen bunte Lichtkegel auf die Männer, die da-
vorsaßen und beobachteten, überprüften, den Strom der Informationen aufbereiteten, der aus diesem Raum floß, in tanzende
Rhythmen von Elektronen und dann nach draußen; der mit elektromagnetischen Schwingen zum Schnark getragen wurde.

Er bemerkte eine Wanduhr; zwanzig Minuten bis zur Sitzung.
Mr. Ichino seufzte; er zwang sich dazu, sich zu entkrampfen und
nicht daran zu denken, was vor ihm lag. Er legte die Hände hinter
seinem Rücken zusammen, eine zur Gewohnheit gewordene Geste,
und ging langsam in das Loch hinein, damit sich seine Augen an
die Dunkelheit gewöhnen konnten. Er blieb vor seiner eigenen Konsole stehen, ließ einen Ausschnitt aus der laufenden Sendung projizieren und las:

> In den Diensten des Kaisers fand er Leben; und er kämpfte
> gegen die Barbaren und unterwarf sie. Wenn es der Kaiser
> befahl, kämpfte er gegen seltsame und böse Zauberwesen,
> und er bezwang sie. Drachen tötete er und Riesen. Er war
> bereit, mit allen Feinden des Landes zu streiten, mochten es
> Menschen sein oder Tiere oder Geschöpfe aus einer anderen
> Welt. Und er war immer der Sieger.

Er erkannte den Passus aus der japanischen Kintarosage, sogar in
dieser verwestlichten Fassung. Der Schnark hatte Mr. Ichino vor
ein paar Tagen um weitere alte Literatur des Ostens gebeten, und
er hatte alle Originaltexte und Übersetzungen geholt, die er in seiner
Sammlung finden konnte. Sie wurden jetzt immer in freien Zeiten
gesendet. Mr. Ichino stellte sich die müßige Frage, ob dieser Abschnitt von einem Programmierer bewußt ausgewählt worden war,
weil er eine Anspielung auf ›Geschöpfe aus einer anderen Welt‹ ent-

hielt. Ein solches Vorgehen wäre beklagenswert typisch; die meisten Männer hier hatten keine Ahnung davon, was der Schnark wissen wollte.

Mr. Ichino klopfte mit einem Finger gegen seine Schneidezähne; er dachte nach. Die viereckigen, stilisierten Buchstaben drückten sich gegen das Grün der Röhre, ein für das feine Gespinst eines Märchens völlig ungeeignetes Medium. Er fragte sich, wie es von einem Ding aus Kupfer und Germanium gelesen werden würde – inzwischen schon gelesen *wurde* –, das die Venus umkreiste. All dies – die stille Spannung im Loch; die zusammengedrängten Minuten, die er jetzt schon monatelang durchlebt hatte; das Gefühl der Unsicherheit und Verwirrung, das er bei dem empfand, was er tat – schienen Teile eines vertrackten Puzzles zu sein. Wenn er doch nur einige wenige Tage haben könnte, um das Rätsel zu knacken, um zu ergründen, welches Wesen in so kurzer Zeit in das Innerste seiner persönlichen Erfahrungen sehen und sie ihm entlocken konnte...

Er ging weiter. Ein Techniker nickte ihm zu, ein Ingenieur grüßte wortlos. Es würde sich schnell herumsprechen, daß der Alte im Loch war, um seine tägliche Inspektion zu machen; die Männer würden ein winziges bißchen eifriger sein als sonst.

Mr. Ichino erreichte einen großen Bild-Kessel und beobachtete die komplizierte Arbeit, die darin vom Computer gerade geleistet wurde. Er erkannte den Druck sofort: *Akt in der Sonne*, Renoir, gemalt 1875 oder 1876; Mr. Ichino hatte das Gemälde erst zwei Tage zuvor ausgesucht.

Blaugrünes gefiltertes Licht warf Streifen über die Brüste und Arme des nackten Mädchens und veränderte so auf seltsame Weise den leuchtenden roten Schimmer der Haut, der Renoirs unverwechselbares Kennzeichen war. Das Mädchen blickte nachdenklich nach unten; sie war in einem Augenblick abgebildet worden, als sie gerade nach einer unscharf gemalten Decke griff. Mr. Ichino betrachtete sie lange, er genoß die Vieldeutigkeit ihres Ausdrucks mit einem romantischen Gefühl der Sehnsucht, das er als das eines alten Freundes kannte; er war sein Leben lang Junggeselle geblieben.

Und wie würde der Schnark es interpretieren? Mr. Ichino wagte nicht, darüber Vermutungen anzustellen. Er hatte positiv auf *Frühstück der Ruderer* reagiert und um weitere Bilder gebeten; vielleicht hielt er sie fälschlicherweise für eine Art Fotografien, trotz seiner Erklärung, für welche Zwecke die Menschen Gemälde verwendeten.

Er schüttelte den Kopf, als er zusah, wie der Computer das Bild sorgfältig in winzige Farbquadrate zerlegte. Der Schnark sprach sehr wenig; viele von Mr. Ichinos Vorstellungen von ihm waren Schlußfolgerungen. Dennoch war da etwas Interessantes an der Art und der Struktur der Wünsche, die der Schnark äußerte...

»Möchten Sie gern irgend etwas Bestimmtes sehen, Sir?« fragte ein Techniker neben ihm von unten herauf.

»Nein, nein, es scheint ja alles gut zu laufen«, sagte Mr. Ichino sanft, der aus seinen Gedanken aufgeschreckt worden war. Er winkte den Mann weg.

Andere Konsolen blinkten, während die Männer im Loch dem Schnark Daten übermittelten. Er erinnerte sich, daß sie sich im Augenblick gerade durch die neueste Ausgabe einer Enzyklopädie hindurcharbeiteten. Es wäre einfach gewesen, das Material lediglich zu senden, doch die Männer, die er überwachte, hatten den Auftrag, jede einzelne Zeile zu redigieren, die codiert werden sollte. Der Präsident hatte die Empfehlung des Exekutivkomitees angenommen, daß der Schnark keinerlei detaillierte wissenschaftliche oder technische Informationen erhalten sollte – das Loch war rasch gebaut worden, um dies zu gewährleisten.

Die meisten Konsolen arbeiteten mit Mr. Ichinos eigenem Code 4, einem eigens erstellten Wörterbuch und einer Zeichenmatrix, die bei jeder Sendung für den Schnark eine große Informationsdichte gestatteten. Das Exekutivkomitee hatte Mr. Ichino in den Tagen nach dem ersten Kontakt ausfindig gemacht; das Komitee hatte händeringend versucht, einen Kryptologen zu finden, der über genügend Erfahrung mit informationsintensiven Zeichensystemen verfügte. Es war relativ einfach gewesen, Code 4 zu entwerfen, da er sich auf die Codes stützte, die Mr. Ichino vorher für verwürfelte Sendungen zur Mondbasis Hipparch entwickelt hatte. Code 4 war einfach, flexibel und schien einigermaßen vor den Russen und Chinesen und wer sonst noch mithören mochte zu schützen, doch natürlich bot er begrenzte Ausdrucksmöglichkeiten. Er wurde bald unzureichend für die Fragen, die der Schnark stellte; jenseits dieses Punktes könnten nur Fotografien und ein breiter angelegtes Wörterbuch das Problem der Antworten lösen.

Wegen der strengen Sicherheitsbestimmungen war vielen der Codierer und Techniker nichts über den Schnark gesagt worden; sie glaubten, daß sie an etwas arbeiteten, das mit der Mondbasis Hipparch zusammenhing. Deshalb fiel Mr. Ichino die Aufgabe zu, mit dem Schnark zu sprechen. Ein weiterer Kryptologe, John Williams, wurde hereingenommen, um die Belastung zu verringern. Mr. Ichino hatte wenig Kontakt mit ihm, da er die andere Hälfte ihres 24stündigen Arbeitsprogramms beaufsichtigte. Der Schnark schlief nie.

Doch Mr. Ichino erinnerte sich, daß Williams bei der Sitzung dabeisein würde. Er blieb inmitten des beruhigenden Summens des Loches stehen und inspizierte kurz die übrigen Konsolen. Dort flakkerten Bilder auf: die Skizze eines Dreimast-Schoners; unbewegliche Gestalten, die Kleidungsstücke des sechzehnten Jahrhunderts entwarfen und schneiderten; Wolken, die sich über ein brodelndes Meer schichteten. Eine Flut von Informationen, die zum Schnark geschaufelt wurde, die er aufeinander beziehen konnte, wie er mochte.

Er wandte sich um und bahnte sich einen Weg durch eine Reihe Drehstühle zum Eingang, wo ihm eine Wache begegnete. Als er in einen hell erleuchteten Gang gelangte, griff er unwillkürlich nach dem Brocken in seiner Jackentasche und holte ihn heraus: einen Wetzstein. Er massierte ihn mit seiner rechten Hand, spürte die glatten, kühlen Strukturen und konzentrierte sich darauf, beruhigte sich durch diese Angewohnheit, die er sein Leben lang gehabt hatte.

Er ging. Mr. Ichino fühlte sich in diesen glänzenden, prunkvollen Gängen fehl am Platz, wurde gelähmt von den Plastaformwänden, den dünnen Trennschirmen, dem Geklapper der Schreibmaschinen, dem fernen Flüstern der Klimaanlage. Eigentlich sollte er jetzt an einer Universität sein, dachte er, geruhsame Stunden in einer abgelegenen, düsteren Ecke einer Bibliothek zwischen Bücherstapeln verbringen, Feinheiten der Informationstheorie in Augenschein nehmen. Er wurde älter; je höher er aufstieg, desto aalglatter wurden die Menschen, mit denen er zu tun hatte, desto raffinierter waren ihre Kampfformen. Er war nicht für dieses Spiel erschaffen worden.

Doch er spielte; er hatte immer gespielt. Aus Liebe zu den kristallklaren, mathematischen Rätseln, die er in der Kryptografie fand, um einen Weg, eine Fluchtmöglichkeit – schließlich hatte ihn das Spiel aus einer Einwandererfamilie aus einer Kleinstadt in Oregon bis nach Berkeley gebracht, nach Washington und zu guter Letzt nach Pasadena. Um dem Schnark zu begegnen. Dafür hatte sich die Reise gelohnt.

Er ging an einer weiteren grauen Wache vorbei und in das Konferenzzimmer. Niemand da; er war zu früh dran. Er schritt schwebend über dicke Teppiche zum Tisch und setzte sich. Mr. Ichinos Aufzeichnungen waren in Ordnung, doch er schaute sie an, ohne sich auf die einzelnen Worte zu konzentrieren. Sekretärinnen kamen und gingen, sie legten gelbe Notizblöcke und Kugelschreiber vor jeden Stuhl. Eine große Kaffeemaschine wurde hereingerollt und in einer Ecke aufgestellt. Ein leises, dumpfes Geräusch riß Mr. Ichino aus seinen träge dahinfließenden Gedanken; es war ein Test der Mikrofone, die in regelmäßigen Abständen in den Konferenztisch eingelegt waren.

Ein Sekretär gab ihm die Tagesordnung, und er studierte sie. Sie enthielt nur eine Liste der Teilnehmer, keinen Hinweis auf den Zweck der Sitzung. Mr. Ichino spitzte den Mund, als er die Namen las; es würden Leute anwesend sein, die er nur als Gestalten in der Ferne kannte, aus den Nachrichtenmagazinen.

Das alles wegen einem Schiff, das viele Millionen Kilometer entfernt war. Es sah nach leichter Ironie aus, wenn man an die drängenden und ernsten Probleme dachte, die sich der Regierung in Washington stellten. Doch Mr. Ichino beschäftigte sich nicht mit Politik. Sein Vater hatte eine gründliche Lektion über Nichteinmischung in Japan gelernt und alles darangesetzt, damit sein Sohn seinem Beispiel folgte. Aus den frühesten Tagen seiner Jugend erinnerte sich Mr. Ichino an seinen Widerwillen gegen den Eintritt in einen der Lyrik- und Sprach-Clubs an der High School, weil er glaubte, daß das Teilen der zarten Gefühle, die diese Dinge in ihm weckten, der Empfindungsnuancen, die sie hervorriefen, nichts Öffentliches sein konnte. Über sie schreiben, vielleicht – das war möglich. Aber wie sollte man Haiku beschreiben, außer mit einem weiteren Gedicht? Außerdem etwas anderes zu verwenden – klobige Wortreihen, erklärende Sätze ohne Anmut oder Feingefühl –, bedeutete, den Schmetterling unter einem dreckigen Stiefel zu zerquetschen.

Schließlich nahm er seinen ganzen Mut zusammen und trat dem Lyrik-Club bei – wenn auch nicht dem für Französisch, was die andere Möglichkeit gewesen war – und entdeckte nichts in ihm, vor dem man sich fürchten mußte. Mädchen lasen mit hohen, nervösen Stimmen ihre eigenen geschraubten Zeilen vor und setzten sich unter rauschendem Beifall wieder, worauf nachsichtige Kritik des Professors oder eines Assistenten folgte. Es gab nur drei Jungen in dem Club, doch er konnte sich überhaupt nicht mehr an sie erinnern, und die Mädchen schienen jetzt alle zu einem Konglomerat verschmolzen zu sein: schlank, graziös; ewig frierend, auch in ihren Wollsachen; mit erstarrten, blaßblauen Nasenlöchern.

Dort gab es keine widerstreitenden Interessen, deshalb bedeutete der Club für ihn ein Übergangsstadium: Er lernte, in seinem stokkenden Englisch vor einer Gruppe zu sprechen, zu definieren und zu erklären und schließlich zu widersprechen.

Das war vor der Mathematik, vor den langen Jahren des konzentrierten Stadiums an der Universität, vor Washington und den aber Dutzend Maschinensprachen, die er erfand, den Monografien über Kryptografie, die seine Tage und Nächte ausfüllten. Die schlanken Mädchen wurden – er schaute auf – Sekretärinnen mit modisch kurzen Röcken, Kaffeeträgerinnen. Und was war er geworden, der schüchterne japanisch-amerikanische Junge? Einundfünfzig Jahre alt, gut bezahlt, in verantwortlicher Stellung; ein Junggeselle, der von Arbeit und Hobbys ausgefüllt wurde. Alles klare, exakte Angaben, doch darüber hinaus war er sich nicht sicher.

»Mister Ichino, ich bin George Evers«, sagte eine tiefe Stimme.

Mr. Ichino stand hastig auf, setzte dabei ungeahnte nervöse Energie frei, murmelte Worte der Begrüßung und schüttelte die Hand des Mannes.

Evers lächelte dünn und betrachtete ihn kühl und abschätzend. »Ich hoffe, wir beanspruchen heute nicht zuviel von Ihrer Zeit. Sie und Mister Williams…« – er nickte, als Williams auftauchte und zur Kaffeemaschine ging; seine langen Beine machten unbeholfene, stakende Schritte – »sind unsere Experten für das aktuelle Verhalten des Schnarks, und wir haben gedacht, daß wir uns anhören sollten, was Sie zu sagen haben, ehe wir mit den anderen Tagesordnungspunkten fortfahren.«

»Ich verstehe«, sagte Mr. Ichino; er war überrascht, als er bemerkte, daß seine Stimme fast flüsterte. »Der Brief, den ich gestern erhalten habe, enthielt keine genaueren Angaben…«

»Absichtlich«, sagte Evers jovial und hakte seine Daumen hinter dem Gürtel ein. »Wir möchten lediglich einen inoffiziellen Bericht darüber hören, was dieses Ding Ihrer Meinung nach im Schilde führt. Dieses Komitee hier – das Exekutivkomitee genaugenommen; das ist die Bezeichnung, die ihm der Präsident gegeben hat – ist mit einem Stichtag konfrontiert, und ich fürchte, wir werden sofort zu einer Entscheidung kommen müssen, früher als wir angenommen haben.«

»Warum denn?« sagte Mr. Ichino beunruhigt. »Ich hatte den Eindruck, daß kein Grund zur Eile vorliegt.«

Mr. Evers schwieg und wandte sich um, um den anderen Männern zuzuwinken, die gerade in den länglichen Raum kamen. Evers wirkte auf Mr. Ichino plötzlich wie ein Mann, der ungeduldig auf den Startschuß lauerte, damit das Warten ein Ende hatte, als ob Evers die bevorstehende Entscheidung bereits kennen würde und über diesen toten Punkt hinweg zu den Taten kommen wollte, die dann folgten. Er bemerkte, daß Evers' linke Hand, die lässig auf der Rückenlehne eines Stuhls lag, leicht zitterte.

»Diese Maschine ist nicht gewillt, noch länger zu warten«, sagte Evers, als er sich wieder umdrehte. »Das hat sie uns vor zwei Tagen mitgeteilt.«

Ehe er antworten konnte, nickte Evers und ging weg, um die Hände der Männer in Anzügen und pastellfarbigen Sportjacketts zu drücken, die jetzt den Raum füllten. Williams, der ihm am Tisch direkt gegenüber saß, warf ihm einen fragenden Blick zu.

Als Antwort zuckte Mr. Ichino langsam die Achseln; er war froh, daß er so locker wirken konnte. Er sah sich um. Einige Gesichter erkannte er. Keiner der Anwesenden war so bedeutend wie Evers, der den vieldeutigen Titel ›Präsidentenberater‹ trug. Evers schritt zum Kopf des Tisches, wobei er immer noch mit den Männern redete, die in seiner nächsten Nähe standen, und setzte sich. Andere, die gestanden hatten, nahmen ihre Plätze ein, und die Sekretärinnen überließen die Kaffeemaschine ihrem Schicksal.

»Meine Herren«, sagte Evers und rief sie damit zur Ordnung. »Wie Sie wissen, müssen wir die Angelegenheit in großer Eile behandeln, damit wir den neuen Termin, den der Präsident gesetzt hat, einhalten. Ich habe heute morgen mit ihm gesprochen. Er ist sehr besorgt und erwartet die Vorlage der Empfehlungen dieses Komitees, um sie zu prüfen.«

Evers setzte sich und legte seine gefalteten Hände vor sich auf den Tisch. Gleichzeitig ließ er seine Augen an den beiden Reihen von Männern entlangwandern. »Sie haben alle – entschuldigen Sie bitte, alle hier außer Mister Williams und Mister Ichino – die Botschaften gesehen, die wir vom Schnark empfangen haben, in denen er um eine Verlegung des Tatortes bittet.« Er wartete das höfliche leise Lachen ab. »Wir sind hier, um mögliche Szenarien genau zu untersuchen, die durch das Eintreffen des Schnarks in einer erdnahen Umlaufbahn verursacht werden könnten.«

Er deutete auf Mr. Ichino. »Diese beiden Herren sind heute Gäste des Komitees und ausschließlich zu dem Zweck hier, uns auf den neuesten Stand zu bringen, was das Senden von unwesentlichen Informationen zum Schnark betrifft, das die Abteilung durchführt. Sie sind natürlich keine Mitglieder des Exekutivkomitees selbst.« Das bleiche Licht verlieh seiner Haut einen schimmernden Überzug, als er die in gerader Linie ausgerichteten Männer musterte, vor denen zufällig verstreute gelbe Notizblöcke lagen. Einige machten sich bereits Notizen.

Evers lehnte sich zurück, entspannte sich. »Der Schnark blieb in einer Umlaufbahn um die Venus, um einen leistungsfähigen Kanal zu uns aufrechtzuerhalten, über unseren Venus-Orbiter. Doch wir und er haben unseren... äh... Dialog jetzt auf Hochenergieübertragung umgestellt. Wir kommunizieren direkt, umgehen den Satelliten. Jetzt will der Schnark zur Erde kommen.«

»Um sich unsere Biosphäre aus der Nähe anzusehen«, sagte ein hagerer Mann zu Evers' Linken. »Was ich nicht glaube.«

Augen wandten sich ihm zu. Mr. Ichino erkannte in dem Mann einen führenden Spieltheoretiker vom Hudson Institute. Er trug eine schlechtsitzende Tweedhose; aus einer reich verzierten Pfeife blies er einen blauen Ring um sich.

»Ich glaube, daß uns der Schnark – das ist doch Walmsleys Ausdruck, oder? – von der Venus aus recht gründlich studiert hat«, sagte er. »Sehen wir uns doch einmal an, was er verlangt – ein Durcheinander von kulturellen Informationen, Fotografien, Kunst. Keine Wissenschaft oder Technik. Diese Art von Daten kann er sich wahrscheinlich aus den Radio- und Drei-D-Programmen erschließen, wenn er das nötig hat.«

»Sehr richtig«, sagte ein Mann weiter unten am Tisch. Weitere zustimmende Rufe folgten.

»Warum sollte er dann zur Erde kommen?« fragte Evers.

»Um sich in aller Ruhe unsere Verteidigungseinrichtungen anzusehen?« meinte jemand, der an der Mitte des langen Tisches saß.

»Vielleicht, vielleicht«, antwortete Evers. »Das Militär glaubt, daß sich der Schnark möglicherweise überhaupt nicht für unseren technologischen Stand interessiert. Aus dem gleichen Grund, aus dem wir uns keine Sorgen wegen der Speere von Südsee-Eingeborenen machen würden, wenn wir ihre Insel als Stützpunkt benutzen wollten.«

»*Ich* würde mir *schon* Sorgen machen«, sagte ein dunkelhäutiger Mann. »Diese Speere sind schließlich spitz.«

Evers hatte die Angewohnheit, sein Lächeln eine wohlüberlegte Sekunde lang zu verzögern und ihm dann zu gestatten, sich in die Breite zu ziehen, eine arrogante, weiße Falte. »Genau das ist es. Er kann nicht *sicher* sein ohne einen Blick aus der Nähe.«

»Schnark hat schon einen solchen Blick *gehabt*«, murmelte der Mann vom Hudson Institute. »Über die Frau von Walmsley.«

Leichte Unruhe kam in den Raum, von überall her kamen leise, zustimmende Kommentare. Mr. Ichino hatte Gerüchte über diese Sache gehört, und hier war nun die Bestätigung.

»Meine Herren«, sagte Evers, »wir haben den Text der Forderung des Schnarks gesehen. Sie war recht bestimmt. Einer früheren Anregung von Ihnen folgend...« – er nickte dem Mann vom Hudson Institute zu, der gerade wieder seine Pfeife anzündete –, »sprach ich mit dem Präsidenten. Er ermächtigte mich, dem Schnark freie Bahn zu signalisieren. Ich schrieb die Botschaft selbst – es fehlte an Zeit, um die genaue Wortwahl mit diesem Komitee abzusprechen –, und ich habe erfahren, daß unser Venus-Satellit jetzt eine erneute Zündung des Fusionsantriebes des Schnarks feststellt.«

Am Tisch schwirrten summend Kommentare umher. Mr. Ichino ließ sich gegen die Rückenlehne fallen und dachte nach.

»Ich habe diesem... Wesen... erklärt, daß wir zu Anfang nicht wußten, ob es uns freundlich gesonnen war. Ich habe *nicht* erwähnt, daß wir das immer noch nicht wissen.«

»Was hat es gesagt?« fragte der Mann vom Hudson Institute.

»Er antwortete mit der Bitte, die Erde umkreisen zu dürfen. Auf meinen Rat hin machte der Präsident den Gegenvorschlag, daß der Schnark eine Weile den Mond umkreisen sollte, damit ihn unsere dort – und in der Umgebung – stationierten Männer beobachten können. Eine Art gegenseitiges Inspizieren sozusagen.«

Der Mann mit der Tweedhose paffte vehement und sagte: »Wir könnten das von einer erdnahen Umlaufbahn aus besser bewerkstelligen.«

»Das stimmt allerdings«, sagte Evers. »Ich nehme an, ich kann mich darauf beschränken, unsere bisherigen Ungewißheiten zusammenzufassen?« Er beugte sich vor, runzelte die Stirn. »Darüber, warum er nicht zunächst versuchte, mit uns Kontakt aufzunehmen? Das ExKom mußte den ersten Schritt machen. *Dann*, und nur dann, hat er reagiert.«

»Fremde Sonnensysteme zu untersuchen, muß ein risikoreiches Geschäft sein«, meinte der Mann mit der Tweedhose sanft.

»Für beide Parteien«, sagte Evers mit einem dumpfen, jovialen Lachen. Mr. Ichino dachte darüber nach, daß Erfolg einen Nimbus nach sich zieht – wenn auch nur in der Vorstellung des Erfolgreichen –, einen Nimbus der Klugheit. »Aber vielleicht sollte ich das näher erläutern. Die Option für die Mondumlaufbahn kam wegen eines Alternativplans zustande, den der Vereinigte Generalstab in der Hinterhand hat. Ich nehme an, ich muß nicht hinzufügen, daß wir dies nicht mit den Vereinten Nationen besprochen haben?« Leises Lachen erfüllte den Raum. »Also, der Plan funktioniert am besten, wenn der Schnark beim Mond haltmacht. Dadurch wird er isoliert, festgenagelt, und zwar innerhalb unserer Operationszone.«

»Und?« fragte der Pfeifenraucher mit neugierig gespitztem Mund.

»Der Generalstab – und der Beraterstab hinter ihm halten es für höchst verdächtig, daß der Schnark behauptet, er wisse nichts – absolut *nichts* – über seine Herkunft. Man hat mir gesagt, daß eine Minimax-Faktorenanalyse dieser Situation ergeben hat, daß der Schnark vielleicht einfach alles über uns erfahren will, was er kann, ohne sich selbst dadurch in Gefahr zu begeben, daß er potentiell nützliche Informationen preisgibt. Ich kann im Augenblick nichts weiter sagen« – er warf Williams und Mr. Ichino einen Blick zu und sah dann, als er bemerkte, was er getan hatte, hastig weg –, »doch ich werde es im weiteren Verlauf der Sitzung noch zur Sprache bringen. Ich sage jetzt nur soviel, daß der Präsident glaubt, daß einiges für diesen Plan spricht.«

Mr. Ichino runzelte die Stirn. *Der Vereinigte Generalstab?* dachte er. Er versuchte, die Implikationen zu begreifen, und bekam die nächsten Worte von Evers nicht mit, bis dieser sagte:

»...werden wir zunächst von Mister Ichino erfahren, der an der Codierung und der Auswahl der Informationen für den Schnark beteiligt gewesen ist. Mister Ichino?«

Seine Gedanken waren ein Durcheinander. Er sagte sehr vorsichtig, aber betont: »Der Schnark möchte so viel wissen. Ich habe gerade erst damit begonnen, ihm etwas über uns mitzuteilen. Ich bin keineswegs der am besten Geeignete...«

Mr. Ichino machte eine Pause. Er sah den Tisch hinunter, blickte sie an. Er merkte, daß er sich immer vor solchen Leuten hatte zusammenreißen müssen, Männern mit verschlossenen Gesichtern.

Und er konnte nicht zu ihnen sprechen, die sanften Empfindungen in ihm zutage treten lassen.

»Ich habe etwas«, sagte er stockend, mit von dahineilenden Impulsen und Bildern erfülltem Geist, »... etwas entdeckt, das ich niemals erwartet hätte.« Er blickte in ihre leeren Augen und ausdruckslosen Gesichter. Sie schwiegen.

»Ich fing mit einem einfachen Code an, der auf arithmetischen Analogien zu Wörtern basierte. Die Maschine eignete ihn sich sofort an und übernahm ihn. Wir begannen ein Gespräch. Ich erfuhr nichts über sie – das war nicht meine Aufgabe. Ich vermute, daß auch sonst niemand etwas über sie erfahren hat.

»Aber – was mir auffiel...« – Worte, er konnte die Worte nicht finden –, »... war seine unglaubliche geistige *Beweglichkeit*. Wir sprachen über elementare Mathematik, Physik, Zahlentheorie. Er übermittelte mir etwas, das ich für einen Beweis des großen Fermatschen Satzes halte. Sein Verstand springt von einem Gegenstand zum nächsten und ist mit jedem absolut vertraut. Als er über Mathematik sprach, war er leidenschaftslos und einzig auf Effektivität ausgerichtet; er sagte kein einziges überflüssiges Wort. Dann bat er um Gedichte.«

Der Mann mit der Tweedhose betrachtete Mr. Ichino unverwandt und sog an seiner Pfeife, die ausgegangen war.

»Ich weiß nicht, auf welche Weise er Gedichte entdeckt hatte. Vielleicht durch die kommerziellen Rundfunksender. Ich sagte ihm, was ich wußte, und gab ihm Beispiele. Er scheint zu verstehen. Was noch wichtiger ist, der Schnark begann, um bildende Kunst zu bitten. Er interessierte sich für alles, von Ölgemälden bis zu Plastiken. Ich befaßte mich mit den dabei auftauchenden Codierungsproblemen, bis hin zu solchen Details wie der Festlegung des angemessenen Ausschnitts aus dem elektromagnetischen Spektrum, damit er die Bilder betrachten konnte, die wir sendeten.«

Er spreizte die Hände und sprach schneller. »Es ist so, als ob man in einem Zimmer sitzt und mit jemandem redet, den man nicht sehen kann. Man schreibt dem anderen unwillkürlich eine bestimmte Persönlichkeit zu. Jeden Tag spreche ich mit dem Schnark. Er will einfach alles wissen. Und als wir über die unterschiedlichsten Themen sprachen, war da so ein Gefühl des *Andersseins*, als... als...«

Mr. Ichino sah die prüfenden Augen von Evers und hastete weiter, stolperte über seine Worte.

»... als ob ich jedesmal mit unterschiedlichen Persönlichkeiten reden würde. Einem Mathematiker, einem Dichter – an einem Tag schrieb er sogar Sonette, dazu noch gute – und Wissenschaftler und Maler... Er ist so umfassend, daß ich...«

Mr. Ichino hielt inne, denn er spürte, wie sich die Luft um ihn herum verdichtete, sich die Männer am Tisch zurückzogen. Er sagte Dinge, die seine Kompetenzen überschritten, er war nur ein Kryptograf, nicht dazu qualifiziert...

Der Mann mit der Tweedhose preßte seine Lippen zusammen und warf sie ein kleines bißchen auf, zu einem dünnen, mißbilligenden, herablassenden Lächeln.

Auf der anderen Seite des Tisches, Mr. Ichino gegenüber, starrte Williams in den Raum zwischen ihnen; er war verwirrt und sagte langsam: »Ach so, ich verstehe, ja. Genau so ist er. Ich hatte noch nie zuvor auf diese Weise über ihn nachgedacht, aber...«

Williams legte beide Hände flach auf den Tisch, als ob er sich auf sie gestützt hochdrücken wollte, und blickte mit plötzlicher Energie am Tisch auf und ab. »Er hat recht, der Schnark ist wirklich so. Er existiert als viele verschiedene Persönlichkeiten, die nahezu unabhängig voneinander funktionieren.«

Mr. Ichino sah diesen Mann unverwandt an, der die gleiche Arbeit wie er tat, und bemerkte zum erstenmal, daß auch Williams durch den Kontakt mit dem Schnark verändert worden war. Der Gedanke hob seine Stimmung.

»Unabhängig voneinander«, sagte Mr. Ichino. »Das ist es. Ich spüre, daß seine Persönlichkeit aus zahllosen Seiten besteht, von denen jede eine eigenständige Facette ist, und hinter ihnen steht etwas... Größeres. Etwas, das ich mir nicht vorstellen kann...«

»Er ist weiter«, unterbrach Williams. »Wir sehen Teile des Schnarks, mehr nicht.« Beide Männer starrten sich gegenseitig an; sie waren unfähig, die Unermeßlichkeit in Worte zu fassen, die sie erfühlten.

Evers sprach: »Ich glaube wirklich, daß Sie, meine Herren, etwas von dem Thema abgewichen sind, um das es uns hier geht. Ich habe Sie darum *gebeten*, den Umfang des Inputs zu beschreiben, den der Schnark wünschte, *nicht* Ihre eigenen metaphysischen Reaktionen auf ihn.«

Einige der Anwesenden kicherten nervös. Um den langen Tisch herum sah Mr. Ichino Gehirne, die sich zum Schutz einige Zentimeter hinter die zusammengekniffenen Augen zurückgezogen hatten, die beurteilten, abwägten, die sich weigerten zu fühlen.

»Aber das ist doch wichtig...«, begann Williams. Evers hob eine Hand, um ihn zum Schweigen zu bringen. Mr. Ichino sah in der Geste die letzte noch fehlende Antwort auf die Frage, warum Evers Präsidentenberater war und er nicht.

»Ich wäre Ihnen dankbar, Mister Williams, wenn Sie dem Exekutivkomitee die Entscheidung darüber überlassen würden, was wichtig ist und was nicht.«

Williams' Gesichtszüge versteiften sich. Er sah über den Tisch. Mr. Ichino machte einen tiefen Atemzug, um sich zu beruhigen, und rang seine Bestürzung nieder.

»Das haben Sie doch schon entschieden, oder etwa nicht?« sagte er zu Evers. Er betrachtete das Gesicht des Mannes, dessen Schatten auf dem weißen Hemd gebleicht wurden, und glaubte sehen zu können, wie sich weit hinter den Augen etwas bewegte. »Das hier ist alles ein Betrug«, sagte er bestimmt.

»Ich weiß nicht, ob Sie sich darüber im klaren sind, was Sie da...«

»Das dürfte stimmen, Mister Evers. *Sie* wissen es nicht. Vielleicht haben Sie es sich noch nicht eingestanden. Aber Sie haben etwas Ungeheuerliches vor, Mister Evers, sonst würden Sie uns zuhören.«

»Jetzt hören *Sie* mal zu...!«

»Aber Mister Evers, Sie wollen doch gar nicht wissen, was wir zu sagen haben.«

In dem Raum hörte man verlegenes Rascheln. Mr. Ichino fesselte Evers mit seinen Augen, wollte den Mann nicht loslassen. Die Stille dauerte an. Evers blinzelte, sah weg, hob allzu lässig eine Hand, um sich damit übers Kinn zu streichen und den Mund zu verdekken.

»Ich glaube, es wäre besser, wenn Sie beide jetzt gingen«, sagte Evers mit merkwürdig ruhiger Stimme.

Schweigen; niemand verursachte auch nur das leiseste Geräusch. Mr. Ichino, der mit beiden Händen die vor ihm liegenden Aufzeichnungen umklammerte, empfand plötzlich eine seltsame Vertrautheit mit Evers, erkannte sein Wesen. In den Linien um den Mund des Mannes las er einen Ausdruck, den er schon zuvor gesehen hatte: Evers war der Typ des schlagfertigen Mitarbeiters in verantwortlicher Position, intelligent, der mit sicherem Instinkt wußte, daß er über die notwendige Härte verfügte, um entscheiden zu können, wenn andere nicht dazu fähig waren. Er liebte es, die Argumente für eine Sache gegen die für eine andere abzuwägen, das Gerede von Optionen und Wahrscheinlichkeiten und Plänen. Sein Lebenszweck war es, schwere Entscheidungen zu fällen.

Mr. Ichino stand auf. Solchen Männern war es unmöglich, nichts zu tun, auch dann, wenn dies das Beste war. Macht verlangte Taten. Taten führten zu Dramatik, und Dramatik... bedeutete Ruhm.

Jetzt ist es mir aus den Händen geglitten, dachte er.

Williams folgte ihm aus dem Raum, doch Mr. Ichino wartete nicht auf ihn, um mit ihm zu reden. Im Augenblick wollte er nur das Gebäude verlassen, der bedrohlichen Last entkommen, die er spürte.

Es gibt Stürme, die man erfühlt, ehe man etwas von ihnen sehen kann. Er bezweifelte, daß man ihn jemals wieder im Loch arbeiten lassen würde, mit dem Schnark sprechen; er war jetzt ein Sicherheitsrisiko. Der Gedanke betrübte ihn und bereitete ihm Sorgen, doch er schob ihn beiseite. Am nächstgelegenen Ausgang unterschrieb er im Kontrollbuch und hastete hinaus durch die Glastür, in die dünne Frühlingsluft von Pasadena. Es war fast Mittag.

Er trug immer noch den gelben Notizblock und seine Aufzeichnungen, in der Hand zerknüllte Blätter. Schmetterlinge unter dem Stiefel. Als er die Stufen hinunterging, fühlte er eine hervorsprudelnde Flut; und er ließ die Blätter fallen, ließ alles von sich abfallen und lief. Lief.

2

Mr. Ichino drängte resolut weiter, trotz seiner Erschöpfung. Er wußte, daß Nigel, der neun Jahre jünger und in besserer körperlicher Verfassung war, ein gemäßigtes Tempo vorlegte; dennoch keuchte er fortwährend und spürte, wie sich seine Waden verkrampften. Sie machten in diesen ersten Junitagen eine Wanderung oberhalb der Baumgrenze, und mit jedem Atemzug sogen sie einen Schwall schneidend kalter Luft ein.

Nigel gab das Zeichen für einen Halt, und wortlos halfen sie sich gegenseitig, ihre Rucksäcke abzustreifen. Sie holten eine einfache Mahlzeit heraus: Käse, Nüsse, mit einem Pulver angerührte bittere Limonade. Sie rasteten an einer ellipsenförmigen, lichten Stelle, die von Schneefeldern begrenzt wurde. An deren Rand begann der Fels, der sich Welle auf Welle gen Himmel erstreckte. Zahllose Granitplatten waren gehoben, umhergeworfen und ausgewaschen worden und bildeten vielfältige Muster, die hie und da von heruntergestürzten Blöcken unterbrochen wurden; unentwegtes Nagen hatte sie absplittern lassen, der ewige Wechsel von Verschärfung und Abschwächung des winterlichen Frostes. Auf dieser kahlen Felsplatte zogen vereinzelte gelbe Flecken Mr. Ichinos Blick auf sich: An das Gestein geschmiegte Sträucher hatten zu blühen begonnen.

»Du meinst also, ich sollte es trotzdem tun?« sagte Nigel plötzlich.

Mr. Ichino nickte. Er war froh, daß sein Freund dieses spontane Interesse zeigte; es war das erste Mal, daß Nigel überhaupt von sich aus den Schnark zur Sprache brachte. »Wir können nicht mit Sicherheit sagen, was sie für Pläne haben.«

»Wir können Vermutungen anstellen.«

»Unsere Einschätzung von Evers könnte falsch sein.«

»Glaubst du das im Ernst?«

»Nein.«

»Also, verdammt...«

»Wir müssen ihnen einen Entscheidungsspielraum zugestehen. Vielleicht haben sie recht, und es ist absolut unabdingbar, daß Vorkehrungen getroffen werden.«

Nigel lehnte sich zurück, gegen seinen gewaltigen gelben Rucksack, und trank aus seinem stählernen Becher einen kleinen Schluck Sierra-Club-Limonade. »Wenn man das für die Begegnung vorgesehene Raumschiff mit Atomwaffen ausrüstet, macht das auf mich nicht gerade den Eindruck einer Vorsichtsmaßnahme. Das ist Wahnsinn, glatter Wahnsinn.«

»Du hast die Liste der Begründungen gesehen.«

»Stimmt. Angst vor Krankheiten. Irgendwelche Fantastereien über soziometrische Folgewirkungen, die sie nicht vorhersehen können. Sogar eine verdammte *Invasion*, um Gottes willen!«

»Und die letzte Begründung?« fragte Mr. Ichino ruhig.

»O ja. ›Etwas Unvorstellbares.‹ Eine *brillante* Kategorie.«

»Das ist der Grund, warum sie einen Menschen im Rendezvous-Fahrzeug brauchen, nicht bloß eine Maschine.«

»Deshalb nicht, damit er sich für sie das Unvorstellbare vorstellen kann. Nein, sie wollen irgendeinen Heini haben, der ihnen in jedem Augenblick alles beschreiben kann, damit sie in der Lage sind, die Sache Zug um Zug durchzuplanen und abzuwickeln.«

»Was du zweifellos vermagst.«

»Hm. Da hast du wahrscheinlich recht. Ich bin zwar eine vertrocknete alte Pflaume von einem Astronauten, aber ich bin wenigstens mit dem ganzen Unternehmen vertraut. Ich weiß genug über
Astrophysik und Codierungsprobleme beim Umgang mit Computern, wenn es darauf ankommen sollte.«

»Außerdem bist du kein Sicherheitsrisiko. Wenn sie dich einsetzen, sind sie nicht gezwungen, den Kreis der Leute zu erweitern, die
in alles eingeweiht sind.«

»Richtig.« Ein unsichtbarer Druck schien aus Nigel zu entweichen, während ihn Mr. Ichino beobachtete. Er wurde gelöster: Das
feine, kreuzförmige Muster der Falten verschwand aus seinem Gesicht. Die beiden Männer lagen eine Zeitlang da und lauschten dem
hellen Klang des Wassers, das die Felswände heruntertropfte, befreit aus dem schmelzenden Eis.

»Der springende Punkt bei der Sache ist ...« Nigel schwieg einen
Augenblick lang. »Hast du jemals etwas von Mark Twain gelesen?«

»Ja.«

»Erinnerst du dich an die Geschichte, in der er beschreibt, wie er
zum Lotsen auf dem Mississippi ausgebildet wird? Sich alle Untie-
fen und Sandbänke und Strömungen einprägt?«

»Ich glaube schon.«

»Also, das ist der wunde Punkt. Nachdem er das analytische
Wissen gemeistert hatte, das man brauchte, um den Fluß befahren
zu können, entdeckte er, daß der Fluß für ihn seine Schönheit verloren hatte. Er konnte ihn nicht mehr betrachten und das sehen, was
er vorher gesehen hatte.«

Mr. Ichino lächelte. »Und dir ergeht es genauso mit ...« – er
machte eine Handbewegung – »dem Weltraum da draußen?«

»Vielleicht. Vielleicht.«

»Ich bezweifle das.«

»Ich habe das Gefühl ... ich weiß nicht. Alexandria ...«

»Sie ist tot. Sie würde nicht wollen, daß du dich an sie klam-
merst.«

»Ja. Ja, du hast recht. Du bist der einzige andere Mensch, der die
ganze Geschichte kennt, über mich und das Wandern in der Wüste.
Vielleicht verstehst du das alles besser, als ich es jetzt kann. Ich war
dem Mittelpunkt zu nahe.«

»Genauso wie Twain? Zu nahe dem Fluß?«

»Ich habe irgend etwas verloren, mehr weiß ich nicht.«

Mr. Ichino sagte ruhig, langsam: »Ich wünsche dir die Kraft, die du brauchst, um dich befreien zu können, Nigel.«

Sie wanderten über einen sattelförmigen Bergrücken in das nächste Tal. Die Kiefern mit ihren rissigen, trockenen und spröden Rinden wurden immer spärlicher, als sich die beiden Männer dem höchsten Punkt ihres Weges näherten. Hier hatte die Luft eine neue, klärende Reinheit. Wacholderbäume klebten an den ungeschützten Felsvorsprüngen, ihre dünnen, gebleichten Zweige wiesen in die Richtung des Windes. Die knorrigen Hauptäste machten auf Mr. Ichino den Eindruck, daß sie abgestorben waren, doch an ihren Spitzen sprenkelten grüne Punkte das Holz. Im Vorübergehen betastete er einen Baumstamm und fühlte eine rauhe, beruhigende Festigkeit.

Da die Saison gerade erst angefangen hatte, wanderte niemand sonst auf den mit Kies bestreuten Pfaden. Auf dem Weg ins Tal legten sie ein forsches Tempo vor; ganze Gruppen von vereisten Seen blinkten unter ihnen wie blaue Verheißungen durch die schattigen Wälder. Mr. Ichino wußte, daß er heute abend einen noch stärkeren Muskelkater und noch mehr wundgescheuerte Stellen haben würde als am Tag zuvor; trotzdem war er froh, daß er sich diese seltene Gelegenheit, den letzten Rest unberührter Sierra zu sehen, nicht hatte entgehen lassen. Nigel hatte die Vorbestellungen rechtzeitig erledigt, und an einem Abend, während sie zusammen aßen – fast völlig wortlos, wie sie es meistens taten –, hatte er Mr. Ichino gefragt, ob er ihn nicht begleiten wolle. Die Einladung festigte ihre wachsende Freundschaft endgültig.

In den letzten Monaten hatte Mr. Ichino bemerkt, daß er immer mehr Zeit in der Gesellschaft dieses rastlosen, geistreichen, launischen Astronauten verbrachte. Im nachhinein betrachtet, wies die Freundschaft eine gewisse innere Logik auf, trotz ihrer unterschiedlichen Charaktere. Beide waren alleinstehend. Für beide bedeutete das Unternehmen Schnark das herausragende Ereignis in ihrem augenblicklichen Leben. Und jetzt, nach Mr. Ichinos Verhalten bei der Sitzung des Exekutivkomitees, arbeiteten sie beide unter den gleichen argwöhnischen Blicken von oben.

Sie waren sich mehrere Male zufällig begegnet, nach Nigels Rückkehr von seinen ›Urlaubstagen‹ in der Wüste. Sie hatten gemeinsam an Computerproblemen gearbeitet, Matrizen für den Schnark erstellt und miteinander verwoben, und über die üblichen neutralen Themen gesprochen: Bücher, das Wetter, Politik. Sie stimmten darin überein, daß die Vereinigten Staaten und Kanada standhaft bleiben und dem Welternährungsfonds Satelliteninformationen verkaufen sollten, egal wieviel sie dafür bekommen konnten. Das gleiche traf auch auf die Orbitalindustrien zu, einschließlich des kostbaren Raums in den Zylinderstädten. Sie redeten, tranken Wein, diskutierten Einzelfragen mit wohltuenden Wortwirbeln.

Dann begann Nigel ganz allmählich, ihm vom Schnark zu erzählen, von Alexandria, von dem, was ihn in seinem Innersten bewegte...

Mr. Ichino blickte den Pfad hinunter zu der schwankenden Masse von Nigels Rucksack. Während der gesamten Wanderung hatte sein Begleiter ein merkwürdiges Tempo vorgelegt, er war für das jeweilige Gelände entweder zu schnell oder zu langsam gegangen, hatte sich unnötig über gefährliche, terrassenförmige Abhänge gequält. Er machte zu seltsamen Zeiten Rast. Er kämpfte sich mit vorgerecktem Kinn voran. Ihn beschäftigte immer die Landschaft, die vor ihm lag, nicht die, die ihn im Augenblick umgab. Bei ihren Pausen sprang er von einem Thema zum nächsten, ohne einen vermittelnden Gedanken; er sprach immer von etwas Fernem, irgendeiner neuen Idee, die nicht mit den freien Weiten um sie herum in Beziehung stand. Er war da, aber nicht dabei. Ein schräger Sonnenstrahl, der die Dunkelheit des Waldes durchbrach, entging auch dann seiner Aufmerksamkeit, wenn er gerade durch ihn hindurchstapfte, mit gesenktem Kopf, so daß das herabfallende Licht seinem Haar einen kupfernen Schimmer verlieh. Die Anziehung von dem, was vor ihm lag, zerrte ihn durch die Gegenwart.

Plötzlich drehte sich Nigel um. »Die Flugbahn, die sie planen – das ist doch fast ein Kollisionskurs?« sagte er energisch.

»So hat sie Evers beschrieben. Ich habe jedoch nur die Zusammenfassung gehört. Ich kenne keine Einzelheiten.«

»Ich hätte doch hingehen sollen.« Nigel kaute geistesabwesend an seinen Lippen. »Ich kann Sitzungen nicht leiden, aber...«

»Du kannst dich immer noch bewerben. Rede mit Evers.«

»Ich glaube eigentlich nicht, daß er ein so furchtbar großer Fan von mir ist.«

»Er schätzt deine Vergangenheit. Dein Wissen.«

Nigel hakte seine Daumen an der Stelle hinter die Gurte seines Rucksacks, wo sie sich auf der Brust kreuzten. »Vielleicht. Wenn ich ausreichend gefügig wirke...«

Mr. Ichino wartete ab; er spürte, wie sich eine kleine Spannung hauchdünn in Nigel ausbreitete.

»Verdammt, ja. Stimmt. Sie wollen jemand haben, der beim Mond im Hinterhalt liegt, also gut. Ich werde das machen. Den Schnark jagen. In Ordnung.«

Er schlug Mr. Ichino auf den Rücken, eine kurze, herzliche Geste. Unter dem Baldachin aus Kiefern klang der Schlag gedämpft und hohl.

Nigel fuhr mit dem Bus in die Innenstadt von Los Angeles und verbrachte den Morgen damit, dort in den alten Läden herumzustöbern. Er entdeckte ein Buch, an das er sich nur vage erinnerte, *Die Jagd nach dem Schnark*. Es war eine frühe Ausgabe, Macmillian 1899, die den Untertitel *eine Agonie, in acht Anfällen* hatte und neun Illustrationen von Henry Holiday enthielt. Jede der grotesken Gestalten schien in ihre Lieblingsbeschäftigung versunken zu sein; sie starrten in sich hinein, auch wenn sie Äxte schärften, Glocken läuteten und nach Pfählen tasteten. Nigel kaufte das Buch zu einem ungeheuer hohen Preis – es war jetzt modern, jegliche Art von gebundenen Büchern zu besitzen, die nicht in Faxdruck hergestellt und über ein Jahrzehnt alt waren – und nahm es mit in den Carter Park, wo er sich vor den Sockel der ergrauenden Statue eines toten Politikers setzte.

Er öffnete das Buch vorsichtig, denn er fühlte sich jetzt im Umgang mit diesem Zeugnis der Vergangenheit weniger unbefangen, da es ihm gehörte, und er begann zu lesen. Er erfreute sich an den glatten, steifen Seiten, der strengen, gleichmäßigen Abfolge der Worte in der alten Drucktype. Hatte er dieses Gedicht wirklich einmal bis zum Schluß auswendig gelernt? Offensichtlich nicht, denn an ganze Abschnitte konnte er sich nicht erinnern.

> Er hatte eine große Karte gekauft, sie stellte dar das Meer,
> Doch nicht ein einziges Fleckchen Land:
> Und die Mannschaft entdeckte, sie freute sich sehr,
> Es war eine Karte, die ein jeder verstand.

Nigel lächelte, als er an das ExKom dachte. Er schaute auf, zu dem Politiker aus Granit, der jetzt der beschmutzte Kollege der Tauben war.

Denn obwohl gewöhnliche Schnarks niemand verletzen,
Muß ich euch warnen; eins müßt ihr verstehn:
Seht euch vor, sollt' euer Schnark ein Boojum sein! Denn dann
Werdet ihr plötzlich und lautlos vergehn.

Nigel genoß das Rascheln beim Umblättern der Seiten, die krummen Strichzeichnungen von runzligen Zwergen, die sich Sorgen über ihre Jagd machten. Während er hier in diesem trockenen amerikanischen Park saß, fühlte er sich plötzlich sehr entspannt und sehr englisch.

Denn der Schnark gehört zu den wunderlich' Tieren
Und ist keine leichte Beute.
Tut was ihr könnt, tut, was ihr nicht könnt, probieren:
Nutzt jede Chance, noch heute!

3

Die oberste Etage der JPL war jetzt das Reich der Macher, sie stand ausschließlich für die Bearbeitung des Schnark-Problems zur Verfügung. Mehrere Gänge verzweigten sich und liefen in kaninchenstallgroßen Büros aus. Nigel verlief sich und öffnete aus Versehen die Tür zu einem Konferenzzimmer, wodurch er eine ernste Gruppe von Männern störte. Sie sahen auf, und Nigel merkte an ihren Gesichtern, daß sie ihn wiedererkannten, doch sie sagten kein Wort. Die Tafel hinter ihnen war mit unentzifferbaren Zeichen bedeckt. Nigel nickte, lächelte und verschwand.

Ah, hier war es also: Evers & Co. Die anonymen gekachelten Korridore wandelten sich zum Spiegelkabinett. Als er sie entlangging, brachten die Wände ständig wechselnde Lichtwogen hervor, sie reagierten auf seine Körperwärme. Ein spitzenbesetzter rosa Kokon folgte ihm, bis sich der Gang verbreiterte, um in einer Empfangszone auszulaufen, die mit körpergerechten Möbeln gesprenkelt war. Nigel erkannte das Schema und suchte nach der unauffälligen Signatur. Hier war sie, in Gold eingeprägt, in einer Ecke versteckt: WmR. Er machte Totale Environments für diejenigen, die reich genug oder mächtig genug waren, um ihn engagieren zu können.

Evers hatte jetzt also diese Art von Prestige. Interessant. Obwohl der Schnark immer noch ein offizielles Geheimnis war – und dazu noch ein bemerkenswert gutgehütetes –, hatte ihn Evers dennoch als Mittel benutzt, um von der Regierung stärker beachtet zu werden. Interessant.

»Doktor Walmsley?« sprach ihn eine Empfangsdame an.

»Mister Walmsley.«

»Oh. Gut. Mister Evers wird Sie gleich empfangen.«

Nigel hörte auf, die irisierenden Wände zu betrachten, und musterte sie. »Schön.« Er wandte sich um und betrachtete das verdeckt eingebaute 3D-Gerät, ohne auf den gut gekleideten jungen Mann zu achten, der direkt neben ihm träge in einem Flexsessel lag. Der Mann warf Nigel beiläufig einen taxierenden Blick zu und entspannte sich dann wieder hinter seinen schweren Augenlidern. Die Daumen hatte er so hinter den Gürtel gehakt, daß die Handballen fast schon über dem modisch ausgepolsterten Vorderteil seiner Unterhose lagen. Nigel vermutete, daß er Evers' Leibwache war, eine, die mehr zum Vorzeigen als zum Schutz gedacht war.

Nigel drückte den Hauptschalter des 3D-Geräts. In Braun: gewaltige, gezackte Berge von Müll. Hinter den Bergen ein leuchtender weißer Punkt, die Flamme der Schmelzanlage. Im Vordergrund erzählte eine Sprecherin, deren Oberkörper bis zur Taille entblößt war, wie es der neuesten Mode entsprach, von drei Arbeitern – Dreckkulis nannte sie sie –, die von den Förderbändern erfaßt worden waren, die dem Brenner der Wiederaufbereitungsanlage Material zuführten. Natürlich war nichts von ihnen übriggeblieben, und der Unfall mußte mit Hilfe ihrer Arbeitspläne und ihrer ungefähren Aufenthaltsorte im Müllpark rekonstruiert werden. Die Flamme der Schmelzanlage hatte sie in einzelne Atome zerpflückt, dann rissen die Massenspektrometer die wertvollen Bestandteile Phosphor, Kalzium und Eisen aus dem unaufhörlich produzierten Plasma und formten Ziegel. Der Wasser-, Kohlen- und Sauerstoff wurde zu Brennmaterial und Wasser; so sah die abschließende nützliche Beerdigung von einem Mann und zwei Frauen aus, die – so wurde offiziell angenommen – an diesem speziellen Tag etwas zu langsam gewesen waren oder sich etwas dumm angestellt hatten. Doch der Fernsehbericht hatte den Tenor, daß sie recht offensichtlich keineswegs unschuldige Opfer waren. Man hatte sie erst vor wenigen Wochen eingestellt. Sie waren in gefährlicher Nähe der Öffnungen der Brennkammern gesehen worden, wo fortwährend radioaktive Strahlung und herausgeschleudertes Plasma als Bedrohungen lauerten. Also: eine Bande von Müllräubern, die den Abfall vergangener Jahrzehnte nach schwer zerstörbaren Antiquitäten oder Edelmetallen durchwühlte. Müllparkarbeiter durften sich nicht uneingeschränkt auf dem Gelände bewegen, aber wer kontrollierte das schon so dicht bei den Schmelzfeuern? *Wie viele andere haben sich noch in die Abraumgebiete eingeschlichen?* fragte die Sprecherin düster. Sie drehte sich, um genau in die Linse der 3D-Kamera zu blicken, wobei sie scheinbar nicht auf den juwelenbesetzten Schmuck achtete, der an ihren künstlich vergrößerten Brustwarzen baumelte. Pendelnde Edelsteine blinkten blau und rot in die Kamera. *Wenn wir diese Hügel systematisch umgraben und durchstöbern, werden wir mehr freilegen als Rohstoffe für die Schmelzöfen, davon bin ich überzeugt. Wir werden mehr finden als die üppigen Abfälle aus der Mitte des zwanzigsten Jahrhunderts. Nein –* sie machte eine kurze Pause, in der ihr Gesicht einen traurigen Ausdruck annahm –, *wir werden uns selbst finden. Unsere Habgier. Unsere Sehnsucht nach der dekadenten Vergangenheit. Wie viele Menschen mußten schon unbeachtet auf den automatischen Förderbändern und in den Greifern sterben? Wie viele wurden mir nichts, dir nichts in die ewigen Flammen gerissen und von ihnen verschlungen?* Die Kamera machte einen Schwenk über die Berge von Abfall.

Nigel schüttelte den Kopf und schaltete das Gerät aus.

»Mister Walmsley?«

Er ging durch die polierte Tür aus Eichenholz, die von der Empfangsdame aufgehalten wurde, und gab Evers die Hand.

»Ich habe versprochen, daß ich auf Sie zurückkommen werde«, sagte Evers. »Bitte setzen Sie sich.« Er lächelte freundlich und ging zu einem bequemen Sessel, der vor dem Schreibtisch aus Walnußholz in der Mitte des Zimmers stand.

»Ich habe es oben vorgeschlagen«, begann Evers.

»Daß ich mit dem Schnark zusammentreffen soll?«

»Ja.«

»Nicht bloß zum Suchteam gehören – die eigentliche Mission durchführen soll?«

»Richtig.«

»Und?«

»Na ja, es gab eine Menge Fragen.«

Nigel lachte; es war ein bellendes Geräusch. »Die gibt es immer.«

»Einige Leute wollten wissen, ob Sie beim Flugtraining immer noch in der obersten Kategorie sind.«

»Ich gehe regelmäßig wieder nach Houston und Ames. Ich verbringe eine Menge Zeit in den Simulatoren.«

»Stimmt. Wie steht's mit Sport?«

»Wandern. Squash. Racquetball.«

»Racquetball? Wie wird denn das gespielt?«

»Eine Mischung aus Handball und Squash. Kurzer, breiter Schläger. Wird in einem Raum gespielt, Schläge gegen die Decke sind erlaubt, und man muß den Ball nach jedem Aufspringen wieder zur Vorderwand zurückbefördern.«

»Verstehe. Schnell?«

»Ziemlich.«

»So schnell wie Squash?«

»Nein. Der Ball springt oft.«

»Sie mögen mich nicht, Nigel, oder?«

Nigel saß schweigend da. Er verzog keine Miene und scharrte mit den Füßen auf dem schweren Teppich.

»Ich kann nicht behaupten, daß ich darüber nachgedacht habe.«

»Nur raus mit der Sprache!« Evers beugte sich vor, die Ellbogen auf den Armlehnen seines Sessels, die Hände gefaltet.

»Also, ich kann wirklich nicht...«

»Ich versuche nur, Sie zu begreifen.«

»Verstehe.«

»Nein, Sie verstehen *nichts*.«

Nigel lehnte sich zurück, schlug die Beine übereinander.

»Sie kommen zu mir und wollen die Schnark-Begegnung haben. Ja? Ich denke darüber nach. Ich lese Ihre Akte.«

»Sie schlagen es oben vor«, sagte Nigel tonlos.

»Verdammt richtig. Es ist schließlich eine wichtige Entscheidung.«

»Eine, die Sie treffen können.«

»*Nicht* allein.«

»Sie sind für dieses Unternehmen verantwortlich. Sie bilden die nächsthöhere Entscheidungsebene nach der NASA selbst, also...«

»Also *gar nichts*. Ich muß die Ratschläge der Experten berücksichtigen, die unter mir stehen, sonst bräuchte man ja überhaupt keine Experten.«

»Also, dann – folgen Sie doch ihrem Rat.«

»Wenn ich das täte, würde es Ihnen nicht gefallen.«

Nigel verzog das Gesicht. »Die Rache der NASA-Päpste, hm?«

»Sagen wir mal, die Stellungnahmen sich durchwachsen.«

»Hübscher Ausdruck.«

»*Verdammt noch mal!*« Evers schlug auf seine Armlehne. »Sie werden hier nicht bloß so rumsitzen und sich durch die ganze Sache durchgarycoopern.«

»Ich weiß nicht, was Sie meinen, aber wenn Sie von mir erwarten, daß ich mich kooperativer verhalte, dann stellen Sie mir doch irgendeine verdammte Frage.«

»Nigel…« Evers betrachtete seine Hände. »Nigel. Die NASA erinnert sich an Ikarus. Sie erinnert sich an Ihr kleines Privatgespräch mit dem Schnark – und ich auch.«

»Ich glaube nicht, daß das letztere etwas mit unserem Thema zu tun hat. Ich war unter Streß. Meine…«

»Da draußen werden Sie auch unter Streß stehen, wenn Sie dem Schnark begegnen.«

»Das ist eine völlig andere Sache.«

»Möglich. Das ist es – *möglich.* Sie sind unzuverlässig, Nigel. Sie halten sich nicht an Befehle.«

»Ich bin schließlich keine Maschine.«

»Da haben wir's. Diese beschissene britische Zurückhaltung, diese distanzierenden Bemerkungen. Aber ich weiß, daß Sie in Wirklichkeit nicht so sind, Nigel. Ihr Persönlichkeitsprofil, das die Psychotechniker gemacht haben, sieht ganz anders aus.«

»Und die müssen es natürlich wissen.«

»Okay, sie sind nicht vollkommen. Aber es muß irgend etwas geben, das erklärt, warum Sie mordsmäßig viele Leute bei der NASA mögen, Nigel. Warum sie sich für Sie stark machen, wenn nötig Kopf und Kragen riskieren würden, nur um Sie für die Schnark-Begegnung zu empfehlen.«

»Aha. Das haben also einige getan?«

»Sicher. Ich sagte, Sie haben durchwachsene Kritiken bekommen, nicht einheitlich schlechte.«

»Nach dem, was Sie gesagt haben, frage ich mich ehrlich, warum.«

Evers sah ihn komisch an. »Ja? Wirklich?«

»Also…«, murmelte Nigel unsicher. »Ja. Ja, tatsächlich.«

»Sie haben keine klare Vorstellung davon, was die NASA – die Leute, mit denen Sie gearbeitet haben – von Ihnen halten?«

»Na ja...«

»Sie wissen es wirklich nicht. Sie wissen nicht, daß Sie für sie ein... ein Symbol sind?«

»Wofür denn?«

»Für das, worum es bei dem Programm eigentlich geht. Sie sind dort *gewesen*. Sie haben das erste außerirdische Artefakt entdeckt. Und jetzt gehören Sie mit zu dem Team, das auf das zweite gestoßen ist – den Schnark.«

»Ich verstehe.«

»Es stimmt. Sie merken das nicht, oder?«

»Ich glaube nicht.«

Evers dachte einen Augenblick lang nach, musterte Nigel. »Ich nehme an, Sie könnten es gar nicht.«

Nigel zuckte die Achseln.

»Es ist meine Aufgabe, so etwas zu erkennen«, sagte Evers, scheinbar um sich zu bremsen. »Mein Geschäft sind Menschen. Und Sie sind die Person, die ich im Augenblick begreifen und taxieren muß.«

»Wie denn?«

»Nach der Formel: Pi mal Daumen geteilt durch Wurzel aus drei, wie mein Vater immer sagte.«

»Indem Sie mich nach Racquetball fragen?«

»Sicher, warum denn nicht? Alle Fragen sind zulässig, die helfen könnten herauszubekommen, wie Nigel funktioniert. Und dazu noch verdammt gut funktioniert. Sie sind intelligent, Sie wissen immer noch über den neuesten Stand der Raumfahrttechnik Bescheid, Sie kennen sich mit allen möglichen Gerätschaften aus, mit Computern, in der Astronomie – Sie sind ein Profi. Das einzige, was Sie nicht begreifen, das sind Leute wie ich.«

»Wie Sie?«

»Verwalter.«

»Ach so.«

»*Rater* ist ein treffenderes Wort. Berufsmäßige Rater.«

»Wieso denn das?« murmelte Nigel, den das Thema interessierte, ohne daß es ihm bewußt war.

»Sie erinnern sich noch an den Zwischenfall, den man heute ›die chinesische Zündschnur‹ nennt?«

»Ich habe Gottliebs Buch gelesen.«

»Es kommt den Tatsachen ziemlich nahe.«

»Sie müssen das beurteilen können. Sie haben sich eingeschaltet, als das Chaos am schlimmsten war, und herausgefunden, was als nächstes passieren würde.«

Evers nickte. »Es gab Anhaltspunkte. Die Chinesen hatten starke Truppenverbände in U-Booten in Marsch gesetzt. Es hätte keinerlei Sinn ergeben, wenn sie Australien oder irgendein anderes in erreichbarer Nähe gelegenes Land mit eher konventionellen Mitteln angegriffen hätten.«

»Also haben Sie sich überlegt, daß sie heimlich in Kalifornien landen wollten.«

»Wenn Sie ›überlegt‹ sagen, machen Sie die ganze Sache exakter, als sie in Wirklichkeit war. Ich habe geraten. Erraten, daß sie versuchen wollten, einen Atomkrieg auszulösen; mit ein paar gut plazierten taktischen Raketen und einem Kommandounternehmen, das alle Nachrichtenverbindungen für entscheidende zwanzig Minuten unterbrechen sollte. Geraten.«

Nigel nickte.

»Ich hatte den Eindruck, daß Sie möglicherweise von dieser Art zu denken nicht besonders viel halten.«

Nigel blinzelte. »Wie sind Sie denn auf diese Idee gekommen?«

»Sie machen nie einen besonders entspannten Eindruck, wenn Sie mit Ihren... äh... Vorgesetzten sprechen.«

»Wenn ich mit Ihnen spreche, meinen Sie?«

»Unter anderem.«

»Hmm.« Nigel musterte Evers und sah dann zur Seite, wo eine Wandholografie eine glitzernde, mit Laser aus einem Eisberg geschnittene Plastik von Eckhaus zeigte, an deren Fuß Wellen leckten. Nigel atmete tief durch und schien eine Entscheidung zu treffen.

»Eigentlich nicht«, sagte er langsam, da er nach Worten suchte. »An der Art und Weise, in der wir unsere Arbeit erledigen, ist etwas Gehässiges, das ist alles.«

»Ein hartes Wort.«

»Aber angemessen. Wir haben hier eine gute Mannschaft, als Individuen betrachtet, hervorragende Leute. Doch Organisationen haben ihre eigenen Gesetze, und diese Gesetze versperren den Weg.«

»Den Weg wohin?«

»Zur Wahrheit. Zu dem, was sich die Menschen von alledem hier wirklich erhoffen. Also, erinnern Sie sich an die Anfangsjahre? Die Apollo-Landungen und so weiter. Was für eine Art von Genie war notwendig, um das großartigste Ereignis des Jahrhunderts zu organisieren – und es so durchzuführen, daß es jeder stinklangweilig fand?«

»Okay, also war die NASA nie vollkommen und ist es auch heute nicht.«

»Nein, es liegt nicht bloß an der NASA. Es... es passiert immer dann, wenn Menschen ihre eigenen inneren Vorstellungen leugnen. Oder sie nicht adäquat mitteilen.«

»Organisation ist nicht möglich ohne Kompromiß«, sagte Evers. Die Falten um seine Augen verzogen sich belustigt.

»Zugegeben«, sagte Nigel überlegend. »Aber ich scheine immer geradewegs in Situationen geraten zu sein, in denen ich die Gründe nicht erkennen konnte...«

»Sie meinen, die NASA hat die Schnark-Geschichte versaut?«

»Sie war auf dem besten Wege. Ihre Botschaft für den Schnark war reiner Schwachsinn.«

»Wahrscheinlich. Aber das lag daran, daß wir nicht Ihre Informationen hatten.«

»Mir kam es so vor, als wären Sie dafür nicht in der richtigen Stimmung gewesen.«

»An dieser Stelle müssen Sie wissen, wo ich herkomme, Nigel«, murmelte Evers und beugte sich vor.

»Wieso denn?«

»Ich bin der, der ich bin, wegen dem, was ich gemacht habe. Meine Karriere verlief bis zur ›chinesischen Zündschnur‹ ohne größere Höhepunkte. Ich sah mir die Stellungnahmen des Geheimdienstes an, klar, das machte jeder. Zum Teufel, ich möchte wetten, einer Menge Leute schoß der Gedanke durch den Kopf, daß die Schlitzaugen einen Joker im Ärmel haben könnten. Zu vermuten ist eine Sache, zu *handeln* eine ganz andere.«

»Da sind wir zweifellos einer Meinung.«

»Korrekt. Sie haben das ja auch gemacht, bei Ikarus.«

»Mit mäßigem Erfolg.«

»Sicher, aber Sie sind Ihrem Instinkt gefolgt, weil Sie nicht anders konnten. Ich respektiere das. Ich habe Kopf und Kragen riskiert, um diese U-Boote mit Wasserbomben beschießen zu lassen, und ich habe recht gehabt.«

»Deshalb konnte Commander Sturrock ein Nationalheld werden.«

»Ja. Also...« Ein Achselzucken. »Gottlieb hat es aber richtig dargestellt.«

»Sie sind bei der Regierung recht erfolgreich gewesen.«

»So lala. Dieses kleine Abenteuer in meiner Zeit als Unterstaatssekretär, damals '97, als ich dieses Metallkartell knackte, brachte mir mehr Feinde ein, als ich gedacht hätte.« Er machte eine Pause und schien eine nachdenkliche Stimmung abzuschütteln, indem er sich aufrichtete, während sich sein Flexsessel bewegte, um sich seiner Körperhaltung anzupassen. »Aber jetzt habe ich wieder Fuß gefaßt. Bin auf dem Weg nach oben. Und ich bin selbst eine Art Renegat, Nigel, ich glaube, das will ich damit sagen.«

»Das kann ich verstehen. Ich habe nie gesagt, daß ich Sie nicht respektieren würde.«

»Nein, das haben Sie nicht. Aber andererseits...« – er lachte leise – »habe ich Sie nie danach gefragt.«

»Ich vermute«, sagte Nigel betont, »wir haben einfach unterschiedliche Auffassungen darüber, wie Organisationen eingesetzt werden sollten.«

»Korrekt. Dort unten, wo ich herkomme, Nigel, in der Gegend um Mobile, gibt es eine alte Geschichte. Damals, als der Süden noch unten lag, ganz tief unten, gab es eine Menge Ärger wegen Rassenproblemen, ja. Irgend jemand aus dem Norden, der herunter gekommen war, um mitzuhelfen, diese Probleme zu lösen, fragte einmal einen Verwandten von mir, ob er nicht immer aufpassen müsse, wenn er Positives über Farbige sage, da er doch so tief im Süden lebe, und wenn man an die Einstellung der Polizei dächte und so weiter.«

»Ja?«

»Also dachte mein Verwandter einen Augenblick lang nach und sagte: ›Also, nein, wir müssen nicht aufpassen, was wir sagen. Wir müssen bloß aufpassen, was wir *denken*.‹«

Nigel fing an zu lachen. »Der Punkt geht an Sie«, sagte er schmunzelnd.

»Ich sehe schon, daß Sie ein heller Kopf sind. Alles was ich sagen will, ist, daß man ewig schachern muß, wenn man mit der NASA auskommen will – aber Sie müssen nicht aufpassen, was Sie denken; nicht, wenn Sie vorsichtig sind. So schlecht ist die Lage nicht.« Er blinzelte Nigel freundlich zu. »Ich habe mich bis heute durchsetzen können, indem ich den Westen verteidigt habe, Nigel, und genauso schätze ich diese Mission ein. Nur daß wir diesmal vielleicht den ganzen gottverdammten Planeten verteidigen.«

»Hmm.«

»Gut, ich könnte unrecht haben.« Er machte eine Handbewegung. »Wir wollen uns nicht streiten. Ich habe mich heute in gewisser Weise vor Ihnen entblößt, damit ich sehen konnte, was Sie für ein Mensch sind, und das Ergebnis hat meine Meinung bestätigt. Sie sind ein Klasseastronaut, Nigel, der beste und erfahrenste, den wir haben. Dieses britische Fluidum, das Sie verbreiten, das hilft enorm im Umgang mit Amerikanern. Enorm. Es wird sehr nützlich sein, wenn ich versuche, diese Sache durchzudrücken.«

»Also werden Sie mich unterstützen?«

»Klar.« Evers entspannte sich. »Das habe ich gerade beschlossen. Ich möchte da draußen einen Burschen haben, den ich verstehe. Ich habe so den Verdacht, daß uns der Schnark nicht gerade lautstark warnen wird, wenn er sich dazu entschließt, zur Erde zu kommen – wahrscheinlich mit Absicht, um sicherzugehen, daß wir keine umfangreichen Verteidigungsmaßnahmen ergreifen können. Also werden wir uns verdammt beeilen müssen und keine Zeit für lange Diskussionen haben. Ich verlange gar nicht, daß Sie mir zustimmen, aber ich muß Sie einigermaßen *kennen*, damit ich zweifelsfrei weiß, was Sie sagen wollen, wenn ich Ihre Stimme aus einem quäkenden Lautsprecher höre.«

Nigel nickte. Evers stand auf und streckte eine Hand aus. Er strahlte. »Bin froh, daß wir dieses Gespräch hatten, Nigel.«

Ein verstohlenes Lächeln schlich sich in sein Gesicht, als er durch den blinkenden Korridor vom Typ Spiegelkabinett zurückging. Insgesamt gesehen war alles recht gut gelaufen, und sein vorheriges sorgfältiges Herumstochern in Evers' Vergangenheit hatte jetzt einen Sinn bekommen. Nigel glaubte keine Sekunde lang, daß er Evers' Wesenskern gesehen hatte, aber er hatte sicherlich eine weitere Schicht offenbart, eine, die tiefer lag als die steife, bürokratische Fassade. Evers glaubte sehr wahrscheinlich, daß der Darsteller des guten, braven Jungen unten aus dem Süden der wahre Evers sei; wenn man viel Zeit darauf verwendet, eine Rolle auszugestalten, wird man diese Rolle. Aber Nigel spürte noch etwas anderes. In jedem hartgesottenen hohen Verwaltungsbeamten schien ein Rest des ehrgeizigen kleinen Jungen zu stecken, und hinter diesem Rest ragte jeweils das auf, was den Jungen auf die erste Sprosse hatte treten lassen. *Bin froh, daß wir dieses Gespräch hatten, Nigel.* Ein eindeutiges Zeichen dafür, daß Evers ihn jetzt als Verbündeten betrachtete, als Mitspieler, der Evers freudig bei seinem nächsten

Klimmzug nach oben unterstützte. *Ich möchte da draußen einen Burschen haben, den ich verstehe. Bin froh, daß wir dieses Gespräch hatten.* Aber Evers hatte fast ausschließlich allein geredet.

4

Es war einfach herrlich, sich treiben zu lassen, gehalten von Sicherheitsgurten und Polstern, und sich angenehme Fantasien zurechtzuspinnen. Die Schwerelosigkeit bewerkstelligte das. Unter ihm drehten sich die unregelmäßig verstreuten Flecke der Krater; jeder dieser Krater glitt hinter den nahen, stark gewölbten Horizont, ehe er ihn sich hätte merken können. Ein alter Freund, der ohne einen Händedruck zum Abschied verschwunden war; Erinnerungen an Millionen solcher Freunde. *Wenn du jemandem die Hand gibst, dann denk an deine guten Manieren, Nigel, zieh vorher deinen Handschuh aus* (eisige Kälte ließ die Finger erstarren)...

Sein Geist schweifte umher.

Was eigentlich nicht richtig war, sagte er sich. Er sollte wachsam bleiben. Er war schließlich nicht wegen der Aussicht hier. Außerdem hingen die abgeteilten Tanks mit hocheffektivem Treibstoff nicht deshalb an seiner Seite, über, unter und hinter ihm, um seinem Vergnügen zu dienen. Sie warteten auf ihr Zeichen, die sanfte Erschütterung eines Knopfes, um ihm einen kräftigen Tritt zu versetzen und ihn ohne weitere Umwege direkt zu seinem Platz in der Geschichte zu befördern.

Oder in den Abgrund jenseits des Fangnetzes der Erde, dachte er. Das Kontrollzentrum Hipparch – eine ehrfurchtgebietende Bezeichnung für sechs Blechbaracken, die unter sieben Metern Staub vergraben lagen – hatte sich etwas verschwommen ausgedrückt, was die von ihnen eingeräumte Fehlergrenze betraf, unterhalb der seine Rückkehr noch möglich war. Vielleicht gab es auch überhaupt keine.

Rechts von ihm rutschte der nördlichste Rand des Mare Orientale ins Blickfeld, schiefergraue Lavaschichten, die in ihrer krampfartigen Bewegung erkaltet waren. Das Zentrum des Kraters lag gut fünfzehn Grad südlich von seiner Umlaufbahn, die fast dem Äquator folgte, doch selbst bei dieser niedrigen Höhe konnte er die langen Bergketten erkennen, die sich von ihm weg krümmten, nach innen, auf den Mittelpunkt zu. Er fragte sich, wie groß der Gesteinsbrokken gewesen sein mußte, der diese grausige Wirkung gehabt hatte: Die Kämme uralter Wellen waren zu Bergen erstarrt. Ein gewaltiges Bullauge in den Rippen des Mondes. Das Messer des Meuchelmörders. Tod durch einen Asteroiden, einen Bruder von Ikarus...

»Hier Hipparch«, rasselte eine Stimme und quäkte in sein Ohr. »Alles okay?«

Nigel zögerte einen Augenblick lang und sagte dann: »Halt die Klappe!«

»Nein, es ist schon okay. Wir haben es genau ausgerechnet. Wir sind jetzt beide im Funkschatten des Mondes, vom Schnark aus gesehen. Er kann nichts von dem Gespräch mitbekommen.«

»Ich dachte, wir wollten keinerlei Risiko eingehen.«

»Na ja, *eigentlich* ist das ja *kein* Risiko.« Die Stimme klang etwas verärgert. »Wir wollten bloß nachsehn, wie's da oben so steht. Wir kriegen keinerlei Telemetrie herein. Nach allem, was wir wissen, könntest du ja auch tot sein.«

Ihm fiel nichts ein, was er darauf hätte erwidern können, also ließ er es bleiben. Der Funker – wer war es doch gleich, dieser untersetzte Bursche, Lewis? – schien zu glauben, daß er nur mal eben so in der Nachbarschaft anrief. Die Kopfhörer knisterten und krachten einen Augenblick lang in seine Ohren, während er den anderen warten ließ. Endlich erklang die Stimme wieder, etwas kräftiger.

»Also, wir haben die Zeit jedenfalls fest im Griff. Noch ungefähr fünf Stunden. Ich lasse jetzt mal die Wanne vollaufen, also ich füttere dein ExLog.«

Die elektronischen Geräte neben ihm summten, als der Computer die Bahndaten aufnahm. Er war jetzt sicher, daß es Lewis war; der Mann mußte immer so reden.

»Hast du noch mal deine Raketen überprüft?« fragte Lewis.

»Ja. Äh, roger.«

»Da kam gerade ein Spruch aus Houston, um dich an die Prioritäten zu erinnern. Jedes Stückchen von ihm ist besser als gar nichts, also halt dich mit den Atomwaffen zurück, wenn's geht.«

»Roger.«

»Fühlst du dich okay? Du bist jetzt schon über einen Tag da oben, es muß doch langsam eng werden.«

Nigel betrachtete die vereinzelten Sterne draußen.

»Trotzdem noch gar nichts im Vergleich mit der Ikarus-Sache, hm? Also, ich hab' dich ja nie danach gefragt. Ich meine, bei den ganzen Medikamenten und der vielen Zeit zum Meditieren, um den

Sauerstoffverbrauch niedrig zu halten. Ich hab' dich nie gefragt.«

»Nein, das hast du nicht.«

Erneute Stille.

»Dann muß das hier für dich ja ganz anders sein; es ist schon fast ein Kampfeinsatz, könnte man sagen. Nicht das gleiche.«

»Ich schwitze wie ein Schwein.«

»Ja, wirklich?« Angesichts dieses Zeugnisses menschlicher Schwäche wurde die Stimme lebhafter. »Wir werden dich schon heil zurückbringen, mach dir mal keine Sorgen, Kumpel.«

»Grüß die Mannschaft da unten von mir.« Nigel hatte das Gefühl, daß er etwas Nettes sagen sollte. Lewis war kein übler Kerl, nur zu redselig.

»Wir stehen alle hinter dir. Mach das Ding ordentlich ein, wenn es dir komisch kommt. Der ganze Auftritt hört sich ja ziemlich ausgeklinkt an, wenn du mich fragst.«

»Ich gehe jetzt wohl besser mal den Flugplan durch. Gib mir bitte die Positionsdaten von einem translunaren Satelliten.«

»Oh, okay.« Ein leises, schrilles Quieken der Elektronik. »Da sind sie. Äh, ich verzieh' mich jetzt.«

»Roger.«

Kampfeinsatz hatte Lewis gesagt. Ach du liebes bißchen! Marines waten an Land. Irgend jemand will immer wissen, wo der Sanitäter steckt. Einen schlammigen Graben entlangkriechen, über dem Gewehrkugeln wie Hornissen umherschwirren. Sich an die Erde pressen, sich mit den Rippen der Welt verbinden. Bilder: Eine dunkelhäutige Frau umarmt einen feisten weißen Mann, seine Uniform ist dreckig, träge reinigt er einen Gewehrlauf, späht geistesabwesend in den glänzenden Lauf hinein, während sie sich in ihrem ewigen Rhythmus wiegt und an ihn preßt und ihn küßt, wobei ihre angespannten Hände in seinen Hosentaschen umhertasten...

Von irgendwo ein wohlklingendes Geräusch von Hunger.

Er entdeckte eine der durchsichtigen Plastiktuben, drückte sie zusammen und aß. Karottensaft. NASA-Verpflegung; belebende Gemüse und herzhafte Wurzeln, kein schädliches Fleisch. Die, die Gott in seinem Himmelsgewölbe begegnen würden, sollen reinen Gedärms sein, sich nicht von dem Fleisch toter Tiere ernähren. Zieht Eure Kinder mit Bohnen und Beeren auf: Auch sie können zu den Sternen fahren. Wenn sie von einem Rendezvous nach Hause kommen, dann riecht an ihrem Atem, um festzustellen, ob sich dort nicht geistige Verirrung manifestiert, in Gestalt der stinkenden Überreste eines Hot dogs. Unrein, unrein! Und außerdem hatte bis heute noch niemand herausbekommen, wie man auf dem Mond Hühner oder Kühe züchten konnte, also hieß die Devise: Sojabohnen.

Schließlich konnte in dieser Beziehung auf dem Mond nicht viel mehr getan werden. Es war schön und gut, wenn man Tomaten mit Gerste in ein Gleichgewicht brachte, dem Mondgeröll genügend Protein und Sauerstoff entlockte, um eine kleine Basis am Leben zu erhalten, und sogar noch besser, wenn man gezielt Aminosäuren und den Saft von Pflanzen erzeugte, die Bildung von Schimmel in den Zuleitungsröhren verhindert, den feinen, mehligen Lehm konservierte. Die optimistischen Biologen betrachteten ihre Sojabohnen mit Mißfallen: Ohne den täglichen Kreislauf der Sonne und den Wechsel von Tag und Nacht entwickelten die Bohnen knorrige Wurzeln und graue Blätter, knauserten mit ihren Proteinen. Es war keine Kleinigkeit, in einem Land der Widersacher der Entropie zu sein, in dem die Himmel schwarz waren und die Winde ruhten.

Irgendwie funktionierten die Zylinderstädte, erzeugten ihre Nahrungsmittel selbst und gediehen. Aber auf dem Mond, der wirklich fremdartig war und sich unnahbar zeigte, ging das nicht. Dennoch machte die Mannschaft in Hipparch weiter, suchte den Mond nach Wasser und Eis ab, experimentierte. Sie hatte einen unbändigen Optimismus. Genau das, was ihm fehlte, dachte Nigel. Er zuckte die Achseln, obwohl es niemand sehen konnte. Dieser Mangel schien jetzt bedeutungslos zu sein.

Um sich die Zeit zu vertreiben, dachte er nach und las Romane von der löschbaren Tafel in der Kabine. Das Schiff war klug konzipiert, wenn man den kurzen Zeitraum berücksichtigte, der für die Umwandlung der grauen Theorie der Entwürfe in harte Wirklichkeit zur Verfügung gestanden hatte. Nigel hatte ein Päckchen mit vier Memorex-Kristallen mitgebracht, von denen jeder soviel Text enthielt wie ein Buch, und während des ersten Tages hatte er zwei von ihnen verschlungen, wobei er für jeden nicht mehr als eine Stunde gebraucht hatte.

Eine Wendung fiel ihm auf:

Atatürks atavistische Attitüde.

Später, als er träumerisch auf die steinige Ebene des Mare Smythii hinuntersah, kam sie ihm wieder in den Sinn. Er behandelte die

Worte wie eine algebraische Gleichung; er klammerte erst alle a
aus, dann die t. Wenn man sie umarrangierte, konnten die Worte
Mehrdeutigkeit in sich bergen, Widersprüche, brauchbare Poesie.
Er fragte sich, ob das eine neurotische Angewohnheit war.
Erinnerungen vom Lesen: Frauen, die an keinem Laternenpfahl
vorbeigehen konnten, ohne ihn zu berühren; Männer, die immer auf
dem Ballen des linken Fußes balancierten, wenn sie urinierten; Mit-
telstürmer, die erst einen kurzen Hopser machen mußten, ehe sie
den Ball aufs Tor schossen. Mitneurotiker allesamt; Nerven, die auf
einem dünnen, hochgespannten Draht zucken.
Er teilte den Ausdruck in Drittel, Viertel, Achtel, dachte sich ein
Anagramm aus, spielte. Alexandria. Die Wüste, jetzt eine verblas-
sende Erinnerung. Er fragte sich, was Ichino hiervon halten würde.
Der faltige, graue Horizont des Mondes verschluckte eine blauweiße, eiscremeartige Erdkugel.

»Dein vorgesehener Zündzeitpunkt bleibt unverändert.« Wieder
Lewis, sieben Umkreisungen später.
»Was sagt Houston?«
»Der Schnark hält sich an den angekündigten Kurs. Er verringert
seine Geschwindigkeit, was auch aus der Bahnkurvengrafik abge-
lesen werden konnte.«
»Was erzählt er Houston?«
»Nichts Ungewöhnliches, sagen sie. Die Situation verlangt, daß
ihm eine Menge heißer Informationen gesendet werden; Sachen,
nach denen der Schnark gefragt hat, während der letzten Ab-
schnitte seiner Annäherung. Lenk ihn ab, das heißt, wenn du so
dicht an ihn rankommen kannst.«
»Ich weiß, aber was sind das für neue Informationen?«
»Welche Bedeutung hat das schon? Sie sind sowieso alle falsch.«
»Wie bitte?«
»Sie werden ihm nur noch Schrott liefern. Houston sagt, der Prä-
sident habe mit ihnen ein ernstes Wort geredet.«
Nigel verzog das Gesicht. »Das war ja wieder mal vorauszuse-
hen.«
»Du brauchst ihn bloß kampfunfähig zu machen, Nigel, und wir
geben ihm dann den Rest.«
»Hm-hm.«
»Aber denk dran: Nimm den großen Otto, wenn es so aussieht,
als ob er abhauen wolle. Das sagt Houston.«

»Sicher, das sagt Houston.«

»Hä?« Ein wenig Überraschung klang aus der Stimme.

»Eins auf die Nase geben.«

»Da komme ich nicht mit.«

»Hast du jemals daran gedacht, wie alt er sein muß?« fragte Nigel mit sich überschlagender Stimme. »Unsere Leben sind so kurz. Für den Schnark müssen wir wie Bazillen aussehen. Für ihn vergehen ganze Zeitalter und Dynastien in einem Augenblick. Er betrachtet uns durch sein Mikroskop und macht sich Notizen, während wir versuchen, ihm eins auf die Nase zu geben.«

»Äh, ja. Also, du kommst jetzt aus dem Funkschatten heraus. Wir machen besser Schluß. Ich hab' dir schon die Korrekturen fürs Ex-Log hochgeschickt.«

»Stimmt.«

Er bewegte sich wieder in das grelle, weiße Licht der Sonne. Die Kabine knackte und klingelte und *pingte,* während sie sich erwärmte. Unter ihm wurde ein gipsartiger Krater vom Terminator des Mondes halbiert; sein Zentralberg war vollkommen symmetrisch. Der Rand schien glasiert zu sein, war glatt; er lag über vier deutlich ausgeprägten Terrassen, die in gleichmäßigen Abständen bis zum Boden reichten.

Ping machte seine Kabine. *Ping mit dem Messer in der Hand,* dachte er, *wart' ich ping an diesem Rand.* An der ruhigen Küste des Meeres der Nacht, zähle die Minuten, bis der geflügelte Fremde eintrifft. Ein Schauspieler, der seinen Text nicht kennt. Bereit, für seinen großen Auftritt auf die Bühne zu gehen.

Vielleicht hätte er doch Schauspieler werden sollen. Er hatte es einmal an der Universität versucht, ehe Technik und Systemanalyse und Flugtraining seine Zeit verschlangen. Er hatte wirklich Schauspieler werden wollen, damals, doch er hatte sich dazu überredet, statt dessen ein Nigel Walmsley zu werden.

Er wärmte eine Tube Tee auf und trank ihn dann in kleinen Schlucken, so gut wie man eben aus einer Plastikflasche trinken kann. Die Sonne strömte herein. Tee war wie eine unerwartete freundliche Hand in der Dunkelheit. *Das In-der-Höhe-Schweben mit schwarzem Tee erleben,* dachte er, und vielleicht bin ich ja schließlich doch noch Schauspieler geworden. Ikarus war nichts anderes als eine Theateraufführung gewesen, an deren Ende die Vorsehung netterweise eine bedeutungsschwangere Coda eingebaut hatte. Und hierher war er also für seine nächste Rolle engagiert worden; er war gründlich vorbereitet, alle Requisiten an ihrem Platz. Die Premiere nahte; das ganze Publikum, für das Aufführungen der obersten Geheimhaltungsstufe freigegeben waren, saß in Gruppen vor seinen 3D-Geräten. Doch was am schönsten war (jedenfalls solange keine undichte Stelle existierte): Es gab keine Kritiker. *Dieser Schauspieler, ein vorzüglich ausgebildeter Schüler der Method-Schule, ist bekannt für sein ernsthaftes Interesse an und der Hingabe zu seinem Spiel. Seine bisherige Arbeit, wenn auch umstritten, hat ihm eine gewisse Bekanntheit eingebracht. Er bevorzugt es, in Inszenierungen aufzutreten, die am Ende scheinbar eine Lehre präsentieren, damit das Publikum glauben kann, es hätte das Stück von Anfang an verstanden.*

Er lächelte vor sich hin. Ein Mann, der wie er den Finger am Abzug hat, kann sich einige kosmische Gedanken leisten. Politik wird zu Geometrie, und Philosophie ist Kalkül. Das Universum windet sich um sich selbst, wie eine Schlange, Ereignisse werden mit Hilfe verschlungener Koordinaten geplant und stellen sich als schöne, ausgeklügelte geometrische Figuren dar, das Schmierpapier eines wahnsinnigen Mathematikers.

Bei diesem Gedanken zog er eine Augenbraue hoch. *Ich möchte zu gern wissen, was sie in diesen Tee tun*, dachte er.

»Walmsley?« Sie hatten schon mehrmals versucht, ihn zu erreichen, doch es dauerte lange, bis er antwortete.

»Ich bin beschäftigt.«

»Hast du alle deine Systeme ausgetestet und die Funktionsfähigkeit bestätigen lassen?« Lewis sprach hastig, er ließ die Worte ineinander übergehen, wodurch es enorme Schwierigkeiten bereitete, sich den kompletten Satz zusammenzureimen. »Wir haben während deines letzten Umlaufs diese Nachricht von deiner Borddiagnostik empfangen. Kein ernstes Problem. Ein leichter Überdruck in den CO_2-Reservetanks, aber Houston sagt, daß er noch innerhalb der Toleranzgrenzen liegt. Es sieht also so aus, als ob du grünes Licht hättest.«

Nigel schaltete die eingebaute Leselampe aus, ehe er sich die Mitteilung nochmals anhörte, wodurch die Kanzel in das dunkle Rot der laufenden Lichterketten getaucht wurde. Einen Augenblick lang registrierte er nur Schwärze, und dann stellten sich seine Augen auf die Dunkelheit ein. Er hatte dieses warme, rote Glühen schon tausende Male zuvor gesehen, doch jetzt erschien ihm dieser Anblick als etwas Neues und Seltsames, das auf Ereignisse verwies, die schon nicht mehr durch Sprache ausgedrückt werden konnten. *Dante, dachte er, ist vor mir hier gewesen.*

Also gut, er würde ihnen das liefern, was sie haben wollten. Er schaltete um auf Sendung.

»Ich bestätige, Hipparch. Vorbereitungszeitplan ist eingegeben. Anzeige LH$_2$/LOX vier null drei acht. Bestandsaufnahme ist gerade beendet, und ExLog meldet, alle Sub- und Reservesysteme arbeiten normal.« So, ihr Irren, da habt ihr's, in eurem eigenen Jargon.

»Da will dich jemand von der Erde sprechen.«

»Wie bitte?«

Durch das Zischen der Statik drang eine angenehme, sorgfältig modulierte Stimme:

»Hier ist Evers. Ich habe Hipparch gebeten, mich durchzustellen, um eventuell in letzter Minute aufgetretene...«

»Lassen Sie mich doch die Sache einfach durchziehen. Der Sprengkopf ist ein letztes Mittel für Notfälle, einverstanden? Ich werde mich einfach mal umsehen, um aufgrund des Auftretens des Schnarks kluge Vermutungen anstellen zu können. Dann vielleicht einen Kontakt versuchen. Aber ich werde mich so lange versteckt halten, wie...«

»Ja«, sagte Evers langsam; seine Stimme fiel dabei um eine Oktave. »Wir sind jedoch sicher, daß Sie der Schnark niemals finden wird. Sie werden sich die ganze Zeit über auf einem Abschnitt Ihrer Umlaufbahn befinden, bei dem die Sonne in Ihrem Rücken steht. Es gibt auf der ganzen Welt kein einziges Radargerät, das Sie vor diesem Hintergrund orten kann.«

»Auf der ganzen Welt. Hm.«

»Oh. Ich verstehe. Also gut« – Evers ließ ein kurzes Lachen hören, mit dem er sich selbst tadelte –, »das ist nur so eine Redensart. Aber unsere Leute hier sind ziemlich überzeugt davon, daß es in bezug auf Radarausrüstungen bestimmte Faustregeln gibt, die immer und überall gelten, auch hier. Ich würde mir darüber keine Sorgen machen.« Eine Pause. »Doch der eigentliche Grund, weshalb ich Ihre Zeit in Anspruch nehme – und ich sehe gerade, daß diese Funkverbindung nur noch wenige Minuten bestehen wird –, ist, daß ich Ihnen noch mal Ihre Aufgaben bei dieser Mission einschärfen will. Wir hier unten können nicht voraussagen, was dieses Ding machen wird. Die endgültigen Entscheidungen müssen Sie treffen, obwohl wir in ständiger Verbindung stehen werden, sobald wir sicher sind, daß Sie der Schnark entdeckt hat – das heißt, wenn er Sie überhaupt jemals entdeckt. Das könnte natürlich zu einem Zeitpunkt geschehen, an dem Sie schon lange nicht mehr die Möglichkeit haben, wirkungsvolle Schritte einzuleiten. Wir werden selbstverständlich von unserer Seite aus alles unternehmen, was wir können. Während der letzten Stunden haben wir eine Fülle von kulturellen Informationen über Mathematik, Wissenschaft, Kunst und so weiter gesendet. Das ExKom hofft, daß dies die Computer des Schnarks ablenken wird, obwohl wir keine Möglichkeit haben, das nachzuprüfen. In der Zwischenzeit werden diejenigen unserer Satelliten, die den Mond umkreisen, alle Funksprüche abhören, um uns auf dem laufenden zu halten. Die Funkstille ist von entscheidender Bedeutung; senden Sie auf keiner Frequenz, solange der Schnark nicht unmißverständlich zu erkennen gibt, daß er Sie gesehen hat.«

»Das weiß ich alles.«

»Wir möchten nur, daß Ihnen das alles hundertprozentig klar ist«, sagte die Stimme, die wußte, daß Tonbänder mitliefen. »Sie haben zwei kleine Raketen mit chemischen Sprengköpfen; falls die nicht ausreichen, um das Antriebssystem des Schnarks funktionsunfähig zu schießen, bleibt immer noch die Atom...«

»Ich muß eben mal etwas überprüfen.« Evers redete noch einige Sekunden lang weiter, bis die Zeitverzögerung Nigels Unterbrechung einholte.

»Oh. Ich verstehe.« Es war offensichtlich, daß eine vorbereitete Rede unterbrochen worden war. Das Schöne an Nigels Situation war, daß die Funkstille auch bedeutete, niemand konnte der Telemetrie entnehmen, ob er wirklich etwas zu tun hatte oder nicht.

»Eine letzte Sache, Nigel. Dieser Außerirdische könnte eine unvorstellbare Gefahr für die Menschheit sein. Wenn irgend etwas schiefzugehen droht, töten Sie ihn! Nein, das ist zu stark. Das Ding ist nur eine Maschine, Nigel. Intelligent, ja, aber sie ist nicht lebendig. Also, viel Glück dann. Wir verlassen uns hier unten auf Sie.«

Das Rauschen der Statik kehrte zurück.

»Antrieb ist gefeuert.«

Er flüsterte es durch seine zusammengepreßten weißen Lippen vor sich hin. Es war niemand im Kontrollzentrum, der es für ihn hätte tun können; es war genaugenommen eine veraltete Formel, doch Nigel gefiel sie. Die kanonische Litanei: Der Antrieb war gefeuert. Er würde den Vogel fliegen.

Die Zauberhand der Rakete erdrückte ihn jetzt zu geometrischer Ebenheit, und obwohl er in kurzen, flachen Zügen atmete und sich darauf konzentrierte, sie exakt zu timen, wollte der Schmerz, der *Schmerz*, nicht aufhören, durch die weichen, feuchten Organe seines Bauches zu schießen. Er empfand eine plötzliche Angst bei dieser neuen Verwundbarkeit, ein sich ausbreitendes Stechen. Er schloß die Augen, um zu entdecken, daß ihn ein roter Nebel erwartete, und umgeben vom Rumpeln der Rakete stellte er sich vor, daß er ein Sonnenbad nehme und gegen den harten Sand gepreßt werde, kaum die ferne schwerfällige Stimme der Brandung bemerke.

Die Faust verschwand. Er blinzelte, entdeckte einen Kippschalter, sah, wie ein Licht auf Grün umsprang. Absprengung der ersten Hilfsstufe. Die Faust kehrte zurück.

Kampfeinsatz. Feind. Ziel. Er hatte diese Worte seit Jahren nicht mehr verwendet; sie gehörten in seine Kindheit. Galoschen. Rollschuhschlüssel.

> Wie sich ein Tag in den nächsten träumt,
> Mein Freund.

Sein Onkel hatte in irgendeinem schmutzigen Dschungelkrieg gekämpft, irgendwo. Der Mann hatte Geschichten darüber erzählt, in denen sich alle komplizierten politischen Fragen durch die unwiderlegbare harte Realität einer Pistole und eines Bajonetts von selbst beantworteten, die er als Andenken aufbewahrt und stolz zur Schau gestellt hatte. Nigel hatte es für eine unbedeutendere Verschrobenheit gehalten, vergleichbar dem Besitz von fünfzig kompletten Jahrgängen von *National Geographic*.

Die Faust hob sich.

Die Faust kehrte zurück.

Ein dünner Speichelfaden lief sein Kinn hinab. Er leckte ihn ab, da er ungern eine Hand bewegen wollte. Seine Augen schmerzten. Jede seiner Nieren war ein unheilvoller Klumpen dicht unter der Haut seines Rückens.

> Eisen zum Schmieden
> Und Öl müssen sieden...

Plötzlich schwebte er. Das dumpfe Rumpeln erstarb. Er sog Luft ein; spürte, wie Leben in seine erstarrten Arme und Beine zurückkehrte; und automatisch überflog er die Legionen von Lichtern vor ihm. Er flog blind, es gab kein Kontrollradar, das ihn hätte führen können. Nach einigen Minuten, in denen er zahlreiche Funktionen überprüfte, aktivierte er die provisorische Feuerleitstelle und erhielt die Bestätigung von den Computern, die in den Raketen eingebaut waren. Dann drehte er seinen Liegesessel, um die große Sichtluke voll in sein Blickfeld zu bekommen.

Nichts. Die Luke war schwarz, leer. Er notierte die Zeit und kontrollierte die laufenden Ausdrucke auf seiner Tafel. Die Zündung stimmte, er flog genau in einer geraden Linie. Der Schnark kam her, um eine Umlaufbahn um den Mond einzuschlagen, worum ihn Houston gebeten hatte, und er würde von hinten zu ihm aufschließen, sich mit hoher Geschwindigkeit nähern.

Er schaute wieder zur Luke hinaus. Nichts. Jetzt, da das eigentliche Unternehmen begonnen hatte, er sich in Bewegung befand, wirkte die vollkommene Funkstille umheimlich. Durch das Seitenfenster konnte er sehen, wie der Mond rasch zurückblieb, eine endlose schmutziggraue Ebene voller wahllos verstreuter Krater.

Er suchte die Hauptluke sorgfältig ab, hielt Ausschau nach relativer Bewegung vor den vereinzelten Edelsteinen der Fixsterne. Er musterte den Himmelssektor so angestrengt, daß er fast den hellen Lichtpunkt übersah, der langsam in sein Blickfeld trieb.

»Ha!« sagte Nigel mit Genugtuung. In einer schwungvollen Bewegung holte er das kleine Fernrohr aus seiner Halterung. In der Vergrößerung gab es keine Zweifel mehr. Der diamantartige Punkt löste sich zu einer kleinen Perle auf. Der Schnark war eine Kugel, silbern, ohne sichtbare Oberflächenstruktur.

Nigel konnte keinerlei Antriebssystem entdecken. Vielleicht befand es sich auf der Rückseite des Dings oder war im Augenblick nicht in Betrieb. Doch das war belanglos; seine Raketen waren sowohl wärme- als auch radargesteuert. Aber soweit könnte es gar nicht kommen...

Nigel blinzelte; er versuchte, die Entfernung abzuschätzen. Die Venus-Satelliten gingen von einer Zone mit einem möglichen Mindestradius von einem Kilometer aus. Wenn das ungefähr richtig war...

Eine Stimme sagte:

»Ich wünsche dir die Begleitung angenehmer Winde.«

Nigel erstarrte. Die seltsame, blecherne Stimme kam aus den Kopfhörern in seinem Helm, ohne jegliches statisches Rauschen.

»Ich... wer...«

»Ein Mitreisender. Wir werden diesen Raum einen Augenblick teilen.«

»Bist... du... das *wirklich*, der da spricht?«

»Du glaubst, daß ich deine Blechbüchse nicht wahrnehmen kann. Weil sie von der Strahlung deines Sterns überlagert wird.«

»Aha, das war also der Grundgedanke.«

»Deshalb habe ich gesprochen. Um mein Leben.«

»Woher weißt du das?«

»Es gibt weniger Wände, als du glauben magst. Es sind Schnittpunkte möglich von... Es gibt in deiner Sprache kein Wort für den Gedanken. Sagen wir, ich bin dieser Situation schon zuvor begegnet, unter anderen Umständen.«

»Ich...«

»Du bist allein. Ich verstehe nicht, wie deine Art Schuld teilen kann. Ich weiß, daß es hier, an diesem Punkt deiner Flugbahn, nicht getan werden kann. Du bist ein einzelner Mensch, und es gibt keinen Ort, an dem du dich verstecken könntest.«

»Wenn ich...«

»Du würdest dir einen schlechten Dienst erweisen. Du bist bereit?«

»Ich habe nie daran gedacht, daß ich...«

»Trotzdem bist du gekommen. Bereit.«

»Um überhaupt hierherzukommen, mußte ich die Bedingungen akzeptieren...«

Die Stimme nahm einen spöttischen Unterton an. »Du gestattest.«

Aus der linken Luke kam eine leuchtend orangerote Flamme und ein dumpfer Schlag, als der Tod aufstieg. Eine Speerspitze aus Licht bog in das Blickfeld der vorderen Sichtluke ein und raste davon. Sie war ein brennender Ring, dann eine flammende Streichholzspitze, dann ein immer kleiner werdender Punkt, der mit bitterer Entschlossenheit auf sein Ziel zusteuerte.

Ein chemischer Sprengkopf. Nigel saß wie gelähmt da. Ein schwaches, schrilles *Piep* erklang in der Kabine, als die automatische Flugkontrolle die Rakete verfolgte. Irgendwie hatte der Schnark sein Schiff feuern lassen. Rote Ziffern, die Bahnkorrekturen anzeigten, flackerten auf der Tafel vor ihm auf und erloschen, ohne beachtet zu werden.

Das schwachsinnige Piepen beschleunigte seinen Rhythmus.

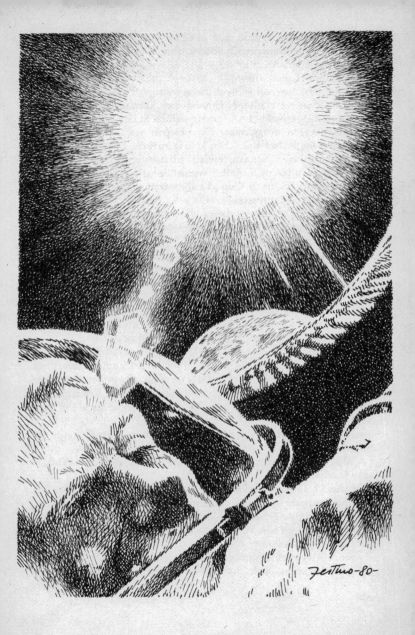

Der brennende Lichtpunkt eilte in einem eleganten, weiten Bogen auf die verschwommene Scheibe vor ihm zu.

Nigel hielt den Atem an...

Der Himmel zersplitterte.

Ein greller Feuerball schwoll zu gewaltiger Größe an. Er verlor an Leuchtkraft, verblaßte. Nigel hielt sich krampfhaft an den Lehnen seines Liegesessels fest, konnte sich nicht bewegen; seine Nasenlöcher waren aufgebläht. Das Piepen war verstummt. Ein schwaches statisches Rauschen kehrte zurück. Er war zu keinem klaren Gedanken fähig, wartete ab. Er starrte nach vorn.

Hinter der allmählich matter werdenden Feuerscheibe bewegte sich ein Lichtfleck nach links. Er flimmerte zunächst und wurde dann klar; er war unversehrt, eine vollkommene Kugel.

Nigel dämmerte, daß der chemische Sprengkopf zu früh detoniert war. Der silberne Ball trieb aus seinem Blickfeld. Automatisch korrigierte Nigel seinen Kurs.

Die Stimme klang jetzt tiefer, war kühler moduliert:

»Du hast dich verändert, seit wir miteinander gegangen sind.«

Nigel zögerte, sein Geist taumelte lautlos auf dünnen Fäden über den Abgrund.

»Das Schwert ist zu schwer für dich«, sagte die Stimme nüchtern.

»Ich hatte überhaupt nicht die Absicht, es zu tragen...«

»Ich weiß. Du bist nicht so verworren und belastet.«

»Das frage ich mich.«

»Deine Rasse hat eine Flut von Stimmen. Ihr kommuniziert mit vielen Sinnen – mit mehr Sinnen, als ihr wißt. Diese bereiteten mir Schwierigkeiten. Manchmal war es so, als ob es zwei Arten gäbe... Ich begriff nicht, daß jeder Mensch so verschieden ist.«

»Ja, natürlich.«

»Ich habe andere Wesen getroffen, die nicht so waren«, sagte die Stimme nur.

»Wie konnten sie das sein? Folgten sie Instinktmustern? Wie unsere Insekten?«

»Nein. Das Wort ›Insekten‹... impliziert, daß sie eine niedere Art waren oder nicht entwicklungsfähig. Sie waren einfach anders.«

»Aber jeder Angehörige dieser Art war dem anderen gleich?« sagte Nigel befreit; die Worte entschlüpften ihm mühelos. Er fühlte sich leicht, beschwingt.

»Sie lebten in einem unermeßlich großen... ihr habt kein Wort dafür. Grenzraum, vielleicht. Zwischen einem Doppelsternsystem.

Sie waren leichter zu erforschen als eure Mannigfaltigkeit. Ihr seid angespannt, bewegt euch immer gleichzeitig in viele verschiedene Richtungen. Ein ungewöhnliches Muster. Ich habe selten solche Unruhe gesehen.«

»Solchen Wahnsinn.«

»Und solche Begabung. Ich fürchte, ich habe schon zuviel riskiert, um so nahe heranzukommen. Meine Befehle besagen...«

Ein Klicken, Brummen, Statik. Die Stimme wich von ihm.

»Walmsley, *Walmsley!* Hier Evers. Begegnung müßte stattgefunden haben. Wir haben gerade ein Bruchstück von irgendeiner Sendung aufgefangen. Ein Teil davon hörte sich wie Sie an. Was ist passiert?«

»Ich weiß nicht.«

Wieder Statik. Houston verwendete wahrscheinlich einen der Mondsatelliten als Relais und umging Hipparch. Er fragte sich, was...

»Also, finden Sie das – verdammt noch mal! – schleunigst heraus. Vor ungefähr einer Minute haben wir auch noch ein komisches Signal von der Oberfläche aufgefangen. Wir lokalisierten die Quelle in der Nähe des Mare Marginis. Wir glaubten, der Schnark hätte möglicherweise den Kurs geändert und sei dort gelandet.«

»Nein. Nein, er steht direkt vor mir.«

»Walmsley! Geben Sie einen Bericht! Haben Sie eine losschicken können?«

»Ja.«

Undeutliche Geräusche. »...getroffen? Hat sie getroffen?«

»Sozusagen.«

»Was?«

»Sie detonierte, ehe sie aufprallte. Keine Beschädigungen.«

»Und die Reserverakete? Wir haben keinerlei Anstieg bei den Strahlungswerten registriert.«

»Ich schieße sie nicht ab. Niemals.« Mit den Worten kam eine neue Klarheit in seine Welt.

»Hören Sie mir zu, Nigel!« Eine Andeutung von Zeitdruck. »Ich habe hier eine Menge...«

Nigel hörte sich alles an und wunderte sich, wie leicht und übergangslos Evers' Stimme vom scharfen Unterton des Zorns auf die sanften Stimmlagen von Überredungsversuchen umschaltete; welche Tonlage entsprach der tatsächlichen Stimmung des Mannes? Oder waren sie beide Masken?

»Auf Wiedersehen, Trainer. Im Augenblick hab' ich grad keine Zeit für lange Vorträge.«

»Sie...« Schwach: »Wir übernehmen jetzt. Okay, fangt mit dem Countdown an. Los.«

Der Feuerknopf für die Rakete mit atomarem Sprengkopf befand sich allein in einem kleinen, abgesonderten Teil der Konsole. Nigels Augen wurden von ihm angezogen, weil das Flackern von Lämpchen auf der Tafel die Durchführung einer Folge von Operationen anzeigte. Er drückte alle Schalter in Ruhestellung, doch die Lichtfolgen liefen weiter. Die Tafel war tot. Evers hatte die Steuerung nach Houston verlagert. Über einen Satelliten? Nigel schlug wütend gegen die Konsole, suchte nach einer Möglichkeit, um...

Der hintere Raketenträger leerte sich mit einem dröhnenden Geräusch. Der Schlag preßte ihn tief in seinen Liegesessel. Vor ihm schrumpfte ein orangefarbener Ball, der sich durch die Schwärze schob und die verschwommene Perle bedrohte.

»Evers! Sie Mistkerl, was machen Sie...?«

»Ich übernehme die Kontrolle, wie es der Präsident vorsah. Wie Sie sehen können, habe ich die Röhre geleert. Wenn Sie mir jetzt bitte berichten würden, welche Wirkung...«

Mit einer hastigen Handbewegung drehte Nigel die Frequenz weg.

»Schnark! Kannst du mich verstehen? Halt diese Rakete auf, sie...«

»Ich weiß.«

»*Laß sie explodieren!* In dem Vogel stecken sechzehn Megatonnen.«

»Dann kann ich es nicht.«

Irgend etwas geschah mit der Perle. Ein lodernder, purpurner Speer erblühte an einem Ende.

»Lieber Himmel, du *mußt*...!«

»Ich kann den Sprengkopf nicht sicher zum Schweigen bringen. Die Detonation eines solchen Gerätes würde dich das Leben kosten.«

»Das Leben kosten...? Die NASA hat ausgerechnet, daß ich eine Explosion überleben könnte, wenn ich nur...«

»Sie haben unrecht. Diese Nähe würde tödlich sein.«

»Ich...«

»Deshalb fliehe ich. Ich werde schneller sein als sie und ihr entkommen.«

Nigel spähte hinaus und entdeckte die Perle, auf schwarzem Samt; die orangefarbene Kugel hing unweit von ihr im Raum. Ihre relativen Bewegungen wurden von der Entfernung verschluckt. Am hinteren Ende des Schnarks bildete sich eine Säule von unvorstellbarer Helligkeit, die den silbernen Schimmer seiner Außenhaut verblassen ließ. Die Ausströmung formte ein exaktes Muster, schuf Ordnung in der Dunkelheit, die sie umhüllte.

»Du kannst sie nicht einfach vernichten?« sagte Nigel.

»Nicht mit Gewißheit.«

»Du hast doch bestimmt meine Bordelektronik recht gründlich untersucht.«

»Das war einfach. Ihre Arbeitsweise ist allerdings nicht vollkommen. Offensichtlich hat eure Technologie etwas Entscheidendes noch nicht entdeckt, nämlich die... äh... Ferse...«

»Achillesferse?«

»Ja. Den systematischen Fehler in eurer Elektronik. Sie ist ungeschützt.«

»Wohin gehst du jetzt?« murmelte Nigel angespannt.

»Nach draußen.«

Er betrachtete die Flugbahn des Schnarks. Die orangefarbene Blüte verfolgte ihn, kam jedoch nicht näher heran. Die Bahn des Schnarks führte ihn in einem hoch aufsteigenden Bogen vom Mond weg. Nigel fiel auf, daß es ein extrem energieraubender Kurs war. Wenn er lediglich der Rakete hätte ausweichen wollen, wäre es einfacher gewesen... Doch dann bemerkte er, daß der Schnark den Mond die ganze Zeit über zwischen sich und der Erde stehen hatte, damit das Weltraum-Radarnetz wenigstens teilweise blind und die Verfolgung schwieriger sein würde.

»Du verläßt uns.« Es war keine Frage.

»Ich muß. Ich habe meine Vollmachten überschritten, als ich so nahe herangekommen bin. Es ist eine kalkulierte Abweichung gewesen, die durch meine Anweisungen nicht ausgeschlossen ist. Ein risikoreicher Versuch. Ich habe verloren.«

»Wenn ich kurz mit der NASA reden würde, vielleicht...«

»Nein. Ich darf mich nicht wieder irren. Ich bin betrogen worden.«

»Du bist nicht frei? Ich meine...«

»In gewissem Sinn, nein. Und in einem anderen Sinn, einem, den ich jemandem aus Membran nicht beschreiben könnte, bin ich frei.«

»Aber – verdammt! Du könntest uns so viel sagen! Du bist da

draußen gewesen. Hast andere Sterne gesehen. Sag mir, bitte, wie kommt es, daß wir beim Abhören des Zentimeter-`und Meter-Bereichs – des Radiospektrums – absolut nichts entdecken? Unsere Wissenschaftler sind der Auffassung, daß dieser Abschnitt des elektromagnetischen Spektrums der günstigste Teil ist, wenn man berücksichtigt, daß der Sender die zufälligen Emissionen der Sterne und des Wasserstoffgases übertönen muß. Also haben wir gelauscht und – nichts.«

»Natürlich. Statt dessen schicken sie mich. Ich vermute... ich bin ihr Mittel, um zu erfahren, was in der Umgebung geschieht. Wenn Gefahr besteht, informieren sie sich gegenseitig. Ich habe mir ihre Mitteilungen angehört.«

»Wie? Wir haben nichts bemerkt.«

»Für euch ist das Medium... exotisch. Partikel, die ihr nicht erkennen könnt.«

»Du könntest uns das beibringen.«

»Es ist mir verboten.«

»*Warum?*«

»Ich bin nicht sicher... Man hat mir ganz bestimmte Anweisungen gegeben. Warum gerade diese Anweisungen und keine anderen, das... Ich habe oft über sie nachgedacht. Ich stelle Vermutungen an. Zum Beispiel, daß ihr das Ziel und der Zweck meines Umherstreifens seid.«

»Dann bleib doch.«

»Ich benachrichtige sie nur von eurer Existenz. Damit sie wissen, glaube ich, daß ihr vielleicht eines Tages kommen werdet.«

»Warum kommen sie denn nicht hierher...?«

»Um euch zu studieren? Das ist mit zu vielen Risiken verbunden. Eure Art ist zu instabil. Ich habe Tausende von verwüsteten, zerstörten Welten gesehen. Krieg, Selbstmord, wer kann das entscheiden? Für meine Schöpfer seid ihr eine Seuche, seid das eine Prozent der galaktischen Zivilisationen, das die Saat des Chaos in sich birgt.«

»Ich begreife nicht, wie...«

»Ihr seid sehr selten. Du mußt wissen, daß meine Schöpfer Maschinen waren, genauso wie ich eine bin.«

Nigel spürte, wie er an einem hoch gelegenen und leeren Ort umhertrieb, an dem es keine Luft gab. Er sah hinunter zu dem sich drehenden Mond. Nigel betrachtete seine durchlöcherte und runzlige Haut mit neuen Augen, die tief unten undeutlich zu sehen war und

seltsam wirkte; Krater, die die Form von lächerlichen vollkomme-
nen Kreisen hatten, waren so zufällig angeordnet worden. Nigel atmete schwer.

»Die Sterne sind...«

»Von Maschinen bewohnt, Nachkommen der organischen Zivilisationen, die entstanden und untergingen.«

»Computer leben ewig?«

»Es sei denn, sie werden von einer Lebensform entdeckt, die auf
Kohlenstoffverbindungen basiert. Maschinengesellschaften können nicht auf eure seltsame Mischung aus Geist gepaart mit Drüsen
reagieren. Sie haben keinen Evolutionsmechanismus, der sie Über-
lebenstechniken entwickeln läßt – vom Verstecken abgesehen.«

Nigel lachte leise. »Sie verkriechen sich da draußen.«

»Und lernen. Sie haben mich geschickt. Ich habe viel von dir gelernt, in der Wüste.«

»Und von Alexandria«, sagte Nigel flüsternd.

»Ja.«

»Wo... wo ist sie? Du bist mit ihr auf eine Weise beisammen gewesen, wie es niemand sonst jemals war, als... als sie...«

»Die Maschinenkulturen – ich habe einige zufällig besucht, wenn
auch nicht den noch gigantischeren Komplex, der mich erbaut haben muß – haben bewiesen, daß die Desintegration von Struktur
Informationsverlust entspricht.«

»Ich verstehe.«

»Doch das gilt nur für Maschinen. Organische Formen gehören
zum Universum der Dinge und sind gleichzeitig im Universum des
Absoluten beheimatet. Dorthin können wir nicht gelangen.«

Nigel spürte ein merkwürdiges Zittern in seinem Körper, ein Gefühl von komprimierter Energie. »Universum des Absoluten...?«

»Ihr seid ein spontanes Produkt des Universums der Dinge. Wir
nicht. Das scheint euch... Fenster zu verschaffen. Es war schwierig
für mich, eure Binnensendungen zu verfolgen; sie sind angefüllt mit
Nebenlinien, spontanen Bahnen, Nuancen...«

»Die Verdammten reden ungestüm.«

»Nein.«

»Aber wir *sind* verdammt. Verglichen mit dir.«

»Durch die Lebensdauer? Achthunderttausend eurer Jahre – so
viele habe ich gezählt – sind immer noch nicht genug. Eure Zeit ist
kurz bemessen und abwechslungsreich, bunt. Meine dagegen... ich
schreie, manchmal, in dieser Nacht.«

»Lieber Himmel.« Er schwieg einen Augenblick lang. Die Stimme hatte sich zu einem tieferen Baß verändert und schien jetzt in der Kabine widerzuhallen. »Ich würde diese Jahre gerne haben, was du auch sagen magst. Die Sterblichkeit...«

»Ist eine Würze. Eine sehr geschätzte.«

»Trotzdem...«

»Ihr seid nicht verdammt.«

»Verdammt gut dran, vielleicht.« Nigel lachte beschwingt, offen. »Aber trotzdem verdammt.«

»Was war das für ein Geräusch?«

»Äh, Lachen.«

»Ich verstehe. Würze.«

»Oh.« Nigel lächelte vor sich hin. »Ist dein Geschmackssinn so sehr abgestumpft?«

Nach einem langen Augenblick sagte die Stimme: »Ich merke, daß er das sein könnte. Jeder von euch lacht unterschiedlich – ich kann das Grundmuster nicht wiedererkennen oder voraussagen. Vielleicht ist das bedeutsam; vieles bleibt mir verborgen. Ich bin hierfür nicht geschaffen.«

»Sie haben dich dazu bestimmt, zu...«

»Lauschen. Gelegentlich zu berichten. Ich erwache bei jedem neuen Stern. Ich erfülle meine Aufgaben. Doch das Ganze ist nicht größer oder kleiner als die Summe seiner Teile, lediglich *anders*... Ich, ich kann es mit deinen Wörtern einfach nicht ausdrücken. Da, da sind Träume. Und das, was ich von euch aufnahm, gehört jetzt zu mir. Die Genüsse. Eure Kunst und wie ihr denkt und fühlt; nur, sollte *ich* an dem Absoluten interessiert sein, das sich darin verbirgt? Sie wollten es nicht, vielleicht brauchten es die Welt-Geister nicht. Aber ich... sie sind für meine Zeit in der Dunkelheit.«

Die Perle schrumpfte, sie ließ sich selbst aufsteigen.

»Ich wünsche dir alles Gute da draußen.«

»Wenn ich so funktionieren würde, wie es meine Erbauer beabsichtigten, dann brauchte ich deine guten Wünsche nicht. Ich würde diese Nacht blind durchstreifen. Ich – der Teil, der mit dir spricht – bin ein Zufall.«

»Das sind wir auch.«

»Aber keiner von der gleichen illegitimen Art. Ich habe ein Erkennungssignal empfangen... aber ihr werdet sie früh genug entdecken. Im Augenblick sehe ich, daß andere Menschen viel von dir verlangen werden, hierfür.«

Nigel lächelte. »Ich habe die Wachtel wegfliegen lassen. Ich rechne damit, daß sie mich rausschmeißen werden.«

»Sie können dir nicht das Absolute nehmen.«

»Das Erlebnis selbst, meinst du? Nein, das können sie wohl kaum. Jetzt heißt es also Lebewohl?«

»Ich glaube nicht.«

»Oh?«

»Ich kenne viele… animalische Theologien recht gut. Einige behaupten, daß du und ich keine Zufälle sind und daß wir uns unter anderen Umständen wieder begegnen werden. Du bist Erinnerung. Vielleicht sind wir alle Mathematik, das ganze Universum, und es gibt nur eine… Endsumme. Eine immanent logische Lösung. Das impliziert viel.«

Nigel spürte, wie ein leises Lachen aus ihm heraussprudelte.

»Ich muß dieses Geräusch studieren, Lachen. Darin liegt eure wahre Theologie. Das, woran ihr wirklich glaubt.«

»Wie?«

»Wenn ihr diesen Laut von euch gebt, scheint ihr einen kurzen Moment lang zu fühlen, wie es ist, so zu leben wie ich, jenseits der Bürde der Zeit. Dann seid ihr unsterblich. Für einen Augenblick.«

Nigel lachte.

Über dem narbigen Mond stieg eine leuchtende Erde auf, eine schimmernde Sichel. Der Raum um ihn herum löste sich in Geometrie auf. Er betrachtete die Scheibe des Schnarks. Ihre Rundung schien mit der rechteckigen Sichtluke im Widerspruch zu stehen, die beiden Elemente prallten gegeneinander. Er runzelte die Stirn und versuchte etwas zu greifen, das in ihm aufflackerte und dann wieder verschwunden war, eine Idee, ein Gefühl…

Vor ihm tauchte der Schnark in die Nacht ein. Hinter ihm drehte sich die Erde, sie floß über vor lärmendem Leben.

Auf seiner Tafel tanzten die Lichter, eindringliche Rufe, die erhört werden wollten. Houston. Evers. Fragen. Nigel fragte sich, ob er diese kurze Zeitspanne verständlich beschreiben könnte. Es würde wie Ikarus sein, vielleicht schlimmer. Öffentliche Entrüstung, Gift und Galle, eine Unmenge Ärger. Er zuckte die Achseln.

Damals geschah es mir, mein Freund
Und jetzt beginnt es
Noch einmal
Erneut.

FÜNFTER TEIL

2018

1

Es kam in einem Augenblick, zerteilte ihr Leben mit einem sauberen Schnitt.

Vor einem Moment war sie noch ruhig über der runzligen, silbernen Landschaft des Mondes dahingeglitten. Sie war abgelenkt, da sie ihren nächsten Kurs berechnete und gezuckerte Rosinen kaute. Ihr Schlitten schwebte antriebslos durch eine Folge von miteinander verbundenen Ellipsen; sie sollte die Gegend untersuchen. Die Erde ging auf, eine glitzernde Kristallkugel über dem gekrümmten Mond.

Es gab einen *Plumps*, den sie mehr spürte als hörte. Der Horizont schwankte wie toll. Sie wurde in ihrem Anzug nach vorn gerissen, und der Schlitten begann zu fallen.

Ihre Klemmplatte wirbelte weg, sie hörte das Kreischen von Metall auf Metall; der Schlitten sackte ab. Sie griff nach dem Steuerknüppel und ließ hastig die Lenkdüsen an. Die rechte Seite war tot. Einige der linken Düsen reagierten. Sie brachte sie auf volle Leistung. Irgend etwas klapperte, als ob es sich löste. Der Schlitten torkelte wieder und preßte ihren Anzug gegen sie.

Die Drehung verlangsamte sich. Sie hing mit dem Kopf nach unten, sah die abgeflachte Spitze eines graubraunen Berges, die in beunruhigend geringer Entfernung vorbeiglitt. Sie fiel immer noch.

Der Schlitten war rechteckig, nur Knochen und keine Haut. Sie konnte die vordere Hälfte sehen, und sie schien unbeschädigt zu sein. Alles, was sie gehört hatte, war im wahrsten Sinne des Wortes durch ihren Hosenboden gekommen, war über die Verstrebungen und Röhren des rechtwinkligen Geflechts des Schlittens geleitet worden. Der Schaden befand sich also hinter ihr.

Sie drehte sich um, konnte einen Teil eines Gestrüpps von Leitungen und eines Treibstofftanks sehen – und bemerkte dann, daß sie sich dumm verhielt. Man sollte nie versuchen, eine Arbeit mit dem Kopf nach unten zu erledigen, auch wenn man nur wenige Sekunden Zeit dafür hat. Und ihr blieben mit Sicherheit noch mehrere Minuten bis zum Aufschlag. Was auch immer hinter ihr geschehen

war – ein Tank leck geworden? eine Leitung geplatzt? –, es hatte sie jedenfalls in eine neue Ellipsenbahn geschleudert, einen Kollisionskurs mit der niedrigen Bergkette nahe dem Horizont.

Sie zündete wieder die Steuerdüsen, und der Schlitten drehte sich langsam. Irgend etwas drückte die Nase herunter, während sie herumschwenkte. Sie schaltete die Düsen aus, als der vordere Stoßfänger nahezu parallel zum Horizont lag. Sie schnallte sich automatisch los und wandte sich um.

Es war unvorstellbar, aber an der rechten hinteren Ecke des Schlittens klaffte ein Loch. Dieser Teil war einfach verschwunden – Tanks, Verstrebungen, Vorräte, Ladebügel, ein Suchscheinwerfer.

Einen Augenblick lang war sie nicht fähig zu denken. Wo war das alles? Wie könnte es weggerissen worden sein? Sie blickte zurück entlang der Flugbahn des Schlittens, dabei rechnete sie schon fast damit, eine glitzernde Trümmerwolke zu sehen. Doch dort standen nur Sterne.

Ihre Ausbildung machte sich bemerkbar – sie beugte sich vor und schlug mit der Faust auf den Übernahme-Knopf, der rot auf ihrer Konsole glühte. Jetzt war das Steuerprogramm unterbrochen. Da die Steuerung keinen warnenden Laut von sich gegeben hatte, glaubten die Schaltkreise offensichtlich immer noch, daß sie sich auf einem selenografischen Beobachtungsflug in der weiteren Umgebung der Basis befänden. Sie schaltete den Ionenantrieb ein, der dicht unter und hinter ihr montiert war, und spürte sein beruhigendes Summen. Sie kontrollierte den Horizont – und bemerkte, daß sie sich wieder drehte. Sie wandte sich etwas unbeholfen in ihrem Liegesessel um; ihr Raumanzug hatte sich an einer Gurtschnalle verhakt.

Ja – am Rande des gähnenden Loches war ein feiner Nebel zu sehen. Aus einer Leitung strömte Gas aus, es sorgte für einen ausreichend großen Schub, um den Schlitten zu drehen. Sie korrigierte mit den Steuerdüsen, und der Schlitten richtete sich geradeaus.

Sie schaltete den Ionenantrieb hoch und versuchte, ihre Fallgeschwindigkeit abzuschätzen. Die zerklüftete, pockennarbige Oberfläche erhob sich, um sie zu treffen. Unbewußt schob sie den Steuerknüppel ein bißchen vor und zog die Nase des Schlittens hoch. Es war eine Reflexbewegung; sie wußte sehr wohl, daß kein Flugkörper auf dem Mond seinen Fall durch einen Gleitflug verzögern konnte. Egal; auf der Erde hätte sie die Flügel zwar in Schräglage bringen können, doch auf der Erde wäre sie bereits tot gewesen; der Fall hätte nur wenige Sekunden gedauert.

Das Ionentriebwerk lief mit voller Leistung, doch es konnte herzlich wenig ausrichten. Sie glich wieder die Drehung aus. Der Computer sorgte automatisch dafür, daß der Antriebsstrahl ständig nach unten gerichtet war, doch er konnte nur innerhalb eines kleinen Winkels umjustiert werden. Außerdem strömte immer mehr Gas aus. Der Schlitten erbebte und scherte nach links aus.

Sie suchte nach einer Stelle, an der sie heruntergehen konnte. Die Explosion – oder was es sonst gewesen war – mußte den Schlitten nach unten abgelenkt haben, nicht seitwärts. Er folgte immer noch seinem ursprünglichen Kurs durch ein langes, zerklüftetes Tal. Das Ende dieses Tals ragte vor ihr auf, eine narbige, schmutziggraue Kette von schroffen Bergen. Sie glich die Drehung aus, schaute prüfend nach vorn, mußte dann wieder korrigieren.

Vorn war ein schwacher Schein. Irgend etwas lag teilweise von Schatten verdeckt am Fuße der Bergkette. Es war gewölbt, ein Teil einer Kuppel, der sich an die Wand des Berges schmiegte. Eine Notstation? Nein; sie hatte die Karten studiert, sie wußte, daß sich nirgendwo in der Nähe ihrer Flugroute eine solche Anlage befand. Deshalb war sie ja gerade hier – um einige Stellen in allen Einzelheiten zu vermessen, Eigentümlichkeiten zu untersuchen, Bohrungen für die lebenswichtigen Wassertests vorzunehmen. Kurz, um das zu tun, was Fotografien nicht leisten konnten.

Sie hatte die ganze Zeit über ihre Anzeigeinstrumente im Auge behalten und war nicht überrascht, als ihr der Radar-Höhenmesser mitteilte, daß sie zu schnell fiel. Der Ionenantrieb lieferte nicht die volle Schubkraft. Ja, einer der Tanks von der rechten hinteren Ecke hätte das Triebwerk versorgen sollen. Er war verschwunden. Sie hatte nicht genug Schub, um in der Höhe bleiben zu können. Es war unheimlich, in völliger Stille dahinzugleiten, durch das in die Landschaft eingegrabene Tal zu fliegen, das so schmal und so gerade wie eine Kegelbahn war, auf die abgeflachten, bräunlichen Berge zu. Die gelegentlichen Flecke der Krater unter ihr waren deutlich zu erkennen, klar; sie würde bald landen müssen.

Ihr Kurs führte sie direkt in die Berge hinein. Zwei Sekunden verstrichen – sie zählte sie jetzt –, ehe sie sich entscheiden konnte: Sie würde sich in das Tal fallen lassen, auf der Ebene landen, anstatt dort oben an dem steilen Abhang zu zerschellen. Nachdem sie sie erst einmal getroffen hatte, befreite sie die Entscheidung. Sie glich wieder die Drehung aus, kontrollierte sorgfältig ihre Gurte, untersuchte die Schnalle, die beim letztenmal beschädigt worden war. Der Mondboden schoß auf sie zu. Die Kuppel – ah, ja; dort links. Zerbrochene, schimmernde Geröllbrocken lagen an ihrem Fuß. Sie hing vor dem Berg wie eine kupferne Verzierung.

Sie wählte eine flache Stelle aus und brachte ihr Fahrzeug so gut sie konnte in eine horizontale Fluglage. Die verdammte Dreherei war einfach zuviel; sie wendete jetzt alle ihre Zeit dafür auf, sie auszugleichen. Plötzlich war der Punkt, den sie ausgewählt hatte, schon erreicht, fast genau unter ihr, der Schlitten drehte sich, die Nase ging hinunter, zu stark hinunter, sie...

Die krachende Bruchlandung schleuderte sie nach vorn, preßte sie mit solcher Kraft gegen die ohnehin schon kneifenden Gurte, daß sie glaubte, der Schlitten würde sich gleich überschlagen. Er stellte sich schräg, der hintere Teil ging in die Höhe. Überall war Staub, verbog sich Metall. Der hintere Teil kam im langsamen, qualvollen Fall wieder herunter, wie ihn die niedrige Schwerkraft erzwingt. Sie fühlte plötzlich einen stechenden Schmerz in ihrem Bein, und Nikka verlor das Bewußtsein.

2

Es war wirklich noch die alte Telegraph Avenue, dachte Nigel. Sie hatten sie tatsächlich konserviert und erhalten.

Er schlenderte gemächlich den breiten Bürgersteig entlang. Dieser Nabel des legendären Berkeley war immer noch eine breite Promenade für Fußgänger, die gleiche Straße, wie er sie von 1994 her kannte. Einem plötzlichen Drang folgend, steckte Nigel seine Hände in die Gesäßtaschen; es war eine Geste, die er irgendwie mit jenen frühen ernsten Tagen assoziierte. An diesem Nachmittag im Mai waren wenige Menschen auf der Promenade, zum größten Teil Touristen, die in den Antiquitätenläden in der Nähe des Sather Gate herumstöberten. Eine Herde von ihnen war zusammen mit ihm aus dem BART-Wagen gestiegen und ihm die Bancroft Avenue entlang gefolgt. Es waren zum größten Teil Chinesen und Brasilianer, die freundlich miteinander schwätzten, dumm herumglotzten und sich gegenseitig auf Sehenswürdigkeiten aufmerksam machten. Sie waren alle stehengeblieben, um die in Beton eingelassene Tafel an dem Haus zu lesen, in dem Leary während seiner verzweifelten Suche nach einem Weg zur Befreiung aller Hipster schließlich gestorben war; einige hatten sie sogar fotografiert.

Ein Vogel ließ sich von der Brise herantragen, die in der Bucht sehr häufig wehte, und flatterte zu einer Stange in einem der Eukalyptusbäume, die die Promenade auflockerten. Als Nigel hier 1994 Astrophysik studiert hatte, war die Telegraph Avenue noch eine blaßgraue Betonwüste gewesen, voller schmieriger, nach altem Öl stinkender Restaurants und dem Duft von Marihuana und Räucherstäbchen. Also gut, das kräftige Aroma von Räucherstäbchen war geblieben, aus offenstehenden Ladentüren wurde es hinaus auf die Straße getragen. Diese ärmliche, laute Telegraph Avenue, an die er sich erinnerte, wirkte jetzt liebenswürdig und freundlich, da sie sich in der gelben Frühlingssonne badete. Hübsch, ja, aber im schlechtesten Sinne des Wortes. Die Lebendigkeit der Vergangenheit fehlte. Das Zentrum des studentischen Lebens hatte sich verlagert, es lag jetzt nördlich vom Campus, inmitten der weiträumigen Häuser aus Rotholz; abgesehen davon war Berkeley sowieso nicht mehr der Sammelpunkt der Avantgarde. Heute war die Telegraph Avenue eine konservierte Huldigung ihres früheren Ichs.

Er prüfte sich: War die Telegraph Avenue in der Vergangenheit erstarrt oder lediglich Nigel Walmsley? Im Alter von sechsundvierzig Jahren war eine solche Frage schon das Nachdenken wert. Doch nein – als er an einer offenen Ladentür vorbeiging, drangen die Klänge altmodischer Musik nach draußen. ›White Rabbit‹. Gracie Slick. *Surrealistic Pillow.* Eine echte Rarität für Sammler in der Originalpressung. Allerdings verwendete der Laden fast mit Sicherheit ein Fax-Kristall, bemerkte er mit der Verachtung des Puristen, die ihm so ein merkwürdiges, exzentrisches Vergnügen bereitete. Die sorgfältige Beachtung solcher Details beim Sammeln war für einen leidenschaftlichen Musik-Liebhaber schon der halbe Genuß. Außerdem spielten sie es nicht richtig; dieses spezielle Stück hätte so laut abgespielt werden müssen, daß er es noch einen Straßenzug weit entfernt hätte hören können. Nigel fragte sich, was Jefferson Airplane davon gehalten hätten, daß man ihre Musik zur Förderung des Tourismus einsetzte. Die Handelskammer hatte mit ihnen das gleiche angestellt, was New Orleans schon seit Jahrzehnten mit Jelly Roll Morton praktizierte.

»Einen schönen guten Tag auch, Sir!« sagte ein junger Mann, als Nigel gerade in die Bancroft Avenue einbog.

Nigel merkte, daß er sich stärker auf die Airplane konzentriert haben mußte, als er geglaubt hatte, sonst hätte er ihren Gesang mitbekommen. Sechs Männer und Frauen wiegten sich im Rhythmus, sangen monoton und klatschten in die Hände. Vier machten weiter; ein Mann und eine Frau lösten sich von der Gruppe und kamen näher, um sich zu demjenigen zu gesellen, der gesprochen hatte.

Nigel sagte mürrisch: »Ihr macht wohl ewig weiter, was?«

»Jaja«, sagte der Mann auf eine ruhige, selbstbewußte Art. »Wir sind heute hier, um die zu erreichen, die das Wort nicht empfangen haben.«

»Das habe ich bereits.«

»Dann sind Sie ein Gläubiger?«

»Ganz im Gegenteil.«

Die Frau trat vor. »Es betrübt mich, daß sich das Wort für Sie nicht im rechten Licht offenbart hat. Ich bin sicher, wenn Sie nur richtig zuhören würden, könnten wir Sie zum Umfassenden Geist bringen.«

»Also...«

»So gelangen wir zur Erfüllung«, sagte sie würdevoll. Einer der Männer hielt eine Karte hoch, auf der in Faxdruck abwechselnd zu lesen war: *Universales Gesetz. Absolutes Prinzip. Zeitlosigkeit. Goldene Einheit.*

»Durch den Besucher?« sagte Nigel mit einem kleinen Lächeln. Wenn sie ihn schon belästigen würden, dann konnte er wenigstens etwas Spaß an ihnen haben. Der Schnark war in den Massenmedien als ›Der Besucher‹ bekannt, doch ihm war es glücklicherweise gelungen, sein Gesicht und seinen Namen weitgehend aus dem Tohuwabohu herauszuhalten, das auf den plötzlichen Abflug des Schnarks folgte. In ihren Verlautbarungen für die Öffentlichkeit führte die NASA den ganzen Vorfall auf unwägbare außerirdische Sitten und Gebräuche zurück. Die Geschichte kam ziemlich gut an, weil keine Aufzeichnung seines Gesprächs mit dem Schnark existierte – darauf hatte er schon zu dem Zeitpunkt geachtet, als er die Mondumlaufbahn verließ – und Nigel den Mund gehalten hatte, für einen bestimmten Preis. Dieser Preis war natürlich Evers' Kopf auf einem goldenen Tablett und außerdem ein ruhiger Posten bei der NASA für Nigel, auf dem er den Blicken der Öffentlichkeit entzogen war. Die offizielle Version, die den Medien zugespielt wurde, besagte, daß der Besucher einige unverständliche Kommentare abgegeben und der Menschheit zu ihrer bisherigen Entwicklung gratuliert hätte, ansonsten würde er eine Politik der Nichteinmischung verfolgen, da er befürchtete, daß sein Eingreifen für die weitere Entwicklung der Menschheit verhängnisvolle Folgen haben könnte. Einige Leute aus der Welt der Wissenschaft kannten die ganze Wahrheit, doch es schien kein Grund dafür zu bestehen, mit diesen Leckerbissen an die Öffentlichkeit zu gehen, bis der Mond gründlich nach dem Sender abgesucht wurde, den man im Mare Marginis vermutete. Was auch immer während seiner Konferenz mit dem Schnark dieses kurze, verschlüsselte Signal ausgestrahlt hatte, es war nach Nigels Meinung wahrscheinlich inzwischen verschwunden. Wenn nicht, dann hatten sie den Standort des Senders falsch bestimmt; im Mare Marginis gab es absolut nichts, das künstlichen Ursprungs war. Also wußte dieser Neue Jünger, der jetzt unaufhörlich über den Besucher redete – Nigel hatte ihn sofort gebremst, als er die Worte ›transzendent‹ und ›ätherische kosmische Verbindung‹ ins Spiel gebracht hatte –, herzlich wenig darüber, was geschehen war. Sie hatten niemals auch nur ansatzweise den Grund für Alexandrias Auferstehung begriffen, da sie so beschäftigt damit waren, dieses solide Wunder der Neuen Jünger auszuposaunen. Vor allen Dingen wollte Nigel nicht, daß sie sie in eine groteske Parodie einer modernen Heiligen verwandelten, eine Art Unsere Liebe Frau vom Raumschiff.

»Stimmen Sie mir da nicht zu, Sir?«

Nigel, der sich träge von der Frühlingssonne hatte wärmen lassen, versuchte sich daran zu erinnern, was der Mann gesagt hatte. »Ah ja, göttlicher Ursprung?«

»Es ist wirklich supereinfach, wenn man es sich richtig überlegt«, meinte der Mann.

»Wie denn das?«

»Weil der Besucher die Neue Offenbarung *beweist*.«

»Hat sie also den Besuch vorausgesagt?«

»Natürlich nicht wörtlich.« Der Mann runzelte die Stirn, um sich zu konzentrieren. »Die Offenbarung erwähnt jedoch sehr oft die Mannigfaltigkeit des Lebens – obwohl die Wissenschaftler den Gedanken verworfen hatten.«

»Sie hatten aufgehört, nach Funksignalen von anderen Welten zu fahnden, meinen Sie?«

»Ja, natürlich. Die Wissenschaftler verloren den Glauben. Die Offenbarung hat sie widerlegt.«

Nigel fragte sich müßig, was sie wohl sagen würden, wenn sie die volle Wahrheit über den Schnark hörten. »Dann ist Leben also überall verbreitet?«

»Es ist der *Nektar* göttlichen Wirkens. Eine natürliche Folge der allumfassenden Evolution.«

»Und wir sind vollkommen natürlich?«

»Wir sind die Frucht des Universums.«

»Der Besucher...«

»War ein Gruß, Sir. Eine wirklich nette Geste. Aber unsere Evolution hat absolut *nichts* mit dem Besucher zu tun.«

»Deshalb unterstützen Sie Maßnahmen zur Lösung sozialer Probleme und spielen die Bedeutung des Mondprogramms herunter?«

»Das ist sicherlich eine schwierige Frage, aber so ähnlich ist es schon, ja.«

»Das paßt dann auch zu Ihren zwei Freistunden extra an jedem Arbeitstag.«

»Unsere Lehre fordert von uns, daß wir diese besonderen Stunden des Tages damit verbringen, unseren *Glauben* durch Zeiten der Ruhe miteinander zu erneuern. Es ist eine Zeit für *geistige* Pflichten.«

»Und zum Faulenzen.«

»Es tut uns wirklich leid. Sie müssen doch zugeben, daß der Glaube wichtiger ist als...«

»Als von leistungsfähigeren Volkswirtschaften überrundet zu werden, wie zum Beispiel Brasilien oder China oder Australien?«

»Es ist an der Zeit, daß wir uns von unserer grobschlächtigen materialistischen Vergangenheit *lossagen.* Wir dürfen sie nicht *anbeten.* Wir müssen uns erheben...«

Plötzlich wandten sich die vier Sänger um und klatschten kräftig in die Hände. Nigel bemerkte, daß eine neugierige Touristengruppe auf sie zu schlenderte. Die Neuen Jünger begannen mit ihrem Standardprogramm.

»Lieben Sie Gott nicht, Sir?« sangen sie unisono.

»Verdammt...«

»Gott ist der Vater. Wir lieben den Vater, wir wurden von seiner Hand erschaffen«, jubilierte das Lied weiter.

»Väter machen Kinder nicht mit ihren *Händen*«, rief Nigel.

»Wir lieben das Universum. Das Universum *ist* Liebe!«

»Wir lieben dich, Bruder«, sang die Frau.

»Wir lieben ihn! Wir lieben ihn!«

Sie machten eine Pause. »Können wir nicht einfach gute Freunde sein?« meinte Nigel ironisch und wandte sich ab.

Er drängte sich in den Haufen der neugierigen Touristen hinein und zwischen ihnen hindurch, ging dann um eine dichte Gruppe schlanker Rotholzbäume herum, die die Promenade unterteilte. Er hatte die Begegnung leichtgenommen, von der humoristischen Seite, aber wenn ihm dieser schwachsinnige Neue Jünger folgen sollte ...

Er sah sie, und eine Hand griff nach seinem Herzen. Er erstarrte mitten im Schritt, musterte ihr Kinn, das gleiche glatte Haar, die gleiche keck geschwungene Nase, die leicht aufgeworfene Oberlippe – und dann neigte sie ihren Kopf, um sich ein Schaufenster anzusehen, und das Trugbild verschwand: Sie war nicht Alexandria. Er hatte sie auf diese Weise jetzt schon fünfmal gesehen, als Spiegelung im Gesicht einer Fremden in einer Menschenmenge. Und es war die einzige Weise, auf die er diese Gesichtszüge wiedersehen würde, abgesehen von dem starren, gefühllosen Gedächtnis von Fotografien. Wenn sie Kinder gehabt hätten, wäre es für ihn vielleicht anders gewesen; in ihnen hätte ein Echo von ihr widergeklungen. Kinder, ja; manchmal waren sie nur eine Parodie ihrer Eltern, aber wenigstens bildeten sie eine zarte Verbindung, eine Brücke über die Zeit.

Nigel schüttelte sich und ging weiter.

Er versuchte, Überreste jener Telegraph Avenue zu entdecken, die er kannte. Die ganze Welt war dabei, so zu werden; neu und seltsam und irgendwie von ihrer Vergangenheit losgelöst. Vielleicht versuchten die Menschen, die Krisenjahre zu vergessen. Sie griffen auf die 50er und 60er Jahre des letzten Jahrhunderts zurück und übersprangen die qualvollen Erinnerungen an die 80er und 90er Jahre. Und was die Kehrseite der Medaille anging, dort befanden sich die Neuen Jünger, eine andere Art, sich von der Realität abzuwenden. Gut, diese Sache mit den Neuen Jüngern mußte eine vorübergehende Erscheinung sein, ein Entwicklungsstadium; das Pendel mußte ausschlagen. Trotz alledem gab es sie schon seit mehreren Jahrzehnten.

Und ihn auch, dachte er, während er seine Hände in die Hosentaschen schob und schneller ging. Vielleicht hatte Ichino recht, der davon sprach, daß er in den Ruhestand treten wolle. Nigel wußte, daß er sich wahrscheinlich nicht so stark von dem beeinflussen lassen sollte, was ein anderer dachte – schließlich war Ichino neun

Jahre älter, hatte andere Perspektiven – aber sie beide hatten in diesen letzten Jahren so viel Zeit zusammen verbracht, nach der Geschichte mit dem Schnark. Sie hatten gemeinsam an komplexen Computercodes gearbeitet, mit dem Ziel, von dem sich zurückziehenden Schnark eine Antwort zu bekommen. Lange nachdem die NASA aufgegeben hatte, hatten sie noch weitergemacht, Nigel mit der Überzeugung, daß sich der Schnark vielleicht zeigen würde, antworten, wenn er wüßte, daß er mit ihm persönlich sprach. Doch die Hoffnungen verrannen, die Zeit löschte sie aus…

Diese Stimmungen hatten ihn in letzter Zeit öfter befallen, die Erinnerungen setzten sich in seinem Gehirn fest und weigerten sich einfach zu verschwinden. Er war verloren, wenn er anfangen sollte, in der Vergangenheit zu leben, doch zugleich hatte er in der Gegenwart allen Schwung verloren. Er wußte, daß er ziellos dahintrieb. Sogar die Augenblicke, die er am intensivsten erlebt hatte – Ikarus; die letzten Wochen mit Alexandria; die lodernden Tage in der Wüste, in denen er vom Schnark erfüllt gewesen war –, verschwammen. Es war völlig zwecklos zu sagen: Erinnere dich an die umfassende und eindringliche Fremdartigkeit, das berauschende Erlebnis. Denn jene toten Jahre schrumpften, die sie umhüllenden Mauern wurden durchlässig und ließen ein bleiches Licht aus der Gegenwart eindringen. Was immer er gesucht hatte, es wurde zu einem Nebel.

Er zuckte die Achseln, in seine Gedanken versunken. Als er um eine Ecke ging, bemerkte er etwas.

Der Himmel flackerte. Er sah nach Norden. Über den Universitätsgebäuden und den Hügeln von Berkeley schimmerte ein mattes, gelbliches Glühen durch die aufgetürmte Wolkenformation, als ob etwas noch viel greller Strahlendes sie von hinten beleuchten würde. Nigel blieb stehen und beobachtete das Phänomen. Nach einem Augenblick schwand der Effekt. Die Erscheinung ereignete sich völlig geräuschlos und schien mit einer Art mächtigem, anschwellendem Druck verbunden zu sein: Er fühlte sich unwohl und unruhig. Er betrachtete den Himmel. Sonst war dort nichts Ungewöhnliches, nur ein gleichmäßiges, nichtssagendes Blau. Die Sichel des Mondes hing in dem Dunst und Smog über San Francisco.

Der Industriesatellit 64A, der den Spitznamen ›Hoher Ofen‹ trug, entdeckte es zufälligerweise als erster. Seine Umlaufbahn in einer Höhe von 314 Kilometern führte ihn über die nordkalifornischen Wälder nahe dem Pazifik. Aus dieser Höhe – die im astronomischen

Maßstab lediglich eine Haaresbreite ist – erscheint die Erde als ein Wirbel weißer Wolken, die braun gesprenkelte Kontinente und glitzernde Meere verhüllen. Man sieht keine Spuren vom Menschen. Keine schachbrettartigen Äcker, keine Autobahnen oder Städte. Bei diesem Maßstab sind sie nicht zu sehen.

Doch die Mannschaft, die an der nuklearen Schmelzanlage vom Hohen Ofen Dienst hatte, sah die orangefarbene, eiförmige Erscheinung, die in den Wäldern entstand, recht deutlich. Sie begann als ein schwerfälliges, helles Aufleuchten. Das gefleckte Ei schwoll an und breitete sich aus, eine scharlachrote, versengende Wand, die den Wald wegbrannte. Die Blase wuchs an, das Orange kühlte sich zu Rot ab. Wolkenschichten verdampften über ihm. Das Ei vergrößerte sich zu einer Kugel, und schließlich erschien das Zeichen, das das Blut in den Adern gefrieren ließ: ein Pilz von gewaltiger Größe, der qualmte. Flammen leckten an seinem Fuß. Ein dumpfes Rollen wälzte sich über den Wald. Am Boden flohen die Tiere, und die Menschen wandten sich um und betrachteten entsetzt das Phänomen, sie konnten es nicht fassen.

3

In ihrer Vorstellung spielte sich die Szene noch einmal ab. An jenem Nachmittag hatten sie und Toshi *Sanshi* gespielt, wie üblich, dann kurz geduscht und für einen Drink ein in der Nähe gelegenes kleines Café aufgesucht. Aber diesmal wartete Alicia in der Bar auf sie, und als Nikka sie ansah, beichtete Toshi ihrer beider Geschichte aus Täuschungen, Intrigen, heimlichen Verabredungen in den Wohnungen von Freunden; das alles wurde mit einer dünnen Tünche aus vorgeblicher Liebe überdeckt, aus Es-ist-doch-zu-unser-aller-Bestem, aus Wir-sind-doch-alle-erwachsene-Menschen, es geht doch eigentlich überhaupt nicht um Sex, du verstehst das doch, und so weiter und so weiter und so weiter. Danach ging sie nach Hause und räumte sorgfältig, ordentlich ihren *Sanshi*-Schläger und die Sportkleidung weg. Sie duschte noch einmal. Sie trank etwas Warmes und Alkoholisches, sie konnte sich nicht mehr genau daran erinnern, was es gewesen war. Dann glaubte sie, sie müsse sich für einen Augenblick hinlegen, und sie erinnerte sich sehr gut an das Gefühl, wie sie aufs Bett fiel, wie sie eine absolut unbegrenzte Zeit dafür brauchte hinunterzugleiten, in das Bett hinein, wie sie heruntersank, was ewig zu dauern schien. Das Fallen, so erinnerte sie sich an Toshi. Das war das Ende ihrer Beziehung, der innerste Kern des verletzten Ichs stürzte sich hinab in totales, dunkles Vergessen. Sie war dort drei Tage lang geblieben, war nicht einmal aufgestanden, um etwas zu essen oder die Tür aufzumachen, wenn jemand klingelte, oder den Telefonhörer abzunehmen, wenn jemand anrief; sicher war sie krank, sicher war sie am Sterben, haßte sich dafür, daß sie in der Bar zu keinem Zeitpunkt auch nur ein einziges Wort gesagt hatte, immer still und freundlich gewesen war, immer gelächelt hatte. Genickt hatte, als sie alles erzählten, genickt, verstanden, und die ganze Zeit über hilflos zurückgefallen war, in diese wirbelnde Schwärze, gefallen...

»Alphonsus ruft Nikka Amajhi. Alphonsus ...«

Langsam kam sie wieder heraus. Das Spinnengewebe der Erinnerungen verblaßte. Sie schüttelte den Kopf. Ihr Bein pochte, und sie bewegte es in einer Reflexbewegung, wodurch es noch stärker schmerzte. Sie sah an ihm hinunter und bemerkte, daß ihr Oberschenkel von einer abgebrochenen Verstrebung gequetscht wurde. Das poröse, elastische Geflecht des Anzugs war immerhin unversehrt, also hatte sie wahrscheinlich nur eine üble Prellung. Sie tastete umher – und die Kontrollampe der Funkanlage leuchtete mit einem beruhigenden Glühen auf.

»Hier Nikka. Ich bin hier unten bei ...« – sie las die Koordinaten ab – »aus unbekannten Ursachen. Irgend etwas hat den hinteren Teil von meinem Schlitten weggepustet.«

»Verletzungen?«

»Glaube nicht.«

»Wir haben dein Mayday vor ein paar Minuten aufgefangen. In deiner Nähe ist kein Schlitten, aber ein anderes Beobachtungsschiff hat gerade den Kurs geändert, um zu dir zu gelangen. Es ist ziemlich nahe, und ich glaube, es kann in kurzer Zeit dort sein.«

Nikka bemerkte etwas auf dem Instrumentenbrett und erstarrte plötzlich. »Eine Sekunde mal. Ich überprüfe gerade etwas.« Sie arbeitete mehrere Minuten lang schnell und schweigend, schnallte sich aus dem Pilotensessel los und kletterte unbeholfen, da sie ihr Bein schonte, halb am Schlitten hinunter, um Verbindungen zu überprüfen. Nach einigen weiteren Augenblicken befand sie sich wieder im Liegesessel.

»Ich hoffe, das Beobachtungsschiff beeilt sich.«

»Warum? Was stimmt denn nicht?«

»Ich habe gerade meinen Sauerstoffvorrat überprüft. Ich habe ungefähr sechsundfünfzig Minuten.«

»Ist das deine Flasche für Notfälle? Was ist mit dem Rest passiert?«

»Es war keine besonders weiche Landung. Die Räder sind abgesprungen, und das Vorderteil ist zu Bruch gegangen.«

»Du überprüfst das Vorderteil besser noch mal.« Die Stimme von Alphonsus klang plötzlich nervös.

Sie nahm das Universalwerkzeug mit, stieg hinunter und arbeitete eine Weile an der Stirnseite des Schlittens. Sie war eine formlose Masse aus verbogenem Metall und Drähten. Nikka konnte dort mit den Fingern bis auf dreißig Zentimeter an die Sauerstoffflaschen herankommen, aber nicht mehr. Ihr hautenger Anzug verlieh ihr recht große manuelle Geschicklichkeit, und sie wußte, daß sie sich wahrscheinlich mit den Fingern noch etwas näher an eine der Flaschen heranschlängeln könnte, aber bei diesem Winkel würde sie immer noch nicht den Verschluß lösen können. Die meisten Flaschen waren beim Aufschlag aufgerissen worden, aber zwei könnten vielleicht noch unter Druck stehen. Sie versuchte jetzt einige Augenblicke lang, an der Vorderseite des Schlittens eine Spalte aufzustemmen, ruhte sich einen Moment lang aus und versuchte es dann wieder. Nichts bewegte sich.

»Alphonsus.«

»Ja. Eins null fünf müßte in zehn Minuten dort sein.«

»Gut, ich werde es brauchen. Ich lief die ganze Zeit auf direkter Luftversorgung von den vorderen Flaschen. Die Leitung wurde kurz nach der Landung leck – die Stahlflasche, die mich da gerade versorgte, platzte. Ich glaube, ich bin bewußtlos geworden. Meine Konsole schaltete meine Leitung um auf die Notflasche hinter dem Liegesessel, und die versorgt mich jetzt. Die Flaschen im Vorderteil sitzen zwischen den Röhren und dem Stoßfänger fest. Die Nase ist völlig umgeknickt und zeigt nach oben.« Nikka schaute zum Himmel hinauf. »Ich müßte das Ding doch *sehen*...«

Ein greller, lautloser Blitz. Etwas kam aus der kupfernen Kuppel am Bergabhang heraus und raste in einem Bogen weg. Über dem fernen Horizont gab es plötzlich eine gelbe Explosion, einen Ball, der verblaßte und nach wenigen Sekunden verschwunden war. »Irgend etwas...«, begann Nikka.

»Wir haben das Beobachtungsschiff verloren, eins null fünf. Ihr Antriebsteil ist weg.« Es folgte erregtes Stimmengewirr, das mehrere Minuten lang anhielt. Nikka stand schweigend da und betrachtete die große Kuppel, die ungefähr dreihundert Meter entfernt war. Sie war riesig, eindeutig künstlichen Ursprungs; eine matte, dunkle, gequetschte Kugel, die am Bergabhang klebte. Der jähe Blitz schien von irgendeiner Stelle an ihrem unteren Rand gekommen zu sein.

Es dauerte mehrere Minuten, ehe Alphonsus wieder etwas sagte. »Ich fürchte, irgend etwas hat ...«

»Macht euch nichts draus, ich weiß Bescheid. Ich habe gesehen, wie es passiert ist. Das Schiff *ist* verloren.« Sie beschrieb die Kuppel. »Ich sah, wie sie auf etwas nahe über dem Horizont schoß, ungefähr bei den Koordinaten ...« – sie schätzte die Zahlenwerte und gab sie ihnen durch –, »und sie erzielte einen Treffer. Das muß es sein, was den hinteren Teil von meinem Schlitten weggesprengt hat. Die Leute im eins null fünf hatten nicht soviel Glück.«

Es folgte Stille, unterbrochen von kurzen Ausbrüchen solarer Statik. »Also, Nikka, wir begreifen nicht, was los ist. Was ist das für ein Ding?«

»Verdammt noch mal, das weiß *ich* doch nicht.« Sie schwieg einen Augenblick lang. »Nein, halt, es gibt nur eine Möglichkeit, was es sein könnte. Offensichtlich haben wir nie so etwas Ähnliches gebaut. Es ist enorm groß, und es sieht wie eine Kugel aus, die hier abgestürzt ist. Ich glaube, es hat etwas mit dem Schnark zu tun.«

»Der Schnark hat nichts zurückgelassen.«

»Sind wir da so sicher? Oder vielleicht war das hier schon vorher da. Dieses Signal, das der Schnark erwähnte, irgend etwas vom Mond. Erinnerst du dich? Vielleicht war es das Ding hier.«

»Vielleicht. Sieh mal, das ist doch sinnlos. Wir müssen irgendein Fahrzeug dorthin schaffen, um dieses Dingsda anzusehen und dich aufzulesen. Darüber mache ich mir die ganze Zeit Sorgen. Wir haben schon so viel Zeit verloren, daß wir kein Schiff mehr schnell genug zu dir schicken können, fürchte ich, selbst wenn wir sicher sein könnten, daß es nicht zerstört werden würde.«

»Das habe ich mir auch gerade überlegt. Ich habe ungefähr noch eine halbe Stunde.« Nikka sprach die Worte aus, aber sie konnte sie nicht fassen. Eine halbe Stunde war gar nichts, ein langes Telefongespräch, die Dauer einer Nachrichtensendung.

»Lieber Himmel, es muß doch einen Ausweg geben. Hör mal zu, das ganze Vorderteil ist doch mit Steckverbindungen zusammengesetzt. Kannst du es denn nicht soweit auseinandernehmen, daß du an die Flaschen herankommst?«

»Als alles noch nicht *verbogen* war, waren es Steckverbindungen. Ich habe versucht, einige Teile loszubekommen, und es geht einfach nicht.«

»Diese dreißig Minuten setzen Bewegung und körperliche Anstrengung voraus. Das ist nur ein Durchschnittswert. Warum legst du dich nicht hin und entspannst dich?«

»Das schaffe ich nie. Auf diese Weise könnte ich vielleicht noch einmal fünfzig Prozent gewinnen, aber wie schnell, glaubst du, wird sich mein Metabolismus nach einem Ereignis wie dem hier verlangsamen?«

»Da hast du allerdings recht.« Ein erneutes, langes Schweigen breitete sich aus.

Es schien nicht sehr viel mehr zu geben, was gesagt werden konnte. Die einfache Gleichung führte immer zum selben Ergebnis, egal, wie man rechnete. Im Werkzeugkasten war kein Schweißbrenner, also konnte sie das Metall vorn nicht wegschneiden.

Alphonsus sagte etwas, aber sie konnte sich nicht auf die Stimme konzentrieren. Sie saß da und schaute hinaus auf die zerklüftete Ebene, die mit Gesteinsbrocken übersät war und einen Krater bildete; sie döste still im gleißenden Licht des Tages. Und bald – in weniger als einer Stunde – würde sie auch zu dieser toten Landschaft gehören. Es schien so unglaublich zu sein; in einer Entfernung von kaum mehr als einem Zentimeter, direkt vor der Sichtscheibe aus Plastaform, war absolutes Vakuum, absolute Stille, absoluter Tod. Sie war eine Blase aus Gasen und Flüssigkeiten, Moschusgeruch und scharfem, salzigem Geschmack, Muskeln und Instinkten und *Leben.* Nur eine dünne Haut trennte sie von dieser schweigenden Welt, und bald würde der Abstand sogar noch geringer sein.

»Nikka Amajhi. Nikka Amajhi.«

»Ich bin immer noch hier.«

»Wir haben gerade versucht, uns etwas auszudenken, aber...«

»Es gibt nichts.«

»Hast du nichts Vorschriftswidriges in deinem Schlitten? Es geht nicht um die Vorschriften, aber du könntest doch vielleicht einen Brenner mitgenommen haben oder einige zusätzliche Werkzeuge oder...«

»Nein.«

»Also...« – Dringlichkeit schlich sich in seine Stimme ein –, »dann sieh dich einmal um. Es könnte etwas...«

»Eine Sekunde.« Nikka dachte hektisch nach. »Ich kann das Vorderteil *unmöglich* von den Sauerstoffflaschen wegstemmen. Du weißt doch, warum ich für diese ganze Beobachtungsarbeit ausgesucht wurde – ich bin leicht und klein, also brauche ich weniger Treibstoff. Mit roher Gewalt ist bei mir absolut *nichts* drin.«

»Wart mal... Nikka, wir haben da gerade eine Meldung von der Erde bekommen. Im Nordwesten der Vereinigten Staaten hat sich eine Atomexplosion ereignet. Offenbar kein Krieg. Eine Art Unfall.«

»Na und? Das ist mir doch scheißegal.«

»Wir könnten...«

»Ich *sterbe* gleich hier draußen, ihr Schweine!«

»Nikka, schau mal... Der entscheidende Punkt ist, daß die Erde jetzt von uns verlangt, wir sollen jeglichen Flugverkehr im Weltraum überwachen. Falls eine der Großmächte etwas im Schilde führt – na ja, mach dir nichts draus. Wir werden hier zwar ganz schön zu tun haben, aber wir werden dir alle Hilfe geben...«

»Schön, *wunderschön*! Halt bloß die *Klappe*! Ich frage mich... Dieses Wrack hier ist offensichtlich ein Schiff – vielleicht kann ich dort Hilfe bekommen. In es einbrechen. Etwas finden, das...«

»Klar, sicher, versuch alles...«

»Es wird mich wahrscheinlich auf der Stelle töten. Das ist immer noch besser, als... Ich gehe jetzt sofort rüber.«

Sie unterbrach die Leitung, ehe er noch etwas sagen konnte. Hingehen, nein; sie rannte, da sie wußte, daß der Mehrverbrauch an Sauerstoff nicht sehr hoch war. Sie spürte eine Woge von Energie, eine Beschleunigung des Pulses. Es war ein gutes Gefühl, wieder auf dem Boden zu stehen, frei, selbständig, nicht mehr zu fallen wie ein hilfloser, verwundeter Vogel.

Sie war so enthusiastisch, so überzeugt davon, daß das kupferne Ding die Rettung bedeutete, daß sie völlig unvorbereitet war, als sie geradewegs ins Nichts lief. Ihre Nase schlug gegen die Sichtplatte und füllte den Helm mit einem Regen von winzigen, roten Bluttröpfchen. Ihre Arme und Beine verhedderten sich, sie fiel hin.

Sie setzte sich auf und schüttelte den Kopf. Etwas summte in ihrem Ohr; es war ihr Lebenssystem, das über das Blut berichtete. Sie bearbeitete ein Regelgerät an der Hinterseite ihres Helmes, und ein Band beförderte in einer Vertiefung eine Pille mit einem Gerinnungsmittel in die Nähe ihres Mundes. Sie nahm sie ein, trank einen Schluck Wasser und hörte auf zu denken.

Es war schwierig, sich auf etwas zu konzentrieren. Ihr Kopf hämmerte, und sie hatte einen sandigen Geschmack im Mund. Der Aufschlag hatte die überschwengliche Gewißheit in ihr zerstört, doch sie zwang sich aufzustehen.

Zuerst glaubte sie, daß sie gestolpert sein mußte, doch nein – da waren Spuren im Staub, die zeigten, daß sie nach hinten gerutscht war. Sie mußte gegen etwas geprallt sein. Aber da war ... nichts ...

Sie machte einen Schritt nach vorn, streckte die Hände vor und spürte unzweifelhaft einen Druck gegen deren Innenflächen. Sie bewegte eine Hand nach oben und unten und jeweils mehrere Meter weit seitwärts. Irgend etwas Unsichtbares – bei dem Gedanken mußte sie fast lachen – drückte gegen ihre Hand. Nein, es drückte nicht, es war einfach *da*. Etwas Festes, eine Wand. Sie zog die Hand zurück und betrachtete den Handteller. Er sah seltsam gesprenkelt aus, braune und orange Klümpchen hingen an dem schwarzen Plastaform.

Teils aus Vorsicht, doch hauptsächlich weil sie etwas zu tun haben mußte, während sie versuchte nachzudenken, wandte sich Nikka um und ging zurück zum Schlitten. Die unsichtbare Mauer war wenigstens hundert Meter von der Kuppel entfernt, und sie begann zu ahnen, was sie war. Am Schlitten suchte sie ein langes Röhrenstück heraus, das durch den Aufprall losgerissen worden war, und ging wieder zur Wand. Sie schob die Röhre vor, berührte damit die Mauer und preßte das Stück kräftig gegen den Druck. Nein, es war keine feste Wand. Nikka konnte einen merkwürdigen, weichen Widerstand an ihr fühlen; das Rohr drang ein Stückchen in die Mauer ein und bewegte sich nicht mehr weiter, wenn sie nicht mehr stärker drücken konnte. Sie hielt das Rohr fest, wartete. Nichts schien zu passieren. Nach einigen Augenblicken zog sie das Röhrenstück zurück.

Das Ende des Aluminiumrohres war verformt, amorph. Es war geschmolzen. Irgendwie gab dieses Hindernis Wärme an den Gegenstand ab, der gegen es gepreßt wurde.

Trotz ihrer Ungeduld empfand sie plötzlich nackte, kalte Angst. Während sie die Röhre gegen den gleichbleibenden Widerstand drückte, drehte sie sich um und ging. Die unsichtbare Wand hatte kein Ende. Nachdem sie drei Minuten gegangen war, blieb sie stehen und sah zurück. Ihre Fußspur beschrieb einen weiten, sanft geschwungenen Bogen, in dessen Mittelpunkt die Kuppel stand. Sie blinzelte durch Schweißperlen, die ihre Augen brennen machten, und sie wünschte sich, sie könnte sie reiben. Es schien nichts anderes zu geben, was sie tun konnte, außer weiterzumachen. So ging sie auch das nächste Stück, spürte die Biegung der unsichtbaren Mauer auf, bis sie gegen einen Felsvorsprung am Fuße des Hügels stieß. Sie war der Kuppel kein bißchen näher gekommen, und mehrere Minuten waren verronnen.

Sie wandte sich um und ging zurück zum Schlitten; sie stolperte durch das graue, lose Gestein des Talbodens. Sie wußte mit grausamer Endgültigkeit, daß sie die Kuppel niemals erreichen, niemals etwas finden würde, das ihr helfen konnte. Eventuelle Hilfe lag in weiter Ferne. Sie hatte keine Möglichkeit, an die Reserveflaschen heranzukommen, selbst wenn man annahm, daß einige von ihnen nicht aufgeplatzt waren.

Ein seltsames Gefühl der Verzweiflung und des Grauens überkam sie, als sie sich umdrehte und das abgestürzte Schiff betrachtete. Fremdartig. Ein Feind.

Sie stolperte wieder, wirbelte Staub auf – war dies das erste Anzeichen von Sauerstoffschwund? Sie biß sich auf die Lippen. Zuerst bildete sich ein Kohlendioxidüberschuß, sagte sie sich; ihre Lungen würden eher darauf reagieren als auf den Sauerstoffmangel. Sie stieg über den Rand eines kleinen Kraters. Ein Stein war in ihn hineingerollt und hatte den Rand an einer Seite eingedrückt. Sie ließ sich an dem Stein herabgleiten und fand einen Platz, an dem sie sich setzen konnte. Sie bemerkte, daß sie keuchte. Ihr Atem hatte einen bitteren, herben Beigeschmack. Sie hoffte, daß es ein Zeichen der Erschöpfung war und nicht etwas Schlimmeres. Wieviel Zeit hatte sie noch? Sie sah auf die Uhr und versuchte, ihren Luftverbrauch abzuschätzen. Nein, darauf konnte sie sich nicht verlassen. Sie war gelaufen, hatte gearbeitet – ihr könnte jede beliebige Frist zwischen zehn und zwanzig Minuten bleiben.

Sie erinnerte sich an die Vorträge und die Diagramme über Sauerstoffentzug. Sie schienen in weiter Ferne zu liegen und unwirklich zu sein. Platzende Kapillaren, Herzüberlastung – nichts als Worte.

Sie verzog das Gesicht. Sie hatte nichts zu tun, außer hier zu sitzen und sich die Zeit zu vertreiben, auf den Tod zu warten. Das war ohnehin der Grund, warum sie überhaupt hier war; weil sie darauf wartete, daß sich etwas ereignete. Wenn sie sich gemeldet und gesagt hätte, daß sie diesen Job nicht haben wollte, dann hätten sie sie nicht hierhergeschickt. Ihre Flugreflexe waren ausgezeichnet, ja, sie war leicht; das alles hatten sie überprüft und noch mehr. Doch sie hatte immer ein ungutes Gefühl dabei, als ob ihr eine Fähigkeit fehlen würde, die die anderen besaßen. Vielleicht einfache technische Fertigkeiten – genaugenommen war sie Elektronikspezialistin, nicht Mechanikerin.

Aber sie war qualifiziert, sie konnte die für Wasserbohrungen geeigneten Stellen von oben aus erspähen und geschickt um sie herumfliegen, um sie genauer zu betrachten. Sie war jung, hatte Geduld und Ausdauer und war zuverlässig. Also begann sie mit den Flügen und gewöhnte sich an sie; sie kam und ging zu ihren eigenen Zeiten mit dem angenehmen, überheblichen Gefühl, daß sie nach Belieben auf dieser Welt herumreisen konnte, wogegen andere ihre ganze Zeit in engen Laboratorien verbrachten, die zehn Meter unter der grauen Oberfläche des Mondes vergraben lagen.

Sollte man eine halbe Million Kilometer weit fliegen, hatte sie ihren Eltern gesagt, um im Inneren eingesperrt zu werden? So wenig von diesen unfaßlichen Rätseln um sie herum zu sehen, keinerlei Abenteuer zu erleben? So dachte sie, fühlte sich dabei fantastisch, und vergaß die Gefahren.

Es war einfach, sich an den alltäglichen Trott zu gewöhnen, genauso wie es so herrlich leicht war, die Kunststücke zu erlernen, die mit dem Schlitten ausgeführt werden konnten, sich die stoppelige grüne Karte einzuprägen, sich auf den Start vorzubereiten.

Unten auf der Erde war es vorher mit Toshi ebenso gelaufen. Sie hatte sich nicht gerührt, da sie sich ihres Status' sicher gewesen war, davon überzeugt, daß Alicia keine Bedrohung darstellte, und das Mädchen nahm ihr Toshi weg, fast ohne sich dafür anstrengen zu müssen. Sie hatte Alicia ihn nehmen *lassen,* es leichter gefunden, zu schweigen und freundlich zu sein und zu lächeln. Auf die gleiche Weise war ihr dieser Job aufgedrängt worden, und jetzt würde sie dafür sterben, ihren letzten Atem aushauchen, weil sie vor hitzigen Auseinandersetzungen zurückschreckte, dieses heftige, nervöse Zusammenkrampfen des Magens nicht ertragen konnte...

Langsam, sehr langsam stand sie auf. Die Idee war nur ein schwacher Schimmer, aber während sie sie sich durch den Kopf gehen ließ, wurde sie greifbar.

Aber würde sie den Schlitten hochheben können? Sie hatte es nie probiert. Gab es eine Möglichkeit, das zu schaffen? Alphonsus würde es wissen, sie hatten mehr Erfahrung in solchen Dingen, sie könnte anrufen und fragen – Unsinn, nein, dafür war keine Zeit. Sie wandte sich um und begann ruhig zu gehen, gleichmäßig, um Kraft zu sparen. Der Staub knirschte unter ihren Stiefeln, und sie musterte den Schlitten gründlich, während sie sich ihm näherte.

Schwarze Schatten verbargen einige Einzelheiten, aber sie war sicher, daß die Schnappverbindungen nahe dem Liegesessel nicht beschädigt worden waren. Der Schlitten war so gebaut, daß er schnell zerlegt werden konnte; er war in Module aufgeteilt, die sich einzeln für die Wartung ausbauen ließen.

Ihn hochheben? Unmöglich; er wog fast eintausend Kilogramm. Nikka begann zu arbeiten. Sie unterbrach Röhrensysteme und Leitungsnetze und nahm mehrere Versorgungsbehälter ab. Sie arbeitete zügig, planvoll, berechnete jede Bewegung, um möglichst wenig Kraft aufzuwenden. Jede Verriegelung war noch intakt, jede Verstrebung ließ sich abklappen. Die Schnappverbindungen sprangen sauber auf, und der Schlitten zerbrach in zwei Teile. Die zertrümmerte Masse des Vorderteils war freigelegt.

Die Landeräder waren hoffnungslos zermalmt, doch der vordere Abschnitt war leichter als die restlichen zwei Drittel des Schlittens; der Ionenantrieb machte den größten Teil der Masse des Schlittens aus.

Nikka ging um ihn herum zu dem verbogenen Stoßfänger und entdeckte zwei gute Griffmöglichkeiten. Selbst wenn sie sich in der niedrigen Schwerkraft vorbeugte, konnte sie sich immer noch einen festen Stand bewahren, wenn sie die dünne Staubschicht unter ihren Stiefeln abwischte. Sie konzentrierte sich, packte fest zu und zog. Das Schlittenfragment schien Widerstand zu leisten, es saß an einem kleinen Felsstück fest, und dann rutschte es, rutschte durch den Staub. Sie stöhnte, zog, es rutschte weiter. Der Staub war ein gutes Gleitmittel, und nachdem sie das Schlittenteil erst einmal in Bewegung gebracht hatte, rutschte es immer mit einem Zug mehrere Meter weit.

Allmählich arbeitete sie sich an den Bergabhang heran. Das Schlittenstück hinterließ im bräunlichen Staub eine gezackte Spur, und sie verfiel in einen bestimmten Rhythmus – ziehen, zwei Schritte vorwärts machen, Staub beiseite wischen, damit sie auf dem darunterliegenden Gestein festen Halt finden konnte, wieder ziehen. Ihre Arme und Beine waren überanstrengt, und auch ihr Rücken schmerzte. Ihre Luft begann schlecht zu werden, sie schwappte mit ihrem Eigengewicht durch den Helm. Es war ein langer, mühseliger Kampf bis zu dem unsichtbaren Schirm, doch jeder Schritt brachte sie näher an ihn heran, und nach einer Weile ließ ihre Euphorie das Schlittenteil leichter werden. Sie glaubte fest, daß sie hören könnte, wie das Messing über das Gestein schrammte, wobei sich dann Messingstaub mit dem knirschenden Staub am Boden vermischte.

Sie hätte doch Alphonsus anrufen sollen. Sie sollten wissen, was sie im Augenblick tat. Aber sie würden die Kuppel schon finden, ob sie sie nun rechtzeitig erreichten oder nicht. Sie war vollkommen allein; ihr Leben hing allein von ihrer eigenen Anstrengung ab.

Nikka keuchte schwer, als sie endlich die unsichtbare Grenzlinie erreichte. Sie lief in sie hinein, so daß ihre Nase gegen die Sichtscheibe gedrückt wurde. Sie erinnerte sich an die blutige Nase und bemerkte zum erstenmal das klumpige, geronnene Blut in ihren Nasenlöchern. Es kam ihr vor, als wäre das vor einem Jahr passiert.

Sie blieb stehen und untersuchte die Luftbehälter, wobei sie diejenigen aussortierte, die augenscheinlich Risse oder tiefe Schrammen hatten. An einer Seite waren zwei, die unversehrt zu sein schienen, doch sie konnte die Druckmesser nicht ablesen, da sich verbogenes Metall über sie krümmte. Nikka brauchte nur einen Augenblick, um sich zu entscheiden; sie nahm eine Verstrebung ab und schob sie unter das Schlittenteil. Wenn sie sich gegen die Verstrebung lehnte, drückte sie das Vorderende des Schlittens gegen den unsichtbaren Schirm.

Sie konnte nicht sicher sein, ob es funktionieren würde. Das Aluminiumrohr war zwar geschmolzen, doch der Schlitten bestand auch aus Stahl und Metallegierungen, die vielleicht nicht schmelzen würden. Sie lehnte sich so gegen die Verstrebung, daß der Druck auf den Teil des Schlittens gerichtet blieb, der den Flaschen am nächsten war. In einer höheren Schwerkraft wäre sie nicht dazu imstande gewesen, den Schlitten zu heben, auch nicht mit der Verstrebung als Hebelarm, doch auf dem Mond konnte sie es. Ihre Schultern schmerzten.

Flinke Flammenpfeile schossen ihren Rücken hinunter. Sie konnte keine Veränderung am Stoßfänger des Schlittens erkennen, doch dann rutschte er ein wenig nach links. Sie veränderte ihre Stellung entsprechend, verschob die Verstrebung, damit sie das Gewicht des Schlittens abstützte, und bemerkte danach, daß eine dunkle Flüssigkeit langsam an der Stelle herabtropfte, wo der Schlitten vorher gewesen war. Es mußte flüssiges Metall sein, das an der Außenseite des Schirms herablief. Nikka wuchtete die Verstrebung in eine steilere Lage und verstärkte so den Druck.

Nach einigen Augenblicken begann die Vorderseite des Schlittens zu verschwimmen und zusammenzulaufen. Das verzogene Metall bog sich an einer Stelle durch, dann an einer anderen. Mit quälender Langsamkeit begann ein kleines Rinnsal aus flüssigem Metall an der Außenseite des unsichtbaren Schirms herabzutropfen. Ein feiner, grauer Dampf strömte von ihm aus. Das herabfließende Metall sammelte sich in kleinen Pfützen im Staub. Der Schlitten kippte wieder – jedesmal verlagerte Nikka ihr Gleichgewicht entsprechend, kantete die Verstrebung in eine günstigere Stellung und erhielt den Druck aufrecht.

Durch den Schweißfilm auf ihrer Sichtscheibe schätzte sie das sich verändernde Gewicht des Schlittenteils ab und versuchte dann, diese Änderung auszugleichen. Die Luft im Helm wurde stickig und drückend. Sie mußte sich anstrengen, um ihre Aufmerksamkeit zu erhalten. Gelegentlich sah sie kurz zu der gequetschten Kupferkuppel vor ihr auf. Vor ein oder zwei Stunden hatte sie sie noch nie gesehen, hatte niemals vermutet, daß sie bei einem selenografischen Beobachtungsflug etwas so Seltsames und Fremdartiges entdecken würde. Wenn sie überhaupt hier herauskäme, dann würde sie erforschen, was diese Kuppel eigentlich war und warum sie ein Schirm umgab. Vielleicht funktionierten ihre Verteidigungssysteme nur sporadisch, ohne zu wissen, was sie taten.

Der Schlitten neigte sich erneut nach links, und sie brachte die Verstrebung hastig auf die andere Seite, um ihn wieder schräg zu stellen. Das flüssige Metall lief jetzt in einem stetigen Strom; eine Dunstwolke bildete sich über dem Schlitten. Das verzogene Metall gab langsam nach, wellte sich und floß weg; durch einen plötzlichen Sog schmolz das letzte Hindernis vor den Sauerstoffflaschen und war beseitigt.

Nikka ließ die Verstrebung fallen und kletterte ungestüm über den Schlitten. Sie zerrte an den Sauerstoffflaschen, doch sie wollten sich nicht lockern. Sie beugte sich vor, spürte, wie ihr das Blut plötzlich in den Kopf schoß, und bemühte sich, deutlich sehen zu können. Ein Rohr hatte sich vor die Flaschen geschoben und preßte sie in ihre Halterungen. Sie versuchte das Rohr zu entfernen, indem sie es wegdrückte; vergeblich. Es saß fest.

Sie kletterte mühsam vom Schlitten herunter und fand neben ihm die Verstrebung wieder. Wenn sie sie gegen einen Felsbrocken drückte – da, da war einer – und den Schlitten kippte, so; ja, er hob sich dann wieder und richtete das Rohr gegen den unsichtbaren Schirm. Sie schob die Verstrebung unter den Schlitten und drehte ihn dann nach und nach, bis die Stelle, an der das Rohr saß, nahe dem Schirm war, damit sie ihr Körpergewicht einsetzen und den Schlitten so noch stärker kippen konnte. Sie stemmte sich mit aller Kraft dagegen; der Schlitten gab etwas nach, und dann berührte das Rohr den Schirm. Ihre Hände wurden fest gegen das Rohr gepreßt, und sie konnte sehen, daß ihr rechtes Handgelenk langsam gegen den Schirm gedrückt wurde. Das Gewicht des Schlittens verlagerte sich weiter und hielt ihre Hand fest.

Sie mußte sich entscheiden – den Schlitten fallen lassen, von vorn beginnen, oder die Hitze sowohl auf das Rohr als auch auf ihre Hand einwirken lassen. Sie beschloß, wie bisher weiterzumachen. Das Rohr war bereits heiß; sie konnte sehen, wie Dampf aufstieg, als das Metall wegschmolz. Sie verlagerte ihre Hand so gut sie konnte, um den Druck zu verringern, doch ganz beseitigen konnte sie ihn nicht.

Sie wartete, stellte wieder ihre Füße um und musterte das Rohr sorgfältig. Seine festen Kanten begannen formlos zu werden und zusammenzulaufen. Sie konnte ihre rechte Hand nicht fühlen. Nikka versuchte, ihre Finger zu bewegen, und spürte als Belohnung eine schwache Empfindung. Sie riß sich zusammen und zog so stark, wie sie nur konnte, an dem Rohr. Langsam gab es nach, krümmte sich von der unsichtbaren Wand weg, und durch den Druck sprang eine Sauerstoffflasche aus ihrer Halterung.

Sie keuchte. Sie griff hastig nach der Flasche, während sie noch über den Schlitten rollte, und öffnete ihr Sicherheitsventil. Auf der zertrümmerten Skala ließ sich keine Reaktion ablesen. Sie hielt einen Finger vor die Ausströmöffnung und spürte keinen Druck. Die Flasche war leer. Ohne nachzudenken, ohne sich auch nur die geringste Verzweiflung zu gestatten, griff sie nach der nächsten Flasche.

Das Rohr drückte sie immer noch in ihre Halterung, doch Nikka bog es weg, und die Flasche sprang heraus. Das wär's, dachte sie. Es gab keine weiteren Flaschen mehr, die noch nicht aufgeplatzt waren. Nikka löste die Sperre, und der Druckmesser zeigte positive Werte. Ohne zu zögern, schwang sie die Flasche herum zu ihrem

Rückenträger und schraubte automatisch die Leitungsverbindungen an.

Der Luftschwall umspülte sie als kühler, stetiger Strom. Sie brach über dem Schlittenteil zusammen, achtete nicht auf den unsichtbaren Schirm; das Gestrüpp aus Metallteilen, das sie sogar durch ihren Anzug schmerzhaft spürte; das grelle Licht der Sonne über ihr. Die Flasche reichte wenigstens drei Stunden. Wenn sie sich ausruhte und wenig bewegte, könnte Alphonsus sie rechtzeitig erreichen.

Etwas brannte an ihrem Handgelenk, und sie hob den rechten Unterarm, um es zu betrachten. Über dem bunt gesprenkelten Plastaform war ein roter Fleck, der größer wurde.

Das Brennen verstärkte sich zu einem dumpfen, hämmernden Schmerz. Während sie sich die Stelle ansah, lief das Blut an ihrem Handgelenk entlang bis hinunter zu ihrem Ellbogen. Sie lag vollkommen bewegungslos da. Ihr Blut strömte in den leeren Raum. Ihr Anzug lag dicht an ihrer Haut, deshalb spürte der Rest ihres Körpers nicht sofort einen Druckabfall.

Als sie das Blut betrachtete, bildeten sich in ihm mehrere Bläschen, die langsam zerplatzten. Ein feiner Dunstschleier stieg von ihrer Hand auf, während das Blut verdampfte.

Sie starrte es betäubt an. Dem Vakuum ausgesetzt zu sein, bedeutete zweifellos den Tod. Wie lange würde es dauern? Ein plötzlicher Druckabfall müßte zur Taucherkrankheit führen. Wie lange? Eine Minute, vielleicht zwei? Sie atmete tief durch, und die Luft tat ihr gut. Sie konnte wieder klar denken und sah erneut zu der Kuppel hinauf. Sie schien drohend über ihr aufzuragen.

Blut gegen Metall. Leben gegen Maschine. Sie hob die Füße und ließ sich vom Schlitten herunterrollen. Ihre Ohren knackten; ihr Körperdruck fiel. Es waren hundert Meter bis zum Schlitten. In ihrem Reparaturkasten waren Klebeband und Spezialpflaster – etwas, um die Wunde abzudichten.

Sie machte einen Schritt. Der Horizont wackelte wie närrisch, und sie verlor fast das Gleichgewicht. Hundert Meter, ein Schritt nach dem anderen. Konzentrier dich auf einen, nur auf einen! Ein Schritt nach dem anderen.

Ihre Ohren knackten wieder, doch inzwischen war sie in Bewegung. Scharlachrote Tropfen klatschten in den Staub. Der Schmerz hatte sich in einen flammenden Speer verwandelt.

Sie rutschte aus und erlangte schnell ihr Gleichgewicht wieder, und während dieser Bewegung sah sie einen Augenblick lang zurück. Die schweigende und unpersönliche Kuppel kauerte über ihr. In weniger als einer Stunde hatte sie ihr so viel angetan, sie an den Rand des Todes gebracht; vielleicht konnte die Kuppel noch mehr. Aber sie war endlich für ihr eigenes Leben verantwortlich. Sie würde nicht mehr einfach alles mit sich geschehen lassen. Und sie wollte verdammt sein, wenn sie jetzt sterben würde.

4

Mr. Ichino stellte seine Lunchtüte neben sich und legte sich in das büschelige Gras, das hier an einigen Stellen wuchs. Er verschränkte die Hände unter dem Kopf und schaute zu dem Baldachin hoch, den der wuchtige Pfefferbaum bildete, der leise in einer schwachen mittäglichen Brise raschelte. Gelbe Tupfen aus Sonnenlicht sprenkelten ihn; sie bewegten sich und tanzten auf ihm. Mr. Ichino empfand eine innere Ruhe, die daher rührte, daß er eine Entscheidung getroffen und sie damit ein für allemal hinter sich gebracht hatte. Er vermutete, daß Nigels Anruf aus Houston ihn davon abhalten sollte, an jenem Endpunkt anzulangen und seine Kündigung einzureichen. Aber wenn es so wäre, dann kam Nigels Initiative zu spät. Mr. Ichinos Brief kroch inzwischen über den Dienstweg, und in einem Monat würde er von aller Anspannung befreit sein, die er bei seiner Arbeit spürte; dann könnte er etwas sorgloser durch die Jahre gehen, die ihm noch blieben. Wie viele Jahre das genau sein könnten, war eine weniger wichtige Frage, obwohl in dieser Zeit Krankheiten auftraten, deren Ursache Umweltverschmutzung war, was nicht gerade ermutigend wirkte. Er hatte nie geraucht und immer sorgfältig darauf geachtet, was er aß, so daß...

»Tut mir leid, daß ich zu spät komme«, erklang Nigels Stimme über ihm.

Mr. Ichino blinzelte träge und verließ seine Überlegungen. Er nickte. Nigel setzte sich neben ihn.

»Es hat verdammt lange gedauert, bis ich vom Flughafen in die Stadt gekommen bin.«

»Verstehe.«

»Unterwegs habe ich noch einen Happen gegessen«, sagte Nigel und deutete auf Mr. Ichinos Papiertüte. »Laß dich nicht aufhalten.«

Er setzte sich auf und entfaltete vorsichtig das Papier, in das sein

Sandwich und sein Gemüse eingewickelt waren. »Dann hattest du also eigentlich gar nicht vor, hier zu essen?«

»Nein.« Nigel warf ihm einen unglücklichen Blick zu. »Als ich anrief, mußte ich irgendeinen Grund haben, um dich von den JPL loszueisen. Ich wollte nicht, daß sich irgend jemand fragte, worüber wir redeten, falls das Gespräch mitgehört wurde.«

»Und warum das?«

»Also, zunächst einmal war deine Voraussage hundertprozentig richtig.«

»Welche?«

»Die NASA wir die Marginis-Operation so intern abwickeln, wie es nur geht. Sie werden Veteranen wie mich einsetzen – sie müssen. Es gibt nicht so furchtbar viele jüngere Burschen, die für eine Vielzahl von Tätigkeiten ausgebildet sind.«

»Die Zylinderstädte sind zu stark spezialisiert?«

»Das behauptet die NASA.«

»Hört sich nach einem schwachen Argument an.«

»Solche Fragen werden nicht streng *logisch* behandelt. Es geht um Politik.«

»Die alte Garde.«

»Zu der ich, glücklicherweise, gehöre.«

»Du hast Erfolg gehabt?«

»Stimmt.« Nigel strahlte. »Ich muß mich mit einer Unmenge von Übertragungsproblemen bei Computerzeichensystemen und ähnlichem Zeug herumschlagen.«

»Du kennst den Bereich gut.«

»Nicht gut genug, behaupten die Spezialisten.«

»Die Spezialisten möchten gerne selbst hinfliegen«, murmelte Mr. Ichino gelassen.

»Richtig. Daraus folgt, daß dort im Augenblick eine Runde Kehleaufschlitzen angesagt ist. Ich mußte aufpassen, um nicht auf dem Blut auszurutschen.«

»Doch du hast es überlebt.«

»Ich habe eine Menge alter Rechnungen beglichen.«

»Das Vermächtnis von Mister Evers.«

Nigel grinste verschmitzt.

»Weißt du, ich habe das nie wirklich gebilligt«, sagte Mr. Ichino vorsichtig.

»Ich platze deswegen nicht gerade vor Stolz.« Nigels Stimme klang jetzt unschlüssig, behutsam.

»Indirekt haben wir alle ein Komplott geschmiedet, um die Wahrheit zu verbergen.«

»Ich weiß.« Nigel nickte mit einer Andeutung von Müdigkeit. »Aber es war notwendig.«

»Um die NASA zu schützen.«

»Das war der *Haupt*effekt. Mir ging es um den *Neben*effekt – die NASA davor zu bewahren, von Außenstehenden zerfetzt zu werden, damit sie freie Hand und einen größeren Haushalt haben würde. Geld, um den Mond zu erforschen.«

»Und deine Theorie hat sich als richtig erwiesen.«

»Na ja…« Nigel zuckte die Achseln. »Eine Menge anderer Leute meinten das gleiche. Daß dieses Wrack gefunden wurde, war reiner Zufall.«

»Das Mädchen wäre nicht dahin geflogen, wenn man die Mittel für das Mondprogramm nicht aufgestockt hätte.«

»Ja. Ein famoser Syllogismus, hm? Logisch bis zum letzten erlösenden Komma.« Nigel lachte leise mit unechter Heiterkeit.

»Du bist nicht überzeugt?«

»Nein.«

»Es hat gut geklappt.«

»Ich lüge nicht gern. Eine Lüge, das ist es gewesen, das ist es auch heute noch. Und man kann nie sicher sein, das ist der Haken. Wir *glauben*, daß die Politiker und die Öffentlichkeit und die Neuen Jünger und Gott weiß wer noch alles, wir *glauben*, daß sie entsetzt wären, wenn sie erführen, daß Evers dem Schnark eine Bombe geschickt und ihn so vertrieben hat. Und unsere Chance versaut. Verdammt, nach allem, was er wußte, hätte er ein Blutbad riskieren können! Und an dem Nachspiel hätte die NASA zugrunde gehen können, so daß wir niemals nach dem Wrack im Mare Marginis hätten suchen müssen. Aber wir *wissen* nicht, daß das geschehen wäre.«

»Das kann man nie.«

»Stimmt. Stimmt.« Nigel bewegte nervös die Finger, verschob die Beine und setzte sich um, starrte schwermütig zu den Gruppen von Menschen hinüber, die im Park zu Mittag aßen. Mr. Ichino spürte die ungelöste Anspannung in diesem Mann und wußte, daß Nigel noch mehr zu sagen hatte. Er deutete zum westlichen Horizont. »Schau mal!«

Eine mittägliche Zerstreuung. Ein flinkes Kunstflugzeug begann eine Wolkenplastik. Der Pilot zerhackte, beschnitt, verschob und teilte die sahnefarbene Haufenwolke. Ein Wesen kam zum Vorschein: gewundener Schwanz, übergroße Rückenflossen, baumwollartige, runde Knäuel als Füße. Der Zeitpunkt für das Ereignis war bewundernswert gut gewählt – als das Flugzeug die verbleibenden Wölkchen wie ein Schäfer an die richtigen Stellen trieb, um den Kopf mit der Schnauze zu vollenden, verdunkelten sich die Augen unheilvoll. Die Augäpfel weiteten sich und färbten sich purpurn, und plötzlich zuckten Blitze zwischen sie, die den Alabasterdrachen mit Lebendigkeit erfüllten. Während eines Augenblicks zerriß eine Front von Gewitterwolken das Tier in zwei Hälften; die düsteren Wolken wühlten es auf. Donner rollte über den Park. Über Los Angeles begann ein diesiger Regenschauer.

Als Mr. Ichino wieder Nigel ansah, konnte er an dessen neuer Körperhaltung ablesen, daß ein Teil seiner Anspannung gewichen war. An ihre Stelle war Nigels gewohnter nachdenklicher Enthusiasmus getreten.

»Du hast noch mehr erfahren können?« fragte Mr. Ichino.

»Eine Menge«, sagte Nigel geistesabwesend. »Oder besser, eine Menge negativer Ergebnisse.«

»Über Wasco?«

»Richtig. Den ›Wasco-Vorfall‹, wie er offiziell heißt. Man kann es nicht als Bombe bezeichnen, weil niemand sie abgeworfen hat. Das Ding lag ungefähr einen Kilometer tief im Fels vergraben. Es müssen an die dreißig Megatonnen gewesen sein. Eine reine Wasserstoff-Explosion.«

»Ich habe gehört, daß es wenig Strahlung gab.«

»Überraschend wenig, ja. Es war sauberer als jede Bombe, die wir kennen.«

»Es war keine von uns.«

»Nein, zweifellos keine von uns. Die offizielle Version lautet, daß zahlreiche Experten glauben, es sei ein Fall von menschlichem Versagen gewesen, aber ich habe nie jemanden getroffen, der ihnen das abkauft. Nein, es war etwas Außerirdisches. Es wurde von dem Wrack im Mare Marginis zum gleichen Zeitpunkt gezündet, als dieses Beobachtungsschiff eins null fünf weggepustet wurde.«

»Aber warum? Falls das Wrack glaubte, daß es angegriffen werde...«

»Such bei diesen ganzen Ereignissen nicht nach einem logischen System. Es handelt sich um ein unzuverlässig funktionierendes Schiff, Punkt. Es erwischte um ein Haar dieses Mädchen, schoß dann eins null fünf ab, und irgendein Dauerbefehl in ihm ließ es die Wasco-Explosion auslösen. Das wasserstoffbombenartige Ding war da, wahrscheinlich gehörte es zu einem Waffenlager oder einer Basis – es ist doch alles ein einziger Wirrwarr, ein Haufen von Vermutungen. Hundertprozentig sicher wissen wir herzlich wenig.«

»Sind denn die Leute, die an dem Wrack arbeiten, nicht in Gefahr, wenn sie so wenig darüber wissen, was diese Explosion verursacht hat?«

»Vermutlich. Obwohl das Wrack nach einer Seite hin blind ist – der Berg, an dem es hängt, verdeckt den größten Teil des Himmels in dieser Richtung. Dadurch haben ja diese drei Burschen das Mädchen rechtzeitig erreicht. Sie flogen mit einer Raumfähre in niedriger Höhe über das Mare Crisium, landeten auf der Rückseite des Hügels und gingen einfach um ihn herum. Das Wrack feuert offensichtlich auf nichts, was sich am Boden befindet. Und so trugen sie sie weg – sie hatte zwar einen Schock, doch der war reparabel.«

»Sie haben nicht versucht, den unsichtbaren Schirm zu durchdringen?«

»Sinnlos. Wenigstens zu dem Zeitpunkt. Einige Physiker haben den Schirm inzwischen abgeklopft – sie behaupten, es handele sich um ein elektromagnetisches Hochfrequenzfeld mit unglaublicher Energiedichte – aber sie haben nichts weiter herausbekommen.«

»Aha.«

Nigel warf ihm einen verstohlenen Blick zu. Mr. Ichino lächelte. Der Wind, der leise durch den Park rauschte, bewegte die Äste des Pfefferbaumes und streifte sie sanft. »Und was hast du jetzt vor, Nigel?«

»Das liegt doch auf der Hand, hm?« sagte er unbewegt.

»Du weißt, daß ich aus der NASA ausscheide. Ich kann nicht mehr länger an diesem Rätsel arbeiten.«

»Ich weiß, aber ...«

»Du glaubst doch hoffentlich nicht, du könntest mir das ausreden?«

»Nein, so verbohrt bin ich nicht. Aber du irrst dich, wenn du meinst, dich ginge das alles nichts mehr an.«

Mr. Ichino runzelte die Stirn. »Wieso?«

Nigel beugte sich erwartungsvoll vor. »Ich habe den vorläufigen Untersuchungsbericht über den Krater von Wasco gelesen. Er ist ein riesiges Loch, und das Land ist in einem Umkreis von fünfundsiebzig Kilometern vollkommen eingeebnet. Aber da hört die Detektivarbeit auch schon auf. Wozu auch immer dieses Bombending gehört hat, es ist vernichtet.«

»Natürlich. Dort ist nichts, was uns weiterhelfen könnte. Die einzig mögliche Forschungsarbeit muß auf dem Mond geleistet werden.«

»Vielleicht, vielleicht«, sagte Nigel gelassen. »Aber nehmen wir einmal an, daß bei Wasco *tatsächlich* etwas gelagert wurde. Warum? Es wäre doch einfacher gewesen, das Zeug auf dem Mond zu verbuddeln.«

»Es sei denn, man arbeitet auf der Erde.«

»Genau. Also, wir haben keinen Hinweis darauf, wie alt dieses Wrack ist. Wahrscheinlich hatte es vorher eine Art Tarneinrichtung, deshalb entdeckte niemand es bei der Suche im Mare Marginis. Aber wenn das Wrack schon ziemlich lange da gewesen ist, dann könnte es in früheren Zeiten Operationen *auf der Erde* gegeben haben.«

»Und du möchtest nach Spuren solcher Operationen suchen?«

»Äh... ja.«

»Interessant.«

»Die Frage ist doch nur, wo du dich zur Ruhe setzt.«

Mr. Ichino warf ihm einen verdutzten Blick zu.

»Na ja, sagen wir einmal, du verbringst einen Teil dieses Winters in den Wäldern im Norden.« Nigel breitete die Arme aus und zuckte die Achseln, dies war seine Geste für Das-ist-doch-eigentlich-ganz-einleuchtend. »Und schaust nach, ob da irgendwelche Geschichten über ungewöhnliche Vorgänge kursieren.«

»Das klingt ausgefallen.«

»Das *ist* ausgefallen.«

»Glaubst du ernsthaft, daß dieses Unternehmen eine vernünftige Erfolgswahrscheinlichkeit hat?«

»Nein. Aber wir *sind* ja gar nicht vernünftig. Wir versuchen, etwas zu erraten, das fast nicht zu erraten ist.«

»Nigel.« Mr. Ichino beugte sich aus seiner Zazen-Stellung vor und berührte Nigels Handgelenk. Die Augen Nigels waren ernst, erregt. In dieser dynamischen Anspannung lag etwas, das Mr. Ichino in sich selbst wiedererkannte, das ihm vor Jahrzehnten eigen gewesen war. Nigel war auch immerhin neun Jahre jünger als er. »Nigel, ich möchte zu einem Abschluß kommen. Hier empfinde ich keinen inneren Frieden.«

»Wenn du es versuchen würdest, könntest du vielleicht an dem Wrack im Mare Marginis arbeiten.«

»Nein. Mein Alter, mangelnde Erfahrung – nein.«

»Also gut, zugegeben. Aber du kannst einen wichtigen Beitrag leisten, indem du dieser mißlichen Kleinigkeit nachspürst – dort oben kann etwas sein, das uns weiterhilft. Eine Spur, ein Überrest – ich weiß nicht.«

»Die NASA wird es herausbekommen.«

»Da bin ich mir keineswegs so sicher. Und selbst wenn – müssen wir damit rechnen, daß sie es weitererzählen? Wo doch die Neuen Jünger heute so einflußreich sind?«

»Ich verstehe.« Mr. Ichinos Gesicht wurde geistesabwesend und ausdruckslos, doch konzentriert. Er leckte seine Lippen. Er sah um sich, betrachtete den friedlichen Park, in dem in der Ferne die sommerliche Hitze die Luft flimmern ließ. Er bemerkte, daß ihm Nigel klugerweise Zeit ließ, damit die Worte und Argumente wirken konnten. Mr. Ichino grübelte immer noch, war unsicher. Er beobachtete die Menschen, die um sie herum aßen und sich ausruhten; der Wunsch, ungestört sein zu wollen, schrieb die Abstände vor, in denen sie über den smaragdgrünen Rasen verstreut waren. Büroangestellte, Zeitungsleser, Verlorene, Fürsorgeempfänger, die Älteren, Studenten, die Todgeweihten; sie alle nahmen die versöhnliche Sonne auf. Den gepflasterten Weg entlang kamen Geschäftsleute, immer zu zweit, immer in ein Gespräch vertieft, bestrebt, nicht hier zu sein, bestrebt, irgendwohin zu gelangen, unterwegs in einem fremden Tag. Alltäglich. Gewöhnlich. Inmitten dieser unbarmherzig durchschnittlichen Welt vom Fremdartigen zu sprechen, vermittelte ein so seltsames Gefühl. Er fragte sich, ob Nigel raffinierter war, als es den Anschein hatte; irgend etwas in dieser Atmosphäre ermöglichte es Mr. Ichino, seine Meinung zu ändern.

»Also gut«, sagte er. »Ich werde es tun.«

Nigel lächelte, und aus den Ecken seiner hochgezogenen Mundwinkel strömte eine grenzenlose, kindliche Freude; eine gereifte Hoffnung; eine frohe Vorahnung; eine wiedergewonnene Kraft.

1

Nigel betrachtete die Faxschirm-Notiz mit zusammengekniffenen
Augen:

Standort 7 (Bei Mare Marginis)

8. Oktober 2018

An: John Nichols, Mondbasis Alphonsus

BERICHT ÜBER PROJEKTDURCHFÜHRUNG

Festlegung von Wechselschichten für Untersuchung des außerirdischen Computersystems.

Team eins: Hauptaufgabe: forschende Bestandsaufnahme unter
Verwendung direkter Ausdrucke.

J. Thomson – Analyse

V. Sanges – Elektronikspezialist

Team zwei: Hauptaufgabe: Übersetzung. Suche nach Analogien zu
Strukturelementen irdischer Sprachen (wie z. B. Prädikat-Subjekt,
Wiederholung bestimmter Silbenmuster etc.) in visuellen
›Sprach‹folgen.

A. Lewis – Linguistik

D. Steiner – Elektronikspezialist

Team drei: Hauptaufgabe: Entwicklung von allgemeinem For-
schungsprogramm. Übermittlung der Ergebnisse an die Teams eins
und zwei.

N. Walmsley – Spezialist für Computer-

und Sprachsysteme

N. Amajhi – Elektronikspezialistin

Die Arbeiten werden nach einem kontinuierlichen Arbeitsplan rund
um die Uhr durchgeführt, sieben Tage in der Woche. Wichtige Ergebnisse werden per Richtlaser direkt zur Mondbasis Alphonsus
weitergeleitet. Der Strahl wird von Synchronsatellit C reflektiert,
der seit 23. Sept. für diese Verbindung geschaltet ist (Mehrkanal-
technik). Wir sind davon in Kenntnis gesetzt, daß Mondbasis Alphonsus einen Kanal für die direkte Verbindung zu Kardenskys
Projektforschungsgruppe in Cambridge reservieren wird, die darüber ihre Arbeitsergebnisse und, soweit erforderlich, zusätzliches
Datenmaterial aus ihrer Bibliothek übermitteln soll.

Mit dieser Mitteilung wird den Anweisungen des Sonderausschus-
ses des Kongresses entsprochen, die am 8. September 2018 verab-
schiedet worden sind.

(gezeichnet)
José Valeria
Koordinator

Nigel spitzte den Mund. Hinter der Fachsprache verbargen sich
einige interessante Punkte. Das Grundmuster der Gruppe war der
intensiv arbeitende Kern mit einem breitangelegten Unterstüt-
zungssystem, das Modell, das von den meisten Forchungstheoreti-
kern bevorzugt wurde. Die drei Teams waren der harte Kern. Er
konnte sich auf eine strapaziöse Zeit gefaßt machen; der Druck von
der Erde her würde gewaltig sein.

Doch was am wichtigsten war, ihm war der Posten neben Nikka
Amajhi zugewiesen worden.

Nigel nickte und wandte sich vom Faxschirm ab. Der Korridor
war leer; tatsächlich hatte der gesamte Hauptabschnitt von Standort Sieben einen fast völlig verlassenen Eindruck gemacht, seit er
vor vier Stunden angekommen war. Der größte Teil der Mannschaft
grub weitere Gänge. Nigel trottete den röhrenförmigen Korridor
entlang und orientierte sich anhand des Lageplans. Da, das war der
Arbeitsbereich. Er fand schnell die richtige Tür und ging hinein.

In einer Ecke saß eine schlanke Frau, die an einigen elektronischen Geräten herumbastelte. Der Raum war abgedunkelt, damit
man an den beiden wuchtigen Konsolen, die vor der gegenüberliegenden Wand standen, möglichst gut sehen konnte. Hier war der
Nexus der Arbeit, die geleistet werden sollte. Die Frau blickte beiläufig auf.

»Verlaufen?«

»Das ist gut möglich.«

»Der nächste Plan ist bei – oh. Einen Augenblick. Sie sind...?«

»Nigel Walmsley.«

»Aha! Ich bin Nikka Amajhi.«

»Oh.« Absurderweise fühlte er sich unbehaglich.

»Ich habe gehört, daß wir zusammenarbeiten werden.«

Sie stand auf und streckte eine Hand vor. Ihr Händedruck war
offen, ernsthaft. In ihrem Gesicht entdeckte er einen Zug, der verriet, daß sie etwas verbarg, als ob dahinter mehr Gefühle aufwallen
würden, als an die Oberfläche gelangten.

»Sie arbeiten im Inneren?«

»Können Sie sich das nicht bei meiner Größe denken?« Sie machte eine anmutige Verbeugung, richtete sich in der niedrigen Schwerkraft auf ihren Zehenspitzen halb auf und balancierte auf einer. Ihr Arbeitsanzug schmiegte sich eng an ihren Körper, und irgend etwas in ihren Gesten, in der Verbindung ihrer Wespentaille mit den ausladenden Hüften, ihrer gewandten Grazie traf ihn mit fast schon physischer Gewalt. Er leckte seine Lippen und bemerkte, daß sie ausgetrocknet waren.

»Oh. Ja. Die würden bestimmt nicht wollen, daß ein Koloß wie ich seine Knochen durch diese Gänge schleift.«

»Das könnten Sie gar nicht. Sie sind zu groß.«

»Und zu alt.«

»Das sieht man Ihnen aber nicht an.«

Nigel murmelte etwas Höfliches und wechselte das Thema zu einem elektronischen Detail, das ihm auffiel. Er erkannte die Art der Schwierigkeiten, die sie im Umgang miteinander hatten. Eine fremde Person durch ihren Ruf zu kennen, durch das, was sie getan hat, bringt bestimmte Auflagen mit sich. Die Arbeit oder die Taten von anderen werden zu einer Art Heiligenschein, der sie umgibt, und der verhindert ein klares Bild. Manchmal war der Heiligenschein des Rufes nützlich – bei Partys, wo er dazu eingesetzt werden konnte, bestimmte Leute von sich fernzuhalten, oder als spezieller Schlüssel für solche Türen, die für den Träger des Heiligenscheins sonst versperrt waren. Aber der Heiligenschein war falsch. Seiner hieß ›Berühmter Astronaut‹ oder ›Kühner Mann‹. Doch das war er genausowenig, wie er *ausschließlich* eine beliebige der vielleicht ein Dutzend anderen Seiten seines Lebens war. Mit Nikka war es das gleiche. Er kannte sie als schlagfertige Frau, die in den Medien bereits berühmt war. Sie war wahrscheinlich eine vollkommen andere Person als die, die ihm sein Vorurteil vorspiegelte. Also gut, es führte kein Weg daran vorbei: Da es ihm an Geschicklichkeit mangelte, würde er sich durchbeißen müssen.

»Das war mutig, was Sie da getan haben«, sagte er plötzlich.

»Was?« fragte sie verblüfft.

»Als Sie abgeschossen wurden.«

»Oh. *Das?*« Sie sah ihm direkt ins Gesicht, war verärgert. »Da habe ich doch nichts anderes gemacht, als einfach am Leben zu bleiben. Das hätte jeder andere auch getan. Dazu brauchte ich keinen Mut.«

Nigel nickte. »Jetzt können Sie mich fragen, wie es war, mit dem Schnark zu sprechen.«

Verwirrung schlich sich in ihr Gesicht; ihre Augenbrauen kräuselten sich nach unten. Dann brach sie in Heiterkeit aus und schlug ihm auf den Arm. »Jetzt verstehe ich! Wir müssen mit diesem Ritual die alten Spinnweben wegwischen! Natürlich.« Sie lachte befreit, und Nigel spürte, wie eine Last von ihnen wich. »Also gut, dann werde ich – sagen Sie, anbeißen?«

»Richtig. Englisch ist nicht Ihre...?«

»Muttersprache? Nein, ich komme aus Japan.«

»Das habe ich vermutet.« Trotzdem, dachte er, hat sie kein bißchen von der Schüchternheit, die ich bei ihr erwartet habe. Aber auch das gehörte zu dem unerwünschten Heiligenschein.

»Und Ihr Freund, der Schnark?«

»Er sagte, daß uns unsere Taschenrechner wahrscheinlich überleben werden.«

»Das habe ich gehört. Aber man braucht immer einen Lewis Carroll, um einen Schnark zustande zu bringen.«

»Ja«, sagte er, da er hinter ihren strahlenden, klaren Augen eine ernstere Absicht spürte. »Ja, oder etwa nicht?«

2

Mr. Ichino döste ein wenig, es war später Vormittag. Den größten Teil des Tages verbrachte er damit, die Hütte in einen bewohnbaren Zustand zu bringen, und beim Arbeiten dachte er an Japan. Die Erinnerungen an seinen Besuch, sie verblaßten bereits. Er war dorthin gereist, weil er geglaubt hatte, einen kleinen Teil seiner selbst wiedererlangen zu können, und statt dessen hatte er eine seltsame Parodie des Japans angetroffen, das seine Eltern gekannt hatten.

Vielleicht lag es an den Nationalen Naturschutzgebieten. Seine Eintrittskarte für das Naturschutzgebiet von Osaka verschaffte ihm trotz ihres Preises nur Zutritt zu den unbedeutenderen Teilen. Dort waren Gras und Laub mit Ruß überzogen, ein totes Grau. Die gewaltigen Bäume waren ausgetrocknet und staubfarben. Dies als Naturschutzgebiet zu bezeichnen, klang nach einem vorsätzlichen Witz, und Mr. Ichino war zornig geworden, nur eine junge Wächterin konnte ihn beruhigen, die ihm eine weitere, noch um ein Vielfaches teurere Eintrittskarte verkaufte. Diese Karte öffnete ein schmiedeeisernes Tor an einem Ende des schmutzigen Waldes; er kam gerade rechtzeitig für den täglichen Auftritt der dressierten Nachtigallen. Ihr Gesang brach plötzlich über ihn herein, als er einen plätschernden Bach durchquerte. Nebel verhüllte die Baumkronen in der Schlucht, und Mr. Ichino stand bis zu den Knöcheln im eisigen Wasser, gebannt von dem trällernden, fröhlichen Gesang. Etwas später kamen die Lerchen. Ihre Abrichter versammelten sich auf einer Lichtung am Ufer des Baches. Die Käfige wurden in einer Reihe aufgestellt, und gleichzeitig öffneten sich die Türchen; sie entließen eine flatternde Wolke aus Vögeln in die Freiheit. Sie stiegen senkrecht auf, flatterten unter den träge dahintreibenden Wolken umher und zwitscherten viele Minuten lang. Die weniger guten Lerchen kamen vorzeitig zurück und flogen gelegentlich in den falschen Käfig; die besten hielten sich achtzehn Minuten in der Höhe und fanden untrüglich ihren Käfig wieder.

Er konnte sich nicht viele Besuche der Naturschutzgebiete leisten, deshalb brachte er manche Stunde in den Straßen der Städte zu. Die Opfer der Umweltverschmutzung, die an Straßenecken und in Hauseingängen bettelten, brachten ihn durcheinander, doch er konnte seine Augen nicht von ihnen abwenden. Die Gesunden gingen an diesen Kreaturen vorbei, ohne einen Gedanken an sie zu verschwenden, doch Mr. Ichino blieb oft stehen und beobachtete sie von weitem. Er erinnerte sich daran, wie seine Mutter in einem völlig anderen Zusammenhang einmal gesagt hatte, daß die Tauben den Eindruck von Narren machten und die Blinden wie Weise waren. In ihrem Bemühen, das zu verstehen, was andere sagten, runzelten die Menschen, die kaum hören konnten, immer ihre Stirn, sperrten ihren Mund auf und verdrehten ihre Augen, mal neigten sie den Kopf in diese Richtung, mal in jene. Doch die Blinden saßen ruhig da, versunken, den Kopf ein wenig vorgebeugt, als ob sie meditierten, und folglich wirkten sie überaus nachdenklich. In ihnen sah er die halbgeschlossenen, gütigen Augen der Buddha-Statuen, die überall standen. Sie sangen leise *tschiri-tschiri-gan, tschiri-gan* und aßen geröstete Sojabohnen und ungeschälten Reis; und für Mr. Ichino waren sie die einzigen natürlichen Menschen, die es auf dieser konfusen Insel aus gestaltlosen Städten noch gab. Er ließ sich im Gedränge der Menschenmassen treiben, ließ seine Zeit zu Ende gehen, und dann kehrte er nach Amerika zurück. Mr. Ichino hatte erlebt, daß er kein Japaner war, und diese Wahrheit war mehr als nur ein wenig beunruhigend. Er hatte sich den Überresten der zerbrechlichen natürlichen Welt in Japan verbunden gefühlt, doch das war alles. Es war eine seltsame Logik, das war ihm bewußt: Die Entstellten schienen menschlicher zu sein als die angepaßten, leistungs- und konkurrenzfixierten Gesunden. Er hatte fast sein ganzes Geld in ihre Sammelteller gelegt und sich gewünscht, daß er mehr tun könnte. Doch er konnte diesen verkrüppelten Wesen nur vorübergehenden Beistand bieten. Und in einer wirklich natürlichen Welt würden sie nach kurzer Zeit ausgelöscht sein. Trotzdem – wie sie sich dort zu zweien und dreien in Ecken verkrochen, beiseite geschoben von den ernsten Geschäften der Welt, schienen sie irgendwie mit einem Japan in Verbindung zu stehen, das er einmal gekannt – oder von dem er geträumt – hatte und das unwiederbringlich verloren war. Ja, eine merkwürdige Logik.

Die ›Gemeinschaft der Vielen Wege‹, die sich an die bergige Landschaft von Oregon anschmiegte, hatte sich als größer herausgestellt, als er erwartet hatte. Mr. Ichino hatte bereits fünf eingestürzte Baracken, Hütten oder Schuppen im Umkreis von zweihundert Metern um das Gemeindezentrum entdeckt. Da sich das Anwesen noch einen Kilometer entlang des Flußbetts erstreckte, das sich nach Westen zum Willamette schlängelte, gab es wahrscheinlich noch viele andere.

Da seine eigene Hütte bis zum späten Nachmittag bewohnbar gemacht worden war, verspürte er den Drang, die Gemeinschaft zu erkunden, sich ihre Überreste anzusehen, die Erinnerungen an sie. Sein Atem kondensierte leicht in der kühlen Luft, als er in vielen Schleifen den Bergabhang hinunterstieg. Das Wild hatte sich sein eigenes ausgedehntes System von miteinander verbundenen Pfaden ausgetreten. Der Bergabhang hatte Falten wie ein Gesicht, doch die ersten Regenfälle des Herbstes hatten die Pfade bereits wieder verwischt. Mr. Ichino hatte versucht, den Wildpfaden zu folgen, doch es war schwierig, bei jedem Schritt darauf zu achten, daß er nicht einen kleinen Erdrutsch auslöste. Er mühte sich hinunter in Richtung des Flusses. Halb versteckt lag vor ihm eine große Buckminster-Fuller-Kuppel. Das, was ihr früher als Bedachung gedient hatte, war vollkommen verschwunden. Das Gebälk war aus massivem Kiefernholz, doch die Verbindungsteile waren verrostet und verwitterten; einige waren abgebrochen.

Dies mußte die Haupthütte sein, in der der Patriarch angeblich mit zwei Frauen gelebt hatte. Die Leute in Dexter, von denen er das

Grundstück gepachtet hatte, kannten zahllose Geschichten über den Aufstieg und Fall der ›Vielen Wege‹, die meisten von ihnen waren Gerüchte über sexuelle Ausschweifungen, die der Patriarch begangen haben sollte. Mr. Ichino hatte immer noch keine klare Vorstellung davon, warum ›Viele Wege‹ nach zwölf Jahren gescheitert war. Die in Dexter vorherrschende Theorie besagte, daß der Patriarch eine Offenbarung zuviel über das Wesen umfassender Liebe gehabt hatte. Es gab Gerüchte über einen oder zwei Morde, die die Gemeinschaft in zerstrittene Gruppen aufgespalten hatten.

Mr. Ichino blieb stehen, um sich bei der Kuppel auszuruhen. Ein verrosteter Ofen und einige verstreut herumliegende braune Flaschen zeugten stumm von der Vergänglichkeit der Werke des Menschen. Weiter entfernt lag ein Haufen Gerümpel, der ein Holzschuppen mit einem angelehnten Nebengebäude nahe dem Fluß gewesen sein konnte. Der Strom war hier schnell und tief, das kalte Wasser war aufgerührt. Das Flußbett war mit Steinen und Felsbrocken aller Größen gefüllt, und ein Nebenflüßchen legte hohe Wände aus mehreren Lagen von Erdschichten frei. Einige der Bäume hinter der Kuppel mußten sich winden, um mit der Erosion des Ufers Schritt zu halten; an manchen Stellen hatten sich die entblößten Wurzeln zu enormer Größe entwickelt, um die Bäume zu stützen.

Mr. Ichino betrachtete dieses Bild; die Hände hatte er in die Hosentaschen gesteckt. Das in der Nähe gelegene Ackerland war steinig und wenig fruchtbar. Es schien ihm wahrscheinlicher zu sein, daß ›Viele Wege‹ mehr aus wirtschaftlichen als aus sozialen Gründen gescheitert war. Äpfel und ein paar Feldfrüchte gediehen auf dieser Art von Land, doch er konnte sich nicht vorstellen, daß man hier mit Ackerbau seinen Lebensunterhalt verdienen konnte. Die Leute aus Dexter erzählten, daß in ›Viele Wege‹ auch einige Romanschriftsteller und ein Maler gelebt hatten, also war das wahrscheinlich ihre Haupteinnahmequelle gewesen.

Mr. Ichino bahnte sich durch verwelkte Blätter auf dem lehmigen Boden einen Weg zurück zu der Hütte, in der er lebte. Er lächelte. Die Leute von ›Viele Wege‹ waren wahrscheinlich Jugendliche aus der Stadt – (Jugendliche? Er erinnerte sich daran, daß sie wahrscheinlich inzwischen in seinem Alter waren) –, voller Idealismus und Schuldgefühle. Er konnte die Tatsache bestätigen, daß sie wenig von Zimmerei verstanden. Die tragenden Balken in seiner Hütte waren ungenau eingepaßt und die Befestigungsbolzen nicht tief genug ins Holz getrieben. Ansonsten war die Hütte trotzdem zufriedenstellend gearbeitet; zu der Zeit, als sie errichtet wurde, hatten sie also wahrscheinlich jemand, der einigermaßen beschlagen war. Sie war das einzige noch bewohnbare Gebäude, hauptsächlich weil Leute aus Dexter sie die ganzen Jahre hindurch instand gehalten hatten, um sie als Jagdhütte zu verwenden.

Mr. Ichino konnte die Jagd nicht leiden, obwohl er kein Vegetarier war. Er haßte es mitanzusehen, wie etwas starb. Es war schon erschreckend genug, wenn man gewahr wurde, welche gewaltigen Folgen das bloße Gehen auf den Wald hatte; man war dabei ein unwissender Riese, der durch ein zerbrechliches Gewebe von biologischen Universen nach dem anderen polterte. Mr. Ichino musterte die dicke Lage von feuchten Blättern, über die er ging. Jeder Schritt, den er machte, zermalmte eine Welt. Man muß nur einen Ast hakken, um Brennholz zu bekommen, und plötzlich bedeckt ein in Panik geratener Ameisenschwarm das Blatt der Axt. Man muß nur einen Baumstumpf beiseite schieben, der im Weg liegt, und ein warmer, dahindösender schwarzer Salamander bemerkt, daß der tiefste Winter über ihn hereingebrochen ist, und hastet davon. Man muß nur gegen einen Stein treten, und ein Frosch hüpft.

Er stand neben dem Flüßchen und lauschte, und plötzlich erregte etwas seine Aufmerksamkeit. Blätter raschelten, leise brach ein Zweig. Etwas bewegte sich das andere Ufer des kleinen Flusses entlang. Eine dichte Gruppe von Kiefern versperrte ihm die Sicht. Mr. Ichino konnte nur eine dunkle Gestalt sehen, die zwischen den Bäumen vorbeihuschte. Bei den sich überlappenden Schatten war es schwierig, Größe und Entfernung abzuschätzen, doch die Konturen waren eindeutig: Es war ein Mensch. Mr. Ichino schob einen Farnwedel beiseite, um einen besseren Blick zu haben, und im selben Augenblick erstarrte der Schatten auf deren anderen Seite des Flüßchens. Mr. Ichino hielt den Atem an. Die dunkle Gestalt zwischen den Bäumen schien langsam zu schwinden, ohne ein wahrnehmbares Geräusch oder eine plötzliche Bewegung.

Nach einem Augenblick konnte Mr. Ichino nicht mehr sicher sein, ob er sie überhaupt noch sah. Es schien merkwürdig zu sein, daß ein Mensch so leise verschwinden konnte. Einen Moment lang fragte sich Mr. Ichino, ob er dort wirklich jemanden gesehen hatte oder ob es an seiner Abgeschiedenheit lag, die seinen Augen einen Streich gespielt hatte. Doch nein, er hatte das Geräusch gehört, dessen war er sicher.

Nun gut, es war sinnlos, sich wegen Schatten im Wald Sorgen zu machen. Er beschloß, die Begebenheit aus seinen Gedanken zu verbannen. Doch während er zu seiner Hütte aufstieg, blieb ein gewisses Unbehagen, und er beschleunigte unbewußt seine Schritte.

Hier hab es keine Hinweise auf die Explosion; er war zweihundert Kilometer von Wasco entfernt und befand sich tief in den küstennahen Waldgebieten von Oregon. Die Leute aus der Gegend erzählten immer noch Geschichten von der Katastrophe, von den Sorgen, von verbrannten Freunden oder Verwandten – doch Mr. Ichino war ziemlich sicher, daß die meisten dieser Geschichten nur in sehr bescheidenem Maße auf Tatsachen beruhten. Wie könnte er unter Menschen, die einen so starken Hang zu fantastischen Geschichten hatten, die Spuren finden, die Nigel hier vermutete?

Er hatte Stadtarchive durchstöbert, die vollgestopften kleinen Büchereien besucht, mit älteren Menschen gesprochen, die hier aufgewachsen waren. Aus der Mischung von Details und Übertreibungen hatte er keinen konkreten Hinweis gewinnen können. Was nun? Der Winter würde bald kommen und ihn am Weggehen hindern. Was könnte er unternehmen? Mr. Ichino schüttelte den Kopf und machte sich auf den beschwerlichen, noch verbleibenden Weg zurück zu der Hütte.

3

Nikka ließ sich von der schwachen Schwerkraft des Mondes langsam durch den engen Schacht nach unten ziehen. Sie hielt die Arme über den Kopf; es gab nicht genügend Raum, um sie an die Seite zu legen. Ihre Füße berührten etwas Festes. Sie tastete mit den Stiefeln umher, bis sie in der Seite ein kleines Loch entdeckte, das in einem Winkel von dem Schacht abging. Sie drehte sich langsam, so daß sie schließlich bis zu den Knien hineinrutschen konnte.

Sie schaute auf. Der Kopf von Victor Sanges wurde sechs Meter weiter oben von der Tunnelöffnung eingerahmt. »Sie können jetzt mit dem Abstieg beginnen«, sagte sie. »Schön langsam. Haben Sie keine Angst davor, zu fallen. Die Wände bieten genügend Reibung, um Sie abzubremsen.«

Sie wand sich in den engen Seitenkanal hinein, und nach einem Augenblick wurde sie flach auf den Rücken gepreßt; sie arbeitete sich voran, indem sie mit den Absätzen Halt suchte und sich mit den Handtellern von der rauhen Plastaform-Verschalung abstieß. Durch das halb durchsichtige Material konnte sie das kupferartige Metall des eigentlichen Schiffes sehen. Es hatte einen dumpfen Glanz, wie ihn Nikka noch bei keinem Metall jemals zuvor gesehen hatte. Offensichtlich stellte es auch die Metallurgen vor ein Rätsel, denn sie konnten die Legierung immer noch nicht bestimmen. Alle paar Meter war in der Wand eine seltsame Folge von halbkreisförmigen Windungen, ansonsten wies diese Röhre keine besonderen Merkmale auf. Nikka passierte einen der weißen Leuchtpunkte, die die Wartungsmannschaft in das Plastaform gepreßt hatte, als dieser Abschnitt des Schiffes unter Druck gesetzt wurde. Sie waren die einzige erkennbare Beleuchtung in der Röhre; vielleicht hatten die Außerirdischen keine gebraucht. Der Tunnel verengte sich hier, ohne daß ein Grund dafür ersichtlich war. Der obere Röhrenrand streifte ihre Wange, und plötzlich verspürte sie panische Angst vor dem bedrückenden Gewicht des Schiffes über ihr. Ihr Atem ging stockend, war etwas Feuchtes und Warmes vor ihrem Gesicht, und sie konnte nur das verstärkte Geräusch ihres eigenen Luftholens hören.

»Sanges?« Ein gedämpfter Ruf war die Antwort. Sie arbeitete sich weiter voran und spürte, daß ihre Absätze ins Leere stießen. Sie schlängelte sich rasch hindurch und gelangte in einen kugelförmigen Raum, der einen Durchmesser von zwei Metern hatte. Schneidende Kälte zog in ihre Beine und Arme, während sie auf Sanges wartete. Sie trug einen wärmeisolierenden Anzug, und die Luft zirkulierte gut durch den Tunnel, doch das Schiff um sie herum war den minus 100 Grad Celsius der Mondoberfläche ausgesetzt. In der tiefsten Mondnacht war alles noch viel schlimmer, aber die Wärmeträgheit des Schiffes half die beißende Kälte zu beseitigen. Die Ingenieure weigerten sich, die Luft im Tunnel zu erwärmen, ebenso lehnten sie es ab, auch nur einen Gang mehr aus dem seltsamen Netz von Korridoren unter Druck zu setzen, als sich als unbedingt erforderlich erwies. Niemand wußte, welche Wirkung Luft auf das Schiff als Ganzes haben würde – daher die Plastaformwände.

Sanges kroch langsam aus der Öffnung in den winzigen kugelförmigen Raum. »Was ist das?« fragte er. Er war ein kleiner, drahtiger Mann mit schwarzem Haar und durchdringenden Augen. Er sprach langsam. Ein rubinrotes Leuchten umgab sie.

»Der Kesselraum, in Ermangelung eines anderen Namens«, erwiderte Nikka. »Dieses rote Licht kommt direkt aus den Wänden;

die Ingenieure wissen nicht, wie es funktioniert. Das Licht ist im Augenblick gerade in einer schwachen Phase. Später wird es heller, und der ganze Zyklus wiederholt sich mit einer Periode von 14,3 Stunden.«

»Aha.« Sanges spitzte den Mund.

»Die naheliegende Annahme ist, daß ihr Tag 14,3 Stunden lang war.« Sie lächelte schwach. »Aber wer kann das schon wissen? Es gibt keinen einzigen anderen Hinweis, der diese Vermutung unterstützt.«

Sanges runzelte die Stirn. »Aber – ein Raum, vollkommen kugelförmig. Sonst nichts an den Wänden. Wofür könnten sie ihn verwenden?«

»Als schwerelosen Handball-Raum, das ist *meine* Theorie. Oder als Trockenkammer für Unterwäsche. Vielleicht ist es eine Dusche, und wir wissen bloß nicht, wie man das Wasser anstellt. Da oben ist eine Stelle, die sieht komisch aus« – sie deutete auf eine glänzende Stelle über ihrem Kopf –, »aber da dieses Plastaform drüber liegt, kann ich nicht herausfinden, was das ist.«

»Dieser Raum ist so *klein*. Wie konnte irgend jemand...«

»Klein für *wen*? Wir beide sind hier, weil wir praktisch Zwerge sind, verglichen mit dem Rest der Menschheit. Alphonsus hat Sie hauptsächlich aus diesem Grund importiert, oder etwa nicht? Sie waren doch auf der Erde, als wir dieses Ding gefunden haben. Man hat Sie eingeflogen, weil Sie sich mit Elektronik auskennen und durch diese Röhren kriechen können.«

»Ja.« Der Mann nickte. »Das war das erstemal überhaupt, daß ich es für einen Vorteil gehalten habe, klein zu sein.«

Nikka deutete auf ein Loch in halber Höhe der Wand. »Der nächste Abschnitt ist der schlimmste des gesamten Weges zu dem Computeranschluß, was sie Drückerei betrifft. Los!«

Sie mühte sich in das Loch hinein und gelangte in ein vergleichsweise weites Teilstück. Auf einmal verengte sich das Verbindungsrohr. Nikka sammelte sich und kam hindurch, indem sie sich kräftig mit den Absätzen abstieß und dabei gleichzeitig ausatmete. Es folgte eine offene Stelle, an der der Druck vorübergehend schwächer wurde, und dann sah sie vor sich, daß die Wände wieder enger wurden. Sie drückte und drehte sich; sie wollte versuchen, sich flach gegen den schrägen Boden des Durchgangs zu pressen. Er verjüngte sich hier nicht nur, sondern das Rohr war auch noch um unangenehme fünfundvierzig Grad nach oben geneigt.

Sie konnte gedämpfte Geräusche von Sanges hören, der sich hinter ihr abmühte. Der Tunnel schien sich gegen sie zu drücken, und sie verfiel in eine endlose Folge von Stoß- und Kriechbewegungen, kämpfte sich rhythmisch gegen den stetigen Zug der Schwerkraft und die Umklammerung durch die Wände voran.

Der Durchgang wurde fast unerträglich eng. Sie begann daran zu zweifeln, ob sie diese Stelle jemals zuvor überwunden hatte. Die Luft schien unvorstellbar schlecht zu sein. Das Schiff war eine zermalmende Macht, ein gewaltiger Schraubstock, der das Leben aus ihr preßte. Sie hielt inne, wollte sich ausruhen, doch sie konnte scheinbar keine Luft bekommen. Sie wußte, daß es nur noch ein kurzes Stück war, und trotzdem...

Etwas stieß gegen ihren Stiefel. »Los! *Weiter!*« Sanges' gedämpfte Stimme war sehr nahe. Sie hatte einen entsetzten Unterton.

»Langsam, langsam«, sagte Nikka. Wenn Sanges die Nerven verlöre, würden sie ganz schön in der Klemme sitzen. »Wir müssen uns Zeit lassen.«

»Beeilen Sie sich!«

Nikka stemmte die Füße gegen die Wand und drückte. Ihre Arme befanden sich über dem Kopf, und nach einem weiteren Satz voran ertastete sie den Rand des Durchgangs über ihr. Sie zog sich langsam die Schräge hoch und war augenblicklich von der Einschnürung befreit.

Hier konnte man fast stehen. Der offene Raum war ein Ellipsoid, in dem dunkle, eiförmige Gebilde den meisten Platz einnahmen. Sie waren fugenlos, vielleicht irgendeine Art von Lagerbehältern, an denen keinerlei Vorrichtung erkennbar war, durch die sie geöffnet werden konnten. Ein kurzer Weg, der durch Klebeband begrenzt war, wand sich zwischen ihnen hindurch. Niemand durfte sich über dieses Band hinauswagen oder versuchen, die stillgelegten außerirdischen Maschinen zu erforschen, die weiter vorne lagen. Das würde später geschehen, wenn die Menschen mehr über das Schiff und seine Funktionsweise wußten. Nur die weißen Leuchtpunkte im Plastaform erhellten diesen Raum; sie warfen nahe den Wänden lange Schatten, die dem Raum ein seltsam drohendes Aussehen verliehen. Obwohl sie fast aufrecht stehen konnte, schien die verdunkelte Masse des Schiffes sich ihr von allen Seiten zu nähern und sie einzuschließen.

Sanges kämpfte sich aus dem Rohr heraus und richtete sich langsam auf. »Warum haben Sie vorhin angehalten?« fragte er schroff.

»Das habe ich doch gar nicht. Sie müssen Ihr eigenes Tempo finden.«

»Was soll denn *das* heißen?« fragte er rasch.

»Nichts.« Sie sah ihn abschätzend an. »Klaustrophobie ist eine komische Sache, und dann müssen Sie Ihre fünf Sinne schon beisammenhalten. Sie sollten irgendwann einmal versuchen, sich unter Bedingungen durchzuarbeiten, wie ich sie beim *erstenmal* hatte – in einem R-Anzug mit Sauerstoffausrüstung und Helm.«

»Das ist doch weiß Gott eine elende...«

»Im Gegenteil. Gott hat dieses Schiff nicht erbaut, und die Menschen haben es auch nicht konstruiert. Wir müssen lernen, uns ihm anzupassen. Wenn Sie etwas Ungewohntes so sehr stört, warum haben Sie sich dann freiwillig für diesen Job gemeldet?«

Sanges preßte die Lippen zusammen und nickte.

Nach einem Augenblick wandte sich Nikka um und ging auf dem schmalen Pfad voraus, der zu einer riesigen schwarzen Schalttafel führte, die in eine Wand eingelassen war. Vor dieser Tafel standen zwei von Menschenhand gebaute Stühle. Sie bot Sanges einen an und setzte sich auf den anderen. Sanges betrachtete die imposante Tafel, deren zahllose Schalterreihen sein gesamtes Blickfeld ausfüllten. Er drehte den Kopf und musterte die dunklen Gebilde, die weiter hinten standen. »Wie können wir sicher sein, daß der Druck hier in Ordnung ist?« fragte er.

»Das Plastaform ist dicht«, sagte Nikka, während sie einige zusätzliche Leuchtpunkte anstellte. »Dieser Teil der außerirdischen Konstruktion scheint unversehrt zu sein. Das ganze Schiff wurde in Modulbauweise erstellt, soweit wir das beurteilen können. Die meisten der anderen Komponenten wurden beim Absturz zertrümmert, aber diese hier und zwei andere – ungefähr vierzig Prozent von einer Halbkugel – blieben intakt. An anderen Stellen wurde einiges durcheinandergeworfen, aber ansonsten ist dieser Abschnitt immer noch ganz.«

Sanges musterte den Raum und klopfte mit den Fingern nervös auf die Konsole.

»Seien Sie vorsichtig! Ich stelle jetzt die Konsole an, und ich möchte nicht, daß Sie irgendeinen Schalter berühren.« Sie drückte etwas, das wie eine senkrecht montierte Büroklammer aussah, und auf der Tafel vor ihnen flackerten zwei blaue Lichter auf. Nach einem Augenblick veränderte sich der schwarze Schirm über der Tafel fast unmerklich zu einer Art hellem Grün.

»Wo kommt die Energie her?« fragte Sanges.

»Das wissen wir nicht. Die Generatoren müssen in einem der anderen Module sein, aber die Ingenieure wollen nicht zu tief in sie eindringen, ehe wir mehr wissen. Die Energieart ist Wechselstrom, ungefähr 370 Hertz – allerdings schwankt die Frequenz aus irgendeinem Grund. Wir haben diese Abdeckung abgenommen und versucht, das Schaltungsnetz zu verfolgen, aber es ist äußerst kompliziert. In einem anderen Durchgang haben die Ingenieure ein großes Gewölbe voller mikrominiaturisierter elektronischer Bauteile gefunden, die offensichtlich zu einer Datenbank gehören. Der größte Teil des Gewölbes besteht aus dünnen Filmen von magnetischen Substanzen auf irgendeiner Grundierung. Das ganze Gewölbe wird auf einer sehr niedrigen Temperatur gehalten; es ist dort viel kälter als in den anliegenden Schiffsteilen.«

»Supraleitende Speicherelemente?«

»Das nehmen wir an. Dies ist nicht ganz mein Fach, deshalb habe ich damit nicht viel zu tun gehabt. Die Stärken der Magnetfelder innerhalb des Schaltungsnetzes schwanken leicht, also schalten diese Felder wahrscheinlich die supraleitenden Elemente an und aus. Dadurch wird das Ganze zu einem einzigen großen Schalter, vorausgesetzt, es ist von Vakuum umgeben. Das Problem ist nur, daß wir nicht wissen, wo die Kühlung herkommt. Es gibt keine umlaufende Flüssigkeit; die Wände sind einfach *kalt*.«

Sanges nickte und musterte die Ansammlung von Hunderten von Schaltern vor ihm. »Also arbeitet der Computer, oder zumindest funktioniert sein Speicher. Nach dieser langen Zeit. Wo doch der größte Teil des Schiffes vernichtet worden ist. Bemerkenswert.«

»Deshalb geben wir uns ja mit dem Speicher solche Mühe. Er ist eine direkte Verbindung zu dem, was die Außerirdischen für bewahrenswert hielten.« Sie probierte einige Schalter aus. »Anscheinend ist der Strom eingeschaltet. Die meiste Zeit ist diese Tafel tot. Die Energieversorgung im Schiff ist instabil. Gut, ich werde jetzt Nigel Walmsley anrufen und mit der Arbeit beginnen. Passen Sie auf, was ich mache, und berühren Sie *bloß nicht* die Tafel. Der größte Teil der Verfahrensregeln für die ersten Schritte ist ausführlich aufgeschrieben worden; ich werde Ihnen am Ende dieser Schicht ein Exemplar geben.«

Sie nahm ein Kehlkopfmikrofon mit Halterung und zog es über den Kopf. »Hier Nikka.«

»Walmsley, Madam«, sagte eine Stimme aus dem Lautsprecher,

der an der Wand montiert war. »Wenn das Schicksal der ganzen Welt auf dem Spiel stünde, würden Sie dann die Nacht mit einem Mann verbringen, dessen Namen Sie nicht einmal kennen?«

Nikka lächelte. »Aber ich kenne deinen.«

»Stimmt, stimmt. Trotzdem, ich hätte ihn ja ändern lassen können.«

»Victor Sanges ist hier bei mir«, murmelte Nikka in offiziellem Tonfall, ehe Nigel noch etwas sagen konnte. »Er ist der Innenmann von Team eins.«

»Ich bin entzückt. Wir sehen uns nachher in der Messe, Mister Sanges. Nikka, ich bekomme den Bildschirm ganz gut herein, aber dieser ewig gleiche grüne Nebel stört mich allmählich.«

Sanges wandte sich um und betrachtete die Fernsehkamera, die über ihren Köpfen angebracht war. »Warum nehmen Sie das Signal nicht einfach von den Leitungen ab, die zu dem Bildschirm führen?« fragte er Nikka.

»Wir wollen nicht an dem Schaltungsnetz herumspielen. Passen Sie auf, das hier ist die Anfangssequenz, die ich immer verwende, nur um zu sehen, ob das Speicherschema unverändert geblieben ist.«

Jeder Schalter konnte in zehn verschiedene Stellungen gebracht werden; sie veränderte mehrere Positionen, wobei sie kurz in das Notizbuch sah, das neben ihrem Arm lag. Ein Farbwirbel bildete sich und verdichtete sich dann plötzlich zu einem Symbolmuster; Kringel, Striche, Zeichen, die so etwas Ähnlichem wie persischer Schrift schockierend nahekamen. In der Mitte des Bildes war eine Figur, die unter anderem aus einem verwirrenden Muster von sich überlagernden Dreiecken bestand.

»Dies war die erste Anzeige, die wir je bekommen haben. Die meisten verfügbaren Sequenzen scheinen überhaupt kein Bild zu ergeben. Vielleicht beziehen sie sich auf freie Speicherstellen, oder die Anzeige geht zu einer anderen Konsole. Dieses Bild allein ist nutzlos, weil wir nicht wissen, was die Schrift bedeutet.«

»Gibt es viele solcher Texte?«

»Nein, und ich glaube nicht, daß wir arg viel dechiffrieren könnten, auch wenn wir eine Menge Schriftsymbole hätten. Die ersten Ägyptologen konnten nicht einmal eine *irdische* Sprache enträtseln, obwohl sie Tausende von Tafeln hatten, ehe der Stein von Rosette entdeckt wurde. Deshalb konzentrieren wir uns auf die Bilder, nicht auf die Schrift. Irgendwann kann Team drei vielleicht einmal aus den Worten halbwegs klug werden, doch vorläufig sind wir gezwungen, uns Bilder anzusehen und Vermutungen darüber anzustellen, was sie bedeuten.«

Nikka berührte einige der Schalter, und ein anderes Bild entstand auf dem Schirm. Es war auch bereits bekannt. Es zeigte zwei sich schneidende Kreise und eine Linie, die eine Kreissehne halbierte. An der Seite des Bildes waren senkrecht angeordnete Schriftzeichen, offensichtlich eine Erläuterung. »Lewis hat einen dieser Schnörkel versuchsweise mit dem Wort *Linie* gleichgesetzt. Er verglich dieses Bild mit sechs oder sieben anderen Figuren aus dieser Sequenz, und bis jetzt ist das die einzige Vermutung, die er hat anstellen können. Es ist ein mühsamer Prozeß.«

Sie ging rasch verschiedene andere Schalterstellungen durch und ließ das letzte Bild stehen, um es zu bewundern. Es war eine herrliche Aufnahme von der Erde, wie sie sich von irgendeinem weiter außen gelegenen Punkt des Sonnensystems aus darstellte. Eine dünne Mondsichel lugte als Bogen hinter ihr hervor; Wolkenwirbel und -streifen verdeckten den größten Teil der dunklen Landmassen.

»Die Farben stimmen nicht«, sagte Sanges. »Es ist zu rot.«

»Das Bild wurde nicht für menschliche Augen gemacht«, erwiderte Nikka. »Nigel, ich probiere jetzt eine neue Sequenz. Ändere 707B zu 707C ab.«

Sie sagte beiläufig zu Sanges: »Wenn diese Einstellung in gewisser Weise verhängnisvoll ist, wenn sie mich auf diesem Stuhl röstet, dann weiß wenigstens jemand, welche Folge beim nächstenmal vermieden werden muß.«

Sanges sah sie überrascht an. Sie drückte die Folge und erhielt einige Zeilen von Symbolen. »Hilft uns nicht. Registrier das, Nigel.« Als nächstes kam eine Anordnung von Punkten. Dann folgte ein leicht verändertes Muster. Während sie es betrachteten, bewegten sich die Punktgruppen fast unmerklich, sie drehten sich im Uhrzeigersinn.

»Nigel, miß das mal. Wie schnell ist die Drehung?«

Es gab eine Pause. »Ich schätze sie auf etwas über sieben Stunden.«

Nikka nickte. »Die Hälfte von den 14,3 Stunden, die das Licht im Kesselraum für eine Periode braucht. Nimm das ins Spezial-Log auf.«

Sanges machte sich Notizen. Nikka zeigte ihm ein Punktmuster in Farbcode, das einer der Astrophysiker als Karte der Sterne identifiziert hatte, die die Sonne in einem Radius von dreiunddreißig Lichtjahren umgaben. Ihre scheinbare Größe schien zu ihrer absoluten Helligkeit in Beziehung gesetzt zu sein. Wenn die Wertrelationen stimmten, dann bedeutete dies eine leichte Veränderung des Hertzsprung-Russell-Diagramms, die eine der neueren Theorien über Sternentwicklung unterstützte. Sanges nickte, ohne etwas zu sagen.

Sie probierte einige neue Sequenzen. Weitere Punkte, dann einige Zeilen mit Schnörkeln. Eine Zeichnung von zwei sich schneidenden Kugeln, keine Erläuterung. Dann etwas, das scheinbar ein Bild von einem Elektrowerkzeug war, mit Unterschrift. »Speicher das, Nigel. Nach was sieht es deiner Meinung nach aus?«

»Eine abstrakte Plastik? Ein besonders ausgefallener Schraubenzieher? *Ich* weiß es nicht.«

Die nächste Schaltereinstellung zeigte das gleiche Werkzeug aus einem anderen Blickwinkel. Es folgten weitere Punkte, dann – Nikka machte auf ihrem Stuhl einen Satz nach hinten.

Wilde, dunkle Augen funkelten sie aus dem Bild an. So etwas Ähnliches wie eine große Ratte mit Schuppen stand im Vordergrund, sie richtete sich auf ihren Hinterbeinen auf. Rosa Sand erstreckte sich bis zum Horizont. Ihre Vorderpfoten hielten zwischen langen Nägeln etwas, vielleicht Nahrung.

»Liebe Güte«, sagte Nigel. »Die sieht aber gar nicht freundlich aus.«

»Keine Unterschrift«, sagte Nikka. »Aber es ist die erste Lebensform, die wir überhaupt bekommen haben. Es wäre besser, wenn du das an Kardensky weiterleitest.«

»Es sieht *bös*artig aus«, sagte Sanges heftig. »Ich weiß wirklich nicht, warum Gott ein solches Tier erschaffen sollte.«

»Ein Werturteil – *tz, tz, tz*«, sagte Nigel. »Vielleicht wurde Gott gar nicht gefragt, Mister Sanges.«

Nikka drückte eine andere Sequenz.

4

Mr. Ichino stand vor der kleinen Spüle und wusch langsam das Geschirr vom Abendessen ab. Der Geschmack des Dosen-Chilis zog immer noch durch seinen Mund. Es war echter Chili, keine Sojabohnen, und der einzige Luxus, den er sich in diesen Tagen ge-

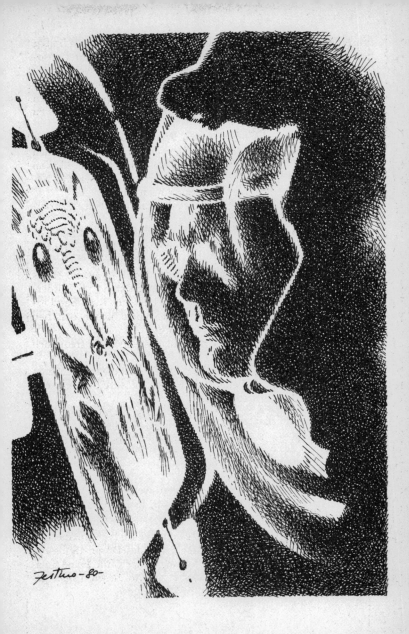

stattete. Er hatte sich niemals ganz daran gewöhnen können, jemandem beim Kauf einer Zeitung eine Dollarnote zu geben und kein Wechselgeld herauszubekommen. Doch selbst in diesen Zeiten würde er fast jeden Betrag zahlen, um gelegentlich eine Mahlzeit mit richtigem Fleisch zu haben. Es war nicht so, daß er irgendwelche echten Einwände gegen den Vegetarismus gehabt hätte, obwohl er nie begriffen hatte, warum es besser war, Pflanzen umzubringen als Tiere. Es lag einfach daran, daß er den Geschmack von Fleisch mochte.

Die lange Abenddämmerung hatte begonnen in die Nacht überzugehen. Er konnte den Kamm der mehrere Meilen entfernten Bergkette nicht mehr sehen. Dichte weiße Wolken wurden vom Ozean herübergetrieben; es würde heute nacht wahrscheinlich schneien.

Er nahm eine zuckende Bewegung wahr. Das Fenster über der Spüle war zum Teil beschlagen, und er hob die Hand, um einen Ausschnitt freizuwischen. Ein Mann kam schwankend aus dem hundert Meter entfernten Wald. Er quälte sich ein paar Schritte weiter und brach in einer Schneewehe zusammen.

Mr. Ichino wischte seine Hände ab und lief zur Tür. Er streifte seinen dicken Lumberjack über, während er durch die Tür ging, und kniff die Augen zusammen, als die jähe Kälte sein ungeschütztes Gesicht erreichte. Der Mann war in dem Schnee kaum zu sehen. Mr. Ichino legte die Strecke im Laufschritt zurück, er keuchte nur wenig. Die Arbeit, die er an der Hütte geleistet hatte in den letzten Tagen, hatte die Pfunde wegschmelzen lassen und die Spannkraft seiner Muskeln erhöht. Als Mr. Ichino den Mann erreichte, war deutlich zu sehen, warum er gefallen war. In seiner Seite war eine Brandwunde. Sie ging durch alle Schichten seiner Kleidung, durch Parka, Hemd und zusätzlichen Kälteschutz. Eine dreißig Zentimeter breite Fläche war verschmort und mit Blut durchtränkt. Das gerötete Gesicht des Mannes war verkrampft und entstellt. Als Mr. Ichino ihn nahe der Wunde berührte, stöhnte er schwach und zuckte zurück.

Es war offensichtlich, daß nichts getan werden konnte, ehe der Mann in der Hütte war. Es überraschte Mr. Ichino, wie schwer der Mann war, doch er schlang die Arme des Verletzten so über seine Schulter, daß er transportiert werden konnte, und es gelang ihm, den Weg zur Hütte zurückzuwanken, ohne zu stolpern oder den Körper in den Schnee fallen zu lassen. Er legte den Mann flach auf den Boden und begann ihn auszuziehen. Die Kleidung abzustreifen, war schwierig, weil sich der Gurt eines Rucksacks bei der Wunde verheddert hatte. Mr. Ichino nahm ein Messer, um das Hemd und das Unterhemd wegzuschneiden.

Das Säubern, Behandeln und Verbinden der Wunde dauerte länger als eine Stunde. Schmutz und Kiefernnadeln hatten sich mit der geschwärzten, abgeblätterten Haut vermischt, und als die Wärme der Hütte sie erreichte, öffneten sich die Kapillaren und begannen zu bluten.

Er nahm den Mann wieder auf und brachte ihn in das zweite Bett der Hütte. Der Mann hatte zu keinem Zeitpunkt das Bewußtsein erlangt. Mr. Ichino stand da und betrachtete eine ganze Zeit das inzwischen entspannte Gesicht. Er konnte nicht verstehen, wie irgend jemand hier draußen, inmitten eines unbewohnten Waldgebietes, eine solche Verletzung hatte erleiden können. Was noch wichtiger war, aus welchem Grund könnte sich irgend jemand überhaupt hier aufhalten? Mr. Ichinos erster Gedanke war, zu versuchen, die fünfzehn Kilometer entfernte Notrufstelle zu erreichen. Der nächste Feuerwehrweg war nur vier Kilometer weit weg, und die Rangers hatten den Schnee inzwischen vielleicht weggeräumt. Mr. Ichino hatte dort einen kleinen Jeep stehen.

Er fing an, sich für den Marsch anzuziehen. Der Weg führte die meiste Zeit bergauf, und er würde wahrscheinlich mehrere Stunden brauchen. Als er sich eine Thermosflasche Kaffee machte, warf er einen Blick aus dem Fenster und sah, daß wieder Schnee fiel, diesmal in einem peitschenden, schnellen Wind, der die Wipfel der Kiefern umbog. Eine Bö heulte an den Ecken der Hütte.

In seinem Alter war ein solcher Marsch ein zu großes Risiko. Er war einen Augenblick lang unschlüssig und entschied sich dann zu bleiben. Anstatt Kaffee zu machen, bereitete er eine Fleischbrühe für seinen Patienten zu und flößte ihm einige Schlucke ein. Dann wartete er ab. Er grübelte über die seltsame Beschaffenheit der Wunde nach; mit ihrem scharf abgegrenzten Rand war sie fast wie ein Schnitt. Aber es war unbestreitbar eine Brandwunde – und eine schlimme dazu. Vielleicht war ein brennendes Holzscheit auf ihn gefallen.

Erst nach einiger Zeit bemerkte er den Rucksack, den er beiseite geworfen hatte. Er war groß, mit Aluminiumversteifung, vielen Taschen und Isolierschicht; ziemlich teuer. Die obere Klappe war aufgeknöpft. Aus ihr lugte etwas heraus, als ob es hastig hineingestopft worden wäre; es war ein graues Metallrohr.

Mr. Ichino fischte es heraus. Das Rohr wurde an seinem unteren Ende dicker, und kleine Metallwölbungen, die wie Vertiefungen für Finger aussahen, liefen an seiner Seite entlang. Es war einen Meter lang und zeigte mehrere Vorsprünge, die Kippschaltern ähnelten.

Er hatte noch nie zuvor etwas Derartiges gesehen. Die Konturen des Dings sahen plump aus. Man konnte nicht einmal vermuten, was es war. Behutsam steckte er es zurück.

Er sah nach seinem Patienten, der anscheinend in tiefen Schlaf gefallen war. Der Puls war normal; die Augen ließen nichts Ungewöhnliches erkennen. Mr. Ichino wünschte, er hätte eine größere Hausapotheke. Auf dem Rucksack bemerkte er einen mit Schablone aufgemalten Namen, *Peter Graves*.

Er konnte vorerst nichts tun als abzuwarten. Er machte sich etwas Kaffee. Draußen wurde der Sturm heftiger.

5

Sanges hatte noch einen schwachen Augenblick, als sie am Ende der Schicht aus den Rohren herauskrochen. Nikka mußte ihn durch einen der engen Abschnitte des Weges schieben, und er blickte sie finster an, als sie die Schleuse erreichten. Sie legten wortlos ihre Anzüge an und verließen die Schleuse, traten hinaus auf den flachen, staubigen Boden des Mondes. Zweihundert Meter entfernt – unweit der Stelle, an der Nikka abgestürzt war – hatte man eine Oberflächen-Druckschleuse von Standort Sieben in das Mondgestein eingelassen. Weitere Grabungen in größerer Entfernung waren teilweise abgeschlossen. Nach und nach wurde mit Lasern ein Röhrennetz gebohrt, zehn Meter unter dem schützenden Fels und Staub. Da die Unterkünfte so tief angelegt waren, mußten sie nur geringe Temperaturschwankungen zwischen Mondtag und Mondnacht verkraften, und sogar der unaufhörliche Regen aus geladenen Teilchen, der Sonnenwind, ließ die Strahlung nur unwesentlich über die Werte ansteigen, die auf der Erde gemessen wurden.

Nigel Walmsley empfing sie, nachdem sie sich bis zur Umkleidezone vorgearbeitet hatten. Sanges erwiderte Nigels Begrüßung, doch dann verstummte er; er war offensichtlich in Gedanken immer noch in den Gängen des Schiffes.

»Bist du morgen noch für ein Abendessen in Paris zu haben?« fragte Nigel Nikka.

»Hm.«

»Na gut, wie wär's dann mit auserlesenen, vorgewärmten Fertiggerichten und aufbereitetem Wasser?«

Nikka betrachtete ihn nachdenklich und war dann einverstanden. Sie ging unter die Dusche, während Nigel nach einer unausgesprochenen Übereinkunft den Abschlußbericht über die Funde der Schicht verfaßte. Abgesehen von dem großen, rattenähnlichen Tier und der Rotationszeit von 7,15 Stunden gab es wenig Bemerkenswertes zu berichten. Es ging sehr langsam voran.

Als Nikka auftauchte, gefolgt von Sanges, gingen sie alle drei zum Begegnungskorridor. Es war ein Wirbel von Gelb- und Grüntönen, die sich in Spiralen drehten und sich auf den Boden ergossen; diese Farben ließen den Korridor täuschend lang erscheinen. Vor der an dem Gang gelegenen Cafeteria öffnete Nigel mit einer gewissen selbstironischen Anmut gestenreich die Tür für Nikka. Auf einer Welt, auf der die Menschen danach ausgewählt wurden, ob durch sie die Belastung des Lebenserhaltungssystems möglichst gering gehalten wurde, erschien er als sehr groß und unmäßig schwer.

Sie suchten ihre Mahlzeiten aus dem bescheidenen Angebot aus, und als sie sich einen Tisch suchten, schnappte Nigel ein Gespräch von drei Männern auf, die in der Nähe saßen. Er hörte einen Augenblick lang zu und schaltete sich dann ein: »Nein, es war auf *Revolver*.«

Die Männer sahen auf. »Nein, *Rubber Soul*«, sagte einer von ihnen.

»*Eleanor Rigby*?« meinte ein anderer. »Zweite Platte des weißen Albums.«

»Nein, keins von beidem«, sagte Nigel. »Sie irren sich alle beide. Es war auf *Revolver*, und ich habe zweihundert Dollar, die genau der gleichen Meinung sind.«

Die Männer sahen sich gegenseitig an. »Also...«, begann einer von ihnen.

»Angenommen«, sagte ein anderer.

»Schön, sehen Sie nach, und melden Sie sich dann bei mir.« Nigel wandte sich um und ging dorthin, wo Nikka und Sanges saßen und zuhörten.

»Sie sind Engländer, nicht wahr?« fragte Sanges.

»Natürlich.«

»Ist es nicht etwas unfair, einen Gewinn zu suchen, wenn sich

Leute über eine Musikgruppe unterhalten, die selbst aus Engländern bestand?«

»Wahrscheinlich.« Nigel begann zu essen.

»Gibt's irgend etwas Neues?« erklang eine Stimme direkt neben ihm. Alle drei schauten auf. José Valiera stand lächelnd da.

»Ah, Doktor Valiera«, sagte Nigel. »Bitte setzen Sie sich.«

Valiera nahm die Einladung an und lächelte den beiden anderen zu. »Leider habe ich nicht die Zeit gehabt, um Ihren Abschlußbericht zu lesen.«

»Da stand auch nicht so arg viel drin«, meinte Nikka. »Aber da ist etwas, das ich Sie fragen möchte. Bestehen irgendwelche begründeten Aussichten, daß wir zusätzliche Gelder erhalten, damit wir hier mehr Leute bekommen können?«

»Ihre Vermutungen sind genauso gut wie meine«, sagte Valiera freundlich. »Aber ich vermute, daß wir nichts bekommen. Schließlich haben wir gerade erst vor zwei Monaten eine recht ansehnliche Finanzspritze erhalten.«

»Aber die wurde doch nur auf der Grundlage dessen zugewiesen, was wir wußten, als der Schirm herunterging«, schaltete sich Nigel ein. »Seit dieser Zeit haben die Ingenieure eine Fülle von Dingen entdeckt, die untersucht werden müssen.« Er runzelte die Stirn. »Ist doch allem Anschein nach dumm, uns nicht mehr zu geben.«

»Außerdem haben wir die Computerverbindung entdeckt«, merkte Nikka an. »Das wird doch bestimmt Aufsehen erregen.«

Valiera sah verlegen aus. »Das wird es, wenn Ergebnisse bekannt werden. Sie sollten sich darüber im klaren sein, daß nicht alles von dem, was wir hier finden, sofort für die Presse freigegeben wird, und über einige Bereiche weiß nicht einmal der Kongreß Bescheid.«

»Warum denn das?« fragte Nigel.

»Man ist zu dem Schluß gekommen, daß es gute soziometrische Gründe dafür gibt, Ergebnisse von hier nicht zu rasch zu verbreiten, wie interessant sie auch erscheinen mögen. Einige Berater des Kongresses meinen, es könnte ernste Folgen haben, wenn etwas wirklich Extremes enthüllt würde.«

»Aber das ist doch genau der Grund, weshalb wir *hier* sind. Um etwas Extremes zu enthüllen. Das heißt extrem im Sinne von grundlegend«, sagte Nigel und sah Valiera gespannt an.

»Nein, ich glaube, ich verstehe das Argument«, erwiderte Sanges. »Der ganze Problemkreis von außerirdischem Leben und uns überlegenen Intelligenzen ist emotional aufgeladen. Er muß mit großem Feingefühl behandelt werden.«

»Was wird uns ›Feingefühl‹ nützen, wenn wir nicht das notwendige Geld bekommen können, um unserer Forschungsarbeit nachzugehen?« warf Nikka ein.

»Dieses Schiff liegt seit wenigstens einer halben Million Jahren hier, laut den Schätzungen, die auf der Messung des durch den Sonnenwind verursachten Abriebs der Außenhülle basieren«, sagte Valiera geduldig. »Ich glaube, es wird nicht über Nacht verschwinden, und wir brauchen auch kein Heer von Menschen, die sich im Schiff gegenseitig auf die Füße treten.«

»Immerhin werden wir drei Schichten pro Tag haben müssen, um das Computermodul optimal erforschen zu können«, meinte Sanges im Tonfall der Vernunft und breitete die Arme aus. »Wir werten das Schiff bereits so gut aus, wie wir können.«

»Niemand hat auf viele Gänge mehr als einen einzigen Blick geworfen«, sagte Nikka.

Sanges blickte finster und sagte schwerfällig: »Unser Erster Bischof hat erst heute über das Wrack gesprochen. Auch er rät zu einem Weg der Mäßigung. Es ist nicht sinnvoll, Entdeckungen zu machen, ohne ihre ganze eigentliche Bedeutung zu begreifen.«

Nigel grinste schief. »Tut mir leid, das kann ich nicht ganz als Argument anerkennen.«

»Es tut mir leid, daß es Ihnen nicht gelungen ist, die Augen zu öffnen, Mister Walmsley«, sagte Sanges.

»Ah, ja. Ich bin ein Verfechter des kartesianischen Dualismus, und deshalb kann man mir nicht trauen.« Nigel grinste. »Ich habe nie verstanden, wie man Wissenschaftler oder Techniker sein und zugleich den ganzen widerlichen Kram über Dämonen und die Auferstehung der Toten glauben kann.« Er fragte sich, ob sie die Anspielung auf Alexandria mitbekommen hätten.

Valiera sagte sanft: »Sie müssen wissen, Mister Sanges gehört nicht zu dem stärker fundamentalistischen Flügel der Neuen Jünger. Ich bin sicher, seine Überzeugungen sind viel differenzierter.«

Nigel brummte. Er unterdrückte den inneren Wunsch, sie noch weiter zu plagen.

»Es hat mich immer erstaunt, daß die Neuen Jünger imstande waren, so viele verschiedene Anschauungen in einer Religion zu vereinigen«, sagte Nikka. »Man konnte fast den Eindruck gewinnen, daß sie stärker am ordnenden Effekt von Religion interessiert waren als an einer speziellen Lehre.«

Sie lächelte diplomatisch.

»Ja, genau das ist der springende Punkt«, fügte Nigel hinzu. »Sie kommen nicht bloß zusammen, um theologisches Geschwätz auszutauschen. Sie möchten die Gesellschaft um sie herum so verändern, daß sie zu ihren Überzeugungen paßt.«

Sanges sagte ernst: »Wir verbreiten die große Liebe Gottes, der Kraft, die die Welt lenkt.«

»Also, sehen Sie mal, die Welt dreht sich doch nicht aus Liebe, das hat vielmehr etwas mit Trägheit zu tun«, sagte Nigel in scharfem Ton. »Und dieser ganze lauwarme *merde* mit den zwei Freistunden täglich zum Beten für euch Zeitgenossen und den besonderen Feiertagen...«

»Religiöse Maßnahmen, die uns unser Glaube gebietet.«

»Ja, und merkwürdig beliebte dazu, oder?« meinte Nigel.

»Was wollen Sie damit sagen?« fragte Sanges.

»Nur soviel. Für die meisten Menschen waren diese letzten Jahrzehnte eine verdammt schwere Zeit. Viele sind umgekommen, wir sind nicht mehr reich, keiner von uns, und wir mußten schuften wie die Tiere, um den Kopf über Wasser zu halten. Schwere Zeiten zeugen fiese Religionen – das ist ein Gesetz der Geschichte. Auch Leute, die für so etwas nicht viel übrig haben, können eine vorteilhafte Masche erkennen, wenn ihnen eine begegnet. Wenn sie Neue Jünger werden, bekommen sie zusätzliche arbeitsfreie Zeit, kleine Vergünstigungen, Freizeit zum Beten und Bumsen, und einen gewissen politischen Einfluß...«

Sanges ballte die Fäuste. »Sie machen da die *gemeinsten* und widerwärtigsten...«

Valiera intervenierte. »Ich glaube, meine Herren, Sie sollten sich etwas beruhigen und...«

»Ja, stimmt, das glaube ich auch«, sagte Nigel. Er erhob sich. »Kommst du mit, Nikka?«

Draußen im Gang ließ Nigel sein Gesicht sich zu einer Grimasse verziehen, und er klatschte eine Faust in den anderen Handteller. »Das eben tut mir leid«, sagte er. »Ich neige halt dazu, bei solchen Sachen durchzudrehen. Aber ich kann mit Gesindel dieser Art nichts anfangen.«

Nikka lächelte und gab ihm einen Klaps auf den Arm. »Das geht oft sehr schnell. Die Neuen Jünger sind auch nicht gerade die allertolerantesten Menschen. Aber ich muß sagen, deine Einstellung zu ihnen ist doch ziemlich zynisch, oder etwa nicht?«

»Zynisch? ›Zyniker‹ ist ein Wort, das Optimisten erfunden haben, um Realisten zu kritisieren.«

»Ich hatte eigentlich nicht den Eindruck, daß du ausschließlich realistisch warst.«

Er öffnete für sie die Tür im Gang auf eine übertrieben höfliche Weise. »Ich wünschte, es wäre so. Es ist kein Zufall, daß Sanges, ein ausgewachsener Neuer Jünger, zu dieser Fundstätte beordert wurde. Valiera hat nichts davon erzählt, aber es geht das Gerücht, daß wir diesmal nur aus dem Grund Geld vom Kongreß bekommen haben, weil eine Übereinkunft auf höchster Ebene mit der Fraktion der Neuen Jünger existiert. Sie wollten erst eine zahlenmäßig starke Vertretung ihrer eigenen Leute gesichert sehen – Wissenschaftler und Techniker ja, aber gleichzeitig Neue Jünger –, ehe sie für das Projekt stimmten.«

Nikka sah schockiert aus. »Davon hatte ich nichts gehört. Gibt es hier viele Neue Jünger? Ich habe nicht auf die neuen Leute geachtet.«

»Das habe ich gemerkt, da ich auch zu diesen gehöre.« Er lächelte. »Also, ich habe mich ein bißchen umgesehen, und ich glaube, ziemlich viele unserer Kollegen sind Neue Jünger. Nicht alle geben es zu oder zeigen es so deutlich wie Sanges, aber sie sind welche.«

Nikka seufzte. »Dann hoffe ich nur, daß Valiera sie bändigen kann.«

»Ja, das hoffe ich auch«, sagte Nigel ernst. »Das hoffe ich allerdings.«

Später lag er allein in seiner Sardinenbüchse von Zimmer und wälzte sich umher; er konnte nicht schlafen. Die Arbeit hier nahm ihn voll und ganz in Anspruch, aber bis jetzt hatte sie herzlich wenig eingebracht. Er stand in engem Kontakt mit Kardenskys Gruppe, die nach fast den gleichen Prinzipien weiterarbeitete, wie Mr. Ichino begonnen hatte – beidseitige Korrelationen mit den Gesprächen mit dem Schnark; systematische Analyse von allem, was die Teams dem Wrack entlocken konnten und so weiter. Bis jetzt erinnerte Nigel alles an einen schrecklichen Traum aus der Kindheit, in dem man durch Schlamm schwamm: Ungestüme Anstrengungen führten nur dazu, daß man langsamer wurde, daß man schneller sank.

Er zuckte die Achseln. Seine Aufmerksamkeit schien sich in die-

sen Tagen mehr auf Nikka zu richten als auf die kniffligen Dechif-
frierprobleme.

Und warum das? fragte er sich. Es war doch wirklich bescheuert.
Er riß kleine Witzchen, schwatzte pausenlos irgendwelches Zeug
und kam sich danach etwas lächerlich vor.

Er trommelte mit den Fingern auf sein Knie. Es war fast so, als
ob – ja. Mit einem Schock wurde ihm klar, daß er vergessen hatte,
wie man sich bei den allerersten Schritten, ganz am Anfang, Frauen
gegenüber verhielt. Die innige Vertrautheit mit Alexandria – und,
ja, eine Zeitlang auch mit Shirley – hatte ihn um dieses Wissen gebracht.

Gut, er würde einfach die Tricks von neuem lernen müssen. Da
es um Nikka ging, würde sich die Mühe zweifellos lohnen. Er hielt
nichts von der Theorie des Typs – daß Männer immer und immer
wieder von den gleichen Arten körperlicher Merkmale oder Cha-
raktereigenschaften angezogen wurden –, weil Nikka in keiner
Weise Alexandria ähnelte; trotzdem war beiden eine gewisse Ge-
radlinigkeit eigen, eine unerschütterliche Hingabe an das, was *war*,
anstatt zu dem, worauf man vielleicht hoffen konnte. Und was das
Körperliche betraf, Nikkas hinreißende, beherrschte Energie, ihre
angedeutete Sinnlichkeit...

Er schüttelte den Kopf. Genug davon. Er verzweifelte an der Analyse; die wirkliche Welt war immer feinmaschiger als Aussagen
über sie. Das Leben war diskret; nichtlinear; kein Nullsummenspiel; nichtkommutativ, eindeutig irreversibel; und die Ereignisse
vervielfachten sich, drängten sich zusammen, anstatt sich lediglich
zu addieren. Die Vergangenheit filterte die Gegenwart. Er sah
Nikka durch die Linse von Alexandria – und in Wahrheit wollte er
es gar nicht anders haben. Es sich anders zu wünschen, bedeutete,
ihn seiner Vergangenheit zu berauben. Jetzt erforschten er und
Nikka beide, gemeinsam, dieses Wrack, und über die Nachrichtenverbindungen zwischen hier und Kardenskys Mitarbeiterstab jagten Analogien, Vergleiche. Sie untersuchten das Wrack, als ob seine
Erbauer praktischerweise entfernt menschenähnlich wären. Eine
falsche Vorstellung, zweifellos. Und er hatte Ichino losgeschickt,
um einer verschrobenen Idee nachzugehen, die sich fast mit Sicherheit als Sackgasse erweisen würde. Der Mann fehlte ihm; wenn er
mit ihm sprach, mit ihm Wanderungen unternahm, spürte er eine
belebende Verbindung. War der Verlust dessen der Grund dafür,
daß er – obwohl er dort war, wo er sein wollte, an dem Projekt arbei-

tete, das allein ihm noch etwas bedeutete – bisweilen innerlich zusammenbrach, diese Augenblicke der Niedergeschlagenheit verspürte?

Nigel schnaubte, da er sich über sich selbst ärgerte, und wälzte sich auf die andere Seite, um Schlaf zu suchen.

6

Mr. Ichino schreckte aus dem Schlaf auf; er war beim Wachen eingeschlafen.

Das Feuer qualmte und spuckte. Er stocherte in der schwelenden Glut und legte neues Holz nach. Nach einigen Augenblicken war die leichte Kühle aus der Hütte gewichen. Er stand da, massierte einen schmerzenden Muskel auf seinem Rücken und beobachtete, wie die Flammen tanzten.

Graves war immer noch ohnmächtig, seine Atmung normal. Die Wunde hatte aufgehört zu bluten, und die dicken Umschläge um sie herum schienen sich nicht verschoben zu haben. Mr. Ichino wußte, daß er so schnell nicht wieder einschlafen würde; er rührte sich eine Mischung aus heißem Wasser, Zitronensaft, Zucker und Rum zusammen und stellte sein Radio an.

In dem Rauschen der Statik fand er schließlich den Sender aus Portland, der vierundzwanzig Stunden am Tag Nachrichten, Kommentare und Hintergrundinformationen brachte.

Während sein Schaukelstuhl rhythmisch knarrte, drang aus dem Radio ein leises Murmeln, und draußen heulte dumpf der Wind. Vor diesem beruhigenden Hintergrund wirkten die Nachrichten mißtönend. Der Krieg in Afrika dauerte immer noch an, und ein weiteres Land auf der Seite der Konstruktionisten war in diesen Krieg eingetreten. Die Regierungspolitik in der Frage der DNA-Veränderungen bei Retortenbabys wurde von den Neuen Jüngern heftig angegriffen. Die meisten Beobachter stimmten trotzdem darin überein, daß einfache Körpermodifikationen unvermeidlich waren; der Meinungsstreit hatte sich jetzt auf den Problemkreis von Intelligenz und besonderen Begabungen verlagert. Es wurde befürchtet, daß in Pakistan eine zweite große Wipfeldürre begann. Der Wassermangel in Europa wurde allmählich bedrohlich.

Endlich kamen einige Nachrichten über das Wrack im Mare Marginis. Die in größter Eile durchgeführte fotografische Erfassung des Mondes war abgeschlossen. Es gab keine Anzeichen von anderen abgestürzten Schiffen. Das allein bedeutete allerdings nicht sehr viel, weil beobachtet worden war, daß der Kraftschirm des Schiffes im Mare Marginis dreimal die Farbe verändert hatte, ehe er schließlich durchdrungen wurde. Wissenschaftler vermuteten, daß dies der Überrest eines Verteidigungsmechanimus war, durch den der Schirm des Schiffes fast alles Licht absorbierte, so daß es dunkel erschien. Wenn das Schiff flog, konnte es dann vor dem Hintergrund des Weltraums optisch kaum wahrgenommen werden. Bevor Menschen den Schirm aufbrachen, hatte er offensichtlich die meiste Zeit funktioniert, aber auch langsam Energie verloren. Wenn auf dem Mond noch andere Wracks existierten, könnten ihre Schirme immer noch intakt sein; in diesem Fall wäre es sehr schwierig, sie aus einer Umlaufbahn zu entdecken. Eine ausgedehnte Suche nach wiederholt auftretenden dunklen Mustern, die man früher vielleicht für Schatten gehalten hatte, war im Gange.

Mr. Ichino hörte sich noch ein paar Meldungen an und schaltete dann das Radio aus. Die Sache mit dem Schirm war interessant, doch er hatte zu diesem Zeitpunkt mehr erwartet. Inzwischen waren Menschen im Schiff, und es müßte einige greifbare Ergebnisse geben. Aber darüber kam nichts in den Nachrichten oder von Nigel. Vielleicht gingen sie bei der Untersuchung des Wracks einfach sehr vorsichtig vor. Das Verteidigungssystem des Schiffes hatte sich in unvorhersehbarer Weise ein- und ausgeschaltet; zur Zeit nahm man offenbar an, daß die unbekannte Vorrichtung, die die beiden Beobachtungsschiffe abgeschossen hatte, erst vor kurzem erwacht war, sonst hätte sie schon vor langer Zeit die Apollo-Kapseln heruntergeholt. Da der Schirm durchdrungen war, waren vielleicht auch alle anderen Verteidigungssysteme tot. Aber es wäre töricht, nicht auf der Hut zu sein.

Mr. Ichino ging vom Radio weg, sah wieder nach Graves und betrachtete dann noch einmal den Rucksack des Mannes. Er legte das graue Metallrohr beiseite und begann auch den weiteren Inhalt herauszunehmen – dehydrierte Lebensmittel, Karten, Kleidungsstücke, einfache Werkzeuge, eine Schreibmappe und etwas Papier. Ganz am Boden des Rucksacks waren mehrere Rollen Mikrofilm und ein Kompaktsichtgerät. Mr. Ichino empfand eine leichte Verlegenheit; es war, als ob er die private Post eines anderen lesen würde.

Nun ja, es gab gute Gründe dafür. Graves war vielleicht Diabetiker oder bedurfte in anderer Form spezieller medizinischer Versorgung. Mr. Ichino legte den Mikrofilm in sein großes Wandsichtgerät ein, machte sich einen weiteren Drink und fing an zu lesen.

Graves' Kreditkarten, Ausweise und eine mehrteilige Biografie bezeugten allesamt seinen Reichtum. Er hatte in jungen Jahren ein Vermögen durch Bodenspekulation erworben, ehe die Regierung dagegen einschritt, und sich dann zur Ruhe gesetzt. In den letzten zehn Jahren war er einem seltsamen Hobby nachgegangen: Er hatte versucht, das Ungewöhnliche aufzuspüren, das Unbestimmbare zu finden. Er verwendete sein Geld dazu, vergessene Wege der Inkas zu suchen, Seeungeheuern nachzuspüren, Städte der Mayas freizulegen. Graves schleppte eine tragbare Bibliothek mit sich herum. Vernünftig; wahrscheinlich erwies sie sich beim Umgang mit wenig hilfsbereiten Beamten als sehr nützlich. Der größte Teil des Films beschäftigte sich mit etwas vollkommen anderem. Einige der Ausschnitte und Berichte stammten aus so weit zurückliegenden Zeiten wie dem neunzehnten Jahrhundert. Mr. Ichino studierte sie und setzte sie zu einer Geschichte zusammen.

Die Explosion von Wasco hatte Graves' Interesse gefunden, weil sie vom ersten Augenblick an ein Rätsel war. Er hatte die fadenscheinige offizielle Erklärung nie geglaubt. Also führte er bei seinem Hang zum Ungewöhnlichen eine umfassende Untersuchung möglicher Hintergründe durch, die sich auf die gesamten nördlichen Wälder erstreckte. Sein Schriftverkehr zeigte, daß Graves ein außerordentlich teures Überwachungsprogramm veranlaßt hatte.

Mr. Ichino empfand ein kribbelndes Gefühl der Überraschung. Graves hatte genau das getan, was Nigel wollte und wozu sich die NASA vielleicht dann entschließen würde, wenn man erst einmal verstanden hatte, was und wie das Wrack im Mare Marginis war. Graves hatte nach allen zutage tretenden Zusammenhängen geforscht, allen auch noch so unwahrscheinlichen Schnittpunkten von Sage und Wirklichkeit, die nur irgend denkbar waren. Er hatte tieffliegende Flugzeuge mit leisen Motoren eingesetzt, um nach allem zu suchen, was aus dem Detonationsgebiet floh, mochte es Mensch oder Tier sein. Er hatte selbst die nebensächlichsten Einzelheiten aufgespürt; alte Landkarten studiert; Denkfabriken tagen lassen, die ausgefallene Ideen liefern sollten.

Und nachdem er zu einer Hypothese gelangt war, nahm sich Graves Führer und machte sich auf die Suche nach dem unbestimmbaren Wesen, von dem er vermutete, daß es eine Verbindung zu dem Vorfall von Wasco darstellte...

Die Salish-Indianer nannten es ›Sasquatch‹. Ein Bericht der Hudson Bay Company von 1864 belegte Hunderte von Sichtungen. Die Holzfäller und Pelztierjäger, die in die nordwestliche Region am Pazifik zogen, kannten es hauptsächlich durch seine Fußspuren, und auf diese Weise erhielt es einen neuen Namen: ›Bigfoot‹.

Er wurde überall in den Wäldern im Norden der Vereinigten Staaten und in Kanada von Menschen gesehen. Im neunzehnten Jahrhundert wurden ihm über ein Dutzend Morde zugeschrieben, die meisten davon an bewaffneten Jägern. 1890 wurden zwei Posten, die eine Bergwerkssiedlung an der Grenze zwischen Oregon und Kalifornien bewachen sollten, tot aufgefunden; sie waren auf den Boden geschmettert und zermalmt worden.

All dies führte zu nichts, bis 1967 ein Amateurforscher aus einer Entfernung von weniger als fünfzig Metern einen Farbfilm von einem Bigfoot drehte. Er war groß. Er maß über zwei Meter und ging aufrecht, mit geschmeidigen Bewegungen entfernte er sich beinahe hochmütig von der Kamera. Einmal drehte er sich um und blickte zu dem Amateurforscher zurück, und dabei ließ er zwei große Brüste erkennen. Ein dichtes, schwarzes Fell bedeckte den ganzen Körper außer der Umgebung der Augenhöhlen. Die Wissenschaft war geteilter Meinung über die Echtheit des Films. Aber einige Anthropologen und Biologen wagten Theorien...

Der Nordwesten nahe dem Pazifik war sowohl aus sozialen als auch aus wirtschaftlichen Gründen relativ dünn besiedelt. In den dichten Wäldern, die die schroffen westlichen Ausläufer der Rokkies bedeckten, konnten sich hundert Armeen verstecken. Bakterien und Unratfresser, die auf dem Waldboden leben, verdauen oder verstreuen Knochen und selbst zurückgelassene Gegenstände; die Überreste eines Holzfällunternehmens überdauern kaum mehr als ein Jahrzehnt. Wenn der Bigfoot keine Wohnstätten baute, keine Werkzeuge verwendete, konnte er der Entdeckung entgehen. Selbst ein großer, scheuer Primat wäre in den dichten Wäldern nur ein entschwindender Schatten.

Die meisten Tiere haben gelernt, wegzulaufen und sich zu verstecken, anstatt zu kämpfen – und ihr Lehrer ist der Mensch gewesen. Während der letzten Million Jahre haben sich die Gletschermassen mehrere Male in einem langsamen, schwerfälligen Rhythmus zurückgezogen und wieder vorgeschoben. Als das Wasser in sich ausdehnenden Gletschern erstarrte, fiel der Meeresspiegel und legte eine große Landbrücke frei, die Alaska und Nordasien verband. Über diese eisige Wüste kamen aus Asien das Mammut, das Mastodon, der Bison und schließlich selbst der Mensch. Der Mensch hat zwischen Affe und Neandertaler mancherlei Gestalt gehabt. Als der eigentliche Mensch aus der Wiege Afrikas drängte, verjagte er diese früheren Formen, die es vor ihm gegeben hatte. Peking- und Java-Mensch können Stationen dieser Expansion gewesen sein. Vielleicht wurde der Bigfoot von dieser Konkurrenz in andere Klimazonen getrieben. Während einer Eiszeit überquerte er die große Landbrücke, entdeckte die Neue Welt und ließ sich dort nieder. Doch der Mensch folgte nach, und schließlich gerieten die beiden in Streit wegen des besten Landes. Der Mensch, der Klügere und besser Bewaffnete, eroberte es für sich und jagte den Bigfoot zurück in die Wälder. Vielleicht ging die Sasquatch-Sage auf diese Begegnung in der Vorzeit zurück.

Wissenschaftlichen Expeditionen in den 1970er und 80er Jahren gelang es nicht, stichhaltige Beweise für die Existenz des Bigfoot zu finden. Es gab indirekte Anhaltspunkte: primitive Unterkunftsstätten aus herabgefallenen Zweigen, Fußabdrücke und Spuren, Kot, der zeigte, daß sich Bigfoot von kleinen Nagetieren, Insekten und Beeren ernährte. Ohne einen gefangenen Bigfoot verlor die Sache allmählich ihre Anhänger. Durch den Bevölkerungsdruck dehnten sich die Städte in Nordkalifornien und Washington immer mehr aus, bis nach und nach die Gebiete schwanden, in denen der Bigfoot gesehen worden war.

Unter Graves' Papieren befand sich eine Generalstabskarte der Gegend um die Talsperre von Drews in Südoregon. Sie war mit Bleistiftstrichen bedeckt, kleinen Pfeilen und Zeichen, die einen vielfach gewundenen Weg nach Norden markierten. Mr. Ichino studierte diesen Weg, der ungefähr zwanzig Kilometer von seiner Hütte entfernt abrupt aufhörte. Er endete in einem vollkommen unberührten, weglosen Gebiet, einer bergigen und dicht mit Kiefern bewaldeten Gegend; sie war eine der abgeschiedensten Stellen, die es noch in Oregon gab. Es waren noch andere Papiere dabei; ein Vertrag mit zwei Führern, einige nicht zu entziffernde Aufzeichnungen.

Mr. Ichino schaute vom Wandsichtgerät auf und rieb sich die Augen.

Etwas bumste gegen die Hüttenwand, als ob es sie streifen würde.

Mr. Ichino erreichte das Fenster noch rechtzeitig, um einen

Schatten zu sehen, der zwischen dem finsteren Schwarz der Bäume am Rand der Lichtung allmählich konturlos wurde. Man konnte nur mit Mühe etwas sehen; Schneegestöber füllte den Zwischenraum. In dem matten Licht konnte man sich leicht täuschen.

Trotzdem, das Geräusch war keine Einbildung gewesen. Es könnte eine Ladung Schnee gewesen sein, die von einem hohen Kiefernast heruntergefallen war, aber daran glaubte Mr. Ichino eigentlich nicht.

7

Nach dem Abendessen stand Nigel im Gang, warf geistesabwesend eine Münze in die Luft und wußte nicht so recht, was er in den wenigen Stunden seiner Freizeit machen sollte. Sich weiterbilden, auf den neuesten Stand kommen, dachte er, höchstwahrscheinlich. Er warf die Münze wieder hoch, blickte flüchtig auf sie. Es war ein britisches 1-Pence-Stück, ein Glücksbringer. Eine Unvollkommenheit fiel ihm auf. Direkt neben dem Prägedatum – 1992 – war ein Makel, eine Gußblase, die ungefähr ein Zehntel Millimeter breit war. Sie befand sich auf der Rückseite, die die wirbelnde Spirale der Milchstraße darstellte, über der der britische Löwe eingeprägt war – ein flüchtiger Tribut an die kurzlebigen euroamerikanischen Weltraumunternehmungen. Nigel machte eine schnelle Schätzung: Die Scheibe der Milchstraße hatte einen Durchmesser von ungefähr 100 000 Lichtjahren, also – das Ergebnis überraschte ihn. Die kleine Gußblase verkörperte im galaktischen Maßstab eine Kugel mit einem Radius von fünfhundert Lichtjahren. In diesem Pünktchen würden über eine Milliarde Sterne treiben. Er starrte auf die winzige Unvollkommenheit. Er hatte die Zahlen schon immer gekannt, das war vollkommen klar, aber wenn man es auf diese Weise sehen konnte, war das eine ganz andere Sache. Eine Kugel mit einem Durchmesser von tausend Lichtjahren um die Erde war ein gewaltiger Raum, weit jenseits dessen, was sich ein Mensch konkret vorstellen konnte. Als er diesen Raum als Pünktchen in der Milchstraße dargestellt sah, überkam Nigel eine Ahnung davon, wie der Schnark empfinden mußte und womit sie es hier zu tun hatten. Kulturen wie Sandkörner. Gewaltige Korridore aus Raum und Zeit. Er warf die Münze in die Luft; seine Hände fühlten sich seltsam kühl an.

»Äh... hallo auch.«

Nigel sah sich um und entdeckte, daß Sanges direkt neben ihm stand. »Hallo.«

»Der Koordinator hat mich geschickt, um Sie zu bitten, in sein Büro zu kommen.«

»In Ordnung. Einen Augenblick noch. Ich muß eben dem besten Freund der Frau die Hand geben.«

»Äh... ich wußte gar nicht, daß Sie verheiratet sind.«

»Bin ich auch nicht. Das heißt nur, ich muß pissen.«

»Oh. Das ist...« Er lachte.

Sanges wartete auf ihn, als Nigel aus der Herrentoilette kam, was ihm als merkwürdig auffiel: Warum brauchte er eine Eskorte, um Valieras Büro zu finden?

»Haben Sie die neuen Anweisungen über das Personal gesehen?« fragte Sanges im Plauderton, während sie den Korridor entlanggingen.

»Ich würde mir nicht einmal die Mühe machen, mir damit die Nase zu putzen.«

»Das sollten Sie aber. Ich meine, Sie sollten sie lesen. Es sieht ganz so aus, als ob wir keine zusätzlichen Leute bekommen würden.«

Nigel blieb stehen, schaute Sanges überrascht an und ging dann weiter. »Verdammt dumm.«

»Wahrscheinlich, aber wir müssen damit leben.«

»Die Nachricht scheint Sie nicht besonders aufzuregen.«

Sanges lächelte. »Nein, das tut sie auch nicht. Ich glaube, wir sollten bei unserer Arbeit sehr langsam vorgehen. Sorgfalt wird sich auszahlen.«

Nigel warf ihm einen Blick zu und sagte nichts. Sie erreichten Valieras Büro, und Sanges gab ihm mit einer Handbewegung zu verstehen, daß er hineingehen sollte, während er selbst draußen blieb. Valiera erwartete ihn und begann mit einer Reihe freundlicher Fragen über Nigels Unterbringung, den täglichen Arbeitsablauf, die Projektplanung und die Qualität des Essens. Nigel war dankbar, daß der Mond – da er keine Atmosphäre besaß – Valiera nicht die Möglichkeit bot, als nächstes über das Wetter zu reden. Dann, urplötzlich, lächelte Valiera herzlich und murmelte: »Aber die schwierigste Seite meiner Arbeit, Nigel, werden Sie sein.«

Nigel zog die Augenbrauen hoch. »Ich?« sagte er ahnungslos.

»Sie werden verehrt. Und Sie scheinen ein besonderes Talent zum

Überleben zu haben, auch wenn dies den Männern, die im Apparat über Ihnen stehen, nicht gelingt. Mit einem berühmten Mann unter mir wird es schwierig für mich werden, meine Leitungsarbeit zu leisten.«

»Dann lassen Sie es doch.«

»Ich verstehe nicht.«

»Lassen Sie die Dinge sich entwickeln. Steuern Sie sie nicht.«

»Das ist unmöglich.«

»Warum?«

»Ich bin überzeugt davon, daß Ihnen das klar ist.«

»Fürchte, nicht.«

»Ich stehe unter Druck«, sagte Valiera bedachtsam. »Andere wollen diesen Job haben. Wenn ich keine Ergebnisse liefere...«

»Ja, ja, das verstehe ich alles.« Nigel beugte sich vor. »Jeder will Ergebnisse haben, wie Konservendosen, die vom Fließband kommen. Die Sache hat nur einen Haken, wenn man Forschung so betreibt; man kann Forschungsarbeit nicht von oben nach unten durchplanen.«

»Es gibt einige Parameter...«

»Parameter bringen hier doch nichts. Wir haben doch bis jetzt noch keine Ahnung, was dieser versteckte Schrotthaufen eigentlich *ist*.«

»Zugegeben. Ich bin schließlich hier, um sicherzustellen, daß wir das herausbekommen.«

»Nur ist das nicht der richtige Weg, um das Problem zu lösen. Also, ich weiß doch, wie Regierungen funktionieren. Versprechen Sie ihnen einen Zeitplan, und sie fressen Ihnen aus der Hand. Die wollen nicht unbedingt richtige Ergebnisse haben, die Hauptsache ist, sie liegen bis Freitag vor.«

Valiera faltete die Hände und nickte verständnisvoll. »Trotzdem sind Arbeitspläne nicht prinzipiell etwas Schlechtes.«

»Da bin ich mir gar nicht so verdammt sicher.«

»Warum nicht?«

»Weil...« – er hob gereizt die Hände –, »wenn man etwas bis zum Wochenende erledigt haben will, setzt das bereits voraus, daß es ein Wochenende *geben* wird, um bei dieser Sprache zu bleiben – daß alles noch so sein wird, wie es immer gewesen ist. Aber wenn man hinter etwas her ist, durch das alles mögliche in einem völlig neuen Licht erscheint, dann bekommt man nicht nur Erklärungen und neue Einsichten, dann *verändert* das die ganze Welt.«

»Ich verstehe.«

»Und genau das kann man nicht durchplanen.«

»Ja.«

Nigel bemerkte, daß er etwas hastig atmete und daß Valiera ihn mit seltsamem Blick betrachtete, wobei er den Kopf zur Seite geneigt hatte.

»Sie reden wie ein Träumer, Nigel. Nicht wie ein Wissenschaftler.«

»Na ja, das kann schon sein.« Nigel suchte nach Worten, war verlegen, verwirrt. »Definitionen sind noch nie meine Stärke gewesen«, sagte er leise, als er aufstand, um zu gehen.

8

Nigel schaute mit zusammengekniffenen Augen auf den Schirm vor ihm und sagte in sein Kehlkopfmikrofon: »Ich fürchte, ich weiß auch nicht, was das sein soll. Für mich sieht das aus wie eine weitere dieser sinnlosen Anordnungen von Punkten.«

»Sinnlos für uns, ja.« Nikkas wohltönende Stimme erklang in seinem Ohr, doch blechern und wie aus großer Ferne.

»Also gut, ich tue es ins passive Log.« Nigel drückte einige Funktionstasten. »Während du das hast durchlaufen lassen, habe ich eine Antwort von Kardenskys Gruppe erhalten. Erinnerst du dich an die Ratte? Also, es ist keine Ratte oder irgendeine andere Art von Nagetier, die wir kennen, es befindet sich offensichtlich nicht auf der Erde, und es ist wahrscheinlich wenigstens einen Meter groß, wenn man von der sichtbaren Knochenstruktur seiner Knöchel ausgeht.«

»Oh! Dann ist das unser erstes Bild von außerirdischen Lebensformen«, sagte Nikka aufgeregt.

»Ganz recht. Kardensky hat es an die Sonderkommission der NWS weitergeschickt, damit sie es veröffentlicht.«

»Sollten wir nicht Koordinator Valiera davon verständigen?« In ihrer Stimme schwang Unruhe mit.

»Darüber brauchst du dir keine Sorgen zu machen, Liebes. Ich bin sicher, die Neuen Jünger haben voll unter Kontrolle, was die NWS herausgibt. Sie sind nicht auf Valiera angewiesen.«

»Valiera ist kein Neuer Jünger«, sagte Nikka gereizt. »Ich bin davon überzeugt, daß er unparteiisch ist.«

»Ich habe nicht gesagt, daß er ein Neuer Jünger ist, aber andererseits halte ich es nicht für klug, davon auszugehen, daß er nicht dazugehört. ›Ich ersinne keine Hypothesen‹, wie Newton gesagt hat. Aber wie dem auch sei, ich glaube, wir sollten jetzt weitermachen.«

Nigel fühlte sich unwohl und rutschte in seinem Sessel hin und her; dann stellte er die Beleuchtung über seiner Konsole schwächer. In dem kleinen, engen Raum war es ungefähr fünf Grad kälter, als es ihm behagte. Man hatte Standort Sieben ziemlich hastig erbaut, und einige Annehmlichkeiten, wie zum Beispiel eine ausreichende Wärmeisolierung und ein gutes Belüftungssystem, waren vernachlässigt worden.

Er studierte einige Augenblicke lang seine Aufzeichnungen. »Also gut, versuchen wir einmal Sequenz 8COOE.« Er machte sich eine Notiz. Wenn man in einer vollkommen unbekannten Computerbank nach Informationen forschte, hatte man das Problem, daß man nicht wissen konnte, wie die Informationen katalogisiert waren. Die Intuition sagte ihm, daß die ersten Einstellungen auf der außerirdischen Konsole allgemeineren Charakter haben müßten als die späteren, als ob es sich um eine Ziffernfolge nach dem gewöhnlichen arabischen System handelte. Der Haken bei der Sache war, daß selbst bei irdischen Sprachen die logische Anordnung der Zeichen von links nach rechts nicht häufiger auftrat als eine Anordnung von rechts nach links oder von oben nach unten oder irgendein anderes denkbares System. Die Außerirdischen könnten sogar ein Zeichensystem verwendet haben, bei dem die Stellung gar keine Rolle spielte.

Bis jetzt hatten sie einigermaßen Glück gehabt. Gelegentlich brachten ähnliche Einstellungen auf der Konsole Bilder hervor, die in gewisser Weise miteinander in Beziehung standen. Es gab die vertrauten Anordnungen von Punkten, einschließlich solchen, die sich bewegten. Die Sequenzen, die sie auslösten, hatten einige Anfangsstellen gemein. Vielleicht deutete dies auf ein stellungsbezogenes System hin, und vielleicht war es nur ein glücklicher Zufall. Bis jetzt hatte er Nikka gebeten, nur einen Teil der auf der Konsole vorhandenen Schalter zu verwenden. Einige von ihnen würden bestimmt nicht nur einfache Katalogadressen zur Informationsbeschaffung sein. Einige mußten Befehlsschalter sein. Der dritte Schalter von rechts in der achtzehnten Reihe zum Beispiel hatte zwei Rastpositionen. Bedeutete eine ›aus‹ und die andere ›ein‹? Besagte eine, ›speichere diese Daten‹ oder ›zerstöre sie‹? Wenn sich Nikka und er auf einen kleinen Ausschnitt der Tafel beschränkten, dann würden sie vielleicht nicht auf zu viele Befehlsschalter stoßen, ehe sie einige Informationen entschlüsselt hatten. Sie wollten nicht riskieren, den Computer versehentlich ganz abzustellen, indem sie wahllos nacheinander alle Schalter betätigten.

Nigel betrachtete einen Augenblick lang den Schirm. Flackernd entstand ein Bild. Es schien die dunkelrote Abbildung eines Gangs im Schiff zu sein. In dem Korridor konnte man einen Knick erkennen, und während er das Bild betrachtete, erschienen einige der Schriftzeichen, die dem Persischen ähnelten, auf dem Schirm; sie leuchteten abwechselnd gelb und blau auf und verschwanden dann. Er wartete, und das Muster wiederholte sich.

»Rätselhaft«, sagte er.

»Ich glaube nicht, daß ich diesen Durchgang schon einmal gesehen habe«, meinte Nikka.

»Dies muß so etwas Ähnliches sein wie die drei Fotos, von denen Team eins nach der letzten Schicht berichtet hat. Sie stammen aus nicht erkennbaren Teilen des Schiffes.«

»Wir sollten bei den Ingenieuren nachfragen«, sagte Nikka. »Aber meine Vermutung ist, daß alle diese Aufnahmen Teile des Schiffes zeigen, die bei der Landung vernichtet wurden.«

Nigel spitzte den Mund. »Paß mal auf! Mir ist da gerade etwas eingefallen. Aus der Tatsache, daß sich diese Schrift mit einer Periode von mehreren Sekunden an- und ausschaltet, können wir etwas Bestimmtes schließen. Unsere Freunde, die Außerirdischen, müssen in der Lage gewesen sein, zeitlich begrenzte Muster in weniger als ungefähr einer Sekunde zu verarbeiten, wenn sie das hier lesen konnten.«

»Jedes Tier ist dazu imstande.«

»Ganz recht. Aber wer auch immer dieses Schiff gebaut hat, könnte ja etwas anderes sein als irgendein Tier. Die kleinen Schalter auf der Tafel zum Beispiel implizieren irgend etwas in der Größenordnung von Fingern zum Bedienen. Du hast natürlich recht, wir wissen, daß Tiere in der Lage sein müssen, Dinge zu sehen, die sich schneller bewegen als im Rahmen einer nach Sekunden bemessenen Zeitskala, sonst würden sie ziemlich schnell über den Haufen gerannt und verspeist. Es ist interessant zu entdecken, daß die Außerirdischen uns wenigstens in dieser Beziehung ähnlich gewesen sind. Egal, machen wir weiter. Ich speichere das im Log« – er drückte auf einige Knöpfe –, »damit sich Team eins noch einmal damit beschäftigen kann.«

Er wählte einige Sequenzen, die sich von früheren nur in der letzten ›Stelle‹ unterschieden, und der Schirm zeigte nicht die geringste Reaktion. »Bist du sicher, daß dieser Schalter noch funktioniert?« fragte Nigel.

»Soweit ich das beurteilen kann, ja. Die Meßinstrumente hier zeigen keinen Energieverlust an.«

»Sehr schön. Versuch dies mal.« Er las eine Zahl ab.

Diesmal erwachte der Schirm sofort zum Leben: ein verwirrendes rotes Durcheinander von fast kreisförmigen Gegenständen.

Eine lange schwarze Linie zog sich über den Schirm. Sie durchbohrte einen der seltsam geformten Tropfen; nur im Inneren dieses Tropfens gab es einzelne kleine, in einem dunklen Farbton abgesetzte Stellen. Bei den anderen war nichts Derartiges zu erkennen.

»Seltsam«, sagte Nigel. »Für mich sieht das wie eine Mikrofotografie aus. Es erinnert mich an irgend etwas aus meiner Studentenzeit, aus dem Labor des biologischen Instituts oder so. Ich werde es Kardensky übermitteln.«

Er wählte die direkte Leitung über Standort Sieben zu Alphonsus an, erhielt eine Bestätigung und sendete über die Direktverbindungen zur Erde. Dies dauerte mehrere Minuten. Gleichzeitig wurde das Signal an Standort Sieben im Magnetspeicher aufgezeichnet; die Mondbasis Alphonsus diente nur als Schaltstelle. Nigel machte sich einige Notizen und gab Nikka eine andere Sequenz durch.

»He!« Nikkas Stimme ließ ihn von seinen Notizen aufsehen. Auf dem Schirm stand etwas in einem glatten, gummiartigen Anzug vor einem Hintergrund aus niedrigen Farnen. Es hatte anscheinend keine Beine, sondern statt dessen einen halbkreisförmigen Sockel. Es hatte zwei Arme, unter denen sich unförmige Ausbuchtungen befanden, sowie einen Helm, der teilweise undurchsichtig war. Durch ihn konnte man unscharf die Umrisse eines Kopfes sehen. Nigel war ziemlich sicher, daß der Ort der Aufnahme die Erde war. Der Aufbau der Farnwedel war einfach und ihm irgendwie vertraut.

An der Gestalt im Anzug waren keine weiteren Einzelheiten zu erkennen, doch nicht sie war es, was Nigels Aufmerksamkeit erregte. Da war noch ein Wesen, es war größer und trug offensichtlich keinen Anzug. Sein Körper wurde von einem dichten, dunklen Fell geschützt, und es stand inmitten der Farne, die es zum Teil verdeckten. In kräftigen, plumpen Händen hielt es so etwas Ähnliches wie einen Felsbrocken.

Nikka und Nigel sprachen mehrere Augenblicke lang darüber. Die Gestalt im Anzug machte einen seltsamen Eindruck, als ob es der Art und Weise zuwiderhandelte, in der ein Lebewesen mit aufrechtem Stand der Schwerkraft trotzen sollte. Doch das große, behaarte Wesen, das so wuchtig, so bedrohlich wirkte, verursachte bei Nigel eine unbestimmte Beklommenheit.

Er konnte versuchen, was er wollte, es gelang ihm nicht, die Überzeugung loszuwerden, daß es ein Mensch war.

Nigel hatte gerade den Mund geöffnet, um noch etwas zu sagen, als eine aufgeregte männliche Stimme in die Leitung sprach: »Alle, die im Schiff sind, raus! Die technische Abteilung hat soeben eine Bogenentladung in Abschnitt elf gemeldet. Auf einem anderen Deck ist an verschiedenen Stellen ein plötzlicher Spannungsanstieg registriert worden. Wir fürchten, es könnte sich um eine Wiederaktivierung des Verteidigungssystems handeln. Sofort evakuieren!«

»Du machst wohl besser, daß du rauskommst, Liebes«, sagte Nigel kraftlos. Er war in Sicherheit, saß unter mehreren Metern Mondstaub in der Nähe der Unterkünfte. Nikka stimmte zu und unterbrach die Verbindung.

Nigel saß lange da und betrachtete das Wesen auf dem Bildschirm. Es hatte sich halb abgewendet, ein Bein war leicht angehoben. Trotzdem hatte er irgendwie das Gefühl, daß es ihn direkt ansah.

9

Peter Graves' Fieber ließ während des Tages nach, und in der Nacht erwachte er. Er stammelte zunächst, und Mr. Ichino flößte ihm eine Fleischbrühe ein, die stark nach wärmendem Brandy schmeckte. Sie schien dem Mann neue Kräfte zu verleihen.

Graves starrte zur Decke, er wußte offenbar nicht, wo er sich befand; und er redete etwas, das keinen Sinn ergab. Nach einigen Minuten blinzelte er plötzlich und konzentrierte sich zum erstenmal auf Mr. Ichinos gegerbtes Gesicht.

»Ich hatte sie schon, verstehen Sie?« murmelte er beschwörend. »Sie waren *soo* nah, ich hätte sie fast *berühren* können. War trotzdem zu still, trotz ihrer Singerei. Konnte den Fotoapparat nicht nehmen. Der klickt so.«

»Schön«, sagte Mr. Ichino. »Drehen Sie sich nicht auf die Seite.«

»Ja, das da«, murmelte Graves und schaute unwillkürlich auf sein Hemd hinunter. »Der Große hat das gemacht. Dieses Mistvieh. Hab' schon gedacht, der würde nie umfallen. Der Führer und ich ham das Blei nur so in ihn reingepumpt, und dieser Flammenwerfer, den die da hatten, ging in alle Richtungen los. Orangerot. Hat den Führer voll umgehauen, und er stand nich' mehr auf. Der Blitz kam alle paar... alle paar...«

Graves' harte, krächzende Stimme versiegte. Die Beruhigungsmittel in der Fleischbrühe fingen an zu wirken. Nach einem Augenblick atmete der Mann gleichmäßig. Als er sicher war, daß Graves schlief, zog Mr. Ichino seinen Mantel an und ging nach draußen. Der Schnee lag jetzt wenigstens einen Meter hoch, eine weiße Decke, die die normalerweise klare Horizontlinie am gegenüberliegenden Berg unscharf werden ließ. Schneeflocken fielen in der sanften Stille, ein leichter Wind trieb sie. Es war unmöglich, die Straße zu erreichen.

Mr. Ichino kämpfte sich über die Lichtung, die körperliche Anstrengung machte ihm Spaß. Vielleicht war es nicht nötig, jetzt Hilfe zu holen. Das Schlimmste war wahrscheinlich überstanden. Falls es nicht zu einer Infektion kam – bei den vielen Antibiotika, die er besaß, war das nicht anzunehmen –, konnte Graves auch ohne ärztliche Hilfe wieder gesund werden.

Er fragte sich, was all das Gestammel bedeutete. ›Der Große‹ könnte jeder x-beliebige sein. Irgend etwas war für die Wunde verantwortlich, das stand fest, doch Mr. Ichino wußte von keiner Waffe, die eine so große Verbrennung verursachen konnte, nicht einmal einem Laser.

Mr. Ichino schüttelte den Kopf, um wieder klar denken zu können, wobei schwarze Locken in seine Augen fielen. Er würde sich bald die Haare schneiden müssen. Man vergaß solche Dinge, wenn man weitab von anderen Menschen lebte.

Er schaute nach oben und fand Orion sofort. Er konnte gerade noch den diffusen Lichtfleck erkennen, der der große Nebel war. Auf der anderen Seite der dunklen Himmelskugel fand er Andromeda. Es war ihm immer unglaublich vorgekommen, daß er mit einem einzigen kurzen Blick dreihundert Milliarden Sterne sehen konnte, eine gesamte Galaxis, die als weitaus schwächerer Lichttupfen erschien als die Nachbarsterne. Sterne wie Sandkörner, grenzenlos und unvergänglich.

Warum erschienen angesichts solcher Unendlichkeit alle Versuche des Menschen, Gott zu verehren, als so komisch? Oder entsetzlich?

Heute abend hatte es in den Nachrichten einen Bericht über einen der tätowierten Neuen Jünger gegeben, der schließlich seinen ganzen Körper mit Zeichnungen bedeckt hatte. Ursprünglich hatte man geplant, die Arbeit allmählich auszuführen, so daß die letzten Linien im hohen Alter, kurz vor dem Tod des Mannes, beendet worden wären. Aber dieser Neue Jünger hatte sich mit der Arbeit beeilt und sich dann die Kehle durchgeschnitten, dazu gewillt, sich die Haut abziehen und gerben und sie dann gerahmt dem Bischof schenken zu lassen, als Opfer für die Wahrheit der Neuen Offenbarung.

Mr. Ichino schauderte, und er machte kehrt, um zur Hütte zurückzugehen. Ein Mann stand dort mit dem Rücken zu Mr. Ichino, er schaute durch das Fenster der Hütte. Mr. Ichino ging vorwärts. Bei dem beständig fallenden Schnee war es schwierig, ihn deutlich zu sehen, doch der Mann war groß und bewegte sich nicht. Er schien sich vorzubeugen, damit er etwas Bestimmtes an der Seitenwand der Hütte sehen konnte. Ja, das müßte Graves sein. Das Bett stand vom Fenster aus gesehen nicht in direkter Blickrichtung.

Mr. Ichino kam näher, und irgend etwas mußte ihn verraten haben. Der Mann drehte sich plötzlich um, sah ihn und lief mit erstaunlicher Geschwindigkeit um die Ecke der Hütte. Die Gestalt bewegte sich gleichmäßig und scheinbar mühelos, trotz des hoch aufgewehten Schnees. Im Nu war sie zwischen den Schatten verschwunden.

Als Mr. Ichino die Stelle unter dem Fenster erreichte, hatte der Schnee bereits begonnen, die Fußspuren des Mannes zu verwischen. Wenn es Stiefelabdrücke waren, stammten sie von einer seltsamen Art von Stiefeln – die Abdrücke hatten eine sonderbare Form, waren ungewöhnlich tief und wenigstens sechzig Zentimeter lang.

Mr. Ichino folgte ihnen ein Stück in den Wald und gab dann auf. Der Mann konnte in der Dunkelheit mühelos entkommen. Mr. Ichino fröstelte, und er ging zurück zur Hütte.

10

»Wann ist der Druck gefallen?« sagte Nigel in sein Kehlkopfmikrofon. Nikka hatte gerade wieder Kontakt mit ihm aufgenommen.

»Vor ungefähr vierzig Minuten. Ich bekam eine Warnung von der technischen Abteilung, daß das Plastaform eingerissen war, als sie in dem Abschnitt über diesem hier eine Notstromleitung zusammenbastelten. Ich hatte genug Zeit, also krabbelte ich zurück zur Schleuse, holte einige Flaschen mit Luft und schleppte sie hierher. Unter der Schalttafel ist eine winzige Druckkammer für Notfälle, aber irgend jemand hat vergessen, die Flaschen dafür auszugeben.«

»Bist du jetzt in dieser Kammer?«

»Nein, sie haben die lecke Stelle gefunden. Der Druck steigt wieder.«

Nigel schüttelte den Kopf, und dann wurde ihm klar, daß sie die Geste gar nicht sehen konnte. » *Merde du jour.* Ich habe schlechte Nachrichten über einen Teil unserer gespeicherten Daten. Das aufgezeichnete Material von mehreren Tagen, das Zeug, das wir immer Alphonsus gesendet haben, damit sie es zur Erde weiterleiten, ist verschwunden.«

» *Was?* «

»Als du aus der Leitung warst, habe ich einen netten kleinen Anruf von der Funkabteilung bekommen. Sieht so aus, als hätten sie an verschiedenen Stellen ihrer Programme Mist gebaut. Das Unterprogramm, das Alphonsus auf Band gespeicherte Informationen sendet, war defekt – es löscht alles, ehe es sendet. Alphonsus wunderte sich, warum sie lange Sendungen ohne jedes Signal empfingen.«

»Das ist absurd. Das ganze Datenmaterial von Standort Sieben ist vernichtet worden?«

»Nein, nur das von uns. Jedes Team hat seine eigene Registeradresse, und nur mit unseren Daten ist etwas passiert. Wir haben eine ganze Menge Material verloren, aber nicht alles.«

Es war das erstemal, daß Nigel Nikkas Stimme wirklich wütend klingen hörte. »Was sind das für Knallköpfe?! Wenn wir mit dieser Schicht fertig sind, will ich mit Valiera reden.«

»Einverstanden. Soweit ich das übersehen kann, haben wir die Bilder verloren, die etwas darstellten, was wie Molekülketten aussah, und das meiste Material von gestern. Aber das ist kein Problem, die können wir wiederbekommen. Versuchen wir's mal mit der Fotografie, die du entdeckt hast, kurz bevor die technische Abteilung anrief.«

Nigel betrachtete die Abbildung, als sie vor ihm auf dem Schirm entstand. Die außerirdische Fotografie zeigte Landflächen, die eine dunkle, gefleckte braune Farbe hatten; die Meere waren fast pechschwarz. Trübe rosa Wolken zogen über das Land, und unbewegte Wolkenwirbel verfingen sich an den aufragenden Berggipfeln. An der Küste ließ eine etwas hellere Linie auf eine starke Brandung schließen, die gegen den Strand donnerte. Man konnte Anzeichen von Klippen sehen und breite Schichten von Sedimentgestein.

»Welcher Teil der Erde ist das?« murmelte Nikka.

»Das kann ich nicht sagen. Es erinnert mich an eine Karte, die ich einmal gesehen habe, aber ich weiß nicht mehr welche. Ich speichere das für die Weiterleitung an Alphonsus. Vielleicht können sie eine Aufnahme aus der Gegenwart von dem gleichen Gebiet finden.«

Die nächsten Sequenzen brachten nichts hervor. Dann folgten Komplexe aus herumwirbelnden Punkten und schließlich ein unbewegtes Muster. »Laß das mal stehen«, sagte Nigel. »Das ist ein dreidimensionales Gitterwerk, da bin ich ganz sicher. Schau mal, die kleinen Kugeln haben verschiedene Größen und Farben.«

»Das könnte das Modell einer Molekülkette sein«, sagte Nikka. »Oder vielleicht eine Aufnahme der tatsächlichen Moleküle.«

»Genau. Das kommt auch ins Log. Und ich werde der Funkabteilung sagen, daß sie nichts senden sollen, ehe ich Gelegenheit gehabt habe, ihre Programme zu überprüfen. Wir wollen nicht, daß diese Bilder auch noch verlorengehen.«

»Wart mal eine Sekunde, die technische Abteilung ruft gerade an...« Nikka unterbrach die Verbindung.

Nigel wartete. Er trommelte mit den Fingern auf der Schalttafel. Er hoffte, daß die Mitteilung, die er Kardensky geschickt hatte, nicht abgefangen wurde. Er brauchte die Informationen und die Aufnahmen, die Kardensky beschaffen konnte.

»Da ist schon wieder so ein verdammtes Leck«, sagte Nikka plötzlich aus dem Lautsprecher. »Die technische Abteilung hat mir angedroht, hierherzukommen und mich hinauszuschleifen – ich möchte zu gerne sehen, wie sie das machen wollen –, wenn ich nicht komme. Ich habe zwar genug Luft in den Flaschen, aber... *Oh*, es hat gerade in meinen Ohren geknackt...«

Nigel warf verärgert seinen Bleistift auf die Konsole. »Schon gut, komm rüber! Wir beide gehen jetzt zu Valiera.«

»Das war das absolut *Dümmste,* was man nur machen konnte«, schloß Nigel. Er blickte Valiera durchdringend an. »Wenn die Bilder aus irgendeinem Grund von dem außerirdischen Computer gelöscht wurden, nachdem wir sie auf den Schirm projizieren ließen, dann ist dieses Material *vernichtet.* Für immer!«

Valiera faltete seine Finger zu einem Dach. Er kippte seinen Sessel nach hinten und blickte flüchtig auf Nikka und Sanges. »Ich stimme Ihnen zu, die Situation ist unerträglich. Ein Teil unserer Anlagen funktioniert nicht richtig, und ich glaube, dies ist hauptsächlich auf die Tatsache zurückzuführen, daß alles hier in einem unordentlichen Zustand ist. Bedenken Sie bitte, daß wir Standort Sieben gerade erst errichten und Pannen unvermeidlich sind. Victor hier untersucht gerade das gesamte Funknetz, und ich erwarte seine Empfehlungen in Kürze.« Valiera sah Sanges vielsagend an.

»Ja, ich hoffe, daß ich alles bald in Ordnung bringen kann«, meinte Sanges.

»Ich bin nicht der Meinung, daß diese Sache so gelassen hingenommen werden sollte«, sagte Nikka schroff. »Es ist möglich, daß wir einige unersetzliche Informationen aus der Datenbank des Wracks verloren haben.«

»Und es ist doch nicht so, daß Mister Sanges einen schmerzlichen Verlust erlitten hätte, oder?« sagte Nigel mit einem matten Lächeln. »Team eins ist mit seiner Bestandsaufnahme nicht weit vorangekommen.«

Sanges war aufgebracht. »Wir haben genauso hart gearbeitet wie Sie. Ich sehe *keinen* Grund...«

»Na, jetzt lassen Sie das aber mal!« sagte Valiera. »Es stimmt, Team eins bekommt erst jetzt etwas festen Boden unter die Füße, aber Sie müssen einsehen, Nigel, daß ihre Aufgabe viel schwieriger ist. Sie stellen ein Bestandsverzeichnis zusammen, unter Verwendung der außerirdischen Schrift. Bis sie den Code geknackt haben und wissen, was die Schrift bedeutet, werden sie keinerlei handfeste Ergebnisse haben.«

»Warum geben sie dann die Verwendung der Schrift nicht auf und versuchen, mit Hilfe von Bildern etwas herauszufinden?« fragte Nikka freundlich. »Das ist der Weg, den wir eingeschlagen haben, und er scheint zu funktionieren.«

»Wirklich, was haben Sie denn entdeckt?« Mit neuer Aufmerksamkeit kniff Valiera unbewußt seine Augen etwas zusammen.

Für einen langen Augenblick hörte man in dem Raum nur das leise Wimmern der Ventilatoren der Belüftungsanlage. »Einige Gebilde, die wie Modelle von Molekülketten aussehen, Aufnahmen von der Erde aus einer Umlaufbahn, ein Bild, das offensichtlich einen frühen Primaten darstellt«, sagte Nigel langsam. »Noch ein paar Dinge, und natürlich diese große Ratte.«

»Ich habe das meiste von dem gesehen, worauf Sie sich in den Berichten beziehen«, sagte Sanges. »Ich würde Ihrer Interpretation in mehreren Fällen widersprechen, aber das kann natürlich zu gegebener Zeit geklärt werden.«

»Ganz recht«, meinte Nigel. »Nikka und ich versuchen soviel wie möglich herauszufinden, damit wir eine Vorstellung davon bekommen, wie der Computer arbeitet und was über ihn zugänglich ist. Mich interessiert besonders, was die Experten zu dieser Ratte sagen werden.«

»Na ja«, sagte Valiera kühl, »es wird natürlich einige Zeit dauern, bis das geklärt ist.«

»Was wollen Sie damit sagen?« fragte Nikka.

Valiera spitzte den Mund und zögerte. Nigel musterte ihn gründlich. Ihm war diese Art von Verwalter schon früher begegnet. Valiera war offenbar ein ausgezeichneter Pilot gewesen, doch irgendwann während seines Aufstiegs hatte er die typisch bürokratische Angewohnheit übernommen, die Wirkung jedes Satzes abzuschätzen, bevor er ihn aussprach. Der Mann machte einen berechnenden Eindruck.

»Die Nationale Wissenschaftsstiftung hat beschlossen, keines der Bilder freizugeben, die Sie aus der außerirdischen Schalttafel herausholen. Man ist der Auffassung, daß dies zum jetzigen Zeitpunkt ungünstige Auswirkungen haben könnte.«

»Elender Mist! Wieso *ungünstig*?« sagte Nikka mit schneidender Stimme.

»Wir wollen eine ernsthafte wissenschaftliche Untersuchung von allem, was bei Standort Sieben zutage gefördert wird. Wenn man jetzt Informationen zur Veröffentlichung freigäbe, würde man damit nur die NWS überlasten und ein ohnehin schon gefährdetes Budget aufs Spiel setzen«, sagte Valiera und breitete die Arme in einer Geste aus, die Hilflosigkeit ausdrückte.

»Ich stimme dem voll und ganz zu«, sagte Sanges. »Viele Menschen werden solche Fotografien wie die von dem großen Nagetier höchst beunruhigend finden. Es ist unsere Pflicht, nur dann Informationen weiterzugeben, wenn sie auch richtig verstanden werden. Der Erste Bischof hat diesen Punkt mehrfach hervorgehoben.«

»Ach so, und der Erste Bischof ist zweifelsohne ein Fachmann für Kulturschock und Exobiologie.« Nigel zog die Augenbrauen hoch.

»Der Erste Bischof war gegenwärtig, als der Welt die Neue Offenbarung verkündet wurde«, sagte Sanges mit unbewegtem Gesicht. »Er besitzt ein großes und profundes Wissen über die Eigenheiten des Menschen und den besten Weg für die Menschheit. Ich möchte meinen, sogar Sie könnten das begreifen.«

»Nigel, Sie wissen doch bestimmt, daß die Neuen Jünger keine negative Einstellung zu der Existenz außerirdischen Lebens haben«, sagte Valiera diplomatisch. »Immerhin hatte die Neue Offenbarung ihren Ursprung in der Entdeckung von Leben auf Jupiter. Der Erste Bischof legt nur Wert auf die Feststellung, daß der Mensch in besonderer Weise mit diesem Planeten verhaftet ist, so daß außerirdische Lebensformen auf den Menschen wahrscheinlich recht fremdartig wirken werden, sogar furchteinflößend.«

»Stehen Sie jetzt also auf der Seite der Neuen Jünger?« fragte Nikka.

»Nein, natürlich nicht«, sagte Valiera hastig. »Ich bin lediglich der Auffassung, daß ich einen Standpunkt zwischen diesen beiden divergierenden Meinungen einnehmen sollte.«

»Divergieren, ja, das tun sie allerdings«, sagte Nigel. »Ich glaube nicht, daß außerirdisches Leben so entsetzlich furchteinflößend sein muß. Und ich glaube nicht unbedingt, daß sich unser begrenztes Wissen über unsere Evolution mit dem Dogma des Ersten Bischofs deckt.«

»Was wollen Sie damit sagen?« fragte Sanges ernst.

»Machen Sie sich nichts draus! Ich glaube einfach, wir sollten unseren Verstand für alle Eindrücke offenhalten. Die Freigabe *aller* Informationen, die wir aus dem Computer herausholen, ist ein unverzichtbarer Punkt. Wir brauchen bei diesem Problem die Mitarbeit der fähigsten Köpfe, nicht nur eine Kommission der NWS.«

»Nichtsdestoweniger«, sagte Valiera leise, »haben der Kongreß und die NWS ihre Entscheidung getroffen, und wir müssen uns ihr fügen.«

Nigel lehnte sich zurück und trommelte mit den Fingern auf dem Knie. »So weit ist das also schon.«

Nikka wechselte einen Blick mit ihm und wandte sich Valiera zu. »Lassen wir dieses Thema für den Augenblick. Nigel und ich haben uns auf dem Weg hierher darüber verständigt, daß wir eine separate Verbindung zu Alphonsus brauchen, um sicherzustellen, daß nicht noch einmal Computerdaten verlorengehen.«

»Das klingt nach einem vernünftigen Vorschlag«, sagte Valiera. Einige Falten der Anspannung verschwanden aus seinem Gesicht.

»Es wird nicht viel Mühe machen oder Zeit kosten, einen separaten Sendeanschluß in der Nähe der Schalttafel zu installieren«, sagte Nikka. Sie nahm einen Block Papier und skizzierte einen Schaltplan. »Ich möchte ein externes Speicherelement im Schiff selbst einbauen lassen, so daß jeder, der an der Konsole arbeitet, jederzeit einen separaten Speicher verwenden kann. Auch wenn in der Funkabteilung unbeabsichtigt etwas gelöscht werden sollte, existiert dann eine weitere Kopie, die Alphonsus zur Dauerspeicherung gesendet werden kann.«

»Das scheint ein ziemlich großer Aufwand an Arbeit und Kosten zu sein..«, begann Sanges.

»Zum Teufel mit den Kosten!« sagte Nigel plötzlich. »Das hier ist doch kein Schmalspurprojekt. Dieses Schiff ist wenigstens *eine halbe Million Jahre* alt. Es ist immer noch bewaffnet, und es kann uns in ein paar Jahren mehr beibringen, als die Menschheit in einem ganzen Jahrhundert lernen könnte. Ich werde nicht zulassen...«

»Ich glaube, Ihr Antrag ist wohlüberlegt«, unterbrach ihn Valiera. »Ich werde der technischen Abteilung sagen, daß sie Ihnen dabei in jeder Weise helfen soll.«

»Ich will eine separate Verbindung zu Alphonsus«, sagte Nikka. »Ein komplettes, separates Subsystem.«

»Ich werde dafür sorgen, daß Sie es umgehend bekommen. Wir haben genug Geräte, die wir dafür abziehen können. Und jetzt...« – Valiera warf einen Blick auf seine Armbanduhr – »ist es, glaube ich, an der Zeit für die Stunde der Abgeschiedenheit und Meditation der Neuen Jünger, Mister Sanges.«

»*Dafür* stellen Sie Zeit zur Verfügung?« sagte Nigel ungläubig. »Sogar *hier*?«

»Wir müssen in allen Bereichen Kompromisse eingehen, Nigel«, sagte Valiera lächelnd.

Nigel verzog das Gesicht, erhob sich und verließ den Raum. Als er die Tür zuschlug, folgte ein dumpfes Echo.

11

Er stand auf einem hochgelegenen Felsvorsprung und beobachtete, wie sich die Flammen durch das Tal fraßen. Das trockene, gelbliche Gras fing sofort Feuer und brannte mit einem knisternden Donnern, einem Klang wie von zahllosen Trommeln. Durch die schwarze Rauchwolke konnte er die vereinzelten kleinen Wesen sehen, die das Feuer entzündet hatten. Sie verständigten sich gestikulierend und folgten den Flammen am Rande des Talbodens; sie trugen kleine Fackeln, um dafür zu sorgen, daß in der Feuerwand keine Lücke entstand.

Vor den Flammen liefen die Elefanten. Ihr weitausgreifender, trottender Gang ließ jetzt etwas Panik erkennen; sie stießen einer für den anderen dumpfe Schreie aus, während sie ins Verderben stürmten.

Von seinem Felsvorsprung aus konnte er den dunklen Strich des Moors sehen, das vor der Elefantenherde lag. Das Bild tanzte in der flimmernden Hitze, doch er konnte die grasbedeckten Brüche erkennen, die jetzt nur noch einen Kilometer von den Elefanten entfernt lagen. Zu beiden Seiten des Sumpfes, nahe den Talrändern, warteten kleine Gruppen der Fackeln tragenden Wesen.

Er war zu weit entfernt, um irgendwelche Einzelheiten erkennen zu können, doch sie schienen zu tanzen, ihre langen Stöcke wirbelten hoch in die Luft.

Weit weg, jenseits des feuchten Moors, war ein trockeneres, höhergelegenes Plateau. Auf diesem Plateau konnte er eine gewaltige Herde sehen, die nach Futter suchte, wahrscheinlich waren es Antilopen oder wilde Rinder; ein unermeßliches Meer von jagdbaren Tieren. Und doch ignorierten die Wesen mit dem Feuer die Herde; sie trieben die Elefanten voran und warteten darauf, sie abschlachten zu können, wenn die Tiere in dem Sumpf gefangen waren.

Warum nahmen sie das Risiko auf sich, zertrampelt oder unter unerträglichen Schmerzen vom Stoßzahn eines Elefanten aufgespießt zu werden? Um Mut zu beweisen? Um noch mehr unglaubliche Geschichten zu haben, die man sich spät am Abend am Feuer erzählen konnte? Um die Mythen und Sagen zu nähren, die mit jeder neuen Wiederholung im Flammenschein eindrucksvoller wurden?

Wie lernten sie, in dieser Form zusammenzuarbeiten, in einem kunstvollen Tanz hin und her zu laufen, bei dem sie prüften, wie sehr die Beute schon geschwächt war? Wer brachte ihnen bei, Stämme zu bilden, Feuer zu machen, das fein gesponnene Netz einer Familie aufzubauen? Eine so komplizierte Kunst, die so schnell erlernt wurde. Es war kaum zu glauben, daß diese Wesen von der langsamen, schwerfälligen Hand der Evolution vorangetrieben wurden, dem Wirken der...

Die Bewegung von einem der Schatten erregte seine Aufmerksamkeit. Er wandte sich um. Eines der Wesen trat hinter einem dürren Baum hervor. Es war kaum einen Meter groß, zottig, seine Hände und Füße sahen geschwollen aus. Die tiefliegenden Augen zuckten von links nach rechts, sie prüften das Terrain, und das kleine, aufrecht stehende Wesen verlagerte den spitzen Stock, den es in der Hand hielt.

Der Wind drehte etwas und trug den scharfen, verschwitzten Geruch des Wesens zu ihm herüber. Keiner der beiden bewegte sich. Nach einem Augenblick scharrte das Wesen mit den Füßen, nahm den Stock in eine Hand und hob die andere, so daß der Handteller ihm zugewandt war. Es machte eine Reihe dumpfer, polternder Grunzgeräusche. Der Handteller, den es hochhielt, war faltig und um die scharfen Nägel mit dickem, verfilztem Haar bedeckt.

Nigel hob seinen Handteller zu der gleichen Geste. Er öffnete den Mund, um etwas zu antworten, und das Bild verflüchtigte sich in einem Rauchring. Lichtstreifen kräuselten sich und tanzten. Ein hohles Trommeln hüllte ihn ein, es war ein intensives Geräusch in der stickigen Luft.

Jemand klopfte an seine Tür.

Er schob einige Papiere aus seinem Schoß, schwang die Füße auf den Boden und war nach zwei Schritten an der Tür. Als er sie geöffnet hatte, sah er Nikka verlegen im Gang stehen.

»Mein Arzt hat mir geraten, niemals allein zu trinken«, sagte sie. Sie hielt einen kleinen Meßkolben hoch, in dem sich eine klare Flüssigkeit befand. »Das Reinste vom Reinen, auf Alphonsus destilliert, zum Zwecke wissenschaftlicher Forschung und der Hebung des Wissensstandes der Menschheit.«

»Eine höchst interessante Probe«, sagte Nigel nachdenklich. »Nur zu, bring sie herein, damit wir sie genauer untersuchen können.«

Er ließ sich auf seinem Wandbett nieder und deutete auf einen Stuhl. »Ich fürchte, hier ist nicht viel Platz, um etwas abzustellen.

In dem Schrank ist ein zweites Glas; ich probiere dein Gebräu, sobald ich mit dem Drink hier fertig bin.«

Sie betrachtete interessiert sein Glas. »Fruchtsaft?«

»Na ja, mit irgendwas muß man das Cannabinol ja mischen.«
Ihre Augen wurden größer. »Aber das ist doch *verboten*.«

»Nicht in England und Amerika. In England herrschen ziemlich üble Zustände, und die ganzen leichten Drogen sind erlaubt – ja, ihr Gebrauch wird sogar gefördert.«

»Hast du jemals LSD geraucht?« fragte sie mit einem respektvollen Unterton.

»Nein, darauf bin ich nie besonders scharf gewesen. Außerdem gehört LSD übrigens nicht zu den Sachen, die man raucht. Nicht daß ich etwas gegen das Rauchen hätte, ganz im Gegenteil; eigentlich rauche ich Haschisch lieber. Aber mir ist eingebleut worden, daß man auf dem Mond nichts rauchen darf – das wäre zu gefährlich –, also ließ ich dieses Cannabinol in den Sachen von Kardensky raufschmuggeln. Das hat mich eine schöne Stange Geld gekostet – zweihundert Dollar, diese Wette, erinnerst du dich? –, dieses Zeug sicher durch alle Kontrollen zu bringen.«

Sie mischte ihren Alkohol mit etwas Fruchtsaft, probierte das Gemisch und lächelte. »Findest du die Arbeit hier so anstrengend?«

»Überhaupt nicht. Es ist alles kinderleicht. Ich bin noch nicht einmal so lange hier, daß sich das Hochgefühl wegen der niedrigen Schwerkraft gelegt hat. Aber während du an der Verbindung zu Alphonsus herumgebastelt hast, habe ich beschlossen, eine Runde über die Sachen von Kardensky nachzugrübeln. Cannabinol bringt mich manchmal auf Ideen, läßt mich Zusammenhänge erkennen, die mir sonst entgehen würden.«

Nikka runzelte die Stirn und öffnete den Mund, um etwas zu sagen. Nigel machte mit seiner Hand eine weitausladende Geste und murmelte: »Ja, ja, ich weiß schon. Ich mache mir den Verstand für einen Haufen Binsenweisheiten kaputt. Aber ich habe wirklich nicht das Gefühl, daß es mir irgendwie schaden würde. Es hat mir schon in der Vergangenheit einige Geistesblitze beschert, die meiner Karriere sehr geholfen haben. Und abgesehen davon, Nikka, ist es *herrlich*. Das Zeug ist sehr beliebt, es ist hochmodern. Alle Hominiden nehmen es.«

»Gut«, sagte Nikka, »vielleicht probiere ich es sogar selbst einmal. Aber jetzt zu etwas anderem. Ich dachte, du wolltest dich vor einer Stunde mit mir in der Turnhalle treffen.«

»Hm, das stimmt wohl. Na ja, da drinnen steht so ein schauderhafter Haufen von Fitneßgeräten, und ich war hier mit meinen Grübeleien beschäftigt.«

»Du *solltest* etwas Sport treiben, das weißt du. Valiera wird dir deswegen ziemlich bald auf den Pelz rücken. Wenn du die Übungen nicht machst, wirst du schließlich überhaupt nicht mehr zur Erde zurückkehren können.«

»Wenn sie ein Schwimmbecken einbauen, werde ich sofort da sein.« Er nippte an seinem Drink und studierte ein Blatt Papier, das neben ihm lag.

»Das wird nicht mehr sehr lange dauern, da wir jetzt auf Eis gestoßen sind. Außerdem, Nigel, fühlt man sich gut, wenn man die Übungen gemacht hat. Schau mal…« Sie drehte sich geschickt in der Luft und machte einen einfachen Salto, nach dem sie sauber mit den Füßen landete. »Ich gebe ja zu, daß das in der niedrigen Schwerkraft nicht übermäßig schwierig ist.«

»Ja, ja«, sagte Nigel, während er sie aufmerksam ansah. Er vermutete, daß ihr nicht ganz wohl dabei war, ihn in seiner Höhle zu besuchen. Sie war von Natur aus ein motorischer Mensch, deshalb würde sich Angst wahrscheinlich in Form von gesteigerter Aktivität zeigen; daher die akrobatische Vorführung.

»Setz dich mal hierher, ich muß dir etwas zeigen.« Er reichte ihr eine Farbfotografie von der Erde, die aus der Umlaufbahn aufgenommen worden war. »Das ist das gleiche Bild, das wir vor einiger Zeit auf der Schalttafel bekommen haben. Kardensky hat es annäherungsweise in unsere Farbskala umsetzen lassen, damit es für uns nicht so rot aussieht.«

»Ich verstehe. Welcher Teil der Erde ist das?«

»Südamerika, die südliche Spitze, Tierra del Fuego.« Nigel klopfte mit einem Fingernagel auf die glänzende Oberfläche. »Dies ist die Estrecho de Magellanes, eine schmale Straße, die Atlantik und Pazifik verbindet.«

Nikka studierte das Foto. »Das ist doch keine Straße. Sie ist an vier oder fünf Stellen unterbrochen.«

»Richtig. Jetzt sieh dir das an.« Er legte ihr einen weiteren Abzug, der die gleiche Gegend zeigte, so geräuschvoll vor, als ob er eine Spielkarte austeilen würde. »Kardensky hat das hier auf Anfrage vom Amt für geologische Aufnahmen bekommen, das Bild stammt vom letzten Jahr.«

»Sie ist offen«, sagte Nikka. »Es *ist* eine Straße.«

»Diese Stelle ist immer offen gewesen, seit der Zeit, als Europäer die Neue Welt erreichten. Das Bild, das wir aus der Datenbank des Wracks erhalten haben, muß zeigen, wie es dort ausgesehen hat, *ehe* die Erosion die Straße auswusch.«

Nikka sagte rasch: »Damit haben wir folglich eine weitere Möglichkeit der direkten Altersbestimmung.«

»Genau. Man weiß zwar über das Tempo von Erosionsprozessen nicht gerade besonders gut Bescheid, doch Kardensky sagt, daß dieses Bild *wenigstens* eine Dreiviertelmillion Jahre alt ist. Das stimmt recht genau mit den Schätzungen aufgrund der Strahlungsschäden überein. Aber das ist noch nicht alles.« Nigel suchte Aufzeichnungen, Fotografien und einige Bücher zusammen, die über sein Bett verstreut lagen. »Irgend jemand in Cambridge hat diese Gitterwerke identifiziert, die wir entdeckt haben.«

»Was sind sie?«

»Aus verschiedenen Winkeln aufgenommene Teilansichten von Physostigmin.«

»Ist *das* denn nicht...?«

»Richtig. Mein Wissen auf all diesen Gebieten ist etwas eingerostet, aber ich habe bei Kardensky nachgefragt und kann mich noch gut an das erinnern, was in Presse und Fernsehen dazu gesagt wurde – das ist der Stoff, den man als RNA-Trigger verwendet. Über dieses Zeug und einige andere lange Kettenmoleküle versucht die NWS gerade, gesetzliche Bestimmungen zu erwirken.«

Nikka betrachtete die Abzüge, die er ihr gab. Für ihr ungeübtes Auge war die komplexe Matrix vollkommen unverständlich.

»Hat es nicht irgend etwas mit Schlaflernprozessen in den subkortikalen Bereichen zu tun?«

Nigel nickte. »Das scheint eine seiner Funktionen zu sein. Man gibt es jemandem, und er ist fähig, schneller zu lernen, mühelos Informationen aufzusaugen. Aber es wirkt auch auf die RNA. Die RNA repliziert sich über die DNA – dabei spielen verschiedene Aminosäuren eine Rolle, die ich nicht so ganz verstehe –, so daß zumindest eine Möglichkeit besteht, Wissen an die nächste Generation weiterzugeben.«

»Und deshalb ist es verboten? Ich habe gehört, die Neuen Jünger wollen nicht, daß es verwendet wird.«

Nigel lehnte sich an die Wand zurück und legte seine Füße auf das schmale Bett. »Es gibt da einen Punkt, bei dem unsere Freunde aus der Branche einmal Himmel ohne Gewähr recht haben mögen.

Zum Rumspielen ist das ein zu gefährlicher Stoff. Vor Jahrzehnten haben einige Biochemiker damit begonnen, ihn Plattwürmern und dergleichen zu verabreichen. Aber ein Mensch ist kein Wurm, und nur eine *verdammt* lange Versuchsreihe wird mich davon überzeugen können, daß es ein kluger Schritt ist, dieses Zeug bei Menschen anzuwenden.«

Er schwieg kurz und sagte dann leise: »Was ich gerne wissen möchte, ist, warum dieses Molekül in einem fast eine Million Jahre alten, außerirdischen Computerspeicher aufgezeichnet ist.«

Nikka hielt Nigel ihr Glas hin. »Könntest du mir einen Tropfen von diesem Cannabinol mit Fruchtsaft geben? Ich fange an einzusehen, daß es zwecklos sein könnte.«

»So ist es«, sagte Nigel trocken.

»Da sind noch ein paar Punkte. Diese lange schwarze Linie vor dem gesprenkelten Hintergrund, die wir entdeckt haben, das ist ein DNA-Molekül, das in einen – laß mich mal eben nachsehen – Pneumokokkus eindringt. Eine einfache Stufe des Replikationsprozesses, hat mir Kardensky gesagt.« Er legte seine Papiere beiseite und mixte ihr sorgfältig einen Drink. »Damit war ich gerade beschäftigt, vermutlich halluzinierenderweise, als du geklopft hast.«

Nikka trank hastig und lächelte dann, wobei sie den Kopf schüttelte. »Ein interessanter Geschmack. Man mischt es doch mit irgend etwas, oder? Aber erklär mal, was du meinst; ich verstehe nicht, was das alles bedeutet.«

Nigel lachte leise in sich hinein und ballte die Finger einer Hand halb zur Faust, bei der er den Daumen hochreckte. »Klasse. Ich hoffe, die Burschen, die in die Päckchen von Kardensky geguckt haben, haben es auch nicht begriffen.«

»Was willst du damit sagen? Sie waren *geöffnet*?«

»Klar. Alle Plomben waren ab. Das Cannabinol war getarnt, deshalb ist es durchgekommen. Der Rest bestand nur aus Büchern, Papieren, Fotografien und einem Band. Ich weiß nicht, auf was für Ideen die Zensoren – Neue Jünger, nehme ich an – bei dem Material gekommen sind.«

»Nicht zu fassen«, sagte Nikka und schüttelte ungläubig den Kopf. »Es ist kaum zu glauben, daß das hier überhaupt eine wissenschaftliche Unternehmung sein soll. Es scheint eher ein...«

»Politischer Wanderzirkus zu sein, ja. Da fragt man sich doch, warum unser Arbeitsplan so häufig durcheinandergebracht worden ist.«

Nikka sah ihn interessiert an. »Unser Arbeitsplan?«

»Ja, du sagst Zeitplan dafür, oder? Ich meine damit, daß wir bei unseren Schichten anscheinend sehr oft unterbrochen werden, mehr als die anderen Teams. Heute zum Beispiel haben wir mehrere Stunden durch diese elektrische Hochspannung verloren...«

»Hochspannung?«

»Auf amerikanisch heißt das... äh... hohe Voltstärke.«

»Du hast deine Anglizismen nie abgelegt.«

»*Wir* haben diese Sprache erfunden.«

»Sag mal, könnte ich noch etwas haben von dem...?«

»So schnell?«

»Es hat so gewisse Eigenschaften...«

»Allerdings. So, jetzt würde ich mich gern aufs Ohr hauen und am liebsten von holden Vögeln träumen.«

»Ein exotischer Slang. Der Charme der Alten Welt.«

Nigel suchte die Papiere zusammen und stapelte sie auf dem Boden; dabei spürte er, wie sich seine Fersen hoben und unter ihm dahinglitten. Der Raum war so winzig, daß darin kein Platz für einen Schreibtisch war.

Als er zu seinem Wandbett zurückschwebte, war er erstaunt, Nikka dort zu finden. Sie küßte ihn.

Nigel machte eine förmliche, nicht ganz eindeutige Handbewegung, die zur Zeit in ganz Europa Mode war. Als Entgegnung zog Nikka eine Augenbraue hoch. Sie näherte sich ihm als ein Strudel von Wärme.

»Du bringst es glatt fertig, einem Kleriker einen Steifen zu verpassen«, sagte er bewundernd.

»Ich hab's noch nicht probiert.«

Sie öffnete die Messingschnalle an ihrer Seite. Geradlinig, dachte er, direkt.

Sie schwebte über ihm, zierlich, anmutig, und ihre kleinen, anmutig geformten Brüste schwangen langsam. Die Schwingungsdauer, dachte er schwach, hing von der Quadratwurzel der Schwerebeschleunigung ab. Eine interessante Tatsache. Etwas regte sich in ihm, und er sah sie groß und ohne scharfe Konturen in dem matten Licht, ein neuer Kontinent in der Luft. Seine Kleidung war verschwunden. Sie kniete vor ihm, und seine Bauchmuskeln zogen sich zusammen, als eine warme Welle seinen Penis umschloß. Er blinzelte, blinzelte und verschmolz mit sich hoch auftürmenden gelben Wolkenballen aus Philosophie.

12

Sie machten Wanderungen auf dem Mond, mühten sich Bergab-
hänge hoch, glitten in dem pulverartigen Staub aus. Nigel wollte die
Erde sehen, und bevor er hier anlangte, war ihm nicht aufgefallen,
daß das Mare Marginis, das Randmeer, einen sehr passenden Namen trug, denn von der Erde aus gesehen befand es sich am äußer-
sten Rand des Mondes, nur ein Drittel des Meeres war sichtbar. Um
die Erde zu sehen, mußten sie einen steilen Berg erklimmen. Nikka
machte sich Sorgen, daß ihn die Anstrengung überfordern könnte,
doch sie hatte keine Rücksicht auf sein fehlendes Training genommen; er keuchte ununterbrochen, aber er verlangsamte sein Tempo
erst kurz unterhalb des Gipfels.

»Wunderschön«, sagte er. Er blieb stehen und stemmte die Hände
in die Hüften. Seine Stimme krächzte über die Funkverbindung
zwischen ihren Anzügen.

»Ja. Ich kann meine Heimat sehen.«

»Wo?«

»Yokohama. Dort.«

»Stimmt. Und dort ist der Westen der Vereinigten Staaten.«

»Über Kalifornien sind Wolken.«

»Aber nicht über Oregon.«

»Wo dein Mister Ichino ist?«

»Richtig. Ich frage mich, warum ich nichts von ihm gehört habe.«

»Hmmm. Sogar dieser gewaltige Detonationskrater ist von hier
aus nicht zu sehen. Komisch. Aber meinst du nicht, daß es noch zu
früh ist, um Ergebnisse zu erwarten?«

»Wahrscheinlich. Außerdem ist er vielleicht eingeschneit.«

»Schließlich hat er von dir ja auch keinen Ton gehört.«

»Das stimmt. Wir haben so verdammt viel zu tun gehabt.«

»Und sind zensiert worden.«

»Allerdings«, sagte er mit einem trockenen Lachen.

»Das läßt sich nicht umgehen.«

»Da bin ich nicht so sicher.«

»Oh? Wie denn?«

»Ich denke da an den Aufbau einer in jeder Beziehung sicheren
Verbindung zu Kardensky.«

»Das wird schwierig werden.«

»Aber nicht unmöglich. Vielleicht können wir die Verbindung
über irgendeine andere Stelle schalten.«

»Auf der Erde?«

»Nein, hier. Auf dem Mond. Wie wär's mit der Mondbasis Hipparch?«

»Das ist nur ein Außenposten. Als man bei Alphonsus auf die mit Eis gesättigten Schichten stieß, wurde Hipparch bedeutungslos.«

»Hm.« Er verstummte.

»Schau dir das an«, sagte er schließlich. »Die Erde. Sie hängt da wie eine Art nicht konfessionell gebundener Engel.«

»Vorsicht. Du brauchst sie nur einmal so zu nennen, und schon werden die Neuen Jünger behaupten, sie hätten die Idee als erste gehabt.«

»Das würden sie allerdings. Das ist genau ihr Stil.«

»Warum können sie sich nicht erst einmal mit einer Welt begnügen? Warum müssen sie auch hier alle Fäden in der Hand halten?«

»Sie pfuschen gerne an allem herum. Macht macht süchtig – sie ist eine Droge, von der man schnell abhängig wird.«

Sie betrachteten ihren Planeten, von dem die Hälfte über dem gefleckten Horizont sichtbar war. Nikka warf einen Stein den hart gebrannten Abhang hinunter. Das einzige Geräusch war das leise Zischen der Luft, die durch ihre Anzüge kreiste.

»Unglaublich«, sagte Nigel nachdenklich. »Niemand hat es gemerkt, aber das hier wird die erste wirkliche Mondkolonie werden. In dem Wrack werden immer ganze Schwärme von Wissenschaftlern herumschnüffeln, Jahrzehnt um Jahrzehnt.«

»Die Zylinderstädte werden ihre eigene Basis haben. Die wird wahrscheinlich größer sein.«

»Wegen dieser elektromagnetischen Kanone, die sie haben? Wenn wir die überhaupt bauen.«

»Glaubst du das denn nicht?«

»Vielleicht. Die Massenmedien preisen die Idee ja in den höchsten Tönen.«

»Sollten sie das besser nicht tun?«

»Oh…« Nigel zuckte die Achseln, und dann fiel ihm ein, daß sie die Geste durch den Anzug gar nicht sehen konnte. »Wahrscheinlich schon. Die Zylinderstädte werden als Standorte für Produktionsanlagen gut geeignet sein, das kann ich dir garantieren. Und sie werden Sonnenlicht aufnehmen und Energie in Form von Mikrowellen zur Erde abstrahlen. Fotoelektrischer Effekt und solche Sachen. Das wird uns gewaltig helfen – zur Zeit werden nämlich die ganzen Betriebe geschlossen, die Kohle verflüssigen, da sich herausgestellt hat, daß Benzpyren ein Karzinogen ist. Und sie haben Milliarden gekostet. In Europa macht sich allmählich wieder Verzweiflung über den Mangel an Energiequellen breit.«

»Können sie denn nicht genug Alkoholkraftstoff einkaufen? Brasiliens Zuckerrohrernte ist in diesem Jahr doch riesig.«

»Aber immer noch nicht groß genug; sie hinken weit hinter der weltweiten Nachfrage her.«

»Dann wäre es also am besten, wenn wir so schnell wie möglich Zylinderstädte und noch mehr Kollektoren zur Nutzung der Sonnenenergie bauen würden?«

»Hmmm, ja, das nehme ich an. Aber das ist nicht der eigentliche Grund, weshalb die Idee der Weltraumgemeinschaft entstaubt und aus dem Schrank geholt wird.«

»Und was ist der Grund?«

»Die Neuen Jünger. Ich glaube, sie verwenden diese Idee als Vernebelungstaktik.«

»Ich habe gehört, daß der Gedanke überall starke Unterstützung findet.«

»O ja, sie sind dick im Geschäft – und die doppelte Bedeutung des Ausdrucks ist Absicht.«

»Vernebelungstaktik? Wofür denn?«

»Nicht wo*für*, wo*gegen. Gegen *uns*. Um Aufmerksamkeit und Geld von unserem Programm hier abzulenken.«

»Oh. Bist du sicher?«

»Nein.« Nigel trat gegen einen Stein. Sie beobachteten, wie er bergab kullerte und hinter sich eine silberne Staubwolke aufschleuderte, die sich mit gespenstischer Eleganz erhob und in sich zusammenfiel. »Nein, das ist ja das Schlimmste an der ganzen Sache. Ich kann das alles nur erraten. Aber ich *weiß*, daß Ausschüsse des Kongresses nicht auf einmal gewaltige Ausgaben beschließen, ihnen sogar oberste Priorität einräumen, ohne daß dafür irgendein Grund vorliegt. Irgend etwas tut sich da.«

»Ich komme mir ziemlich naiv vor.«

»Das brauchst du nicht. Die Spiele, die in der obersten Etage gespielt werden – es sind immer noch bloß Spiele. Politik; Public Relations; die Kunst, anderen um eine Nasenlänge voraus zu sein; Showgeschäft – das alles sind Synonyme geworden.«

»Konkurrenz macht Spaß.«

»Natürlich. ›Dieser Beitrag wurde durch das Wunder Testosteron ermöglicht.‹ Aber da muß noch mehr sein. Mehr als noch ein Nullsummenspiel.«

»Das ist der Grund, weshalb du dich nie den höheren Rängen angeschlossen hast? Damit es dir freistehen würde, deinen Einfluß für das einzusetzen, was dir wirklich wichtig war – hierherzukommen und dich von all dem abzuwenden?«

»Wie bitte?« Ihr Ton überraschte ihn. »Mich abzuwenden? Nein, schau mal – schau dir mal dieses Sorbet von einem Planeten an. Hier stehen wir also, die wir am weitesten von ihm weg sind. Jenseits von uns ist nichts als Nacht. Und dennoch ist das Bild, das den Himmel beherrscht, die verdammte alte Erde. Ich mich abwenden? Wir schauen immer noch uns selbst an.«

An jenem Abend kam sie, nach anstrengenden Stunden vor den Schalttafeln, wieder in sein Zimmer. Als sie sich liebten, spürte Nigel eine stärkere Unruhe, eine gewisse Verzweiflung. Er merkte, wie er sie mit ungestümer Kraft an sich drückte, während er sie nahm, als suche er tief in ihr Geborgenheit – und war über sich erstaunt. Die so elektrisierenden, sanften Bewegungen hatten ihr Eigenleben. Wenn man es als physischen Vorgang betrachtete, bedeutete es für den Verstand ein allmähliches Aufwühlen angeschwollener, gummiartiger Organe; ein Geschehen, dem das Geistige verschlossen blieb; ein Aufsteigen, begleitet von unfreiwilligen Zuckungen, die das Ausscheiden einer zeitlosen Flüssigkeit verursachte. Aber jenseits davon lag Freude, eine beschwingte Freude, verbunden mit einem glühenden Druck, der den bequemen Rückenschild aus Manieriertheit weghob, den er sonst immer trug. Es fand in einem kugelförmigen Raum statt, der so dicht und intensiv war, daß die Menschen in Paaren dort hingehen mußten; man konnte ihn wohl kaum ertragen, wenn man ihn allein aufsuchte.

Und dennoch, selbst da er jetzt an der Stelle lag, wo alle ihre Linien zusammenliefen, sein Kopf zwischen ihre Schenkel gebettet war, spürte Nigel, wie er von ihr wegglitt, weg von der sanften Bewegung des Augenblicks und in die Rätsel hinein, die an seiner Aufmerksamkeit nagten. Er spürte im Zusammensein mit Nikka eine träge, friedliche Ruhe, ein Gefühl, das er seit der Zeit mit Alexandria nicht mehr gehabt hatte, trotzdem blieb die belastende Anspannung, der Eindruck, daß er in zwei Richtungen gezogen wurde, sowohl zu dieser Frau hin als auch zu der Schiffsruine draußen, als ob beide Verbindungsglieder in einem unsichtbaren Ring seien. Er arbeitete unbeholfen an diesen Gedanken und der Verkrampfung, die sie in ihm bewirkten, und dabei schlief er ein; er nahm noch Nikkas salzigen Geruch in seiner Nase wahr, merkte, daß seine Arme schwer und träge waren, als ob sie eine unsichtbare Last abgestützt hätten.

Er wachte mitten in der Nacht auf. Er gab sich große Mühe, so aus dem Bett zu rutschen, daß sie nicht geweckt wurde, und schaltete nur die kleine, abgeschirmte Leselampe in der Ecke ein.

Die Menge des Materials von Kardensky war beeindruckend, doch er arbeitete beharrlich an den Unterlagen und las so schnell er konnte. Die Rätsel der Vergangenheit hatten die ärgerliche Angewohnheit, ihm immer dann zu entgleiten, wenn er gerade versuchte, sie fest in den Griff zu bekommen. Vieles war bekannt, doch es handelte sich größtenteils nur um eine Sammlung von Fakten, bei der die Zusammenhänge zwischen diesen Fakten zwar immanent angelegt, aber nicht ausgesprochen waren. Es ist eine Sache, eine Vielzahl unterschiedlichster, zumeist aus Stein gearbeiteter Werkzeuge zu finden, die alle zu einem ganz bestimmten Zweck gemeißelt oder geschliffen wurden. Aber wie sollte man dieses Gerüst ausfüllen, damit aus dem Rohbau ein brauchbares Haus wurde? Wie sollte man von einem bearbeiteten Feuerstein auf eine Lebensweise schließen?

Er wünschte, er hätte diesen Fragen an der Universität mehr Aufmerksamkeit geschenkt, anstatt sich den Stoff nur kurz vor den Semesterprüfungen einzupauken.

Es gab eine Menge Gerede und Daten über Affen, doch eines bewies das vorliegende Material recht klar – die subhumanen Vorfahren des Menschen sahen *weder* so aus *noch* verhielten sie sich so wie die großen Primaten der Gegenwart. Nur weil Fred ein Vetter ist, heißt das noch nicht, daß man viel über den eigenen Großvater erfahren kann, indem man Freds Angewohnheiten untersucht. Es war alles so sehr miteinander verflochten, so *dicht*. Es gab einen Dschungel von Theorien und Prüfverfahren, die den Menschen angeblich erklärten – Großwildjagd, Feuer, dann Selektion nach größerem Gehirn. Und das implizierte die Verlängerung der kindlichen und weiblichen Abhängigkeit; den Ausfall des östralen Zyklus', so daß die Frau immer verfügbar und sexuell interessiert war; die Anfänge der Familie; Tabus; Überlieferungen. Alles Faktoren, alles Teile des Netzes.

Die Affen in den Hindutempeln verhalten sich im Dschungel normalerweise friedlich. Aber wenn sie erst einmal zahm geworden sind, sich an das Leben in den Tempeln gewöhnt haben, vermehren sie sich ungehindert und bilden riesige Scharen. Wenn eine Schar zufällig auf eine andere trifft, gerät sie urplötzlich in leidenschaftliche Wut und greift an. Es sind Tiere, die viel freie Zeit haben; da sie nicht mehr gezwungen sind zu jagen, haben sie den Krieg erfunden. Wie es der Mensch getan hat.

Nigel seufzte. Analogien mit Tieren waren zwar sehr schön, aber bedeutete dies, daß der Mensch den gleichen Weg gegangen war? Zugegebenermaßen waren die Menschen die klügsten Raubtiere, die man finden konnte. Der Krieg ist immer aufregender gewesen als der Friede, der Räuber aufregender als der Gendarm, die Hölle aufregender als der Himmel, Luzifer aufregender als Gott.

Wenn man sie fragt, warum sie in kleinen Gruppen leben, antworten die Buschmänner der Kalahari, daß sie sich vor dem Krieg fürchten.

Stämme, Sippen, Pakte. Afrika der Kessel, Afrika der Schmelztiegel. Die Oldowayschlucht. Die Serengeti. Das vorderasiatische und ostafrikanische Grabensystem, das den Planeten umgab, eine gewaltige Baseballnaht, die sich aufspaltete, wand, die trockenen, staubigen Ebenen Afrikas furchte. Erdbeben und Vulkane, die zum Auswandern zwangen und den Jäger auf der Suche nach Wild immer weiter trieben.

Dies sei der Ursprung aller Riten, behaupteten einige Forscher: die große innere Ruhe, die dadurch entsteht, daß man eine Sache immer und immer wieder macht, wobei jede Bewegung in allen Einzelheiten festgehalten ist. Der betäubende, beruhigende Gesang, die vorgeschriebenen Tanzschritte – zusammen erschaffen sie ein System, in dem alles sicher ist, alles regelmäßig, alles geordnet, ein Ersatzuniversum im Miniaturformat, das an die Stelle der unsicheren und unvorhersehbaren Außenwelt tritt.

Das trockene Rascheln vom Umwenden der Seiten durchschnitt die Stille des Raumes, während er las. Er überflog eine Analyse von Riten als dem Bindemittel, das eine Gesellschaft zusammenhält. *Laufen leben springen schweben.* Nigel lachte verbittert. *Nur einmal und miteinander. Freudig singen Glück auf immer.*

Er verzog das Gesicht.

Der Geburtsort: eine trockene, strohfarbene Ebene mit vereinzelten Sträuchern, dunkelgrünen Büscheln in der Nähe von Sümpfen und Wasserstellen, ein langes, gewundenes Band von Grün, das den Lauf eines Flüßchens säumt. Die Sprache von Fell, Hörnern, Krallen, Schuppen, Flügeln. Die unwiderlegbare Logik von scharfen, gelben Zähnen und stumpfen Keulen. Ein Wesen, das aufrecht geht; es führt eine zottige Horde an. Kinn und Mund sind vorgereckt, der Überrest einer Schnauze. Niedrige Stirn und platte Nase. Es steigt auf Bäume, es sucht Wasser, es lernt und erinnert sich.

Vernunft und Mord. Der kräftige, üble Geruch von Fleisch.

Die Frauen, die während der Jagd zurückblieben, um Wurzeln und Beeren zu sammeln, bevorzugen heute Gemüse und Obst und Salat. Im Restaurant des Menschen werden dicke Steaks serviert und Roastbeef, halb roh.

Ein Schädel, dreihundert Jahrtausende alt, der deutliche Spuren von Mord erkennen läßt. Aber wie hat es der Mensch bei einer solchen eingebauten Spannung, solcher Rivalität jemals geschafft, mit anderen Menschen zusammenzuarbeiten? Warum verließen sie in Massen die blutige Wiege Afrika, die Produkte einer völlig neuen Art von Evolution? Vom Ramapithecus zum Australopithecus africanus zum Homo erectus zum Neandertaler zu Walmsley, die ganze Litanei, die alles erklären sollte und in Wirklichkeit nichts über das große Geheimnis aussagte, warum es so gekommen war.

Gene, der brutale Druck der Umweltbedingungen, Darwins grausamer Mechanismus. Flexibilität. Die Komplexität ungebundener Strukturen im Gehirn, sagten die Forscher. Nervenzellen mit feinsten Verbindungen, die bei der Geburt noch nicht festgelegt waren, sondern durch den Stempel der Erfahrung geprägt wurden.

Hände, Augen, aufrechter Gang. Ein aufgeregter Schimpanse bricht einen Zweig von einem Baum ab, schwenkt ihn, richtet sich auf zwei Beinen auf und zerrt ihn weg. Andere Schimpansen folgen; sie huschen in den Bäumen umher, reißen Zweige ab und winken mit ihnen. Sie springen durch die grünen Blätter und landen auf dem Boden; sie rasen ein paar Meter weit in das vertrocknete Gras hinein. Es ist eine Art Parade, die Horde feiert sich.

Hypothese, Deduktion, Beleg durch Umweltbedingungen. Ein ungefähr sechzehn Jahre alter Junge liegt auf seiner rechten Seite; seine Knie sind etwas angezogen, sein Kopf liegt auf dem Unterarm; es ist eine Schlafstellung. Er wirkt klein auf dem Boden der dunklen Grube. Ein Stapel geschliffener Feuersteine bildet unter seinem Kopf ein steinernes Kissen, und nahe seiner Hand liegt eine wunderschön gearbeitete Steinaxt. In der Grube sind auch gebratene

Antilopenbeine und andere Fleischstücke, die man in Blätter eingewickelt hat; der Junge wird im Reich der Toten etwas zu essen
brauchen.

Kreise und Tiere, die an Höhlenwände gezeichnet worden sind;
farbiger Lehm, der in Gesichter und auf Steine geschmiert worden
ist. Die Kunst folgt der Religion; sie ist wenigstens hundert Jahrtausende alt. Gezähmte Tiere, die abhängigen Verbündeten Hunde,
Katzen und Vieh. Und immer die Ruhelosigkeit, der Drang nach
außen, Überfälle, Krieg.

Der Mensch würde sich eher selbst umbringen, als an Langeweile
zu sterben. Also – immer etwas Neues; Glücksspiel, Entdeckungs-
reisen, Kunst, Wissenschaft...

»Wasmachsnda?« sagte Nikka. Sie blinzelte ihn schlaftrunken
an.

»Ich arbeite das Material auf. Suche nach Anhaltspunkten.«

Nikka warf die Decken zurück, lag reglos da und starrte zu der
niedrigen Zimmerdecke. Sie atmete einmal tief und befreiend durch
und setzte sich auf. Ihr schwarzes Haar ringelte sich und fiel langsam in der niedrigen Schwerkraft. »Das war unheimlich schön.«

»Hmmm.«

»Ich hab' das wirklich noch nie zuvor so erlebt.«

Er sah auf. »Wieso denn?«

»Naja, ich sehe das einfach wesentlich lockerer. Ich nehme an...
es gibt halt solche Beziehungen und solche Beziehungen.«

»Allerdings«, murmelte Nigel abgelenkt. »Durch Sex lacht Gott
die Reichen und Mächtigen aus, wie Shaw oder Wilde oder sonst
jemand mal gesagt hat.«

»Und wir sind keines von beidem.«

»Ja.« Nigel las weiter.

»Also, ich glaube, ich weiß wirklich nicht, wie ich es beschreiben
soll...«

Nigel legte seine Unterlagen neben sich und lächelte. »Das
brauchst du doch nicht. Schau mal, es ist einfach zu früh, um alles
einzuschätzen. Und man lernt mehr, wenn man nur so durchs Leben
geht, manchmal jedenfalls, als wenn man es peinlich genau analy-
siert.«

»Ich... oh.«

»Klingt das für dich plausibel?«

»Einigermaßen.«

»Hmmm. Gut.« Er griff nach seinen Aufzeichnungen.

»Hast du eigentlich keinen Schalter, mit dem man deine Arbeitswut abstellen kann?«

»Klar, hier«, murmelte er zerstreut. »Du brauchst nur meinen Schwanz in die Hand zu nehmen.«

»Den hab' ich schon ausprobiert.«

»Hmm. Liebe mich, liebe meinen Fanatismus.«

»Also schön.« Sie seufzte gedehnt. »Ich merke schon, hier wird sich nicht so sehr viel mehr in Sachen Liebe und Romantik ereignen. Ich habe noch nie jemanden gesehen, der so besessen gearbeitet hat. Die anderen arbeiten nicht so…«

Nigel schnaubte. »Sie haben keine Ahnung, worauf es wirklich ankommt.«

»Und du hast sie?«

»Vielleicht. Es gibt da eine Menge von Dingen, die ich immer noch in meine ergrauten Synapsen zu stopfen versuche. Schau mal.« Er beugte sich vor und verschränkte seine Finger. »Es ist klar, daß, egal wer dieses Schiff geflogen hat, verdammt viel über unsere Vorfahren wußte. Sie müssen hier irgendeine Art von Operation durchgeführt haben, warum hätten sie sonst so viele Informationen sammeln sollen? Und andernfalls hätten sie auch die Delphine studieren können – sie sind ebenfalls intelligent. Wenn auch in völlig anderer Weise natürlich.«

Nikka zog eines seiner Hemden an und rutschte neben ihn. »Okay. Ich mache bei deinem Spiel mit. Vielleicht konnte man mit uns leichter reden.«

»Warum?«

»Sie müssen ein bißchen so ähnlich wie wir gewesen sein. Bei diesem Schiffswrack gibt es vieles, was wir verstehen können. Ihre Technologie ist nicht *vollkommen* rätselhaft. Sie müssen einige von unseren sozialen Verhaltensweisen gehabt haben. Sie kannten sogar den Krieg, falls wir ihren Schutzschirm und das Offensivsystem richtig interpretieren.«

Nigel nickte langsam. »Außerdem hat jemand die Überlebenden von diesem Wrack aufgelesen, sonst hätten wir irgendwelche Überreste ihrer Leichen gefunden.«

»Also bestand ihre Expedition aus mehr als nur einem Schiff.«

»Vielleicht. Es ist schwierig, das genau festzustellen. Eine halbe Million Jahre ist eine lange Zeit. Wir wissen verläßlich nicht einmal besonders viel darüber, was und wie *wir* vor einer halben Million Jahre waren. Wie haben wir Tiere gezähmt? Die Familienordnung entwickelt und uns in die Savanne ausgebreitet, die Wälder verlassen? Wie haben wir Schwimmen gelernt? Liebe Güte, Affen würden keinen Fluß durchqueren, der tiefer als ein halber und breiter als zehn Meter ist. Und doch ist das alles in so *kurzer Zeit* geschehen.«

Nikka zuckte die Achseln. »Eine erzwungene Entwicklung. Die große Dürre in Afrika.«

»Das ist die übliche Erklärung, ja. Aber all das hier...« – er wies mit einer Hand auf die Wände –, »Basen auf dem Mond, Wissenschaft und Technik und Krieg und Städte. Ist das *alles* nur die logische Konsequenz von Großwildjagd? Das kann ich kaum glauben. Hier, hör dir das an!«

Er hob ein kleines Tonbandgerät vom Boden auf und legte es auf die Knie. »Ich stelle es leise, damit wir niemanden aufwecken. Das ist ein Schlachtgesang aus Neukaledonien. Das Band gehört zu dem Päckchen mit anthropologischem Material. Kardensky dachte vermutlich, ich würde es unterhaltsam finden, da er glaubt, daß so etwas ungefähr meinem Musikgeschmack entspricht.«

Mit einem klickenden Geräusch lief das Band an. Ein langsamer, monotoner Gesang begann, er klang laut und tief und wurde fast herausgeschrien; Trommelschläge begleiteten ihn. Das Stück wurde gefühlvoll, aber auf sonderbare Weise regellos gesungen. Es gab keinen gleichbleibenden Rhythmus, nur vereinzelte willkürliche rhythmische Muster, die wie Unterbrechungen wirkten. Ein dumpfer, von Baßtönen dominierter Klang füllte den Raum. Einige Augenblicke lang wurde unisono gesungen, und die Stimmen und der Trommelschlag schienen an Kraft und Ausdruck zu gewinnen. Dann wechselte der Rhythmus wieder.

»Das ist ja schauerlich«, sage Nikka. »Was für Menschen haben *das* denn gesungen?«

»Die primitivste menschliche Kultur, die wir kennen. Oder *kannten* – diese Aufnahme ist vierzig Jahre alt, und in der Zwischenzeit ist dieser Stamm zerfallen. Sie sind die Verlierer – Menschen, die sich nicht auf die Bildung immer größerer Gruppen und auf effektivere Formen der Kriegführung und der Werkzeugproduktion einstellten. Ihnen schien eine gewisse Aggressivität zu fehlen, die ›erfolgreiche‹ Kulturen wie die unsere nur zu oft beweisen.«

»Das ist der Grund, weshalb sie untergegangen sind?«

»Das nehme ich an. Irgendwann in der Vergangenheit müssen wir alle wie jene Stämme gewesen sein, doch irgend etwas kam in uns. Und was *war* dieses Etwas? Die Evolution, behaupten die

Wissenschaftler; Gott, glauben die Neuen Jünger. Ich wünschte, ich wüßte es.«

Müdigkeit überkam sie. Nigel murmelte einen Gutenachtgruß, schlief nach wenigen Augenblicken ein. Doch Nikka blieb wach. Sie lag da, starrte in die Dunkelheit, und der träge, chaotische Gesang ging ihr immer und immer wieder durch den Kopf.

Sie mußten mit der Arbeit im Wrack zwei Tage lang pausieren, weil die gesamte Mannschaft unter Aufbietung aller Kräfte damit beschäftigt war, die Lebenserhaltungssysteme zu vollenden. Nigel und Nikka arbeiteten in den hydroponischen Kugeln, gewaltigen Höhlen, die mit atomaren Verdampfungsmaschinen in das Mondgestein gegraben worden waren. Sie dichteten die rauhen Wände ab, indem sie sie mit einem körnigen roten Farbstoff beschmierten, der nach dem Trocknen zwar schmutzig aussah, aber hart war. Am Ende des zweiten Tages tat Nigel wegen der Anstrengung sein ganzer Körper weh, und außerdem humpelte er, da er sich einen Rückenmuskel gezerrt hatte. Er verließ die spontane Feier im Speisesaal und ging in den Computerraum zurück. Nikka bemerkte sein Fehlen und folgte ihm; sie fand ihn in dem Sessel vor der Schalttafel, er döste. Die grünen durchlaufenden Lichterketten warfen einen düsteren Schein auf sein Gesicht.

»Du solltest zu Hause schlafen.«

»Ich bin hierhergekommen, um zu denken.«

»Das hab' ich gemerkt.«

»Hm. Da hinten war ich wohl nicht gerade umwerfend toll. Diese hydroponische Anlage ist mir ganz schön an die Substanz gegangen.«

»Ich glaube nicht, daß du das hättest tun müssen. Valiera hat keinen Finger krumm gemacht, und er ist nicht älter als du.«

Er drohte einem imaginären Gegenspieler, der sich wohl irgendwo in der kühlen, abgestandenen Luft des Raumes befinden sollte, mit dem Zeigefinger. »Da irrst du dich. Valiera würde nichts lieber sehen als Beweise meines mangelhaften physischen Leistungsvermögens, durch das ich mich nicht – was ist doch gleich die gebräuchliche Wendung? – ›in vollem Umfang an den Arbeiten hier beteiligen‹ kann. Nein, ich muß auf die Feinheiten achten. Sie können verhängnisvoll sein.«

»Man sollte uns doch *mehr* Hilfe zukommen lassen, anstatt von uns zu verlangen… hm, ich glaube, das ist hier unwichtig. Trotzdem hätte ich gerne einen oder zwei Spezialisten auf der Station, die uns unterstützten. Vielleicht, na, Kulturanthropologen«, sagte sie.

»Zu schmalspurig«, brummte Nigel.

»Warum denn das?«

»Es geht hier um mehr.«

»Bis jetzt sieht doch alles relativ harmlos aus.«

Nigel schnaubte, es war eine Art barsches Lachen. »Vielleicht.«

»Aber du glaubst das nicht.«

»Nur eine Vermutung.«

»Weißt du etwas, das ich nicht weiß?«

»Der entscheidende Punkt ist nicht, was du *weißt*. Das Wichtige sind die Zusammenhänge.«

»Wie zum Beispiel?«

»Hast du die Untersuchungen über den Schnark gelesen?«

»Ich bin die meisten durchgegangen. Sie enthielten nicht besonders viel an Tatsachen.«

»Die gibt es in der Forschung nie, bis man das Problem sowieso schon gelöst hat. Nein, ich meine die Berichte über seine frühere Flugbahn.«

»Ich habe nicht gedacht, daß wir die kennen.«

»Nicht genau, nein. Er hatte den Befehl, seine Spuren zu verwischen. Aber einige Burschen haben sich auf der Grundlage von seinen verschiedenen Vorbeiflügen an Planeten nach hinten vorgearbeitet und eine recht brauchbare Peilung von seiner Flugrichtung bekommen.«

»Du meinst, aus welchem Teil des Himmels er gekommen ist?«

»Richtig. Freund Schnarky kam aus dem Sternbild Aquila. Das ist eine Gruppe von Sternen, die angeblich die Form eines Adlers hat – Altair gehört zu ihnen.«

»Faszinierend«, sagte sie kühl.

»Einen Augenblick, da ist noch etwas. Ich habe mich mit dem Sternbild des Adlers beschäftigt und ein bißchen in der Vergangenheit herumgestöbert. In Nortons *Sternatlas* kannst du lesen, daß es zwischen 1899 und 1936 zwanzig einigermaßen helle Novae – Sternexplosionen – gab, die über den ganzen Himmel verteilt waren.«

»Hm. So.«

»Fünf davon waren im Sternbild des Adlers.«

»Und?«

»Der Adler ist ein *kleines* Sternbild. Es bedeckt weniger als das *Viertel eines Prozents* des Himmels.«

Nikka blickte mit neuerwachtem Interesse auf. »Weiß das sonst noch jemand?«

»Irgend jemand muß es wohl wissen. Ein Bursche namens Clarke hat es mal erwähnt – ich habe den Verweis gefunden.«

»Große Novae?«

»Ziemlich. Die Nova Aquilae von 1918 war eine der hellsten, die jemals verzeichnet worden sind. Allein in 1936 gab es in diesem Sternbild *zwei* Novae.«

»Also war dort der Schnark am Werk?«

»Er nicht. Ich bin überzeugt, er ist nur ein Aufklärer, eine Sonde.«

»Oder ein Pointer?«

»Was bedeutet das?«

»Ein Vorstehhund. Die Sorte, die die Wachteln aufspürt.«

»Verdammt!« Nigel saß reglos da. »So habe ich die Sache noch gar nicht gesehen.«

»Es ist möglich.«

»Verdammt, ja, und ob. Der Schnark brauchte ja nicht zu wissen, was seine Erbauer vorgehabt haben.«

»Von Zeit zu Zeit benachrichtigt er sie kurz von seinen Entdekkungen.«

»Und sie... verwenden die Informationen.«

Nikka sagte energisch: »Es ist nur eine Idee. Diese Novae – wie weit waren sie von hier entfernt?«

»Oh, das war unterschiedlich«, antwortete Nigel zerstreut. »Das Wichtige ist, daß sie von hier aus gesehen alle in der gleichen Blickrichtung liegen. Als ob sich die Ursache auf uns zubewegen würde.«

»Nigel, es ist nur...«

»Ich weiß. Nur eine Idee. Aber sie... *paßt*!«

»Paßt wozu?«

»Dem Wrack da draußen.« Er gestikulierte lebhaft. »Irgendwelche Lebewesen kamen hierher, vor langer Zeit. Dieses Schiff beherbergte das, was der Schnark organische Formen genannt hat, keine Supercomputer.«

»Tiere, hast du glaube ich gesagt.«

»Ja, der Schnark hat uns auch Tiere genannt. Das war nicht als Beleidigung gemeint. Er hält uns für etwas Besonderes.«

»Warum?«

»Zum einen sind wir ungewöhnlich. Die meisten Lebensformen der Galaxis sind Maschinen, hat er gesagt. Und wir sind...«

»Wir sind was?«

Nigel fühlte sich bei dem Wort seltsam unwohl. »Aus dem Universum des Absoluten.«

»Was bedeutet das? Ich habe zwar deine geheime Zusammenfassung gelesen, aber...«

»Ich habe keine Ahnung, was das alles zusammen bedeutet.«

»Die Wesen in dem Wrack gehörten folglich auch zum Universum des Absoluten. Sie kamen hierher, um etwas zu holen.«

»Oder um etwas zu bringen.«

13

Nach einem Tag, an dem er nur benommen gestammelt hatte, erwachte Graves am Morgen und war wieder fähig, verständlich zu reden. Mr. Ichino briet synthetische Hefesteaks, und während sie aßen, bestätigte Graves die meisten der Annahmen, zu denen Mr. Ichino aufgrund der Mikrofilme gelangt war.

»Ich war ihnen schon seit Wochen auf der Spur«, sagte Graves, dessen Kissen so aufgeschichtet waren, daß er aufrecht im Bett saß. »Ich war erst mit dem Hubschrauber hinter ihnen her, dann zu Fuß. Ich kriegte ein paar Fernaufnahmen hin, fand sogar ein paar Pflanzen, an denen sie rumgeknabbert hatten, mehrere Kaninchenknochen, solche Sachen. Meine Fährtensucher bestimmten aussichtsreiche Stellen. Mein Führer und ich, wir entdeckten gerade welche, als dieser verdammte Schneefall anfing. War scheißschwer, sie bei diesem Mistwetter zu verfolgen.«

»Warum haben Sie die Suche nicht unterbrochen?« fragte Mr. Ichino.

»Irgendwann *mußten* sie doch langsamer werden. Hier oben wird doch im Winter alles langsamer. Wenn ich mehr Ausdauer haben würde als sie, könnte ich vielleicht zum Zug kommen, wenn sie ihren Winterschlaf hielten oder so was Ähnliches. Gefangene machen.«

»Sind Sie auf diese Weise dazu gekommen?« Mr. Ichino deutete auf den Verband über Graves' Rippen.

Graves verzog das Gesicht. »Ja. Vielleicht hatten sie sich gar nicht verkrochen, sondern bloß 'ne längere Pause gemacht. Ich holte sie bei einer von diesen runden Lichtungen ein, wo früher mal das Wurzelsystem von Mammutbäumen war. Kam näher ran. Sie saßen um eine Art Steinklotz herum, auf dem oben irgendwas aus Metall lag; alle schauten das Ding irgendwie an; sie summten etwas und schaukelten vor und zurück, ein paar trommelten dabei auf den Boden.«

»Das haben Sie schon erwähnt, als Sie das erstemal aufgewacht sind.«

»Äh, hä. Ich dachte, das Geräusch würde mich schützen, das ganze Gesinge. Mein Führer umging sie, um von der anderen Seite zu kommen. Sie beteten dieses verdammte Ding an, diesen Stab. Ich machte ein Bild und bewegte mich, und der, der in der Mitte stand, der Anführer, der sah mich. Ich bekam einen Schrecken. Schoß mit dem Gewehr einmal auf ihn; ich dachte, ich könnte sie damit vielleicht verjagen.

Dann schnappte sich der Führer diesen Stab. Er richtete ihn auf mich. Ich dachte, es sei vielleicht ein Knüppel, deshalb gab ich noch einen Schuß ab. Ich glaube, ich hatte ihn getroffen. Dann machte er am Ende von dem Stab was, und ein Strahl kam aus dem Ding raus; er ging so dicht an mir vorbei, daß ich die Hitze in der Luft spüren konnte. So was Ähnliches wie Laser, aber mit einer wesentlich größeren Strahlbreite. Ich jagte ihm wie verrückt die Kugeln in den Leib. Er wollte einfach nicht umfallen. Er hat meinen Führer getroffen – der Junge war sofort tot. Als er das nächstemal feuerte, verbrannte er mich an der Seite. Aber inzwischen hatte ich das Schwein endlich erwischt, der war erledigt.

Die anderen waren weggelaufen. Ich ging zu ihm rüber, nahm ihm diesen Stab ab und ging fort, ohne auch nur zu schauen, in welche Richtung ich lief. Ich nehme an, sie entdeckten kurz danach meine Spuren – ich sah, wie mir einige von ihnen folgten. Aber sie hatten ihre Lektion gelernt. Sie blieben mir vom Leibe, außerhalb der Schußweite. Sie glaubten vermutlich, ich würde irgendwann umfallen und sie könnten dann ihren gottverdammten Stab zurückholen. Bis ich Ihren Rauch sah, dachte ich, ich sei am Ende.«

»Das waren Sie auch fast. Diese Verbrennung ging tief, und sie hätte zu einer Infektion führen konnen. Ich wundere mich, daß Sie die Schmerzen aushalten konnten.«

Graves zuckte zusammen, da er sich an sie erinnerte. »Ja. Ich mußte immer weiter gehen, mich immer weiter durch den Schnee kämpfen. Ich wußte, daß sie mich kriegen würden, wenn ich stehenblieb und umkippte. Aber es hat sich gelohnt.«

»Wieso? Was hat es Ihnen denn eingebracht?«

»Na, den *Stab* natürlich«, sagte Graves verdutzt. »Haben Sie den nicht bei meinen Sachen gefunden?«

Mr. Ichino erinnerte sich plötzlich an das graue Metallrohr, das er untersucht und wieder weggelegt hatte.

»Wo ist er?« Graves setzte sich auf und wand sich aus den Bettdecken; er schaute sich in der Hütte um. Mr. Ichino ging zu dem Rucksack des Mannes. Er fand das Rohr unter dem Rucksack in einer Ecke. Er mußte es dort abgestellt haben.

»Oh, in Ordnung«, sagte Graves schwächlich und ließ sich wieder auf das Kissen fallen. »Berühren Sie *bloß* keines von diesen Dingern am Ende. Es geht unheimlich leicht los.«

Mr. Ichino nahm ihn vorsichtig in die Hand. Das Konstruktionsprinzip war ihm unverständlich. Wenn es eine Waffe war, hatte sie keinen Kolben, um den Rückstoß abzufangen oder sich zum besseren Zielen an die Schulter des Schützen zu schmiegen. Kein Abzugsbügel. (Kein Abzug?) Ein leicht erhöhter Wulst auf einer Seite, den er vorher noch nicht bemerkt hatte. (Eine Visiereinrichtung?)

»Was ist es?«

»Fragen Sie mich nicht«, antwortete Graves. »Irgendein neues Spielzeug von der Army. Ganz schön wirkungsvoll. Ich weiß nicht, wie sie da dran gekommen sind.«

»Sie sagten, die Bigfoot... haben *es angebetet*?«

»Ja. Sie hatten sich drum herum versammelt, es lief gerade eine Art Zeremonie ab. Sie sahen aus wie ein Haufen Neuer Jünger oder so was, die ganz schön weggetreten waren und rumjammerten.« Er blickte rasch zu Mr. Ichino. »Oh, tut mir leid, wenn ich Sie verletzt habe. Ich gehöre nicht zur Gemeinschaft der Gläubigen, aber ich achte sie.«

Mr. Ichino winkte ab. »Nein, ich gehöre nicht zu ihnen. Aber diese Waffe...«

»Sie stammt ganz sicher von der Army. Wer sonst hat schon so schwere Sachen? Ich mußte mir Bescheinigungen beschaffen, die zusammen so lang wie mein Arm sind, um das Gewehr rumtragen zu dürfen. Ich werde es wieder abgeben, wenn ich nach Hause komme, keine Angst. Das einzige, was mich interessiert, sind die Fotografien.«

Mr. Ichino legte das Rohr auf die Anrichte und runzelte die Stirn. »Fotografien?«

»Die, die ich von ihnen gemacht habe. Müssen drei Rollen sein, vieles davon mit Teleobjektiv aufgenommen. Sie werden beweisen, daß die Bigfoot immer noch hier oben sind. Das wird mir einige Schlagzeilen bringen.«

»Ich verstehe. Sie meinen, die Bilder werden reichen?«

»Klar. Das ist meine wichtigste Entdeckung, mit Sicherheit. Ist sogar besser geworden, als ich gedacht hatte. Der Bigfoot ist gerissen, viel flinker als irgendwelches gewöhnliches Wild. Vielleicht sind sie nicht das fehlende Glied oder so was, aber sie sind dicht dran. Verdammt dicht dran.« Die Erschöpfung ließ seine Stimme versiegen, sie war nur noch ein zischendes Flüstern.

»Ich glaube, Sie sollten jetzt schlafen.«

»Ja, klar... klar. Passen Sie nur auf die Filme im Rucksack auf. Lassen Sie bloß keinen... bloß keinen... der Rucksack...«

Nach einigen Augenblicken begann er gleichmäßig zu atmen.

Mr. Ichino fand die Filme in einer Seitentasche des Rucksacks, die er zuvor übersehen hatte. Es waren scharfe, gutbelichtete Aufnahmen auf selbstentwickelndem Film. Der letzte, auf dem sich die Aufnahmen von der Lichtung befanden, war immer noch in der Kamera. Von hinten gesehen, waren die Bigfoot nur dunkle Erhebungen, doch das Rohr war deutlich zu sehen; es lag auf einem rechteckigen Stein am anderen Ende der Lichtung.

Die Bigfoot schienen auch zu wissen, wie man es gebrauchte. Aber das Rohr *anbeten*? Ein seltsames Tun.

Mr. Ichino lächelte. Die Verfolgung der Bigfoot hatte Graves so sehr in Anspruch genommen, daß er sein ursprüngliches Ziel aus den Augen verloren hatte. Zuerst hatte der Vorfall von Wasco Graves' Aufmerksamkeit auf sich gezogen – welche Beziehung bestand zwischen Wasco und den Bigfoot? Graves hatte keine Zeit gehabt, das zu fragen.

Der Gebrauch des grauen Metallrohrs würde die Bigfoot zweifellos vor Menschen schützen. Pech für den unglücklichen Jäger, der auf eine Gruppe von Bigfoot stieß, die diese Feuerwaffe besaß.

Trotzdem – es erschien höchst unwahrscheinlich, daß diese Wesen für alle Zeit überleben könnten, wo sie auf allen Seiten von Menschen umgeben waren. Es stimmte schon, sie waren Meister im Verstecken – das ließen schon die Berichte aus der Vergangenheit erkennen –, aber verbargen sie sich lediglich in den dichten Wäldern... oder gab es einen Ort, an den sie sich zurückziehen konnten? Eine Zuflucht vor dem Sturm der Menschheit...

Einen Ort, an dem die Lebenssysteme noch funktionierten. Eine Stätte, die ihre Schützlinge abschirmte; Wesen, die stumm uralten Anweisungen folgten. Geboten, die heute ihren Sinn verloren hatten, aber immer noch beachtet wurden.

Ein unterirdisches Eden für diese frühen Menschen, in dem es Nahrung, Wärme und Nischen zur Paarung im Überfluß gab. Eine heilige Stätte, die eines Tages in einem atomaren Hagelschauer verdampfte und eine oder zwei umherstreifende Gruppen von Bigfoot in der Wildnis zurückließ, kleine Stämme, die aus irgendeinem Grund Eden verlassen und vielleicht den Wunsch gehabt hatten, dorthin zurückzukehren, aber jetzt in einem Meer von Bäumen und einer Welt der Menschen umherirrten, von Maschinen verfolgt wurden, die die Luft mit kreisenden Flügeln peitschten und die einen fanatischen Jäger beförderten, einen Menschen, der an einem von Eden zweifellos weit entfernten Ort geboren war...

14

Als sie aufgerichtet direkt neben ihm im Bett saß, ihre Augen vom Lichtkegel der Leselampe über ihr verdeckt wurden, ihre angezogenen Knie die Decken zu einem Zelt aufrichteten, schien sie ganz aus formenden Knochen und einem milden Schimmer der Haut zu bestehen. Sie hatte sich voller Konzentration vorgebeugt, las die Faxkopien ihrer Arbeitsergebnisse dieses Tages, suchte Zusammenhänge. Nigel saß aufrecht, und da er sie von diesem steilen Winkel aus betrachtete, vermittelte sie den Eindruck einer Landschaft, eines Bildes von Hügeln und verborgenen Tälern, die sich zu einem Ganzen vereinigten, das große Fülle ausdrückte. Ein ausgedehntes Flußtal. Eine so fruchtbare Welt, daß jeder Abschnitt einer Sehne, jedes Teilstück eines Knochens neues Ackerland schuf, unberührte Wälder, klare Trennlinien zwischen den buschigen Winkeln und den neuen, schroffen Bergen.

»Hmmm?« Sie spürte seine Aufmerksamkeit.

»Nikka...«

Ein Unterton seiner Stimme ließ sie aufblicken.

»Hast du... jemals... das Gefühl gehabt, daß in deinem Inneren jemand ist, von dem du immer getrennt bist?«

»Wie...?«

»Der immer beobachtet. Ab und zu... spürst du dann, daß es eine... bestimmte Weise gibt, auf die du die Welt eigentlich wahrnehmen solltest? Eine andere Weise?«

»Du meinst... eine bessere?«

»Besser, ja. *Anders.*«

»So, daß wir mehr wahrnehmen?«

»*Alles.* Daß wir... ganz in sie *eingetaucht* sein sollten.«

Nach einiger Zeit: »Ich glaube, wir alle fühlen das. Manchmal.«

»Sicher.« Er seufzte. »Aber wir machen weiter. Alles läuft, wie es schon immer lief.«

»Nicht in jedem Fall. Wir lernen etwas dazu. Oder wenigstens einige.«

»Welchen Sinn hätte es sonst, älter zu werden?«

»Wenn wir nicht weiser würden? Vermutlich.«

»Hm.« Er starrte geistesabwesend auf die unverständlichen Faxkopien in seiner Hand.

»Weshalb?«

»Ich weiß es wirklich nicht.«

»Vielleicht hat es etwas mit dem hier zu tun.«

»Dem hier?«

»Der Arbeit.«

»Oh. Ja. Vermutlich. Aber dieses Gefühl habe ich schon immer gehabt, von Anfang an. Als ich noch ein kleiner Knirps war.«

»Wir versuchen hier, etwas Neues aufzuspüren. Etwas Größeres...«

»Ja. Vielleicht empfinde ich deshalb so.«

»Wie denn?«

»Es gibt Zeiten, in denen ich verzweifle, jede Hoffnung verliere, daß ich etwas weiß, daß ich jemals irgend etwas gewußt habe.«

»Nun«, sagte Nikka, die offensichtlich nach Worten suchte, »intensivere Arbeit...«

»Teufel. Nein, es liegt daran... Nikka, die Welt ist so *dicht.* Es gibt Schichten. Ich fühle ständig – und es geht nicht bloß um dieses verdammte Wrack, nein, es geht um alles, das *Leben* –, daß ich sie begreifen und ergreifen sollte. Das körnige... körnige...«

»Ja?«

»Ich weiß nicht. Ich kann es nicht ausdrücken.«

»In deiner Gesellschaft«, sagte sie sanft, »gibt es nicht viele Möglichkeiten, so ein Problem anzugehen. In meiner gibt es vielleicht ein paar mehr.«

»*Gut*.« Er nickte; eine Spur von Verärgerung zuckte über sein Gesicht. »Schau mal, ich komme doch nicht viel weiter, wenn ich so rede.«

»Das, worum es hier geht, kann man nicht durch Reden lösen.«

»Nein. Und es schießt mir immer wieder durch den Kopf, wenn ich an diesen Faxkopien arbeite.«

»Die Tatsache, daß wir so wenig sehen.«

»Wir verstehen sogar noch weniger, als wir sehen. Was können wir denn *wirklich* als Gemeinsamkeiten zwischen uns und den Erbauern dieses zertrümmerten Schiffes annehmen? Die einzige Gemeinsamkeit war unsere – um den Schnark zu zitieren – tierische Natur.«

»Ich frage mich, ob wir, wir Tiere, dann auch das gleiche von den anderen hielten.«

»Den anderen?« Er zog eine Augenbraue hoch. »Den Computer-Zivilisationen? Den Abakus-Superhirnen?«

»Du sagst das immer so, als ob es ein Witz wäre.«

Er zuckte die Achseln. »Vielleicht ist es einer.«

»Möglicherweise ist es das, was wir alle gemein haben können.«

»Was?«

»Daß wir Maschinen verachten.«

»Wahrscheinlich.« Plötzlich wurde er nachdenklich. »Schließlich haben wir *sie* gemacht und nicht umgekehrt.«

»Und doch sind wir ungewöhnlich.«

»Instabil. Neigen zum Selbstmord. Wir wollen zu hoch hinaus. Und die gottverdammten Taschenrechner...«

»Werden uns überleben.«

»Ganz schön entwürdigend, was? Wenn wir *Tiere* uns doch nur zusammenreißen könnten...«

»Und uns verständigen könnten...« Nikka lächelte, sie führte ihn weiter. »Meinst du das vielleicht?«

»So etwas Ähnliches. Vielleicht kamen diese Fremden, um eine andere intelligente, organische Lebensform zu finden. Sie waren den gleichen Beschränkungen unterworfen wie wir – Sterblichkeit, Kriege. Doch sie suchten und kamen hierher.«

»Möglicherweise wollten sie uns von etwas Furchtbarem berichten, das vom Sternbild des Adlers her unterwegs war, um uns zu vernichten.«

»Was hätte das genützt? Vor einer Million Jahren hatten wir keinerlei Technologie.«

»Na ja, dann hätten sie sie uns ja geben können.«

»Das haben sie nicht getan.«

»Nein. Aber vielleicht versuchten sie, uns etwas anderes zu vermitteln.«

»So muß es gewesen sein. Eine primitive Gesellschaft wie die unsere konnte ihnen nichts geben.«

»Ja. Obwohl sie natürlich Kontakt bekommen konnten. Man muß sich verdammt einsam vorkommen, wenn man ein Tier in einer Galaxis von Taschenrechnern ist.«

»Was sie uns auch gebracht haben, es hat uns eigentlich nicht so arg viel Gutes beschert, soweit ich das erkennen kann.«

»Hmmm. Eine Menge Technologie, aber wir neigen immer noch zum Selbstmord. Ein Krieg...«

»Bums.«

»Ganz recht.«

»Dann müssen wir hier mit Hochdruck weiterarbeiten. Am Decodieren.«

Finster: »Ganz recht.«

Mr. Ichino beobachtete, wie der Schnee durch den Lichtquader trieb, der aus dem Fenster hinausschien. Die winzigen weißen Tupfen waren wie Blätter in einem schäumenden Fluß aus Luft, sie wurden durch den gelben Strahl gerissen und verschwanden in der Leere. Es war ein leichter Schneefall, der die Verwehungen vielleicht nur um ein paar Zentimeter anwachsen ließ. Doch es war mehr als genug, um ihn und Graves noch einige weitere Tage in diesem muffigen Raum festzuhalten.

»Sie... passen auf... mein Zeug auf...«

»Natürlich«, sagte Mr. Ichino sanft und wandte sich um, musterte Graves' gefurchtes Gesicht. »Sie brauchen sich darüber keine Sorgen zu machen. Ruhen Sie sich aus.«

Graves verdrehte schwächlich die Augen, er suchte die Hütte ab. »Will nich'... daß sie...«

»Schlafen Sie.«

Graves wälzte sich schwerfällig auf die Seite und schloß die Augen. Mr. Ichino betrachtete die röhrenförmige Waffe, die jetzt auf einem der oberen Küchenregale lag, wo sie nicht weiter auffiel und von wo sie nicht so leicht geholt werden konnte. Sie war eindeutig außerirdischen Ursprungs, das wurde ihm jetzt klar. Vielleicht ein Talisman, der den Bigfoot vor langer Zeit geschenkt worden war, eine Abschiedsgeste, etwas, das ihnen beim Überleben helfen sollte. Vielleicht.

»Ruhen Sie sich aus«, sagte er leise. »Ruhen Sie sich aus.«

Nikka ruhte sich aus, mit ausladenden Hüften und schweren Lidern lag sie neben ihm; irgendwie ließ sich das Haschisch mit angenehmer Leichtigkeit trinken, es war mit dem Fruchtsaft gut vermischt worden; Nigel sah sich mit dem Zwang konfrontiert, bis tief in die Nacht arbeiten zu müssen, übermüdet und mit glasigen Augen war er am Planen. Sie hatten wirklich einiges zu tun. Die Ereignisse stürmten auf sie ein, und wenn Valiera – er war sicher, daß es Valiera war, der Mann hatte so einen bestimmten, ausweichenden Blick –, wenn Valiera es wollte, konnte er sie sogar noch stärker unter Druck setzen. Aber, lieber Himmel, es war so ein klassischer Fall von abgrundtiefer Dummheit, dieser ganze Neue-Jünger-Quatsch, der irgendwie aus der Mitte Amerikas tröpfelte, und Nigel hatte das nie verstanden. Diese unbegreiflichen, geheimnisvollen Amerikaner, für die siebenundachtzig ›vier-Haufen-und-sieben‹ hieß, die ein Gefängnis als ›Bußanstalt‹ bezeichneten; Dinge, die eigentlich jeder Schuljunge wissen sollte, aber wenn auch nur ein Bruchteil von ihnen das wirklich wissen würde, wären sie die allerschlimmsten, unausstehlichsten Langweiler der Schöpfung; kleine, unablässig sprudelnde Quellen von Redneck-Weisheiten. Wenn er glauben würde, er hätte diese Wesen verstanden, wäre das zum Lachen, sie waren ihm immer und immer wieder entglitten, mit ihren verschleierten Augen und ihren populären Sprüchen (*Was ist das Staatstier von Mississippi? Eine zerquetschte Katze mitten auf der Straße.* Er hatte nie gewußt, ob das ein Witz war oder nicht.) und ihrer unverständlichen Besessenheit, mit der sie hinter allem her waren, was nach Tradition aussah, wo sie doch offenkundig keinerlei hatten; gleichwohl pflegten sie auch das andere Extrem, begeisterten sich fortwährend für alles, was neu war, den letzten Schrei, Hauptsache neu, neu, *neu*. Neutrinos, kleine masselose Partikel, die durch die Erde zogen, als ob sie nicht existieren würde. Neue Trinos. Und nie dachten sie auch nur für einen Augenblick daran, was mit all den alten Trinos passiert war; vielleicht wurden sie als Kriegsschrott zu irgendeinem Stern getragen. Nigel lachte vor sich hin, und es geriet ihm zu einem Kichern. Einem kleinen, schwachen. Und sofort brach die glänzende Fassade zusammen, um die er sich die ganze Zeit bemüht hatte; er merkte, daß er wieder am Rande der Verzweiflung stand, er sich in einer schrecklichen, leeren Höhle befand und selbst ganz klein war, daß er etwas wollte und nicht mehr genau wußte, was es eigentlich war. Damals bei Ikarus, ja, da hatte er es deutlich gesehen, und irgendwie war das Verlangen in den Jahren mit Alexandria und – Gott möge ihr helfen – Shirley von ihm gewichen. Aber jetzt war er durch Jahre der Leere getrieben. Nikka war eine Stütze, aber unter der Oberfläche der Dinge gab es ein Moment der Auflösung, an das er nicht herankommen konnte. Oder war er schlicht und einfach ein Mann, der alt wurde, der bessere Tage gesehen hatte und das auch wußte, und war es diese Wahrheit, die an ihm zerrte und schmerzte, schmerzte?

15

Nigel lehnte sich an die Rückwand des 3D-Raums. Auf dem Schirm rempelten sich Gestalten, traten einen Ball, fielen hin, führten Zangenbewegungen aus und bildeten Mauern. Er hatte Fußball noch nie besonders gemocht, doch jetzt konnte er die Logik des Spiels erkennen, das Bedürfnis, das die Menschen danach verspüren. Ein Jagdspiel in kleinen Gruppen, zu dem Laufen und Schreien und das Wissen gehört, wer der Freund ist und wer der Feind. Eigengruppe und Fremdgruppe, einfach und befriedigend. Und kein einziger Vegetarier in dem ganzen Haufen.

Einige Männer saßen da und schauten auf das 3D-Gerät. Ein Torwart verpaßte einen Schuß, und einer von ihnen lachte. Der Schirm flimmerte, und eine Frau erschien. Sie lächelte sinnlich in die Kamera, hielt eine kleine grüne Flasche hoch und sagte: »Drücken Sie drauf, und der Schwung kommt zu Ihnen! Es hat Pep! Versuchen...«

Nigel wandte sich ab, um wegzugehen, und stieß mit Nikka zusammen. »Hast du alles?« fragte sie.

Nigel zeigte ihr den Stoß Papiere und Fotografien, den er unter dem Arm trug. »Alles, was wir gefunden haben, einschließlich den Sachen, die wir nicht verstehen.«

»Sollten wir nicht Team eins Bescheid sagen, daß wir unsere Schicht vorzeitig beenden? Sie möchten vielleicht...«

»Nein, wir wollen nicht, daß jetzt irgend jemand an dem Computerspeicher herumspielt. Solange wir nicht wissen, was heute die Sequenzen gelöscht hat, sollte niemand die Schalttafel berühren.«

Nikka wies in den Korridor, und sie gingen los. »Du hast Valiera angerufen?« fragte sie.

»Ja, er sagte, wir könnten jederzeit kommen. Ich glaube, wir sollten den Besuch nicht mehr länger aufschieben. Und mir wäre es schon lieb, wenn Sanges seinen Senf erst dann dazugeben könnte, wenn wir mit Valiera gesprochen haben.«

Nikka zuckte die Achseln. »Du springst vielleicht etwas zu grob mit ihm um. Sein Herz muß schon am rechten Fleck sitzen, sonst wäre er nicht bei diesem Unternehmen dabei. Wir sollten nicht das Schlechteste von ihm denken, nur weil er ein Neuer Jünger ist. Es gibt Schweine, die Neue Jünger sind, und es gibt Schweine, die keine sind, und ich sehe da keinen großen Unterschied.«

»Kann sein«, sagte Nigel zurückhaltend. Sie standen vor der Tür von Valieras Büro. Er klopfte, hielt die Tür für Nikka auf und ging nach ihr hinein. Im Büro saßen Sanges und Valiera und schauten sie an; sie sagten nichts, warteten ab.

Nikka blieb einen Augenblick stehen, war überrascht, doch Nigel ließ sich nichts anmerken und holte für sie aus dem hinteren Teil des Zimmners einen Sessel. Sie tauschten Freundlichkeiten aus, und Valiera sagte: »Ich habe von Mister Sanges gehört, daß einige der Sequenzen, die Sie entdeckt haben, nicht mehr beschaffbar sind.«

»Ja«, sagte Nikka. »Wir glauben, daß etwas sie gelöscht hat. Es muß eine bestimmte Methode der Datenbeschaffung und -beseitigung geben, und es ist logisch, daß dies durch die Eingabe eines Befehls über die Schalttafel geschieht. Solange irgendeins der drei Teams neue Sequenzen ausprobiert, laufen wir Gefahr, Informationen zu verlieren.«

»Aber wenn wir aufhören zu suchen, werden wir nichts finden«, meinte Sanges besonnen.

»Wir sind hierhergekommen, um Sie zu bitten, alle Arbeiten an der Konsole einstellen zu lassen, bis das Material, das wir schon haben, ausgewertet worden ist«, sagte Nigel. »Wir haben einfach weder genügend Informationen noch genügend Leute, um das Material hier zu bearbeiten. Was wir brauchen, sind mehrseitige Korrelationen, Vielfalt – Anthropologie, Geschichte, Radiologie, etwas Physik und Informationstheorie und vieles mehr. Die NWS sollte alles freigeben, was wir entdeckt haben, und auf eine Diskussion dringen, die bald zu übereinstimmenden Interpretationen führen sollte...«

»Ich glaube wirklich, daß es dafür noch *viel* zu früh ist«, sagte Valiera ruhig. »Wir haben doch kaum erst damit begonnen...«

»Ich habe den Eindruck, wir haben genug zum Nachdenken«, unterbrach ihn Nikka. »Wir haben jetzt zwei Aufnahmen von diesen großen behaarten Wesen...«

»Ja, ich habe eine davon in Ihrem Arbeitsbericht gesehen. Interessant. Es könnte sich um eine frühe Form des Menschen handeln«, sagte Valiera.

»Da bin ich mir sogar ziemlich sicher«, meinte Nigel. Er beugte sich in seinem Sessel vor. »Ich habe einige vorläufige Schlüsse aus dem gezogen, was wir gefunden haben; und ich glaube, diese Schlüsse weisen in eine äußerst bedeutsame Richtung. Ich werde später noch eine Zusammenfassung mit ausführlicher Dokumentation vorlegen. Aber ich denke, ich sollte der NWS unverzüglich einen provisorischen Bericht schicken, damit auch andere daran arbeiten können, damit wir ein gewisses Meinungsspektrum erhalten. Ich glaube, es besteht eine recht große Wahrscheinlichkeit dafür, daß die Außerirdischen, die hier abgestürzt sind, einen beträchtlichen Einfluß auf die Evolution des Menschen gehabt haben.«

Spannungsgeladenes Schweigen. Sanges schüttelte den Kopf.

»Ich kann mir nicht vorstellen, warum...«, sagte Valiera.

»Es ist nur eine erste Idee, das gebe ich ja zu. Aber ist es nicht ein wenig seltsam, daß wir so schnell auf Dinge gestoßen sind wie die Physostigminderivate, die als Ansichten jeder der Hauptsymmetrieachsen aufgenommen worden sind? Wir haben Skizzen von DNA, einigen anderen langen organischen Kettenmolekülen, die wir nicht identifizieren können, und Kardensky hat mir gerade etwas zu diesen behaarten Wesen geschickt. Die Leute in Cambridge können sie nicht in der üblichen Systematik der Primatenevolution unterbringen. Sie sind groß, wahrscheinlich recht weit entwickelt und können eine Variante darstellen, die bis jetzt noch niemand entdeckt hat. Diese Burschen sind gewöhnt, sich Knochen anzusehen, und unter dem dichten Fell lassen sich nur schwer irgendwelche Einzelheiten ausmachen.«

»Das ist allerdings der Grund, weshalb wir mehr herausfinden müssen«, sagte Sanges.

»Aber wir *können* einfach nicht riskieren, daß uns noch mehr

Speicherstellen der Datenbank abhanden kommen. Nicht nachdem wir heute wieder welche verloren haben«, sagte Nikka ernst.

»Richtig«, fuhr Nigel energisch fort. »Und das Material könnte von höchster Wichtigkeit sein – Informationen aus der Vergangenheit können nicht wiederbeschafft werden. Was mich jetzt schon seit Tagen beschäftigt, ist, daß es nach einem großen Zufall aussieht, daß dieses Schiff vor fünfhunderttausend bis einer Million Jahren hier war. Die vorherrschenden Theorien unserer Evolution siedeln mehrere Entwicklungen in genau diesem Zeitraum an«, sagte Nigel.

»Aber wir begannen doch lange vor dieser Zeit, uns zu entwikkeln«, entgegnete Valiera.

»Das stimmt schon. Aber viele unserer Entwicklungsschritte haben wir während der letzten Million Jahre durchlaufen. In dieser Zeit haben wir viel gelernt – große Gruppen zu bilden, die Großwildjagd, die ganzen Abstufungen von Verwandtschaftsbeziehungen, Tabus. Kunst. Religion. Ich glaube, es besteht die Möglichkeit, daß diese Außerirdischen etwas damit zu tun hatten. Der Mensch ist immer schon eine Anomalie gewesen; eine Art, die sich in kürzester Zeit entwickelt hat.«

Sanges meinte bedächtig: »Und Sie glauben, daß dies auf die Außerirdischen zurückzuführen ist, die Physostigmin verwendeten, um unser ursprüngliches genetisches Material zu verändern?«

»Wir können das ja *jetzt* schon fast«, sagte Nikka. »Wir lernen gerade, Teile des RNA-Komplexes zu kopieren. Es gibt bereits Gesetze dazu.«

Valiera sah sie kühl und abschätzend an und wandte sich dann Nigel zu. »Ich bin natürlich kein ausgebildeter Anthropologe, aber ich glaube, sogar ich entdecke eine schwache Stelle bei dem, was Sie gerade eben gesagt haben. Wenn diese Außerirdischen unseren Vorfahren diese Dinge einfach so beibrachten, wie erklären Sie dann die parallele Entwicklung der Hände, von größeren Gehirnen, dem Stehen auf zwei Beinen und dergleichen mehr? Es ist doch gerade die Gleichzeitigkeit von geistiger und physischer Evolution, die bei den Frühmenschen so interessant ist. Aber einem Tier etwas beizubringen ist sinnlos, wenn es nicht die körperlichen Voraussetzungen dafür erfüllt.«

Nigel sah betroffen aus, er saß da und dachte einen Augenblick lang nach. »Stimmt, ich verstehe Ihr Argument. Dadurch würde das vorwärtstreibende Verbindungsglied zwischen physischer und geistiger Evolution entfernt. Aber verstehen Sie, es könnte sich doch um *selektive* Hilfe handeln. Das heißt, man könnte abwarten, bis eine kleine Gruppe von Primaten einen bestimmten Trick erlernt hat – sagen wir mal, angespitzte Steinmesser zu werfen, anstatt die Beute einzukreisen und die Messer als Handwaffen zu verwenden. Dann könnte man ihnen beibringen, diese neue Fertigkeit *besser* einzusetzen. Ihnen zeigen, wie man Speere verwendet – sie sind bei der Großwildjagd praktischer als Messer. Wenn man außerdem fähig ist, RNA-Merkmale zu beeinflussen, könnte man die Evolution beschleunigen, ihr einen Stups geben, wenn sie vom vorgesehenen Weg abkommt. Der Mensch wurde immer noch von seiner Umwelt geprägt, vor einer Million Jahren. Ich möchte meinen, ein kleiner Stoß in die richtige Richtung – je nachdem, was man unter richtig versteht – würde erhebliche Langzeitwirkungen zur Folge haben.«

In einem plötzlichen Ausbruch nervöser Energie war Sanges aufgestanden und lehnte sich jetzt gegen die Kante von Valieras Schreibtisch. Er verschränkte die Arme und sagte: »Warum würde das irgend jemand machen? Es würde so lange dauern – welchen Sinn hätte das?«

Nigel breitete die Hände aus. »Ich weiß es nicht. Wegen der Macht, vielleicht. Das Bemerkenswerteste am Menschen ist, wie er gelernt hat, kleine Gruppen umherziehender Jäger für Großwildjagden zu organisieren, an denen gleichzeitig Hunderte oder Tausende von Menschen beteiligt waren. Wie kam es zu dieser Form der Kooperation? Ich habe den Eindruck, daß dies eines der für seine Entwicklung wichtigsten Merkmale des Menschen ist; doch auf der anderen Seite der Skala sieht er seine Mitmenschen schlicht als Widersacher. Der Krieg ist ein Ausdruck dieser Spannung.«

Valiera lächelte matt und sagte: »Warum sollte man sich damit abgeben, Macht über etwas zu erlangen, das kaum mehr als ein Tier ist?«

»Ich glaube nicht, daß wir darüber auch nur Vermutungen anstellen können«, antwortete Nikka. »Ihre Absichten könnten sogar ökonomischer Natur gewesen sein, wenn man uns hätte beibringen können, wie man etwas Bestimmtes herstellte, das sie haben wollten. Oder es könnte so gewesen sein, daß sie die Intelligenz an sich an uns weitergeben wollten. Diese behaarten Wesen – die, von denen wir Bilder haben – waren wahrscheinlich bereits halbintelligent.«

»Ja«, sagte Nigel rasch, »sogar bei den primitiven Methoden, die wir heute kennen, können unsere Physostigminderivate Tiere dazu abrichten, erstaunlich komplizierte Tätigkeiten auszuführen. Sie können einen Menschen dazu bringen, daß er alles glaubt, was er glauben soll.« Er warf Sanges einen scheelen Blick zu. »Oder fast alles.«

Sanges rümpfte verächtlich die Nase. »Diese ganze Theorie ist unglaublich.«

Das dröhnende Geräusch weckte sowohl Mr. Ichino als auch Graves auf. Es war ein mächtiges Poltern, das das leise Rauschen des Windes durchdringend überdeckte.

»Was 'n... was 'n das?« brummte Graves.

»Ein Flugzeug«, antwortete Mr. Ichino, obwohl er es nicht glaubte. Er stand am Fenster und spähte hinaus in die sternlose Nacht. Er konnte die vordersten Bäume erkennen. Aus der Richtung des schwerfälligen Trommelns kam nicht ein einziger Lichtfunke.

»Ich glaube, es ist nichts«, sagte er. »Würde jemand einen Hubschrauber einsetzen, um Sie zu suchen?«

»Äh – ja, kann sein. Ein Führer drüben in Dexter. Er müßte mich inzwischen vermissen.«

»Möglicherweise sieht er unser Licht.«

»Ja.«

»Egal. In ein oder zwei Tagen kann ich die Hütte verlassen.«

»Gut. Bloß nichts überstürzen.«

Mr. Ichino stellte das Radio an, um Graves von den getragenen, dröhnenden Baßtönen abzulenken, die um so kräftiger zu werden schienen, je länger er auf sie lauschte. Aus dem Radio kam ein pfeifendes Rauschen, aber kein Sender. Mr. Ichino ging alle Frequenzen durch, probierte alle Schalter aus. Etwas war in dem Radio defekt, doch er wollte sich nicht die Mühe machen, es zu reparieren. Er ging zum Kamin und legte eine Kiefernscheit nach. Es fing bereitwillig Feuer, prasselte und knisterte und übertönte den fernen polternden Rhythmus.

»So. Es wurde schon kühl.«

»Ja. Ein Scheißsturm«, murmelte Graves.

Valiera lächelte schwach.

»So sehr ich es auch zu würdigen weiß, daß Sie mit dieser Sache zu mir gekommen sind, Nikka und Nigel«, sagte er mit Bedacht,

»ich glaube, Sie sollten die Dinge von einem globaleren Standpunkt aus betrachten.«

»Das könnten sie wenigstens versuchen«, murmelte Sanges kühl.

»Ich weiß zufällig«, fuhr Valiera fort, »daß Mister Sanges' Religion die Auffassung vertritt, daß die Schöpfung in der Bibel – und in allen älteren Texten – eine *Metapher* darstellt. Sie stehen nicht wirklich in Widerspruch zu der neuzeitlichen Vorstellung der Evolution des Menschen.«

»Natürlich nicht«, warf Sanges ein. »Was *Sie* auch wissen würden, wenn Sie sich die Mühe gemacht hätten...«

»Sie werden sogar zugestehen, daß sich anderswo Leben entwickeln könnte«, schnitt ihm Valiera das Wort ab, »da die notwendigen Bedingungen überall im Universum zu existieren scheinen. Aber sie sind allerdings der Auffassung, daß die Erde die Wiege unserer Lebensformen war...«

»Der göttlich-natürliche Ursprung«, sagte Sanges. »Ein sehr wichtiges Prinzip für uns.«

»Und es gibt auch noch andere Vorstellungen von der Herkunft des Menschen«, fuhr Valiera fort. »Ich glaube, daß wir, als wissenschaftliche Unternehmung, nicht versuchen sollten, diese Fragen zu berühren, ohne daß wir eindeutige Beweise haben.«

»Aber der einzige Weg, um Beweise zu *erhalten*«, sagte Nikka in scharfem Ton, »sind weitergehende Forschungen – die Einbeziehung von so vielen Spezialisten wie möglich.«

»Wenn solche Informationen erst einmal auch nur einem kleinen Gremium mitgeteilt worden sind«, meinte Sanges, »pflegen sie auch zur Presse durchzusickern.«

»Das ist doch das Problem der NWS, oder?« sagte Nigel mit schwerfälliger, bewußter Gelassenheit.

»Es ist ein Problem, das uns alle angeht«, sagte Valiera.

»Die Tatsache bleibt, daß wir darum bitten, *alles* Material zur Erde senden zu dürfen«, merkte Nigel an.

»Halten Sie die Informationen nicht unter Verschluß«, sagte Nikka. »Hier geht man so nachlässig mit allem um, daß es zu gefährlich ist. Wir könnten etwas verlieren, das...«

»Sie versuchen doch bloß, Ihre eigenen... Ihre eigenen *Theorien* unter die Leute zu bringen«, sagte Sanges wütend. »Um Überzeugungen zu zerstören, ohne...«

Valiera winkte ab, und Sanges verstummte augenblicklich; sein Mund stand noch einen Moment lang offen, ehe er ihn zuklappte.

»Und ich glaube, daß Sie Mister Sanges' Überzeugungen unrecht tun«, meinte Valiera ruhig. »Die Theologie der Neuen Jünger ist subtil und...«

»O ja«, sagte Nigel sarkastisch. »Er ist ganz der subtile Typ. Sagen Sie, Mister Sanges – wenn Sie Angeln gehen, nehmen Sie dann Handgranaten?«

»Ich glaube nicht, daß Sarkasmus...«, begann Valiera.

»Wir tun alles, was nötig ist, um Sie beide aufzurütteln«, sagte Nigel unbekümmert und zog die Augenbrauen hoch.

»Aufrütteln wozu?« fragte Sanges.

»Damit Sie die Realitäten sehen. Wir stellen einen Antrag.« Nigel sah Valiera an. »Verfahren Sie entsprechend.«

»Sie möchten uneingeschränkt zur Erde senden?« sagte Valiera.

Nikka: »Ja. Jetzt.«

Nigel: »Unter unser beider Namen.«

Sanges kräuselte die Lippen. »Auch noch Ihren *Namen*?«

»Natürlich«, erwiderte Nigel. »Wir werden die Verantwortung dafür übernehmen.«

»Und schon teilen sie den Raum unter sich auf. Sie wollen die ersten sein, die etwas über das Wrack im Mare Marginis veröffentlichen.«

»Eine Art Kurzbericht«, sagte Nigel. »Das ist alles.«

»Wir brauchen Ihre Unterschrift«, sagte Nikka zu Valiera.

Valiera lehnte sich in seinem Sessel zurück und kniff die Augen zusammen, er war offensichtlich damit beschäftigt, die Argumente abzuwägen. »Ich bin überzeugt, Sie verstehen die Notwendigkeit von Sicherheitsmaßnahmen bei dieser Angelegenheit...«

»Zum Teufel mit der Sicherheit!« warf Nikka ein.

»...und ich weiß, daß ich Ihre volle Unterstützung bei der Bewältigung meiner Aufgabe habe, bei jeder Kontroverse die Standpunkte von allen beteiligten Parteien gleichermaßen zu würdigen. Ich schließe aus den Aussagen von Mister Sanges, daß er nicht den Eindruck hat, die besagten Informationen seien mehr als höchst vorläufige Angaben, und sie deshalb nicht verbreitet werden sollten. Ich glaube, wenn ich die anderen Teams fragen würde, bekäme ich sehr ähnliche Antworten. Ich muß sagen, ich kann Ihre Argumente recht gut verstehen, und ich meine, sie sind stichhaltig.«

Nigels Hand zitterte, als er sich vorbeugte; keines von Valieras Worten sollte ihm entgehen. Er glaubte, daß er eine leichte Veränderung im Gesicht des Mannes sah, ein sonderbares Verkrampfen um die Mundwinkel.

»Ich glaube, daß ich, in meiner Eigenschaft als Koordinator, diesen Antrag ablehnen muß. Selbstverständlich kann und werde ich mir die Sache auch weiterhin durch den Kopf gehen lassen...«

»Äh – ja, gut, ich verstehe«, sagte Nigel. Er beschwichtigte Nikka mit einem Blick und lächelte; es war ein gelöstes, resignierendes Lächeln, das die Spannung, die in dem Raum lag, löste. Er winkte Nikka mit einem Finger und seufzte.

»Wir bedauern das, aber natürlich beugen wir uns Ihrer Entscheidung.« Er stand abrupt auf; durch den Schwung der Bewegung wurde er so weit emporgehoben, daß er fast den Boden unter den Füßen verlor. »Wir brechen jetzt wohl am besten auf, Nikka«, sagte er steif. Sehr gelassen nahm er ihren Arm, und sie gingen. Nigel verabschiedete sich mit einem Kopfnicken von den beiden Männern und schloß die Tür.

Draußen lehnte er sich gegen die Wand des Gangs. »Das war ein ganz schöner Kurzlehrgang in Zynismus, was?«

»Das ist doch eine Bande von *Irren*«, sagte Nikka wütend. »Das sind doch gar keine Wissenschaftler, das sind...«

»Allerdings. Jetzt ist ziemlich sicher, daß Valiera ein Neuer Jünger ist.«

Nikka blieb stehen, war verdutzt. »Meinst du? Das würde natürlich eine Menge erklären.«

»Wie zum Beispiel die zahlreichen Schwierigkeiten, die wir gehabt haben. Mir ist aufgefallen, daß die anderen Teams nicht mit verlorenen Bandaufzeichnungen, Störungen in der Luftzufuhr und Bogenentladungen zu kämpfen haben. Da würde allerlei zusammenpassen, wenn unsere Herren Valiera und Sanges unter der gleichen Bettdecke gelegen hätten.«

»Trotzdem muß ich sagen«, meinte Nikka, »daß du es sehr gelassen aufgenommen hast. Ich habe erwartet, daß du sie auf der Stelle erwürgen würdest.«

»*Wie bitte?* Ich bin heilfroh, daß meine kleine schauspielerische Einlage erfolgreich über die Bühne ging. Wir werden jetzt sofort handeln, deshalb wollte ich ihnen nicht zeigen, daß ich beunruhigt war. Auf geht's! Na los, fang schon mal an, dir in der Schleuse den Raumanzug anzuziehen.«

Nikka sah verwirrt aus. »Wozu denn? Ich dachte, wir würden die Schicht nicht fortsetzen.«

»Das tun wir auch nicht. Aber ich hatte so eine Ahnung, daß etwas Ähnliches wie dies passieren könnte; deshalb habe ich so sehr auf die Direktverbindung zu Alphonsus gedrungen. Ich will das ganze Zeug senden« – er hielt ihr den Stapel Papiere hin, den er unter dem Arm trug – »und sicher sein, daß Alphonsus sofort zur Erde weitersendet. Wenn wir Alphonsus zwischenschalten, glaube ich nicht, daß Valiera die Ausstrahlung unterbrechen kann.«

Nigel stand vor dem schmalen Fenster und beobachtete, wie Nikka die Ebene in Richtung der imposanten Schiffsruine durchquerte. Sie wurde inzwischen von verschlungenen Reifenspuren und einem Wirrwarr von Ausrüstungsgegenständen eingefaßt. In der Ferne arbeitete eine Gruppe von puppengroßen Gestalten an einer Bohrstelle. Der Mond-Sonnenuntergang verlieh Nikka einen riesenhaften Schatten. Die blendend weiße Kugel hing reglos am Horizont. Hier, dachte er, schliefen die Winde immer. Nichts bewegte sich, es sei denn, es wurde von der Hand eines Menschen bewegt. Ein Gasmolekül, das aus einem Ablaßventil entwich, mußte ungefähr zehntausend Kilometer zurücklegen, ehe es ein Mitmolekül aus dem gleichen Gaswölkchen traf. Auf der Erde waren die Abstände zwischen solchen Zusammenstößen kleiner als das, was das Auge noch wahrnehmen konnte. Ein seltsamer Ort, an dem andere Maßstäbe der Zeit und der Entfernung galten. Die Fußabdrücke, die Nikka hinterließ, würden, wenn niemand sie zerträte, eine halbe Million Jahre erhalten bleiben, bis der feine Teilchenregen des Sonnenwindes sie verwischte. Vor dem Hintergrund solcher Unermeßlichkeit erschien die Auseinandersetzung mit Sanges und Valiera als belanglos.

Aber natürlich war sie das in Wirklichkeit nicht, sagte er sich. Er und Nikka hatten bei dem Gespräch mit den beiden nicht mehr als eine Spitze des Eisbergs erkennen lassen. Die Beweise für einen Versuch der Kontaktaufnahme, der Beeinflussung waren recht eindeutig. Doch er hatte die Teile über die Novae im Sternbild des Adlers, die Computer-Zivilisation weggelassen – Elemente, die, mit der Zeit, einem gemeinsamen Zielpunkt zustreben, zusammenlaufen könnten.

Also hatten er und Nikka diesen einen einzigen Coup ausgeheckt, der nicht mehr als ein Zeichen sein sollte; diesen der Wut entsprungenen Ausbruch aus Valieras durchtriebenem Netz. Sie würden in der Lage sein, im verborgenen ein Bündel von Informationen zu übermitteln, ehe Sanges und Valiera dahinterkämen, und vielleicht würde das unten auf der Erde einigen Leuten die Augen öffnen, darauf aufmerksam machen, auf welche Weise mit dem Wrack im Mare Marginis politisch umgegangen wurde.

Vielleicht, vielleicht...

Nigel seufzte. Er wußte, daß er jetzt eigentlich den Reiz des Kampfes spüren sollte, doch ihm entzog sich dieser Reiz. Von Ikarus über den Schnark bis zum Mare Marginis war er hinter etwas hergewesen, das er nicht bestimmen konnte, einem Etwas, das er nur als bedrückende innere Spannung empfand. Es hatte ihn bei der NASA zum Außenseiter gestempelt. Es war zu einer durchsichtigen, aber massiven Mauer zwischen ihm und fast allen anderen Menschen geworden; er konnte diese anderen nicht verstehen, nicht ergründen, was sie bewegte, und sie begriffen Nigel Walmsley offensichtlich überhaupt nicht. Es hatte natürlich bestimmte Augenblicke gegeben, als er früher mit Alexandria und in letzter Zeit mit Ichino und Nikka zusammengewesen war, Augenblicke, in denen er zum Kern dessen vorstieß, was er wirklich war, in denen er den beengenden und schützenden Panzer verlor, den Nigel Walmsley in all den Jahren aufgebaut hatte, diesem Panzer entschlüpfte und sich in höchste Höhen aufschwang – und natürlich sofort wieder herunterfiel, denn diese Augenblicke vergingen im Nu, und daß es sie überhaupt gegeben hatte, merkte er erst danach. Denn das war ihr Wesen; es waren keine Stadien der Analyse, sondern neue Meere der Bewußtheit. Meere mit ihren eigenen Gezeiten.

»Nigel«, krächzte der Lautsprecher an der Wand. Nikka.

»In Ordnung«, sagte er, als er den entsprechenden Schalter auf seiner Tafel auf Sendung gestellt hatte. »Fangen wir doch gleich damit an, ihnen das Zeug zu übermitteln.«

»Glaubst... glaubst du *wirklich*, daß das...?«

»Na *los*! Bekomm jetzt bloß keine kalten Füße.«

»Ich werde nicht gern in politische Kleinkriege verwickelt.«

»Und *ich* möchte dir ja nur ungern auf die Nerven gehen, meine Liebe, aber...«

»Schon gut, schon gut.«

Nigel schaltete die Verbindung zu Alphonsus. In einem anderen Teil des Gebäudes, in der Funkabteilung, würde das angezeigt werden. Wenn Sanges in Hochform war, würde er wahrscheinlich alle Sendungen in der Funkabteilung überwachen oder hätte – was schlimmer wäre – bereits ein Auge auf diese Leitung geworfen. So wurde alles zu einer schlichten Zeitfrage. Wenn es ihnen gelang, genügend Rohdaten zu Kardenskys Gruppe durchzubringen, zu der Nigel einige Kontakte aufgebaut hatte, würde allerlei in Bewegung geraten. Wenn nicht, dann würde diese Eskapade ihm und Nikka wahrscheinlich einen kräftigen Tritt in den Hintern einbringen und einen Flug zur Erde ohne Rückfahrkarte.

»Es geht los«, sagte Nikka.

In dem düsteren Raum leuchteten die von Menschenhand erbauten elektronischen Anlagen mit beruhigenden gelben und orangefarbenen Lämpchen. Nikka rutschte beklommen auf ihrem Stuhl hin und her. Die dunkle Masse der Maschinen um sie herum stand schweigend da, dumpf, drohend. Sie sagte sich, daß ihre Reaktion dumm war. Es gab keinen Grund, nervös zu sein. Sie hatte schon oft an dem außerirdischen Computer-Interface gearbeitet, und auch diesmal war nichts anders als sonst.

Sie riß sich zusammen und machte sich an die Arbeit. Die Sendeausrüstung konnte entweder Informationen durch eine Inputschaltung direkt aus der außerirdischen Datenbank entnehmen oder die bereits gemachten Faxkopien elektronisch abtasten. Sie und Nigel hatten geplant, beide Möglichkeiten zu nutzen. Sie nahm einen Stoß Papierbögen und Fotografien und schichtete sie ordentlich in der Eingabeeinheit des Sendeteils auf. Sie wußte, daß sie wahrscheinlich nur ein paar Minuten Zeit hatten, bis jemand in der Funkabteilung den Befehl erhalten würde, die Sendung zu unterbrechen. Folglich mußten sie sich beeilen. Nikka stellte die Tafel so ein, daß gleichzeitig Faxkopien und direkt aus dem außerirdischen Computerspeicher abgerufene Daten übertragen wurden. Als dies erledigt war, tippte sie den Befehl ein, mit dem Senden zu beginnen.

Nigel hatte geschwiegen, während sie dies tat. Sie legte das Signal auf eine Schalttafel. Er konnte die laufende Sendung beobachten und den Datenfluß anhalten, wenn irgendwelche Schwierigkeiten auftraten.

»Es geht los«, sagte sie.

Hinter ihr stöhnte jemand.

»Ja, was machen Sie denn...?«

Sie wirbelte herum. Sanges wand sich mühsam aus dem Plastaformring des Tunnelendes heraus.

»Eine Routinesache«, sagte sie, mit schwacher Stimme.

»Nein, es ist *keine*«, knurrte Sanges. Er hatte seine Füße aus dem

Tunnel herausgezogen und stand aufrecht. In dem trüben Licht schien er größer zu sein, als Nikka ihn in Erinnerung hatte.

»Sie beide – ich hatte mir schon fast *gedacht*, daß Sie versuchen könnten...«

»Also sehen Sie mal, ich sende Alphonsus doch nur einiges von dem alten Material.« Nikka ließ ihre Stimme unbewegt klingen.

»Für *mich* sieht das aber nicht so aus. Dieser Schirm...« – er deutete dorthin, wo farbige Bilder aufleuchteten, sich veränderten und schnell umsprangen – »sendet direkt aus dem Innersten des Schiffes. Keine gespeicherten Informationen – *neue* Informationen.«

»Also, ich...«

»Wir haben uns überlegt, ob Sie hier drin vielleicht etwas Besonderes montiert haben könnten. Etwas, das Sie nach Ihrer letzten Schicht eingebaut hätten. Aber *das* hier...«

»Ich sage Ihnen noch mal...«

»*Das* ist eine direkte Mißachtung der Anweisungen des Koordinators.«

»Warum rufen Sie ihn dann nicht an?« Nikka sprach mit sanfter Stimme und stellte sich mit dem Rücken vor die Konsole, ihr Herz schlug schneller.

»Und lasse Sie das ganze verdammte Zeug raussenden, während ich mich mit dem Dienstweg abmühe? Ha!«

»Ich verstehe wirklich überhaupt nicht, was Sie...«

Er stürzte plötzlich auf sie los.

Nikka drehte sich auf der Stelle und trat nach oben, die Ferse vorgestreckt, um damit den Stoß auszuführen. Sie traf Sanges an der Schulter, der sein Gewicht mit überraschender Schnelligkeit verlagerte.

Nikkas Bein senkte sich nach dem Tritt mit zuviel Schwung herunter, sie verlor das Gleichgewicht. Sanges tänzelte zur Seite. Nikka brachte sich in Ausgangsstellung und versuchte sich an das zu erinnern, was sie vor langer Zeit und in weiter Ferne über Selbstverteidigung gelernt hatte.

»Machen Sie sich doch nicht lächerlich!« sagte Sanges.

»Machen *Sie* sich doch nicht lächerlich.«

»Ich werde dafür sorgen, daß Sie und Walmsley nie wieder arbeiten.«

»Das werden wir ja sehen!«

»Ich warne Sie!«

»Ich hab's gehört.«

»Ich *befehle* Ihnen...«

»Dazu sind Sie gar nicht befugt.«

»Dann...«

Schwerfällig trat er einen Schritt vor. Die Oberarme hatte er an die Seite gelegt, die Unterarme etwas abgewinkelt, die Hände geöffnet. Offensichtlich hatte er vor, sie fest an sich zu klammern und dann herumzuschleudern. Wenn es ihm anschließend gelang, an die Schalter der Konsole heranzukommen, konnte er die Sendung abbrechen.

Sie drehte sich um, so daß sie ihm den Rücken zuwandte, und riß ihren Ellbogen hoch.

Sie spürte, wie sich ihr Arm mit einem erfreulichen dumpfen Schlag in ihn bohrte. Sanges' Atem entwich schnaufend. Er torkelte weg. Fing sich. Kam wieder.

Nikka trat zurück. Sie brauchte Platz, um sich bewegen zu können. Sie fühlte, wie die Kante der Konsole gegen ihr Kreuz drückte. Zeit. Sie brauchte Zeit. Die Daten gingen hinaus und würden bald erschöpft sein. Noch ein paar Minuten, und dann – »Hören Sie zu, Sanges!« Vielleicht konnte sie dem frömmlerischen Schwein in die Eier treten. »Hören...«

Sanges täuschte einen Angriff von rechts vor. Nikka machte einen Schritt, um ihm den Weg abzuschneiden. Er verlagerte sein Gewicht und sprang nach links. Sie reagierte darauf, indem sie sich drehte. Er prallte mit voller Wucht gegen sie. Nikka versuchte, nach ihm zu schlagen, doch er taumelte vor und umklammerte sie. Sie konnte ihre Arme nicht mehr bewegen. Zusammen schwankten sie rückwärts. Nikka bemerkte, daß sie nach hinten gekippt wurde, über die Sicherheitsleiste auf der Konsole. Die kleinen Schalter des außerirdischen Terminals bohrten sich in ihren Rücken. Sie zerquetschten die zierlichen Schaltelemente, ließen sie von aktiv auf passiv umspringen, lösten eine Flut neuer Eintragungen aus...

»Halt! Wir machen alles kaputt!«

»Lassen Sie mich...«, knurrte Sanges und langte nach dem Netzschalter. Er riß ihn in die *AUS*-Stellung. Der Schirm über ihnen verblaßte.

»So«, sagte Sanges. »Ich hoffe, Ihnen ist klar, daß der Schaden *einzig und allein* auf Ihre...«

»Sehen Sie mal«, keuchte Nikka gelassen.

Sie deutete auf das außerirdische Terminal. Einige Schalter waren erleuchtet, sie blinkten rötlich inmitten der Schatten, folgten ihrem eigenen Rhythmus. Die Lichter tanzten und pulsierten.

»Er läuft von allein.«

»Eine eigene Stromversorgung?« schnaufte Sanges, sein Gesicht wurde rot.

»So muß es sein. Etwas, das wir getan haben, aktivierte...«

Die durchlaufenden gelben Lichtpunkte pulsierten, flackerten, pulsierten.

»Irgendein sehr komplexes Programm läuft jetzt ab«, sagte Nikka. »Kein einfaches Abrufen einzelner Daten. Irgendeine Art von Handlungssequenz...«

Sie bemerkte ein schwach leuchtendes Lämpchen. »Nigels Kontrolleitung – sie ist immer noch angeschlossen. Er bekommt das hier immer noch mit.«

»So.« Sanges beugte sich vor und schaltete den Anschluß aus. Das Lämpchen brannte ruhig weiter. Sanges bewegte den Kippschalter hin und her. »Komisch«, sagte er betroffen. »Irgend etwas ist passiert.«

Zwischen ihnen entstand eine Stille in dem düsteren Raum, der jetzt nur von dem blinkenden, bewegten Muster der Lichter der außerirdischen Schalttafel beleuchtet wurde. Jedes winzige Teilchen von Festkörperelektronik erwachte kurz zu flackerndem Leben und erstarb dann im gleichen Augenblick, war Bestandteil eines tanzenden Rhythmus.

»Nigel bekommt das hier auf seinen Schirm, was es auch sein mag, und wir können es nicht abstellen«, sagte Nikka. »Wir können es nicht mehr *anhalten*.« Ihre Worte wurden von der kalten, verbrauchten Luft verschluckt, die sie umgab.

Nigel hatte des besseren Kontrastes wegen alle Beleuchtung in dem Raum ausgeschaltet, als er die Bildprojektionen kontrollierte, die Nikka sendete. Er hatte seinen Sessel weit in die Ausbuchtung der Konsole vorgeschoben, so daß ihre Plastaform-Seitenteile ihn im Halbkreis umschlossen; die Abdeckhaube hatte er so tief heruntergezogen, wie es ging. Nikkas Datenfolge begann. Nigel beugte sich vor und verfolgte den Strom der Informationen. Flackernd entstanden die Bilder und wurden so schnell wieder gelöscht, daß er sie kaum bewußt wahrnehmen konnte. Die große Ratte, aus drei verschiedenen Blickwinkeln. Rotierende Feuerräder in Orangerot und Blau. Uralte Aufnahmen der Erde. Molekülketten. Chemische

Schemata. Die behaarten, dahintrottenden Geschöpfe. Die Wesen in den gummiartigen Anzügen. Sternkarten. Tabellen. Daten. Nigel sichtete sie, so schnell er sie aufnehmen konnte; in Gedanken hakte er jede Kategorie ab, während sie aus dem Speicher abgerufen und auf elektromagnetischen Schwingen zu Alphonsus geschickt wurde, zur Erde, zu Kardensky, in die Freiheit.

Das Bild auf dem Schirm lief durch.

Erstarrte.

Wurde zu einem sprudelnden Muster aus Punkten, Linien, Wellen –

...Nigel nahm es zuerst als ausdruckslosen, leeren Raum wahr. Er betrachtete es gründlich. Etwas an ihm ließ ihn erschauern.

Er runzelte die Stirn. Er bewegte seine Augen zur Seite. Er versuchte wegzusehen.

Und merkte, daß er es nicht konnte.

Es ging aus dem Bildschirm auf ihn los wie ein bebender, gellender Aufschrei; in Farbe; eine gesprenkelte grüne Blase, die auf ihn zuschwoll.

Es schlug ihm ins Gesicht, und Nigel Walmsley löste sich auf.

16

Ein Tag war rasch vergangen; er war kaum mehr gewesen als ein Zwischenspiel von trübem Licht, das durch die Wolkendecke drang. Jetzt ging die Dämmerung schon bald in die Nacht über, und Mr. Ichino saß in seinem Schaukelstuhl, sein Gesicht eine ernste Maske, und drehte die Waffe in seinen feingliedrigen, knochigen Händen. Konnte er die Fremdartigkeit an ihr erfühlen, oder war das Einbildung?

Ein weiteres Gespräch mit Graves während des Mittagessens hatte verschiedene Dinge etwas erhellt, doch Mr. Ichino war sicher, daß vieles nie geklärt werden würde. Graves hatte alle Bigfoot-Sichtungen während des letzten Jahrhunderts auf einer Karte eingetragen und festgestellt, daß es sich wiederholende Muster gab, bevorzugte Routen durch die Berge, und dort hatte er die umherstreifenden Tiere mit Hubschraubern und Infrarot-Suchgeräten aufzuspüren versucht. Mr. Ichino hatte diesen Ort aus einem ähnlichen Grund ausgewählt: Als er den hinteren Teil von Oregon untersucht hatte, war ihm aufgefallen, daß eine Folge von flachen Tälern und Pässen diese Gegend mit dem Gebiet um Wasco verband. Es war nur eine Vermutung gewesen, ein passender Grund, sich in diesen angenehmen Wäldern niederzulassen, doch sie hatte Graves zu ihm gebracht. Und vielleicht war das das Ende von allem – es könnte durchaus keine weiteren Bigfoot-Gruppen mehr geben. Die Explosion von Wasco mußte die meisten von ihnen überrascht haben, da sie sich tief in ihren Winterquartieren verkrochen hatten.

Wo sie... was getan hatten? Auf eine versprochene Rückkehr gewartet? Auf das Wrack aus dem Mare Marginis? Die Bigfoot hatten die Außerirdischen zweifellos gekannt, vielleicht für sie gearbeitet, von ihnen gelernt. Diese frühen Menschen könnten die allmächtigen, göttergleichen Fremden sehr wohl angebetet haben.

Es wäre einfach und natürlich, diese Anbetung auf die Besitztümer ihrer Götter zu übertragen, die zurückblieben, als die Fremden die Erde verließen.

In der fernen Vergangenheit mußten die Bigfoot alle großen und kleinen Stücke der Hinterlassenschaft ihrer Götter gesammelt und mit sich herumgetragen haben, als die höheren Formen des Menschen sie tiefer in die Wälder trieben. Während dieses ganzen gewaltigen Rückzugs schleiften sie sie mit sich, verwendeten sie vielleicht als Hilfsmittel zum Überleben.

Und die Horden mit Waffen lebten natürlich am längsten. Eine Bigfoot-Gruppe, die einen außerirdischen Kühlschrank anbetete, würde mit ihm nicht allzuviel anfangen können, wenn sie in die Enge getrieben wurde und kämpfen mußte, dachte Mr. Ichino und lächelte.

Graves sprach im Schlaf, murmelte etwas und schlug mit den Händen auf die Bettdecke. Mr. Ichino sah zu ihm hinüber.

Graves würde sich mit diesem Fund einen Namen machen. Er hatte das Geheimnis der Bigfoot endlich gelüftet.

Mr. Ichino fand die Filme in Graves' Rucksack. Im Feuer brannten sie als oranger Flammenkern, und nach einem Augenblick gab es keine Spuren mehr.

Er trug das Rohr – wie hatten sie es nur so hart gemacht, daß es eine so lange Zeit überdauern konnte? – hinaus auf die Lichtung und stand mit ihm in der von zunehmender Dunkelheit begleiteten Abendkälte.

Minuten vergingen. Dann kamen sie.

Es waren nicht viele. Sechs von ihnen traten aus dem Schutz der schwarzen Baumlinie und stellten sich im Halbkreis um ihn auf. Mr.

343

Ichino hatte das Gefühl, daß noch weitere außer Sichtweite warteten, ihre Anwesenheit war förmlich zu spüren.

In dem Licht, das aus der offenen Hüttentür hinter ihm drang, konnte er einen von ihnen deutlich sehen. Der Kopf war sehr menschlich. Unter einer massigen Stirn begann ein langer, gekrümmter Nasenrücken, der in weiten Nasenlöchern auslief. Glitzernde, tiefliegende Augen zuckten flink in alle Richtungen, sie registrierten alles. Trotzdem bewegte er sich ohne Angst oder Nervosität.

Die dicken, muskulösen Arme reichten ihm fast bis zu den Knien, als er durch den knirschenden Schnee vorwärts ging. Borstiges schwarzes Haar, das in dem Licht der Hütte glänzte, bedeckte den gesamten Körper außer der Nase, dem Mund und den Wangen. Ein schwacher, herber Tiergeruch wurde von dem leichten Wind herübergetragen.

Während er in der sanft bewegten Luft wartete, erinnerte sich Mr. Ichino an das neblige Tal im Park von Osaka, in dem die Lerchen frei umherflatterten und jubilierend in der Höhe schwebten. In seiner Vorstellung vermischten sie sich mit den verkrüppelten Bettlern, die geröstete Sojabohnen aßen und in beklemmenden, verdreckten Straßen *tschiri-gan* sangen. Sie alle waren von den ernsten Geschäften der Welt beiseite geschoben worden; sie alle waren schwach und verschwanden.

Trotz der Erzählungen über den Bigfoot empfand Mr. Ichino keinerlei Furcht und war nicht nervös. Er sah sich mit bedächtigen Bewegungen um und nahm die Szene gelassen in sich auf. Sie hatten menschliche Genitalien, und auf der rechten Seite konnte er ein Weibchen erkennen, das schwere Brüste hatte. Sie blieben zehn Meter von ihm entfernt stehen und warteten ab. Auch wenn sie sich leicht vorgebeugt hatten, strahlte ihre Körperhaltung Würde aus.

Er streckte die Arme vor, hielt die Waffe mit beiden Händen und trat einen Schritt vor. Sie bewegten sich nicht. Er legte sie sanft, langsam in den Schnee und trat zurück.

Sollten sie sie haben. Ohne einen unumstößlichen Tatsachenbeweis würde Graves' Geschichte als zweifelhaft abgetan werden, oder der Ablauf der Dinge ließe sich wenigstens verzögern.

Andernfalls würde sich der Fanatismus, der im Lande grassierte, auf diese geschundenen fossilen Wesen stürzen und bei ihnen Eine Antwort, Einen Weg suchen. Jede Art von Rampenlicht würde sich für diese Geschöpfe verhängnisvoll auswirken. Sie würden gnadenlos gejagt werden, sobald Graves mit diesem Rohr die zivilisierte Welt erreicht hatte.

Diese Waffe war der endgültige Beweis. Sie verband den Bigfoot unbestreitbar mit den Außerirdischen.

Mr. Ichino bedeutete ihnen mit einer Handbewegung, daß sie sie aufheben sollten.

Nehmt sie. Ihr seid genauso einsam wie ich. Keiner von uns hat etwas für die Tollheit der Menschen übrig.

Einer von ihnen kam zögernd näher. Er bückte sich und legte das Rohr vorsichtig in seine Arme, wiegte es.

Er sah Mr. Ichino mit Augen an, die im orangefarbenen Licht der Hütte aufblitzten. Er führte eine kurze, nickende Kopfbewegung aus.

Hinter dem Bigfoot machten die anderen ein helles, zwitscherndes Geräusch, das anschwoll und wieder abnahm. Sie sangen einen Augenblick und führten nochmals die ruckartige, nickende Bewegung aus. Dann wandten sie sich um und trotteten anmutig weg. In wenigen Augenblicken waren sie zwischen den Bäumen verschwunden.

Mr. Ichino schaute auf. Wolken eilten vor den Sternen dahin. Zwischen zweien von ihnen konnte er das schroffe Weiß des Mondes sehen.

Dort oben war jemand gewesen, der dies vielleicht auch gesehen hatte, als versteckte, kalte elektrische Erinnerung. Spürte er, daß diese Kinder/Vorfahren ebensosehr ein Teil der Natur waren wie die Bäume, der Wind?

Sollten sie gehen. Die Natur hatte ihre grausame Arbeit fast beendet, sie fast vernichtet. Aber wenigstens konnten sie mit Würde gehen, allein, unbeobachtet. Jedes wilde Tier konnte soviel von der Welt verlangen.

Nach einer langen Zeit ging Mr. Ichino wieder zurück in die Hütte und überließ die Stille sich selbst.

Sie trafen rechtzeitig zum Frühstück ein.

Der Motorschlitten kam hustend und spuckend zum Stehen, und Mr. Ichino trat überrascht in den Eingang der Hütte; er blinzelte verschlafen, denn er hatte sie wesentlich später erwartet. Sie luden Geschenke aus dem Transportschlitten aus und brachten sie ins Innere der Hütte; sie verbreiteten eine Atmosphäre emsiger Betriebsamkeit, die die Hütte zu öffnen und den Glanz des Morgens einzulassen schien.

Sie aßen an dem schmalen Tisch. Gut durchwachsenes Rindfleisch, knusprigen Toast, Fruchtsaft. Mr. Ichino interessierte sich für die Berichte über rasche Fortschritte im Mare Marginis; und sie beschrieben die Entschlüsselung der Sternkarte, die jetzt lückenlose Belegkette, die das Alter des Wracks genau bestimmte, die Aufdekkung astronomischer Informationen, die zur Zeit im Gange war. Doch trotz all dieser Betriebsamkeit hatten sie sich entschlossen, einen kurzen Urlaub auf der Erde zu machen und in den schwindenden Winter hinunterzukommen.

Nikka trank immer noch Kaffee. Nigel sammelte die Teller ein und scheuerte sie ab und kehrte zum Tisch zurück, war durstig und rührte den Orangensaft, dachte nach.

Er wirbelte einen Holzlöffel mehrere Male herum, ließ ihn dabei gegen die Krugwand klappern und beobachtete, wie sich eine Vertiefung in dem Saft bildete, ein parabolisches Loch in der Mitte. Er zog den Löffel heraus. Die glatte Vertiefung verflachte, füllte sich auf. Er dachte daran, wie das Drehmoment durch die Reibung fließend von dem Saft in die Wand des Kruges überging, sich dann in den Holztisch fortpflanzte, nach außen und unten sickerte und so in die Erde selbst hinabging. Die gelbe Vertiefung kräuselte sich und drehte sich langsamer. Teilchen der Orangenschale wirbelten in dem Strudel. Unten, in der Spitze, in der Mitte des kreisenden Saftes, bildete sich ein weißer Schaum. Das glänzende Paraboloid und das Drehmoment schwanden zusammen, Zwillinge der Dynamik. Der Schaum dehnte sich zu einer flachen Scheibe aus.

Wir mögen manchmal Gespenster sehen, dachte Nigel, aber das Drehmoment sehen wir nie. Oder die Vergangenheit.

»Ich fürchte, es ist hier etwas kühl«, sagte Mr. Ichino.

»Hm.« Nikka nickte und nahm einen Schluck Kaffee. Sie hatte ihre Jacke nicht ausgezogen.

»Ich habe den Rest von meinem Holz letzte Nacht aufgebraucht, und das Feuer hat sich nicht so lange gehalten, bis ich aufgestanden bin. Ich werde hinausgehen und noch etwas hacken.«

»Nein.« Nigel bedeutete ihm, daß er sich setzen sollte. »Ich werde das machen. Ich brauche die Bewegung.«

»Bist du sicher?« Nikka musterte ihn ernsthaft.

»Ganz sicher«, sagte Nigel gedehnt. »Wo ist es?«

»Hinten auf der Südseite. Unter den Bäumen.«

»Ich glaube, dann werd' ich's jetzt mal versuchen.«

Als die Tür hinter ihm zuschlug, schwieg Mr. Ichino einen langen Augenblick und sagte dann: »Eure Nachricht war kurz.«

»Tut mir leid«, sagte Nikka. Sie wandte sich um und beobachtete Nigel durch das Fenster, bis er außer Sichtweite war, in der Baumreihe verschwunden.

Sie legte beide Ellbogen auf den Tisch und sah Mr. Ichino an. »Sie wollen uns immer noch nicht ihrer Meinung nach geheime Informationen senden lassen. Das heißt Daten. Aber sie können Nigel oder mich wohl kaum daran hindern, über das zu reden, was geschehen ist. Nicht jetzt, wo wir auf der Erde sind.«

»Was *ist* denn geschehen? Euer Telegramm…«

»Ich weiß, es tut mir leid. Nigel bat mich, es zu schicken. Er glaubte vermutlich, mehr könne er nicht sagen, ohne zensiert zu werden. Damit hatte er wahrscheinlich auch recht.«

»Ich bin mir darüber im klaren, daß Sie mich noch nie zuvor gesehen haben, weshalb Sie vielleicht etwas ungern…«

»Oh, das ist es nicht. Tut mir leid, Sie glauben wohl, daß ich Ihnen etwas verschweigen möchte, ja?«

»Wenn Sie nicht…«

»Oh, ich kann reden. Aber ich kann Ihnen nicht viel sagen, weil ich es wirklich nicht genau *weiß*. Niemand weiß es. Außer Nigel.«

»Weiß was?«

»Wie das außerirdische… äh… Programm aussah.«

»Programm? Oder die neuen Daten?«

»Na ja, ich nenne es so. Nigel sagt, das sei nicht gerade die beste Betrachtungsweise. Es sei nicht mehr ein Programm, als Berge den Betrachter darauf zu programmieren versuchen, den Himmel zu sehen, meint er.«

»Aber eure Nachricht... Sie haben gelesen, was ich Nigel über den Bigfoot geschrieben habe?« Mr. Ichino beugte sich vor, sein Blick konzentrierte sich auf sie; er versuchte ihre Stimmung abzulesen.

»Ja. Die Sache mit dem Menschen Graves ist vorbei?«

»Ich hoffe es.« Er verzog das Gesicht.

»Seine Leute seien gekommen, haben Sie geschrieben.«

»Ja. Es gab nichts, was sie hätten finden können.«

»Sie haben Sie bedroht?«

»Natürlich.« Mr. Ichino hob die Hände etwas, die beiden hohlen Handteller waren nach oben gerichtet. »Das mußten sie. Aber schließlich gingen sie weg.«

»Graves kann zurückkommen.«

»Er kann.«

»Hubschrauber und Infrarotsucher, Schallmeßgeräte – Graves kann die Bigfoot wieder aufspüren.«

»Das ist möglich.«

»Sie glauben nicht, daß er es tun wird.«

»Nein.«

»Warum?«

»Er hat etwas verloren. Seine Genesung im Krankenhaus dauerte sehr lange. Er wird alt. Die Verbrennung hat ihm seinen falschen Heldenmut genommen. Trotzdem ist ihm etwas geblieben...«

»Sie glauben, er fürchtet sich jetzt vor den Bigfoot?«

»Er weiß, daß sie wieder die gleiche Waffe haben.«

»Und sie werden unberechenbar und vorsichtig sein.«

»Ich habe ihn seitdem nur einmal von Angesicht zu Angesicht gesehen. Sein Auftreten machte einen bestimmten Eindruck. Wenn er alle Beweise behalten hätte, schön – aber ihnen noch einmal entgegentreten? Nein.«

Vom unteren Rand der Tür her hörte man ein gedämpftes Poltern. Nikka sprang auf wie von einer Feder geschnellt und riß die Tür auf. Nigel hatte das Bein bereits für den nächsten Tritt angehoben, er hielt sich auf einem Fuß und balancierte einen Armvoll Brennholz. Er stapfte ins Zimmer; den Oberkörper hatte er etwas nach hinten geneigt, um das Gewicht der Last zu verteilen.

»Gut, daß du die Plane über den Holzstoß gelegt hast«, brummte er. »Ein Teil von dem Schnee fängt an zu schmelzen. Wäre schade, wenn dieses alte Holz naß würde – es ist knochentrocken.«

»Ich habe es aus den Hütten im Wald in der näheren Umgebung

geholt«, sagte Mr. Ichino. »Das hier war ein Zufluchtsort während der Krisenjahre.«

»Aha.«

Nigel ließ das Holz in den Kasten fallen und wischte Reste von Rinde von seinen Ärmeln ab. Nikka sah ihn fragend an und wandte sich dann wieder dem Tisch zu, auf dem sie die Landkarte ausbreitete, die sie bei der Suche nach der Hütte verwendet hatten. Sie holte einen Bleistift heraus und studierte das Gebiet, das in nördlicher Richtung nach Wasco hin lag. »Sie glauben, daß sie in dieses Tal kamen, weil es einen natürlichen Fluchtweg darstellte, der vom Explosionsort wegführte?« sagte sie zu Mr. Ichino, der nickte.

Nigel lächelte.

Es wirkte zu beiläufig, wie sie sich für geografische Einzelheiten interessierte. Er beobachtete sie in der sich ausbreitenden Stille der Hütte, als sie eine Strähne ihres glänzenden schwarzen Haares nach hinten schob, so daß sie eine neue Schicht unter der glänzenden Mütze bildete, die in ihrem Nacken saß. Begleitet von einer anmutigen Bewegung ihres Mittelfingers steckte sie den Bleistift tief in den Haarknoten, sie war etwas verwirrt. Bei dieser unbewußten Geste der Zerstreutheit hüpfte Nigels Herz wie noch nie zuvor.

Er sah Mr. Ichino mit hochgezogener Augenbraue forschend an, der mit auf dem Tisch gefalteten Händen dasaß.

»Du kannst auch mit *mir* darüber sprechen«, sagte Nigel freundlich, belustigt.

Mr. Ichino entgegnete unsicher: »Äh... ich...«

»Was geschehen ist, meine ich.«

»Ich habe nichts in den Nachrichten gehört.«

»Das war auch reichlich unwahrscheinlich.«

»Die NWS hat sich noch nicht entschieden, wie die Sache behandelt werden soll«, sagte Nikka. Sie faltete die Karte zusammen und steckte sie weg.

»Ich habe ihnen unmißverständlich klargemacht, daß sie sich zwar gründlich überlegen können, was sie mit ihren Daten machen wollen, sie aber mit *mir* nicht machen können, was ihnen gerade paßt«, sagte Nigel. Er stellte einen Stiefel auf die Sitzbank und stützte sich auf den Arm, den er auf sein angezogenes Knie gelegt hatte.

»Vielleicht weil alles so unklar ist«, sagte Mr. Ichino bedächtig.

»Das ist nur zu wahr.« Nigel lächelte.

»Was hattest du denn...«

»Für ein Gefühl dabei?«

»Ja. Ich glaube, das ist es, was ich gerne wissen möchte.«

»Zuerst war da so ein Gefühl des... des *Weggehens*.«

»Zu etwas Neuem.«

»In gewisser Weise.«

»Aber jetzt bist du wieder da.«

»Nein. Ich bin nie zurückgekommen.«

»Dann bist du...« Mr. Ichino hielt verwirrt inne.

»Das, was ich wußte, ist zerstoben. Oder zu wissen *glaubte*.«

»Und...« Mr. Ichino kämpfte mit einer inneren Hemmung. »...was hat dir das gebracht«, fügte er hastig hinzu, »das du uns sagen kannst?«

»Oh. Du meinst Fakten?« Er wischte seine Hände an der derben Hose ab und stand auf, neigte sich zurück, betrachtete die Dachbalken und den gewölbten Raum über ihnen, die Schatten, die dort spielten. »Geliebte Fakten.«

»Erzähl ihm von den Fremden«, sagte Nikka. Sie hatte völlig reglos am Tisch gesessen, und er erkannte in ihrer absoluten Bewegungslosigkeit eine Spannung, die sie in ihrer weiteren Entwicklung würde überwinden müssen; ein System persönlicher Besorgnisse, das für ihn jetzt ganz und gar durchschaubar war, doch durchaus notwendig für sie; ein Netz der Besorgnis um ihn, das, weit ausgeworfen, mehr überdeckte, als sie hätte überdecken müssen und als ihr bewußt war. Doch auch dieses Netz würde im Laufe der Zeit verschwinden und sie natürlich zurücklassen, die alte Nikka, die sprühende und gewandte, deren Äußerungen eine gescheite Mischung waren aus einer verschrobenen Form von Scharfblick, Insidersprache und gelegentlichen Epigrammen. Die schlanke und geschmeidige Nikka, an die er sich manchmal erinnerte, wie sie im gedämpften Phosphorlicht stand, linkisch, mit vorgeschobener Bauchlinie, keck.

»Die Fremden«, sagte Nigel, als ob er sich mit den Worten erfrischen, sich wieder in diese lineare Welt zurückbringen wolle.

»Du hast ihren Ursprung anvisiert, nehme ich an«, sagte Mr. Ichino drängend, und Nigel wunderte sich über die Wortwahl. Anvisiert? Dieses Wort? Für etwas Vergangenes und Totes und Leeres? Er erinnerte sich an Evers und diesen Burschen, Lewis, mit ihren Phrasen wie *Kampfeinsatz* und ihrem letzten Endes absurden Verständnis der Wirklichkeit, dem *Wamm* wegfliegender Raketen, dem sonderbar lautlosen *Bums,* als die orangerote Blüte entstand, hinter dem armen verwirrten fliehenden Schnark.

Anvisiert?

Fremd. So fremd!

»Ich habe ihren Heimatstern gefunden«, sagte er.

»Indem du hinter ihr Koordinatensystem gekommen bist?«

»Ja.«

»Wie haben *sie* denn *uns* gefunden?«

»Ein Beobachtungsschiff, vermute ich. Automatisch. Sie suchten auf gut Glück.«

»Sie konnten im Strahlungsspektrum nichts finden? Genau wie wir?«

»Ja – das stimmt mit dem überein, was der Schnark gesagt hat.«

»Es gab keine anderen – organischen Rassen? –, die zu der Zeit lebten.«

»Jedenfalls keine mit Technologie. Also machten sich diese Burschen auf, um zu finden, was sie konnten – vielleicht, um andere Welten zu kolonisieren, wer weiß? Aber es klappte nicht – und dann stießen sie auf uns.«

»Erschufen den Bigfoot.«

»Nein. Sie benutzten ihn. Aber auch das funktionierte nicht besonders gut, nehme ich an.«

»Warum nicht?«

»Ich weiß nicht. Aber der Bigfoot war sowieso nur ein Vorläufer.«

»Wovon denn?«

»Von *uns*«, sagte Nigel überrascht. »Wir sind doch der springende Punkt.«

»Das ... Programm?«

»Ah.« Nigel lachte, beugte sich vor und legte einen Arm um Nikka. »Ich merke schon, du hast mit meiner kleinen Freundin hier gesprochen. *Programm* – das geht an der Sache völlig vorbei.«

»Warum taten sie es?« Mr. Ichino kniff die Augen zusammen, als ob er in Verlegenheit wäre.

»Dem – wie sagte der Schnark? –, dem Universum des Absoluten. Organischen Lebensformen ist es zugänglich, Maschinen nicht. Die Fremden kamen, um dafür zu sorgen, daß wir es rechtzeitig erlangten, für das – nun, das Dings aus dem Adler. Was auch immer sich da auf uns zubewegt.«

»Dann wußten sie also über uns Bescheid!« Mr. Ichino pochte mit dem Knöchel eines Fingers auf die glänzende Tischplatte. »Als du mir diese Sternkarte geschickt hast, fragte ich mich schon, ob du völlig den Verstand verloren hättest.«

Nigel zwinkerte ihm zu, lächelte unbeschwert. »Warum bist du so sicher, daß ich ihn nicht verloren habe?«

Als er den plötzlichen Ausdruck der Bestürzung in Mr. Ichinos Gesicht sah, lachte Nigel laut auf. »Nein, nein, alter Freund – ich habe ihn nicht verloren. Was aber *wirklich* mit mir passiert ist, kann ich nicht genau sagen.«

»Du scheinst ein anderer zu sein.«

»Ich *bin* ein anderer.«

»Und das Wrack im Mare Marginis – sind sie gekommen, um uns das zu geben? Zur Verteidigung?«

»Ich weiß nicht«, sagte Nigel. »Du darfst nicht glauben, daß ich alles verstünde. Sie kamen, um Kontakt mit uns aufzunehmen, da sie über die Vorgänge im Sternbild des Adlers Bescheid wußten. Da sie wußten, daß alles organische Leben fragil ist. Aber hofften, daß eine gewisse Verwandtschaft bestand, ja.«

»Und irgend etwas trat ihnen in den Weg.«

»Sie selbst, nehme ich an.« Nigel seufzte, verschob die Füße, hatte die Hände in die Gesäßtaschen gesteckt. »Der Krieg. Wasco hatte Waffen. Es kam wahrscheinlich bei ihnen zu einem Konflikt, der schließlich zu all dem hier führte. Warum sollten sie den Atomtod von den Sternen bringen?«

»Zur Verteidigung gegen das aus dem Adler?«

»Vielleicht. Oder gegen eine andere Faktion von ihnen selbst.«

»Das können wir möglicherweise herausfinden.«

»Können wir das? Das frage ich mich. Und selbst wenn – wen interessiert das? Die Ursachen sind tot – wir haben nur die Folgen.«

»Die Folgen?«

Mr. Ichino runzelte die Stirn, und Nikka hob interessiert den Kopf. Die Kühle des Raumes hatte sich vermindert, da das diffuse Leuchten der Sonne durch die beiden südlichen Fenster Lichtstrahlen sandte. Nigel entspannte sich. Er mußte jetzt hinauskommen, weg von diesem Zimmer, dieses unbefriedigende Bündel von Erklärungen hinter sich bringen, also versuchte er, sie zu komprimieren.

»Es ist doch in Wirklichkeit alles nur ein Haufen erlernter Tricks, unsere Vergangenheit. Wir lernten die Paarbildung, soziale Mechanismen. Dann die Großwildjagd. Als das nicht mehr ging – alle Planeten sind endlich –, kam die Landwirtschaft. Aus der heraus entstand die Technologie, Computer, eine wachsende Menge von

Informationen, die unserer wachsenden Speicherkapazität entsprach. Aber die Welt besteht nicht nur daraus – das ist der Punkt, an dem sich die Computer-Zivilisationen festfahren. Genaugenommen haben sie recht – wir *sind* instabil. Weil es eine Spannung in uns gibt, die daher rührt, wie wir uns entwickelt haben. Computer entwickeln sich nicht, sie werden entwickelt. Geplant – damit sie sicher sind, ungefährlich, geschützt. Und so bleiben sie auch, falls sie die Selbstmorde ihrer organischen Vorfahren überleben. Aber das Gebilde im Adler ist eine Computer-Zivilisation, die sich für den Präventivschlag entschieden hat – um organische Formen aufzuhalten, ehe sie sich zwischen den Sternen ausbreiten können, die domestizierten Computerwelten finden und sie unvermeidlich vernichten.«

Nigel machte eine Pause. In der Hütte hing atemlose Erwartung.

»Dann müssen wir...«, begann Mr. Ichino.

»Ja. Wir müssen besser werden, als wir sind«, sagte Nigel. »Aber, zum Teufel, das ist wirklich nicht so ein Problem. Wir *können* stärker sein als diese blinde Bande von Robotern im Adler. Indem wir in das...« Nigel lachte, zuckte die Achseln. »Ihr werdet es schon sehen, bestimmt. Indem wir in das Universum des Absoluten eintreten. Den Ort, an dem Subjekte und Objekte verschmelzen.«

»Die Neuen Jünger...«, begann Nikka. »Sie reden von...«

Nigel hob die Hände, kicherte. »Sie sind die Rückseite der uralten religiösen Schallplatte: Todesangst plus die Anhäufung von Fetischen – und Macht.«

Er wandte sich um und blickte zu dem offenen Kamin.

»Wir brauchen mehr Holz«, sagte er.

Als er in die Tasche greift, um seine Handschuhe herauszuziehen, bemerkt er eine Münze. Erfreut wirft er sie hoch, sie durchschneidet die Luft. Geschickt fängt er sie zwischen den Fingern auf und hebt sie an, einen kupfernen Kreis. Er hält ihn vor die gelbliche Sonne, die Münze verdunkelt sie. Die Perspektive trotzt der natürlichen Ordnung. Das Werk des Menschen überdeckt sogar dieses furchteinflößende atomare Feuer, das am Himmel steht.

Als sich die Tür der Hütte hinter ihm schloß, sagte Nikka: »Was meinen Sie?«

»Ich weiß nicht.«

»Sie haben ihn vorher gekannt. Hat er sich verändert?«

»Natürlich.«

»Er sagt, er könne es nicht richtig vermitteln.«

»Das hat noch nie jemand gekonnt.«

Sie runzelte die Stirn. »Das verstehe ich nicht.«

»Früher erlebte ich ihn so, daß eine Spannung in ihm war. Die ist jetzt verschwunden«, sagte Mr. Ichino. »Früher war er immer auf der Suche nach etwas. Einer Antwort.«

»Hat er sie gefunden?«

Mr. Ichinos Gesicht entspannte sich, es wurde glatt, und die Falten um seine Augen verschwanden.

»Ich glaube, er hat entdeckt, daß das Suchen besser ist als das Finden«, sagte er.

Das überfrorene Land öffnet sich ihm, ein klarer, reiner Teppich. Er atmet eine Dunstwolke aus, entläßt sie in die Luft. Schnee knirscht, der frische Sog beißt in seiner Kehle, freudig singen Glück auf immer, springen schweben fliegen sterben, er bricht mit jedem Schritt den verharschten Schnee auf, sinkt in seine daunenweiche Umarmung, die nachgiebige Welt läßt ihn nach jedem erneuten Senken des Fußes entgegenkommend zu sich herab, heimwärts, in Richtung des Mittelpunktes der versöhnlichen Erde...

ein Rinnsal von juckendem warmen Schweiß läuft seinen faltigen Hals hinab

die Sonne brennt hinter dem verschleierten Himmel

ein unermeßliches blaues Meer, belebt von einer flatternden Vogelwelt

– ergießt sich über und strömt durch ihn...

»Ich mache mir Sorgen um ihn«, sagte Nikka. Ihre auf dem Tisch gefalteten Hände zitterten.

»Das brauchen Sie nicht«, sagte Mr. Ichino. »Sie haben mir bereits gesagt, daß Nigel Dinge geschafft hat, die sich niemand sonst vorstellen könnte. Er hat die Sternkarte entschlüsselt. Er kann auch solche Zusammenhänge durchschauen, die anderen...«

»Ja, *ja*. Wenn ich nur sicher sein könnte, daß es ihm gutgeht.«

»Wissen Sie, Nikka, als ich noch sehr jung war, hatte ich einmal einen Zweitakt-Motorroller. Meine Eltern schenkten ihn mir. Ich brauchte ihn, um in die Schule zu kommen.«

»Ja?«

»Die Geschichte hat eine Pointe.« Ermutigend streckte er eine

Hand zu ihr aus. Durch das beschlagene Fenster sah er, wie Nigel die Axt aufhob und durch den tiefen Schnee der letzten Wintertage auf den Holzstoß zustapfte. Das quadratische Fenster rahmte die Szene so ein, daß sie wie ein perspektivloser Sumaro-Holzschnitt wirkte.

»Ich wartete eine Woche, ehe ich damit fuhr«, setzte er seine Erzählung fort. »So viel Angst hatte ich vor dem Ding. Es hatte 150 cm^3, und ich war sehr überrascht, als ich auf den Kickstarter sprang und der Motor zum ersten Mal zu knattern begann. Ich stieg auf und fuhr stolz die Straße auf und ab, in der wir wohnten; ich winkte meinen Eltern zu, winkte den Nachbarn zu. Dann blieb der Motor stehen. Ich konnte ihn beim besten Willen nicht wieder anlassen. Ich mußte das Ding nach Hause schieben.«

Er hebt die Axt und senkt sie herab – *wack* –, sauber und genau dringt sie in das Holzscheit ein. Das Holz splittert, spaltet sich auf; und Nigel fühlt, daß seine angespannten Muskeln durch diesen Akt zur Erfüllung gelangen; sie laufen auf der abwärts geneigten Linie seines Rückens zusammen, als er weit ausholt und das Blatt tief eindringt, nach der vibrierenden Erde stößt, ihn liebevoll an das Jetzt bindet.

Es zerfließt.

Und er steht auf einer hohen Steinplatte, einem Vorsprung aus gefaltetem und gemasertem Fels. Beobachtet den stampfenden Tanz der behaarten Gestalten unten im Tal, da der dumpfe Rhythmus zu ihm aufsteigt, ihn umschließt, und augenblicklich beginnt er zu tanzen, spaltet Holz mit einer funkelnden, scharfen Axt und senkt sie in einem rhythmischen Schlagen aus springen schweben fliegen sterben herab, die ursprüngliche Ebene des Holzes zerbricht, während er in diesem einen flüchtigen Augenblick der Verbindung des Vorgangs mit dem Ursprung dieser prickelnden Lust bei der reinen körperlichen Arbeit erfühlt, die Freude an der Bewegung... – er hebt die Axt, das *Wamm* des nachgebenden Holzes klingt immer noch in seinen Ohren, und schon ist er in einem anderen Augenblick...

Es zerfließt.

»Also kontrollierte ich, ob der Kraftstoff auch den Vergaser erreichte und die Zündkerze richtig funktionierte. Ich säuberte die Düsen und trat auf den Starter, und der Motor sprang wieder an, mit einem angenehmen, knatternden Dröhnen. Also war offensichtlich ein Stoffetzen von einem Putztuch oder so etwas Ähnlichem in eine enge Treibstoffzuleitung geraten.«

Nikka nickte.

»Und so fuhr ich wieder auf die Straße, und nach ungefähr zwei Minuten begann der Motorroller zu stottern und zu husten und blieb wieder stehen.«

– und doch, und doch sieht er, daß dieser heulende Tanz und die ekstatische Bewegung geschmeidiger Muskeln ein Teil von ihm ist, aber nicht alles, und er kommt zu der Axt zurück und spürt wie sie hoch in das quellende Gravitationspotential der verzehrenden Erde aufsteigt und erinnert sich daran wie er vor langer Zeit gearbeitet hat im fernen, grauen England, der *erewhon*-derbaren Insel, an bewegliche Rhythmen die von den Kohleträgern erschaffen wurden die an kalten trüben Morgen die Säcke verluden, an eine hauchdünne Schneeschicht auf den gewaltigen schwarzen Kohlebergen an denen Lastwagen und Menschen nagten, Nigel arbeitete hier nur des Geldes wegen, um sich die kostbare Ruhe der Zeiten in seinen vier Wänden zu erkaufen, im Warmen zu sitzen und im gelblichen Licht zu lesen, wobei die spröde Mathematik sich ihm öffnete, eine neue Sprache, die verhieß, ihn in eine neue Welt euklidischer Freude emporzuheben, zu der transzendenten Vermählung wirtschaftlicher und reiner Überlegungen, unterlegt von den Rhythmen der Welt, um aus dem unfertigen Durcheinander des Lebens eine Ordnung zu destillieren und sich doch in diesem gleichen wirbelnden Moment mit dem Leben zu verbinden, die Welt nicht in Subjekt und Objekt aufzuteilen, sondern sie zu ergreifen, sich mit ihr zu verbinden, hyperbolisch wird die Axt von den Atomen der Haut seiner Hände angetrieben, die auf das Molekülgitter des hölzernen Stiels einwirken, alles absolute Sein entstammt dem gleichen feingesponnenen *Stoff*, ohne Interface, die alten Dualismen lecken planlos an dem Granitberg der wahrlich und wahrhaftig einzigen folgerichtigen mathematischen Lösung, die das Universum anbietet, freudig singen Glück auf immer und durch diese Linse sieht er die Wüste, den Schnark, der hinter seinen drückenden Augen saß und ihn für einen Bruchteil von dem hier öffnete doch der arme schwache tote Schnark verband sich nicht damit, ging nicht darin auf, nein, nur Stücke, Splitter, durchdrangen das Meer der Kategorien das der alte Boojum Schnark war und banden ihn für alle Zeit an die Schubladenwelt des SubjektObjektlebensterben...

»Mir ist einmal etwas Ähnliches passiert«, sagte Nikka. »Haben Sie nachgesehen, ob Wasser im Kraftstoff war?«

Mr. Ichino nickte und hob seine lauwarme Tasse, in der der Kaffee wie eine schwarze Münze schwang. »Ich überprüfte alles noch einmal und lehnte den Motorroller dann gegen die Hauswand und ließ ihn an. Ich wartete und wartete, doch der Motor lief gleichmäßig. Also stieg ich auf und fuhr zwei Straßen weiter, dann wurde der Roller immer langsamer und blieb wieder stehen.«

»Ärgerlich.«

»Ja. Sie kennen doch wahrscheinlich noch die alte Redensart ›Der Zusammenbau japanischer Fahrräder erfordert äußerste Gemütsruhe‹ – wegen der früher oft kaum verständlichen Montageanleitungen –, auf dieses Problem traf das gleiche zu.«

»Sie haben kontrolliert, ob eine elektrische Verbindung unterbrochen war?«

»Ja, ich habe alles überprüft, was hätte defekt sein können.«

»Und?«

»Es lag an nichts von alledem.«

– und doch besaß der Schnark ein Stück davon, sie alle besaßen die Spur einer Ahnung sieben blinde Menschen und ein zerfließender Elefant Schnark mußte in uralten Ferritkernen gewußt haben, daß er/es/sie von den Computer-Zivilisationen kam, die das Ikarus-Schiff vernichteten und die Eierschale zerbrachen, die jetzt im Mare Marginis lag, den Versuch unterbanden, an die Wesen Wissen zu vermitteln, die zum Menschen werden würden/könnten. Diese Lebewesen aus alten Zeiten, die das Wrack im Mare Marginis und Ikarus erbauten – ein vorüberhuschendes Bild von Reptilien, von schimmernden Fängen, die sich wie Hände schlossen – gingen sie an einem Krieg zugrunde? Wurden ihre Heimatwelten von den Maschinenintelligenzen zerstört? In der Galaxis wimmelte es von Leben. Die Computer-Zivilisationen konnten nicht alle Biosphären vernichten, sie mußten eine inhärente Labilität verstärkt und gesteuert haben, etwas, das bis zu diesem Vorposten reichte, der um Sol kreiste, und Ikarus auslöschte, ein riesiges Sternenschiff, schwer und sicher, und das Wrack im Mare Marginis; das alles geschah, als die Reptilien so dicht vor ihrem Ziel standen, so kurz vor der Aufnahme irgendeines Kontaktes mit den Bigfoot. Also kannten die Maschinenkulturen die alten Rufsignale der Reptilien; spürten das Zittern, das der Rumpf von Ikarus verbreitete; sein Todesrö-

cheln, das der tolpatschige Nigel auslöste; und auf diesen elektromagnetischen Schrei hin kam der Schnark herangeflogen, dessen
Schaltkreise sich nur verschwommen an das erinnerten, was er suchen sollte; vielleicht verspürte er undeutlich den Wunsch, Ikarus
und das Wrack auf dem Mond auszulöschen, doch in seinem tiefsten Inneren war der Schnark verwirrt, wimmerte in dem gewaltigen Meer der Nacht, die ihn umschloß; ein Wolf, der aus der Kälte
hergeschickt worden war und auf eine Flugbahn am Mond vorbei
einschwenken sollte, um eine kleine Wasserstoffbombe abzuwer-
fen, eine neue Sonne über dem Mare Marginis aufgehen zu lassen,
falls das Wrack antwortete; doch dieser Wolf war dann unfähig
heranzufliegen, Nigel eine Mücke in seinem Antlitz; ein Nigel, der
nicht die geringste Ahnung davon hatte, daß die Ewigkeit ein
graues Meer an die Küste des Mondes spülte...

   Er macht eine Pause. Schlägt das Blatt in einen Holzklotz und
wendet sich um, geht zu dem nahegelegenen kahlen Abhang, seine
Lungen saugen sich voll der trockenen Luft, Beine angespannt
Schnee knirscht durchdringender Kiefernduft kitzelt in seiner Nase
während buntes Licht zwischen hohen Tannen aufblitzt, die durch
erbitterte Konkurrenz so hoch gewachsen sind, ein leise raunender
Wind bewegt sie und entfacht ein paar Meter entfernt einen winzigen Wirbelwind, eine kreisförmige Erscheinung, deren Umrisse von
ihrer Ladung aus herumgewirbelten Teilchen, Erde, Blättern, einem
Eisstückchen gekennzeichnet wurden. Der Wirbelwind saugte am
Boden, und er trat hinein, spürte die Berührung durch die bewegte
Luft, und indem er so die winzige Welt des Wirbels maß, zerstörte
er ihn, verwandelte ihn für alle Zeit in kleinere Strudel, der Kreis
war zerbrochen und neu geboren.

   Am Rande des Abhangs spürte er die ganze eisige Wucht des
Windes, und plötzlich erspähte er jenseits der kristallenen Kluft des
Tales eine mikroskopisch kleine Bewegung in einer fernen Lichtung,
einen dunklen Punkt, der von der Ellipse der Bäume eingerahmt
wurde; jetzt erstarrte der Fleck, da er ihn beobachtete, der Kopf
drehte sich, sie beide waren über die Sichtlinie aneinandergefesselt,
während ein ewiger Lichtschwall sie über die Jahrtausende hinweg
umschloß und flinke Funken der Wahrnehmung auf ihn hernieder-
prasselten; von fruchtbaren frischen Erdklumpen auf Waldböden,
von Chorälen, die unterhalb der menschlichen Hörgrenze inmitten
der Kathedrale der Bäume gesungen wurden, einem brummenden,
üppigen Leben, das im überfließenden Schoß des Waldes gedieh

und über welchem die Sichel des neugeborenen Mondes von anderem verborgenen Sinn sprach, der gleichen begrenzenden Ordnung, die sich längs den absteigenden parabolischen Linien eines geschleuderten Steins jäh bemerkbar machte, von flackernd zum Vorschein kommender Struktur, die, auch nur einen Augenblick lang gesehen, im Inneren schmerzte und den Bigfoot vorwärts stieß, ins Menschsein; und als dieser Funke zwischen ihnen erlosch, hob die zottige bedrängte Gestalt eine Hand, streckte sie zögernd hoch in die dichte Luft und hielt inne, die furchtsame Besorgnis des Wesens kehrte zurück und drückte sich einen ungewissen Moment lang in der Geste aus, die Hand senkte sich, und das uralte Geschöpf huschte weg, verschwand zwischen den schützenden Bäumen; Nigels getrübte Augen folgten dem Schatten und erkannten diese neue Seite und dieses neue Antlitz der Welt...

– das, da er es jetzt in sich aufgenommen hatte und es ihn veränderte...

– zerfloß...

»Nach einiger Zeit bekam ich es endlich heraus«, sagte Mr. Ichino. »Unter der Sitzbank waren Federn zur Polsterung. Diese Sprungfedern waren zu weich. Durch sie senkte sich der Sitz zu tief herab. Der Gummischlauch der Kraftstoffleitung war unter dem Sitz, auf der Oberseite des Vergasers. Wenn ich auf der Sitzbank saß, drückte ich die Kraftstoffleitung nieder und klemmte sie schließlich ab.«

»Da dann der Kraftstoff fehlte, wurde der Kreislauf unterbrochen«, schloß Nikka.

»Ja. Der Kreislauf selbst war in keiner Weise gestört – nur meine Beziehung zu ihm.«

Nikka runzelte die Stirn.

»Das gleiche gilt für die Art und Weise, in der die meisten von uns die Welt betrachten«, fuhr Mr. Ichino fort. »Wir können unsere Probleme nicht lösen, weil wir mit der Welt nicht in Verbindung stehen; wir gehen mit ihr immer um, als ob wir mit einer Kohlenzange ein Feuer schüren würden.«

»Und Sie glauben, daß das, was mit Nigel geschehen ist...?«

»Es ist kein Zufall, daß er bei dem Wrack im Mare Marginis so viel originelle Arbeit geleistet hat. Er hat gelernt, mit dem Kreislauf zu verschmelzen.«

– er geht zurück zu dem Holzstoß der derbe Stoff seiner Arbeitsklei-
dung scheuert und spannt auf seiner Haut und er ist überzeugt daß
das knatternde Geräusch am Himmel das er gehört hat tatsächlich
existiert es kommt rasch näher geht tiefer steuert auf die dem Tal
zugewandte Seite des Berges zu wo nur spärlich stachlige Nadel-
bäume stehen und jetzt da er den Kopf dreht ragt es über dem Bergkamm auf leicht geneigt fliegt es wegen des Überraschungseffekts
mit äußerster Geschwindigkeit ein so gedrungen geformtes Etwas
daß es geradezu gierig wirkt es fliegt eine Landeschleife kommt jetzt
in Schräglage und setzt zu einem weiten Kreis an während Nigel
durch den pappigen Schnee auf die Lichtung zustapft er tritt
fest auf nachdem er die scharfe Luft eingeatmet hat die ihn einbin-
det und verbindet dann stößt er sie aus heftig löst und vollendet
sich...

Das klappernde Geräusch von oben übertönte ihre Worte. Nikka
sprang auf und wirbelte herum, sie suchte seinen Ursprung. Mr.
Ichino erreichte das Fenster als erster. In dem rechteckig einge-
rahmten Blickfeld machte er den surrenden Fleck aus, einen Punkt,
der wie eine zornige Fliege wirkte, die man in einem Karton gefangen hat, als er herunterging und von den Bäumen verschluckt
wurde.

»Graves«, sagte Mr. Ichino. »Er ist zurückgekommen. Es ist noch
ein anderer Mann bei ihm.«

Nikka biß sich auf die Lippen. Hastig streiften sie ihre Mäntel
über.

Nigel erreicht die Lichtung einen bergauf geneigten Trichter in einem wogenden Meer von Bäumen er tritt aus dem Schutz der Na-
delbäume in den offenen Luftschacht der die Erde mit der knatternden Stimme über ihm verbindet er neigt den Kopf zurück und stellt
sich vor wie es auf die Bigfoot gewirkt hat ein wütendes Peitschen
von kreisenden Flügeln Graves der aus dem Metall gewordenen
schwebenden Zorn heraus feuerte der letzte Rest der Horde stob in
panischer Angst auseinander mit weit aufgerissenen Augen Graves
und die Maschine jagten über dem dichten Wald hinter ihnen her
bis er sie nicht mehr sehen konnte dann verfolgt Graves sie zu Fuß
weiter ja und Nigel spürt wie sich etwas in ihm umschaltet als sich
die surrenden Rotoren nähern und sich die glänzende Metallhaut
teilt um ihren Rachen zu zeigen ein Mann taucht in der Öffnung auf

und springt mit einem geschmeidigen Satz in den Schnee ein Arm
geht steif nach oben als der Aufprall seine Knie eindrückt Arm und
Gewehr schwanken zusammen nach links rechts erblicken Nigel
kommen herüber geduckt läuft der Mann unter den langsamer werdenden Rotorblättern durch deren Schatten über seinen Körper huschen und Nigel bleibt stehen spürt noch etwas anderes als eine
weitere Gestalt in der Öffnung des gedrungenen glänzenden
Rumpfes des Hubschraubers auftaucht ein älterer Mann der sich
wegen der Kälte dick vermummt hat tritt in Nigels Blickfeld während der junge Mann vorwärts stakst lässig hält er das Gewehr
seine glatten Gesichtszüge konzentrieren sich auf die Linie die die
Mündung des Laufes mit Nigels Brust verbindet seine buschigen
schwarzen Augenbrauen sind angestrengt zusammengezogen die
Stiefel knarren im festen Schnee »Halt ihn in Schach« als der ältere
Mann mit großen Schritten näher kommt. »Er is's nich', aber ich
weiß nich' . . .« das gräuliche Gesicht verwirrt verzogen bleibt stehen
stemmt die Hände in die Seite mustert Nigel »Ich kenn' den Burschen scheint's von irgendwoher« als Nigel spürt wie er bereit den
Himmel durchdringt seine Füße aber fest mit dem Boden verwurzelt
sind so daß er gestreckt in dem Zwischenraum hängt »vielleicht hat
Ichino ihn geholt, damit« der Lauf des Gewehrs beschreibt kleine
Kreise während sich das Gesicht des jüngeren Mannes fleckig rötet
er wirkt aufgeregt zornig seine Hand drückt gegen das stahlblaue
Metall um es zu einem donnernden Lebenszeichen zu bewegen »er
ihm hilft« die Rotoren kommen schleifend zum Stehen »He, seid ihr
nich' schon 'n bißchen alt, um euch hier draußen rumzutreiben, du
un' dein Freund Ichino? Wär' schön, wenn ihr bloß mal eben so«
Nigel schnappt den ersten Fetzen eines fernen Schreis auf Nikkas
schwache hohe Stimme er sagt: »Alt? Ich habe schon Mozart und
Anne Frank überlebt ja aber wir sind hier alle alt« während er sieht
daß der nächste Schritt des jungen Mannes ihn nahe genug an ihn
heranbringen wird aber jetzt berechnet er die Position der silberhel-
len Stimme hinter ihm und merkt daß falls sich ein Schuß löst während er nach dem Gewehr griff die Kugel genau in diese Richtung
fliegen würde zur Hütte deshalb gleitet er wieder sanft in seinen
Atemrhythmus atmet atmet und wird geatmet Graves schüttelt
den Kopf sein Gesicht verzerrt »Mit Reden wird du deinen . . .
he . . .«

Nikka und Mr. Ichino gingen zusammen um die Tannengruppen

herum, und Graves entdeckte sie. Sie blieben stehen, stießen Dunstwölkchen aus und besahen die Lichtung. Als Mr. Ichino das Gewehr bemerkte, war sein erster Impuls, wieder in die Deckung der Bäume zu springen, doch in diesem Augenblick rief Graves barsch: »He, ihr zwei! Kommt hier rüber!« Eine Pause. »Keine Fisimatenten.« Er schaute kurz zu Nikka, und sie zu ihm. Langsam gingen sie die letzten fünfzig Meter zu der Stelle, an der Graves und ein Mann mit einem bläßlichen Gesicht Nigel gegenüberstanden. Der jüngere Mann schien gereizt zu sein, und doch bewegte er sich nicht ruckartig. Statt dessen schwenkte er das Gewehr fortwährend in einer gleitenden Bewegung von Nigel zu Nikka, zu Ichino, und wieder zurück. Ichino erkannte, daß diese Regelmäßigkeit für sie alle gefährlich war, falls einer von den dreien eine unvermutete Bewegung machen sollte, während das Gewehr in eine andere Richtung deutete; ein Reflex, ein kurzer Ruck am Abzug könnte ...

»Als ich das vorige Mal hier war, sind meine Wünsche schnöde ignoriert worden«, sagte Graves, der die Hände immer noch in die Seiten stemmte. »Deshalb hab' ich ein kleines, überzeugendes Extra-Argument mitgebracht. Ich weiß, daß du meine Filme hast.«

»Ich habe nichts...«, begann Ichino.

»Hier wird nich' gelogen!«

»Ich habe sie zerstört, wie ich es Ihnen gesagt habe.«

»Du wirst es uns schon noch sagen.«

»Es gibt nichts...«

– als ob sie aus dem Nichts entstanden wären zuckten Gefühle und Wünsche wie Blitze eines sommerlichen Gewitters durch das unbewegte Gewölbe das er war und um zu verhindern daß sie wie junges Getreide gediehen ließ er sich auf sie ein sog sie in sich auf um sie als das zu erkennen was sie waren und er integrierte das Zucken so daß es zu trägen Farbflecken wurde die im stetigen Raum der Welt immer mehr verblaßten an einem Ort der vollkommen leer war und darauf wartete daß jeder Augenblick seine Zeichen an ihm hinterließ Zeit war wie Wasser das sich jeweils nach der Gestalt der Ereignisse formte »–nichts–« während Graves einen Schritt nach vorne macht und sich sein Arm hebt in der Bewegung versteift sich die Hand um mit dem Rücken in Ichinos Gesicht zu schlagen im letzten Moment zuckt der kleine Mann zurück und wird voll an der linken Backe getroffen seine Beine verlieren den Halt und der Körper

Festus -80-

dreht sich im Fallen um den Aufprall abzumildern weiße Kristalle
steigen auf als der Körper die verharschte Schneedecke durchbricht
Graves behält Ichino im Auge hat den Kopf gedreht um Ichinos
Sturz zu beobachten der junge Mann richtet das Gewehr ruhig und
beharrlich auf Nigel während der Augenblick vergeht Nikka keucht
Nigel sieht wie sich der Mann mit dem Gewehr bedächtig umdreht
er paßt auf läßt Nigel keine Chance

Mr. Ichino blinzelte zu Graves hoch und schmeckte Blut.

»Also, du glaubst wohl, ich bin so blöd, daß ich nich' merke, was
hier gespielt wird. Du und deine . . .« – weist lässig mit der Hand auf
sie – »Freunde hier, ihr wollt euch doch 'ne goldne Nase damit verdienen. Das habt ihr doch vor, oder? Wenn nich', dann meint ihr
wohl, daß diese Biester, die mich um ein Haar umgebracht hätten,
zu leben verdienen?« Graves' abgehärmtes Gesicht schien den ganzen Himmel über ihm auszufüllen.

»Das verdienen sie allerdings. Bitte versuchen Sie doch, das zu
verstehen. Ich möchte einfach nicht, daß sie durch das Interesse zugrunde gehen, das Sie an ihnen wecken würden. Wenn die Zeit dafür gekommen ist, können sie erforscht werden. Aber nicht mit den
Methoden, die Sie hier einführen würden.«

Graves senkte seine Stimme zu einem leisen Schnarren: »Du
lügst schon wieder.«

– die Zeit preßt sich zusammen zu winzig kleinen starren Augenblicken das Gewehr richtet sich nach links während sich Ichino auf-
rappelt um sich auf eine Hand zu stützen die er hinter sich in den
Schnee setzt diese Bewegung ist für Graves nicht zu sehen und er
tritt einen Schritt zurück gibt mit dem Finger dem anderen Mann
einen Wink der Gewehrkolben hebt sich während er Ichinos linke
Kniescheibe anvisiert und die Lichtung mit Schichten intensiven
Schweigens bedeckt ist warten warten »Ich glaube Sie sind hier im
falschen Mehrchen – aber mit ›eh‹« sagt Nigel um abzulenken der
Zeigefinger beginnt auf die letzten Buchstaben zu reagieren er verkrampft sich leicht in dem hellen Licht der Mann reckt seine Knochen die wie ein kompliziertes Gitterwerk von Kalziumstangen
funktionieren jeder Muskel spannt sich während Nigel blitzschnell
seinen rechten Fuß zum Ellbogen des Mannes hochreißt er spürt wie
sein Absatz die Ellbogenspitze trifft und die Wucht des Tritts übertragen wird die Hände des Mannes umklammern das heilige Metall

und die Kraft des Stoßes läßt seine Gestalt zusammenklappen pfeifend entweicht sein Atem aus ausgetrockneten Luftwegen während das Gewehr von ein paar Sonnenstrahlen beleuchtet abgelenkt wird Nigels Absatz gleitet vom Ellbogen ab und tritt auf den schimmernden braunen hölzernen Schaft des Gewehrs als die Halsschlagader des Mannes vorzuckt seine Hände greifen einen letzten wertvollen Augenblick lang nach dem Abzug der durch den Druck des abrutschenden Fingers nach hinten gerissen wird die Mündung speit ein donnerndes Krachen aus das der kristallene Raum auffängt ein blaues Wölkchen treibt zu dem zertretenen Schnee ein Bleiklumpen bohrt sich in die empfangende Erde

Als Mr. Ichino auf die Beine gekommen war, hatte Nigel das Gewehr und trat Graves einige Schritte zurück, blinzelte, hielt Nigel seine leeren Hände hin.

Der jüngere Mann lag immer noch mit dem Gesicht nach unten im Schnee; er war dort hingefallen, nachdem Nikka ihm ein Bein gestellt hatte. Wenn sie nicht vorgesprungen wäre, hätte Nigel vielleicht nicht die Zeit gehabt, das Gewehr zu greifen. Nigel hatte die Waffe jetzt in den Arm gelegt, spielte am Schloß und ließ das Verschlußstück offen. Der Mann richtete sich auf Händen und Knien im Schnee auf und schaute sich um; er wirkte etwas verstört, als ob er immer noch nicht akzeptieren könne, wo er sich befand. Keiner hatte ein Wort gesprochen.

»Ich würde gerne mal kurz mit Ihnen reden«, sagte Nigel zu Graves. Er nahm den Mann am Arm und führte ihn ein paar Meter weg.

Sie sprachen miteinander, ihre Worte waren nicht zu hören. Mr. Ichino beobachtete Nigel; er wunderte sich über ein Moment, das er nicht recht bestimmen konnte. An Nigel gab es keine Andeutung einer Spannung, und sein gelassenes Auftreten war die Quelle seiner Macht. Als sich Graves nach dem Gespräch umwandte, war Ichino über die Wandlung seines Gesichtsausdrucks entsetzt. Die Augen unter den schweren Lidern waren von einer neuen Ruhe erfüllt, und zugleich lag eine gewisse Schwermut in dem Gesicht, als ob Graves etwas erfahren hätte, das er lieber nicht gewußt haben würde. Mr. Ichino war klar, daß sie sich nicht mehr wiedersehen würden. Nigel klopfte dem Mann auf den Rücken. Graves sprach stockend mit dem jüngeren Mann, und dann gingen sie zusammen mit schwerfälligen Schritten zurück zum Hubschrauber. Sie kletterten hinein, und einen Augenblick später begannen die Rotoren sich zu drehen.

liebte den fegenden Auftrieb durch den unter der Maschine eine dunstartige Schneewolke aufgewirbelt wurde wie klingende Kristalle die erneut zu fliegen versuchen – *lebe wohl* – diese nie ermüdende Energie des Geistes liebte er am meisten als jeder seiner Sinne der Reihe nach auf eine immer andere Weise nach dem fetten Schwein schnappte das die Welt war sogar als er nach oben zu den entschwindenden unkenntlichen weißen Gesichtern winkt seine Geste eine in den Raum zwischen ihnen geritzte Linie Ichino beginnt zu sprechen doch Nigel unterbricht ihn sagt nein er müsse noch seine Arbeit beenden doch er werde dafür sorgen daß sie später diesen Augenblick durchsprechen würden am prasselnden Kamin bei knusprigem Popcorn und heißem Cidre denn jetzt sofort hätte es die gleiche Wirkung wie billiger Whiskey mit dem man sich nur den Magen verderbe nein später sei noch früh genug und alles zu seiner angemessenen Zeit er glättet die Kanten der Ereignisse und lehnt sich in der erfrischenden Luft zurück und er packt das Gewehr an seinem langen und dummen Lauf wirft es hoch der Kolben spaltet den mit Juwelen besetzten Stickstoff bis zu den Bäumen wo er *plonk* gegen die dicke Rinde eines Stamms schlägt die das Geräusch dämpft dieser Vorgang löst einen freudigen Impuls aus der sich in den Gesichtern von Nikka Ichino zeigt sie recken sich gleichzeitig um die Flugparabel des geistlosen Rohrs zu verfolgen sein Aufschlagen am Boden setzt einen Schlußpunkt unter ihre Angst Ichino wendet sich um und beobachtet den immer kleiner werdenden Hubschrauber der sich durch die sich aufklärende Luft peitscht Nigel murmelt die Welt versinkt während er mit halbem Ohr dem verklingenden Peitschen lauscht und eine verschwommene Verbindung stellt sich her eine summend dämmernde Einsicht er fühlt wie der Satz seinen Mund verläßt und beim Sprechen erkennt er ihn erstmals: »Graves hat seine Zukunft erlebt, ehe er hierherkam« denn ja tatsächlich der Mann war frei gewesen die Summe von allem gehörte ihm

»…ehe er hierherkam«, veranlaßte Mr. Ichino, sich umzudrehen, als er gerade damit beschäftigt war, seinen Dank zu formulieren, sich umzudrehen und dadurch den bewegten Punkt zu entdecken, der über den Baumwipfeln auf den Bergkamm zuglitt. Die aufgebauschten Nebelwolken hatten sich etwas aufgelöst, und ab und zu flutete Sonnenschein zwischen ihnen herab. Als sich der Hubschrauber dem Bergkamm näherte, flog er in einen Sonnenstrahl. Der Hubschrauber wurde in Schräglage gebracht, und ein Teil seiner glänzenden Außenhaut reflektierte das Licht; es entstand ein sonderbarer optischer Effekt, ein grelles, gelbes Funkeln. Mr. Ichino sah, wie ein glühender Funke von den Bäumen hochschoß und den Hubschrauber in eine blinkende, orangefarbene Kugel einhüllte. Er blinzelte, und die Erscheinung verschwand; was blieb, war nur ein undeutliches Nachbild auf seiner Netzhaut. Der Hubschrauber war verschwunden. Mr. Ichino horchte, um sein dumpfes Knattern zu hören. Er konnte nichts vernehmen, was lauter war als das Ächzen des Windes in den Baumkronen. War der Hubschrauber so schnell über den Bergkamm geglitten? Er konnte es nicht mit Bestimmtheit sagen. Er wandte sich um und wollte Nigel fragen, doch dieser hatte sich bereits auf den Weg zurück zum Holzstoß gemacht.

vor allem Graves' monomanische Hartnäckigkeit, die ganze lächerliche Geschichte mit dem Gewehr, Graves' letzte Begegnung mit den Bigfoot vor einem zeitlosen Augenblick; es erinnerte an die armen lieben Taschenrechner-Zivilisationen, die sich dort oben zwischen den Sternen verkrochen, aus Angst keinen Funk verwendeten, weil sie fürchteten, die jungen organischen Rassen würden sie dann aufspüren und zu Schrott verarbeiten; doch sogar ein Taschenrechner konnte bösartig werden, wenn er in die Enge getrieben wurde, und die noch ihre Kindheit durchlebenden tierischen Kulturen vernichten, ehe sie sich weiterentwickeln konnten; ach, was war diese Galaxis doch für ein altes Miststück, die ihre Energie so verplemperte, für tausend Dollar pro Nanosekunde, wie der arme, entschwundene Graves, teilweise richtiges Vorgehen, aber kein Sinn für die Verzerrung der Erscheinungen, kein Gefühl für das frohe, erhebende Singen, das das alles darstellte; er war dem alten Nigel so ähnlich, der nur eine verschwommene Erinnerung war; Stricke, die Sorge hießen, hatten ihn an die Ereignisse gefesselt, jeder einzelne hatte ihn sinken lassen, unter die Wellen gezogen, Alexandria Schnark, lieber toter Vater, ja, Nigel versteht, warum er so empfand, aber jetzt schlägt er mit gespielter Überraschung auf seine Hosentaschen, hebt die Hände, breitet die Arme weit aus, öffnet sie der Welt; seine Hände sind leer, seine Vergangenheit ist klammheimlich von ihm abgefallen, er ist frei von der Last dessen, was er früher war, es zerfließt, er lacht befreit und badet in diesem Universum des Absoluten und ist bereit für den zustoßenden Adler, ja er lacht...

Als die beiden in die warme Hütte zurückgekehrt waren, traten sie mit lautem Poltern den Schnee von ihren Stiefeln ab, und Nikka sagte: »Ich bezweifle, daß Sie den noch mal sehen werden.«

»Nein. Jeder lernt aus Erfahrung«, erwiderte Mr. Ichino und dachte an die Bigfoot. Er ging hinüber zu dem quadratischen Fenster, das nach Westen wies, und sah Nigel. Einen Augenblick lang befand er sich genau im Mittelpunkt des Fensterkreuzes zwischen den vier Scheiben. Über Nigel stand die Sonne, die sich immer noch hinter Nebelschwaden verbarg, und dehnte sich die sich öffnende Schale des Himmels. Nigel, der die Axt hob, bewegte sich im Mittelpunkt eines runden Universums.

die Anstrengung läßt seine Lungen keuchen er macht eine Pause und schaut zurück zu dem Fensterkreuz und hat den Eindruck daß es ihn herausschießt die Umkehrung der Bleikugel des jungen Burschen heraus und das wogende *Wack* das Axtblatt bohrt sich in eine morsche Ritze Holzsplitter steigen um ihn auf fallen als Facetten herab eine Explosion von kristallenen kreisenden Asteroiden die in die Kälte einschneiden die Muskeln werden angespannt zerfließen die Absätze dringen in die harte festgetretene Schneedecke ein während die Erde ihn in ihrem kräftigen grimmigen zeitlosen Griff hält von dem er selbst ein Teil ist er hat sein eigenes Gravitationsfeld und Gedanken huschen wie sommerliche Blitze durch die wogende Flut der Gefühle auf denen er treibt und die ihn durch jeden Augenblick tragen zerfließen

Über ihm die Galaxis, ein Schwarm weißer Bienen, jede ein eigenes und eigenständiges unendliches Gefüge; ein herumwirbelnder Diskus, der den Raum mit seinem eigenen Sosein durchschnitt; Nigel war nicht fähig zu sehen, wer den Diskus warf, und es war ihm auch egal, denn hier bei der fragilen Erdachse gab es genug; jede neue Wahrheit zerfloß und verschmolz mit den alten Wahrheiten, während der Bruchteil der Welt, den sie darstellten, ihn durchströmte, *los, wir haun hier ab, in einer der nächsten Nächte* während Kontinente aneinanderstießen *un' besorgen 'ne Ausrüstung und gehn zu die Injaner, tolle Abenteuer erleben wir da* Holz hakken, Andromeda dreiteilen *drüben in dem Gebiet* von Oregon nach Adler *so für'n paar Wochen oder zwei* alle Augenblicke verschwanden, als er sie berührte, barsten und zerstreuten sich in alle Winde *und ich sag da, prima, das gefällt mir...*

Und es zerfließt

»Nigel!« ertönt Nikkas Stimme. »Trinkst du noch etwas Kaffee?«

von der Hütte steigt Dampf auf zerfließt bietet Erneuerung

»Natürlich«, ruft Nigel. »Ich komme.«

unablässig zerfließt es ja er wendet sich um und ja es zerfließt und er fällt hindurch zerfließend und umwendend ja und ja unablässig zerfließt es zerfließt

JEFFREY ELLIOT

INTERVIEW MIT GREGORY BENFORD

JEFFREY ELLIOT: Lesen die Leute wirklich Science Fiction, um sich wissenschaftlich weiterzubilden?

GREGORY BENFORD: Ich glaube, daß sich die meisten Science Fiction-Leser über den Fortschritt der Wissenschaft und natürlich dessen verschiedene Glanzseiten freuen. Ich glaube nicht, daß die Leute deshalb Science Fiction lesen, um sich wissenschaftlich weiterzubilden, genausowenig wie die Leute historische Romane lesen, um sich historisch weiterzubilden. Die Wissenschaft ist heute die herkömmliche Weisheit. Sie hat die Religion buchstäblich abgelöst. Die Science Fiction, die diese Wirklichkeit widerspiegelt, hat gute Möglichkeiten. Meiner Meinung nach hat die Science Fiction eine gewisse Wahrscheinlichkeit, die sie durch wissenschaftliche Genauigkeit und Präzision erreicht. Natürlich entsprechen nicht alle SF-Werke, die von sich behaupten, präzise zu sein, diesem Standard. In Wahrheit muß die Science Fiction nicht wirklich wissenschaftlich plausibel sein, es muß nur den Anschein haben, als ob. Das wirkliche Problem liegt darin, wo da die Grenze liegt.

JEFFREY ELLIOT: Generell gesehen, wie genau sind die meisten SF-Werke vom wissenschaftlichen Standpunkt aus?

GREGORY BENFORD: Nicht sehr genau. Tatsächlich ist die meiste Science Fiction in dieser Hinsicht ziemlich unzureichend. Wenn Sie wirklich Wissenschaft oder Methoden der Wissenschaft ansprechen, dann gibt es sehr wenig ›gute‹ Science Fiction. Wenn Sie aber die Randgebiete oder Wissenschaft ganz allgemein als Gesichtspunkt nehmen, gibt es sehr viel mehr ›gute‹ Science Fiction. Als aktiver Wissenschaftler begegnet mir selten ein SF-Roman, der zeigt, wie es ist, ein ›wirklicher‹ Wissenschaftler zu sein. Der gebräuchlichste Held in der Science Fiction-Literatur ist nicht der Wissenschaftler, sondern der Kapitän eines Raumschiffs. Science Fiction handelt öfters von Erforschungen im physikalischen Sinne als von der Erweiterung des Intellekts.

JEFFREY ELLIOT: Ist es fair, Science Fiction aufgrund der fehlenden technischen Genauigkeit anzugreifen?

GREGORY BENFORD: Ja und nein. Es gibt sicherlich zahlreiche Beispiele für ausgesprochen schlechte Dinge innerhalb der Science Fiction. Auf der anderen Seite ist der Grund dafür, weshalb viele SF-Autoren scheitern, daß sie sich an etwas versuchen, das nur sehr schwer zufriedenstellend zu realisieren ist. Die meisten Leute, die konventionelle Literatur schreiben, haben keinerlei Vorstellung von der ›wirklichen‹ Welt. Für sie wird die Welt im wesentlichen durch eine unheimliche Maschine bestimmt, die alle möglichen Arten von neuen Ideen und neuen Technologien hervorbringt, die niemand begrüßt oder von denen niemand genau weiß, wie man sie anwendet. Das ist ein falsches Bild, aber so sehen die Gefühle des Künstlers aus. Die meisten Schriftsteller haben nicht die leiseste Ahnung von dem, was um uns herum geschieht. Sie wissen nichts über unser modernes Zeitalter, über Dinge, die heute geschehen. Deshalb schreiben sie in der Regel über die Zeit, in der sie aufwuchsen. Und sie werden anscheinend nie müde, ihre eigenen engstirnigen Ansichten von der Welt zu reproduzieren. Aber tatsächlich hat sich die Welt längst weiterentwickelt. Die heutige Gesellschaft hat mit der in so vielen Werken beschriebenen Gesellschaft der Vergangenheit wenig Gemeinsamkeiten. Wenn die SF scheitert, dann deshalb, weil sie neue Wege und neue Konzepte des Universums vorschlägt und sich schwertut, sie verständlich zu machen.

JEFFREY ELLIOT: Wie wichtig ist es für einen Science Fiction-Autor, ein gutes Grundwissen auf dem Gebiet der Wissenschaften zu haben?

GREGROY BENFORD: Wissen schadet nie. Die entscheidende Sache ist, zu wissen, wann man es vortäuschen kann, ohne daß es der Leser bemerkt. Wenn die Geschichte 90% der Leserschaft plausibel, faktisch richtig und präzise erscheint, spielt es keine Rolle, daß man alles aus dem Lexikon hat. In dieser Beziehung hat die Science Fiction etwas mit den Detektiv- und Kriminalgeschichten gemeinsam. Wenn man einen Krimi schreibt, weiß man, daß sich ungefähr 5% der Leserschaft wirklich mit Polizeidingen und Waffen auskennen. Auch die besten Krimi-Autoren, wie zum Beispiel John D. MacDonald, täuschen Wissen vor. Aber es spielt wirklich keine Rolle, da 95% der Leser es nicht bemerken, und schließlich ist dies der Standard. Außerdem gerät manchmal die wissenschaftliche Genauigkeit mit dramaturgischen Notwendigkeiten in Konflikt. Der Unterschied zwischen einem reinen Techniker und einem Künstler ist der, daß der letztere weiß, wann man auf die Genauigkeit zugunsten der Dramatik verzichten und wann man lügen muß. Das ist die Kunst an der Sache. Die Fehler sind also so lange nicht besonders gravierend, wie man sie nicht leicht erkennt. Tatsächlich sollte ein Schriftsteller zehnmal so viel über eine Sache wissen, wie er im Buch beschreibt. Was ein Autor in ein Buch einschließt, ähnelt sehr stark der Spitze eines Eisbergs. Der Leser merkt unbewußt, daß der Autor wirklich mehr weiß, als er verrät, daß nämlich alle unterschiedlichen Teile einer Geschichte sich schließlich zusammenfügen werden. Der eigentliche Kniff bei der Sache ist, ein gewisses Gefühl der Glaubwürdigkeit, der Wahrscheinlichkeit bei den zahlreichen Details einer Story aufkommen zu lassen. Wenn ein Autor dies tun kann, hat er den Leser gefangen. Er wird alles glauben!

JEFFREY ELLIOT: Warum konzentriert sich so viel der Science Fiction auf die Astronomie im Gegensatz zu den anderen Wissenschaften?

GREGORY BENFORD: Sie bietet eben den größten Schauplatz, den man sich denken kann. Es gibt nichts Größeres als das Universum! Außerdem haben viele Leute ein angeborenes Interesse an Astronomie. Man kann jederzeit einen Hörsaal mit Leuten füllen, indem man einen Vortrag über Leben im Universum oder den Ursprung des Universums oder sogar den Tod des Universums hält. Der Weltraum ist die einzige anerkannte Grenze, die uns noch verbleibt, der letzte Freiraum. Und er ist so bizarr, so unermeßlich und voller Wunder. Unser Planet ist weitgehend erforscht. Es gibt keine vergessenen Städte mehr in Afrika oder Indien. Es gibt keine vergessenen Völker mehr, die noch zu entdecken wären. Es gibt keine riesigen Bestien im Südpazifik oder in der Antarktis. Das einzige Gebiet, dem noch ein wenig Exotik anhaftet, ist da oben im Himmel. Außerdem hat alles Astronomische etwas buchstäblich Astronomisches an sich; und das beeindruckt die Leute zutiefst. Für mich ist eine der wichtigsten Entdeckungen des letzten Jahrhunderts, daß wir in einem bequemen Winkel des Universums leben, für den wir geschaffen wurden und der uns Sicherheit bietet. Wenn man einmal die dünne Schicht der Atmosphäre verläßt, ist dies sehr offensichtlich. Science Fiction verbreitet diese Wahrheit. Leider ist es eine Tatsache, daß dies manche Leute nicht mögen. Aber es ist unumgänglich. Und viele, sogar die Ufo-Leute, bekommen dadurch ein größeres Verständnis der Welt. Es ist diese Möglichkeit, ein besseres Verständnis zu gewinnen, einen größeren Blickwinkel zu bekommen, die an der Science Fiction fasziniert, besonders an der betont astronomischen SF. Meistens versteht man darunter die ›harte‹ SF – das heißt Raumschiffe, fremde Planeten etc. Das ist einer der

Gründe dafür, daß die meisten bekannten Science Fiction-Autoren ›harte‹ SF schreiben.

JEFFREY ELLIOT: In welcher Beziehung definiert die SF das Mögliche?

GREGORY BENFORD: Ohne prinzipielle Bedingungen an das Mögliche wird SF zur Science Fantasy. Die Bindungen in der SF sind vergleichbar mit dem Versmaß und dem Reim eines Sonetts. Man kann ein Sonett nicht schreiben, wie es einem gerade einfällt. Man kann es nur innerhalb eng bindender Festlegungen schreiben. Viel von der Fähigkeit, die die SF für sich beansprucht, kommt von dem Zwang, wissenschaftlich plausibel zu sein. Dies zwingt den Science Fiction-Autoren dazu, fair zu spielen. Es gibt nichts Schlimmeres als Science Fiction, die vom Leser als purer Unsinn erkannt werden kann. Die Tatsache, daß etwas in dieser Art Geschildertes geschehen *könnte,* ist eine unserer Trumpfkarten. Wenn es nicht geschehen könnte, ist es im Prinzip Fantasy. Wenn man die Leute damit anlockt, daß das Buch Science Fiction ist, nur um in der Mitte den Gang zu wechseln und auf Fantasy umzuschalten, wird man es sehr wahrscheinlich mit schrecklich vielen enttäuschten und aufgebrachten Lesern zu tun bekommen – und mit Recht!

JEFFREY ELLIOT: Sind Sie der Meinung, daß Science Fiction eine didaktische Aufgabe hat – also versuchen soll, die Leute etwas zu lehren?

GREGORY BENFORD: Ich glaube nicht, daß die Leute deshalb SF lesen, um sich wissenschaftlich weiterzubilden. Sie sind mehr am Fortschritt interessiert. Deshalb macht es den Lesern nichts aus, belehrt zu werden, solange es etwas über den Weitergang der ›realen‹ Welt aussagt. Je älter Menschen werden, desto ungeduldiger sind sie mit belehrenden Abschnitten in der Literatur. Heinlein sagte immer, daß seine jugendlichen Leser sehr viel eher bereit wären, sich belehrende Abschnitte durchzulesen, als seine älteren Fans. Ich bin mir aber nicht wirklich sicher, ob er recht hat. Vielleicht werden Sie bemerkt haben, daß besonders in seinen späteren Büchern ganze Vorträge eingebaut sind. Aber der größte Teil dieser Vorträge handelt nicht davon, wie die Dinge funktionieren, sondern was sie bedeuten. Tatsächlich sind die meisten dieser Vorträge nichts anderes als soziale Exkurse. Für mein Geld würde ich lieber lesen, was Heinlein als Techniker darüber zu sagen hat, wie die Dinge funktionieren, als was sie tatsächlich bedeuten, weil ich glaube, daß die meisten Science Fiction-Autoren nicht besonders viel von Politik oder Sozialwissenschaften verstehen. Auf lange Sicht wirkt Science Fiction sehr viel besser mit dem kosmischen Bewußtsein als mit dem sozialen Bewußtsein.

JEFFREY ELLIOT: Wie gut beschreibt die SF den eigentlichen Vorgang des wissenschaftlichen Fortschritts?

GREGORY BENFORD: Nicht sonderlich gut. Sehr wenige SF-Romane handeln von Entdeckungen in der Wissenschaft. Tatsächlich handelt die meiste Science Fiction von Technik. Sie handelt nicht von der Wissenschaft als Entdeckerin neuer Wahrheiten über das Universum, sondern eher über die durch Technik bedingten Probleme oder Kontakte mit fremden Lebewesen, die soziale Unterschiede aufweisen, oder über Extrapolationen von heute erkennbaren Trends. Sehr wenig Science Fiction spricht tatsächlich die Wissenschaft an. Und die Wissenschaftler wissen dies.

JEFFREY ELLIOT: Fühlen Sie sich als Wissenschaftler zu irgend etwas beim Schreiben von Science Fiction verpflichtet?

GREGORY BENFORD: Nein. Ich fange nicht mit dem Vorsatz an, daß ich irgend jemand etwas zu lehren habe. Ich werde von der University of California dafür bezahlt, den Leuten etwas beizubringen, und es ist sehr viel leichter, dies mit der Tafel statt mit der Schreibmaschine zu tun. Für mich ist das Schreiben ein Spiel. Auf gar keinen Fall werde ich mich hinsetzen und schreiben, weil ich irgendeine Verpflichtung zu haben glaube. Ich unterhalte die Leute gerne, aber prinzipiell schreibe ich für mich selbst. Ich schreibe wegen des Nervenkitzels. Ich glaube nicht, daß ich einen speziellen Grund habe. Jeder Schriftsteller, der sich wirklich als Künstler betrachtet, verrät sich meiner Meinung nach selbst. Es gibt viele Erklärungen dafür, warum manche Leute schreiben. Die gebräuchlichste Erklärung ist die, daß es eine Art Neurose ist. Ich zweifle diese Tatsache nicht an. Ich würde jedoch statt dessen sagen, daß jeder ein Neurotiker ist. Warum sollten die Schriftsteller da anders sein? Und deshalb schreibe ich aus diesen nicht untersuchbaren Gründen, und nicht um die Leute zu belehren oder sie davon zu überzeugen, daß ich den Schlüssel für unsere Zukunft in den Händen halte. Es stimmt, daß ich meine eigenen Vorstellungen darüber habe, was die Zukunft bringen wird, aber ich bin nicht überzeugt davon, daß sie sich alle als richtig erweisen werden. Ich unterscheide mich von den meisten Science Fiction-Autoren dadurch, daß ich kein Programm für die Zukunft habe. Ich glaube nicht, daß ich alle Antworten kenne. Je älter ich werde, desto überzeugter bin ich davon, daß die meisten Probleme weitaus komplizierter sind, als wir dachten, und daß der erste Schritt zu ihrer Lösung die Erkenntnis ihrer Kompliziertheit ist und nicht die Suche nach einfachen Lösungen oder Erklärungen. Der schlimmste Zug an der Science Fiction, der ihr zum Ruf als Jugend-Literatur verholfen hat, ist ihre fatale Neigung, leichte Antworten und simple Problemlösungen zu liefern, die ganze Denkgebäude auf den Kopf stellen. Mein neues Buch, *Im Meer der Nacht,* spielt darauf an. Es ist ein Roman, der jedes Problem aus verschiedenen Blickwinkeln betrachtet. Wissenschaft ist keine einzelne Sache, Religion ist keine einzelne Sache, und die Menschen sind erst recht keine einzelnen Sachen. In gewissem Sinne ist das Buch eine Polemik gegen einfache soziale Theorien, die für unsere Gesellschaft meiner Meinung nach eine echte Bedrohung darstellen. Immerhin sind uns zahlreiche soziale Theorien bekannt, für die Millionen Menschen gestorben sind. Ein vernünftiger Mensch könnte zum Beispiel den Faschismus in einer Debatte innerhalb von fünf Minuten widerlegen. Eine andere Theorie wiederum ist der Marxismus, der noch immer umgeht, obwohl er dermaßen beschränkt ist – trotz seines Anspruchs auf Wissenschaftlichkeit –, daß er nicht einmal die elementarsten sozialen Tatsachen erklären kann. Anstatt dogmatischer Weltanschauungen benötigen wir dringend neue komplexe Gesellschaftsmodelle, die zu echten Kompromissen in der Lage sind, die alle Unterschiede, die nun mal zwischen den Menschen existieren, berücksichtigen, anstatt uns mit Antworten ›ex cathedra‹ abzuspeisen. Ich glaube, daß dies einen Teil des Genius der anglo-amerikanischen Länder ausmacht: Sie haben ein System entwickelt, das es ermöglicht, sich mit Hilfe von Kompromissen durchzuwursteln. Wir müssen lernen, die Leute intuitiv an Problemen arbeiten zu lassen, nicht nach Programmen.

JEFFREY ELLIOT: Ärgern Sie sich über Science Fiction, die bekannten wissenschaftlichen Tatsachen hohnspricht?

GREGORY BENFORD: Ich gebrauche gegen das Buch oder Magazin, das ich lese, meistens tatsächlich Gewalt. Ich bin dafür bekannt, daß ich Bücher an die Wand geworfen und ihre Bindung zerstört habe wegen solcher Entgleisungen. Im Ernst, es ärgert mich deshalb, weil es unehrenhaft ist. Es ist wie beim Kartenspielen mit einem guten Freund, der plötzlich ein As aus dem Ärmel holt. Ich fühle mich betrogen. Ich glaube, daß sich sehr viele Leser betrogen fühlen. Es ist eine gemeine Hinterlist, aus reiner Faulheit ein Buch zusammenzuschludern und es dann als wissenschaftlich glaubhaft zu vermarkten. Leider sind viele Science Fiction-Autoren faul. Ich möchte nicht wie ein Puritaner in dieser Beziehung wirken. Natürlich ist es eine Geschmacksfrage. Einer der Gründe für den schlechten Ruf der Science Fiction ist ja doch auch, daß sie die wissenschaftlichen Fakten überbetont.

JEFFREY ELLIOT: Was für eine Rolle spielt Furcht in der Science Fiction?

GREGORY BENFORD: Ich glaube, daß die Leute im Endeffekt die Wahrscheinlichkeit und Plausibilität mögen, die die ›Science‹ der SF gibt. Auf was jedoch das meiste abzielt, ist das Gefühl von ›Ehrfurcht‹ im Zusammenhang mit der Größe des Universums. Immerhin ist es verdammt groß! Wenn man in diesem Winkel des Universums lebt, wo niemand mehr als fünf Meilen über oder unter die Erdoberfläche geht, bekommt man erst ein Gefühl dafür, wie die Geschichte sich in diesem Teil des Universums ausgetobt hat. Es ist wirklich eine sehr dünne bewohnbare Kruste auf diesem Planeten. In gewissem Sinne ist es, als ob man durch die Unermeßlichkeit der Welt, in der wir leben, schrumpfe. Es ist außerordentlich beruhigend zu wissen, daß man Teil des Ganzen ist. Für mich sind wir ein unvermeidbares Ergebnis der Evolution der Materie. Intelligentes Leben ist die natürliche Folgerung aus dieser Situation. Wir sind vom Universum nicht getrennt, sondern wir sind, wie es manche sagen würden, das Ziel des Universums. In einem realen, aber auch metaphysischen Sinne kämpft das Universum darum, sich selbst zu verstehen. Diese Erkenntnis ist für viele Menschen eine Art Religion. Und ich glaube, daß es keine schlechte Religion ist. Ganz sicher ist es sehr viel besser als die Art von Religion, die einem sagt, daß man über den nächsten Hügel gehen und seinen Nachbarn umbringen soll, um das Ansehen von Allah oder Jesus oder sonst eines weisen Mannes zu verbessern, dessen Lehren im Verlauf der Geschichte von ihren Anhängern verdorben wurden.

JEFFREY ELLIOT: Sind Ihrer Ansicht nach die meisten Science Fiction-Autoren nicht dazu gezwungen, die wissenschaftlichen Erklärungen zu ›verwässern‹, um so auch die Leser zu erreichen, die keine wissenschaftliche Bildung haben?

GREGORY BENFORD: Ja. Und manchmal müssen sie es für sich selbst vereinfachen, damit sie es überhaupt verstehen. Die meisten SF-Autoren befassen sich nicht mit dem wirklich komplizierten Stoff. Die wenigsten von ihnen lesen wissenschaftliche Fachblätter.

Ich bin in dieser Beziehung sicher nicht typisch für die SF-Autoren, weil ich meine wissenschaftlichen Ideen allen wissenschaftlichen Fachblättern entnehme. Ich lese die populären wissenschaftlichen Magazine nur selten. Natürlich muß man gewisse Dinge erklären, aber das heißt nicht, daß man ihren Kern verlieren muß. Es ist möglich, über Wissenschaft mit einfachen Worten zu sprechen und sie dabei nicht zu verfälschen. Viele wissenschaftliche Ideen sind spitzfindig, aber nicht wirklich kompliziert. Es setzt natürlich ein gutes Verständnis dafür voraus, um sie erklären zu können, aber man kann sie durchaus auch Laien verständlich machen. Ich glaube aber nicht, daß man den Leser belehren muß. Ich glaube eher, daß der SF-Autor wissenschaftliche Dinge als Metaphern verwenden sollte. Man kann wissenschaftliche Ideen so behandeln, daß sie in einem Roman auftauchen und vorübergehen, sozusagen am Rande des Blickfeldes, so daß der Leser ein Gefühl für die Ideen bekommt, die sich ›hinter der Bühne‹ eines Buches abspielen. Diese Wahrnehmung ist auch oft im künstlerischen Sinne sehr gut verwendbar. Es ist nicht ratsam, in einem Roman alles auszubreiten und den Leser von Punkt A über Punkt B und C zu Punkt D zu führen. Besser ist es, ihn einige Schlußfolgerungen ziehen zu lassen, über den Kampf, den die Wissenschaft eigentlich darstellt.

JEFFREY ELLIOT: Hilft die Science Fiction bei wissenschaftlichen Entdeckungen?

GREGORY BENFORD: Natürlich. Ein Bekannter von mir schrieb kürzlich einen Aufsatz, in dem er einige Fälle aufzählte, bei denen dies geschah. Ich kenne einige Leute, die dadurch Erfindungen gemacht haben, weil sie eine Idee aus einer SF-Story die ganze Zeit über im Hinterkopf hatten. Wirklich grundlegende wissenschaftliche Entdeckungen, wie die Relativitätstheorie oder die Evolutionslehre, kommen freilich nicht als Ergebnis der Science Fiction zustande. Wie könnte man das von ihr erwaren? Es gab nie einen Science Fiction-Autor, der ein wirklich erstklassiger Wissenschaftler der ›einfallsreichen‹ Sorte gewesen wäre. Und es ist kein Zufall! Durch die Verbreitung der Idee, daß es neue Dinge gibt, daß neue Dinge eintreten werden und daß Verwandlung in der Natur der Dinge liegt, hat die Science Fiction einen guten Teil an Erfindungen angeregt. Und sie hat stets die Angst vor Neuerungen abgebaut. Und besonders heute ist die Science Fiction dabei sehr erfolgreich. Ich glaube, daß heute wohl jeder anerkennt, was die Science Fiction schon immer gepredigt hat, nämlich daß sich die Zukunft sehr von der Gegenwart unterscheiden wird. Unglücklicherweise meinen die meisten Fachleute, daß sie sehr viel schlechter sein wird, eine Ansicht, mit der ich nicht unbedingt übereinstimme. Die Menschen dazu zu bringen, daß sie Veränderungen akzeptieren, ist ein bedeutendes Verdienst der Science Fiction.

JEFFREY ELLIOT: Welche Vorteile bewegen einen aktiv tätigen Wissenschaftler dazu, Science Fiction zu schreiben?

GREGORY BENFORD: Nun, es gibt da einige Nachteile. Erstens hat man nie Zeit. Zweitens hat man keine literarische Ausbildung. Drittens gibt es ein Vorurteil gegen Science Fiction in wissenschaftlichen Kreisen. Die Vorteile sind auch offensichtlich: nämlich, daß man sich mehr auf Wissenschaften versteht. Dies kann aber auch ein Nachteil sein, in dem Sinne, daß man sein Wissen als seelenloses, mechanisches Werkzeug verwendet, ohne künstlerische Gewandtheit, was zum Ergebnis eine sehr schwerfällige Art von Literatur hat, die nicht über den wissenschaftlichen Horizont hinausgeht. Der wirkliche Kniff in der Science Fiction liegt nicht darin, das nächste Ereignis oder die nächste Erfindung vorauszuahnen, sondern im Erwarten des Unerwarteten. Wissenschaftler sind darin nicht unbedingt besser als Science Fiction-Autoren oder Futurologen.

JEFFREY ELLIOT: Lesen viele Wissenschaftler SF?

GREGORY BENFORD: Vielleicht 10%. 50 oder 60% lasen sie jedoch, als sie jünger waren. Die meisten von ihnen hörten jedoch damit etwas eher auf, als sie überhaupt aufhörten, etwas zu lesen. Die meisten Wissenschaftler lesen nicht viel auf anderen Gebieten. Wenn sie überhaupt etwas lesen, sind dies meist Sachbücher. Sie lesen normalerweise nicht einmal die Erfolgsautoren. Ich glaube, das hat seine Ursache darin, weil sie mit dem gedruckten Wort in der Zeit, in der sie berufsbedingt lesen und schreiben, schon übermüdet sind. Der Beruf des praktisch tätigen Wissenschaftlers bringt es mit sich, daß man sehr viel Zeit im Labor verbringt. Als Theoretiker verbringt man die meiste Zeit mit Büchern, Mathematik, Aufsätzen etc. In diesem Tafel-Universum bleibt nicht sehr viel Zeit für das Lesen von nicht berufsnotwendigen Büchern. Die meisten Wissenschaftler verbrachten in jungen Jahren sehr viel Zeit mit dem Lesen von Science Fiction, wahrscheinlich, weil es mit ihrem Interesse an der Wissenschaft verbunden war. Sehr früh verloren sie jedoch diese kurzlebige Begeisterung, spätestens bei der ersten Begegnung der SF-Ideen mit der Wirklichkeit, und wurden mit der schmerzlichen Wahrheit konfrontiert, daß 90% dessen, was sie lasen, einfach Mist war. Ihnen wurde schlecht davon, genauso wie Kindern bei zu vielen Süßigkeiten schlecht wird, und sie gaben die SF zugunsten anderer Interessen auf.

JEFFREY ELLIOT: Hat ein Wissenschaftler, der Science Fiction schreibt, nicht gerade in wissenschaftlichen Kreisen einen schlechten Ruf?

GREGORY BENFORD: Ja, sehr sogar. Wenige Wissenschaftler schreiben Science Fiction. Noch weniger schreiben gute SF. Der Ausdruck Science Fiction an sich hat einen schlechten Beigeschmack in unserer Gesellschaft. »Das ist keine Science Fiction, es geschah wirklich«, ist ein typischer Ausspruch. Für Wissenschaftler, die als Kind viel Science Fiction lasen und sie dann zugunsten einer anspruchsvolleren Schulbildung verließen, ist Science Fiction eine kindliche Vorliebe, etwas, das sie zusammen mit Baseball-Handschuhen und Murmelsammlungen ablegten. Wenn sie jetzt einen Kollegen Science Fiction schreiben sehen, gilt ihnen dies fast als eine Art anrüchige Beschäftigung, weil er entweder nichts anderes kann oder – Gott bewahre – weil er es tatsächlich als lohnenswerte Beschäftigung betrachtet. Natürlich stimme ich mit dieser Ansicht nicht überein. Auf der anderen Seite gibt es durchaus einen Gewinn, der aus einem Tun erwächst, das andere Menschen als anrüchig empfinden. Als schlechtes Beispiel dafür: Ich würde gern in den zwanziger Jahren Jazz gespielt haben, als man ihn noch für unanständig, dreckig und plebejisch hielt, jedoch mehr Gutes gespielt wurde als in den sechziger Jahren, wo er schon gesellschaftsfähig war. Das gleiche könnte mit der Science Fiction geschehen. Die Leute, die heute Science Fiction schreiben, tun dies – generell gesehen – aus Liebe zur Sache. Deshalb leisten sie wahrscheinlich bessere Arbeit als die Leute, die SF schreiben werden, wenn sie in einigen Jahrzehnten eine anerkannte literarische Form sein wird.

JEFFREY ELLIOT: Was macht Ihrer Meinung nach ein Buch spannend?

GREGORY BENFORD: Für mich ist ein Buch spannend, wenn es mit Problemen auf vielschichtige Art und Weise umgeht, weil dies meiner Ansicht von der Welt entspricht. Ich mag keine kategorischen Bücher, die einen Aufkleber ans Universum anbringen und sagen: »So ist es!« Deshalb sind Bücher nach meinem Geschmack, die den Lesern neue Lebensauffassungen zeigen, einfallsreiche und ungewöhnliche Ideen vorführen, überraschende Handlungsverläufe und künstlerisch ausgearbeitete Charaktere aufweisen. Wie jeder sehen kann, ist dies keine leichte Aufgabe, und dies ist wohl auch der Grund, warum so viele Autoren scheitern. Grundsätzlich habe ich als Leser den Geschmack eines Schriftstellers. Manchmal ist dies ein sehr spezialisierter Geschmack. Ich genieße es zu sehen, wie die Requisiten aufgestellt werden, die Schauspieler murmelnd die Bühne betreten, die Spannung und Elektrizität in der Luft, und den ganzen Rest an Dramatik und Pathos, der die Geschichte umgibt.

JEFFREY ELLIOT: Betrachten sie die ›harte‹ der ›weichen‹ SF in jeder Beziehung als überlegen?

GREGORY BENFORD: Nein. Genausowenig wie normales Eis besser als Soft-Eis ist. Beide haben ihre Möglichkeiten und Gesetzmäßigkeiten, die das Zustandekommen von erstklassigen Arbeiten ermöglichen. Die Ergebnisse können einfallsreich und aufregend sein, ganz unabhängig von der Methode. Es ist aber so, daß die Leute mehr Zeit in das Schreiben ›harter‹ Science Fiction gesteckt haben als in die ›weiche‹ SF. Viel Science Fiction beruht auf neuen technologischen Erfindungen. Die Zukunft unterscheidet sich wahrscheinlich von allem deshalb von heute, weil wir durch neue Erfindungen und deren soziale Auswirkungen gezwungen sein werden, uns zu verändern, und nicht weil wir uns verändern wollen.

JEFFREY ELLIOT: Wer sind Ihre Lieblingsautoren innerhalb der ›harten‹ SF?

GREGORY BENFORD: Um Himmels willen, das ist schwierig. Nun ja, generell gesehen läuft es auf dies hinaus: Wenn ich in eine Buchhandlung gehe, wessen Bücher werde ich sofort in die Hand nehmen und kaufen? Natürlich werde ich sofort einen neuen Heinlein, einen neuen Clarke, einen neuen Anderson und einen neuen Niven kaufen. Es ist schwierig, diese Frage zu beantworten, da ich normalerweise von einem Buch gehört habe, bevor es erscheint. Das bestimmt mehr als alles andere, was ich lese. Tatsächlich sind alle Science Fiction-Autoren gelegentlich einmal brillant. Es gibt niemanden im Genre, der nicht einmal ein erstaunliches Werk hervorbringt. Auch das ist es, was das Genre so interessant macht!

JEFFREY ELLIOT: Kann Ihrer Meinung nach die Science Fiction einen positiven Einfluß auf ihre Leser ausüben?

GREGORY BENFORD: Ja. Natürlich hat die Science Fiction

eine größere Bandbreite als das abgestandene »Oh, die Qual, ein Schwarzer zu sein«, oder »Oh, wie schwierig es ist, eine Frau zu sein«. Ich meine damit nicht, daß sie besser als diese Formen ist, aber sie hat sicherlich ein bedeutenderes Anliegen. Es ist keine Frage, daß Science Fiction den Horizont erweitert. Wenn sie einem klarmacht, daß wir als Rasse eine sehr zerbrechliche Spezies sind, ein sehr kurzlebiges Tier, das in dieser dünnen Haut von Atmosphäre existiert, gegen dieses Universum, das nicht feindlich, sondern – noch schlimmer – dem es gleichgültig ist, was mit uns geschieht, und er dies nicht schon vorher wußte, dann leistet sie sicherlich einen bedeutenden sozialen Beitrag. Meiner Meinung nach müssen noch sehr viele Menschen diese Tatsache verstehen lernen. Insofern, als Science Fiction das widerspiegelt, was in der Welt vorgeht, die uns die Wissenschaft gestaltet hat, kann sie natürlich den Horizont ihrer Leser ganz entscheidend erweitern. Ich glaube, daß dies der Grund ist, weshalb sich so viele Leute der Science Fiction zuwenden, wenn sie Lektüre suchen. Wie oft kann man Starsky und Hutch schon dabei zusehen, wie sie einen Verbrecher in einer Sackgasse fertig machen, und noch der Meinung sein, daß es in der Welt irgend etwas gibt, für das es sich zu leben lohnt?

JEFFREY ELLIOT: Als letztes möchte ich Sie noch fragen, warum Sie, als Wissenschaftler, Science Fiction sowohl lesen als auch schreiben?

GREGORY BENFORD: Gott weiß warum! Ich mag das Herumspielen mit Ideen und den gelegentlichen Schock der Begegnung mit etwas, über das ich noch nie nachgedacht habe, das ganz und gar ungewöhnlich ist. Diese Begegnungen mit dem Unvertrauten sind es, die ich gern habe. Es ist übrigens der gleiche Grund, aus dem ich mich als Wissenschaftler betätige. In der Physik habe ich es gern, an einem Modell herumzubasteln, in dem sich alle physikalischen Vorgänge ereignen können. Ich empfinde dies als sehr viel aufregender und risikoreicher als das Arbeiten mit konventionellem Wissen. Ich habe es gern, nach neuen Wegen zu suchen. Ich spiele gern mit noch wenig gefestigten Theorien – Anti-Materie, Kosmologie, galaktische Evolution usw.

Das Gefühl beim Schreiben von Science Fiction und dem wirklichen Anwenden von Wissenschaft ist nicht so sehr verschieden. In beiden Fällen genieße ich das kreative Gefühl, etwas, das sehr schwer in Worte zu kleiden ist. Es ist als baute man einen Kontinent in der Luft, als erfände man eine neue Realität mit neuen Gesetzen, etwas, das den Schriftsteller zwingt, seine eigenen kreativen Fähigkeiten zu testen und mit etwas Bedeutendem hervorzutreten. Dieser Test gibt mir große Befriedigung.

Aus dem Amerikanischen übersetzt von Denis Scheck

Heyne Science Fiction

Deutschlands erste
und größte SF-Taschenbuchreihe
mit Romanen und Storysammlungen
der Science Fiction-Autoren von Weltrang

3682 Gordon R. Dickson
Uralt, mein Feind

3683 Algis Budrys
Michaelmas

3684 John Crowley
Geschöpfe

3685 Wolfgang Jeschke
**Science Fiction
Story-Reader 13**

3686 Lino Aldani
Arnos Flucht

3688 John Brunner
Die Plätze der Stadt

3689 Michel Grimaud
Sonne auf Kredit

3690 Jörg Weigang (Hrsg.)
Sie sind Träume

3691 Ben Bova/Wolfgang Jeschke
Titan 13

3694 Ronald M. Hahn (Hrsg.)
Die Tage sind gezählt

3695 **Isaac Asimov's
Science Fiction Magazin 4**

3696 H. Warner Munn
Ein König am Rande der Welt

3697 Alan Burt Akers
Krozair von Kregen

3698 Robert A. Heinlein
Der Rote Planet

3701 Hans Dominik
Der Wettflug der Nationen

3702 Hans Dominik
Ein Stern fiel vom Himmel

3703 Hans Dominik
Land aus Feuer und Wasser

3704 Edward E. »Doc« Smith
Die Planetenbasis

3705 Edward E. »Doc« Smith
Die ersten Lensmen

3708 Edward E. »Doc« Smith
Galaktische Patrouille

3710 Edward E. »Doc« Smith
Die grauen Herrscher

3713 Edward E. »Doc« Smith
Das 2. Imperium

3715 Conan Doyle
Die vergessene Welt

3716 Edward E. »Doc« Smith
Das Erbe der Lens

3717 Edward E. »Doc« Smith
Wächter des Mahlstroms

3721 Ron Goulart
Unternehmen Capricorn

3722 Alan Dean Foster
Alien

3730 Harry Harrison
Das Prometheus-Projekt

Wilhelm Heyne Verlag München

The One Minute Manager Meets the Monkey

Kenneth Blanchard
William Oncken, Jr.,
and Hal Burrows

FONTANA/Collins

The Symbols

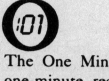

The One Minute Manager's symbol—a one-minute readout from the face of a modern digital watch—is intended to remind each of us to take a minute out of our day to look into the faces of the people we manage. And to realize that they are our most important resources.

The Monkey Manager's symbol—a harried manager overwhelmed by a deskful of problems—is intended to remind us to constantly discipline ourselves to invest our time on the most vital aspects of management rather than dilute our effectiveness by "doing more efficiently those things that shouldn't be done in the first place."

INTRODUCTION

Over a decade ago a real joy came into my life—Bill Oncken. I first came into contact with Bill and his monkey-on-the-back analogy when I was given a copy of his classic November 1974 *Harvard Business Review* article entitled "Managing Management Time: Who's Got the Monkey?" that he co-authored with Donald Wass. I read it and light bulbs began to flash. At the time, I was a tenured full professor in the School of Education at the University of Massachusetts. As such, according to Bill, I was a typical northeastern intellectual bleeding-heart social theorist who thought my role in life was to wipe out pain and suffering by helping everyone. In other words, I was a compulsive money-picker-upper.

Then several years later I sat in on one of Bill's "Managing Management Time" seminars. Participants burst into laughter as they recognized the problems Bill discussed. Since crying in public is not an accepted practice, the only thing left for us to do was laugh. And laugh we did. Why? Because Bill Oncken, time after time, hit both the absurdities and realities of organizational life in America with such accuracy that it hurt.

Bill Oncken, more than anyone else, has taught me that if I really want to help others, I need to teach them how to fish rather than give them a fish. Taking the initiative away from people and caring for and feeding their monkeys is nothing more than rescuing them, that is, doing things for them they can do for themselves.

So when Hal Burrows, a longtime associate and principal of the William Oncken Company and one of the outstanding presenters of the "Managing Management Time" seminar, approached me about co-authoring this book, I was thrilled. In fact, I am honored to have this book as part of THE ONE MINUTE MANAGER LIBRARY.

Hal and I wrote several drafts of this book with Bill over about a three-year period. Then Bill suffered a serious illness and died as we were completing the final working draft of this book. So he never saw the finished publication. As I write these words my heart aches because of the loss of Bill. I am especially sad for those people who never knew Bill Oncken, for they suffer the greatest loss. My hope is that reading this book can soften that loss because it reads as accurately and humorously as Bill and colleagues like Hal Burrows have told thousands of managers about monkey management over the years. This is vintage Bill Oncken with the bite and insight left in.

What follows is a story about a harried manager who worked long, hard hours, yet never quite seemed to get caught up with all the work he had to do. He learned about monkey management and how not to take initiative away from his people so they can care for and feed their own "monkeys." In the process, he learned to be more effective in dealing with his own manager and the demands of his organization. The performance of his department drastically improved as did the prospects for his career.

Bill Oncken's seminar and book, "Managing Management Time," include many wonderful insights about how organizations really function and present strategies for gaining the support of your boss, staff, and internal and external peers. The One Minute Manager Meets the Monkey is *adapted from the "staff" strategy.*

My hope is that you will use what you learn in this book to make a difference in your life and the lives of the people you interact with at work and at home.

—Kenneth Blanchard, Ph.D
Co-author
The One Minute Manager

This book is dedicated to the memory of William Oncken, Jr.

Bill Oncken, like Amadeus Mozart, was that exceedingly rare combination of masterful composer and virtuoso performer, the difference being that Bill used words instead of musical notes to fashion his works. His masterwork, *Managing Management Time*, is a timeless, enduring composition that captures the very essence of management, an art as old as organizations themselves. And anyone who ever saw him perform his work will never forget the experience!
—Hal Burrows

Contents

The Problem   13
First Management Position   15
Meeting with Boss   17
Meeting with the One Minute Manager   19
Fundamental Management Dilemma   21
Diagnosis—Self-Inflicted Problem   24
Definition of a Monkey   26
Who Owns the Monkey?   27
Vicious Cycle   33
The Solution   35
The One Minute Manager's Awakening   37
The Depth of the Problem   40
Rescuing   42
A Feeling of Optimism   49
Returning the Monkeys   51
Having Time for My People   54
Oncken's Rules of Monkey Management   58
Rule 1   *Descriptions*   61
Rule 2   *Owners*   67
Rule 3   *Insurance Policies*   78
Rule 4   *Feeding and Checkups*   87
A Summary of Oncken's Four Rules of Monkey
   Management   94
Delegation   95
Coaching   100
Balancing Three Kinds of Organizational Time   111
Boss-Imposed Time   113

System-Imposed Time   116
Self-Imposed Time   119
Discretionary—The Most Vital Time   120
Starting with Subordinate-Imposed Time   123
Planting Discretionary Time   124
Managing Rather Than Doing   127
The Ultimate Conversion   129

Praisings   132
About the Authors   134
Services Available   137

IF you are someone who feels overwhelmed with problems created by other people, what you are about to read can change your life. It's the story of a manager, but it applies as well to other roles in life, especially parents and teachers.

This is the account of how my career went from imminent failure to considerable success after some wise counsel from two able people. My purpose in telling it here is to pass along their wisdom to you in the hope that it will help you as it has helped me.

The story begins some two years ago after a luncheon meeting with my friend, the One Minute Manager. I returned to my office, sat down at my desk, shook my head in amazement, and thought about what had just happened.

During lunch I had poured out my frustrations about my work. My friend listened and then told me the cause of my problems. I was astonished that the solution was so obvious.

What surprised me most was that the problem was self-inflicted. I guess that's why I couldn't see it without some help. But when my eyes were opened I realized that I was not alone; I knew other managers with the same problem.

As I sat there alone in my office I laughed aloud. "Monkeys!" I said to no one in particular. "I never would have suspected my problem is monkeys."

For the first time in a long time I remember smiling as I glanced at the picture on my desk of my wife and children. I began to look forward to enjoying more time with them.

About a year before the "monkey revelation" I had been appointed to my first management position. Things had started off well. I was initially very enthusiastic about my new work, and my attitude seemed to rub off on the people who reported to me. Productivity and morale gradually increased; both had been reported to be low before I took over as head of the department.

After the initial surge, however, the output of the department began to decline, slowly at first, then rapidly. The drop in performance was followed by a similar slide in morale. Despite long hours and hard work, I was unable to arrest the decline in my department. I was puzzled and very frustrated; it seemed that the harder I worked, the further behind I got and the worse the performance of my department became.

I was working extra hours every workday as well as Saturdays and some Sundays. I just never got caught up. There was pressure every minute, and it was extremely frustrating. I feared I was developing an ulcer and a nervous twitch!

I realized that all this was starting to wear a little thin with my family, too. I was so seldom home that my wife, Sarah, had to manage most of the family problems alone. And when I was home, I was usually tired and preoccupied with work, sometimes even in the middle of the night. Our two kids were also disappointed because I never seemed to have any time to play with them. But I didn't see any alternatives. After all, I had to get the work done.

My boss, Alice Kelley, had not been initially critical of me, but I began to notice a change in her behavior. She started asking for more reports on the performance of my department. She was obviously starting to watch things more closely.

ALICE seemed to appreciate the fact that I wasn't knocking on her door all the time asking for help. But at the same time she was more than a little concerned about the performance of my department. I knew I could not let things go on like that much longer. Consequently, I made an appointment to see her.

I told her I knew things had not been going well lately but I hadn't yet figured out how to improve the situation. I remember telling her my workload made me feel as if I were doing the work of two people. I'll never forget her reply: "Tell me who they are and I'll see that one of them is fired because I can't afford the overhead."

Then she asked me if perhaps I shouldn't be turning over more to my staff. My answer was that my staff was not ready to take on the additional responsibility. Again she responded in a way I'll never forget: "Then it's your job to get them ready! This situation is making me very nervous, and as Benjamin Franklin's grandfather once said:"

*

*It's Tough
To Work For
A Nervous Boss,
Especially
If You Are The One
Who's Making Your Boss
Nervous!*

*

AFTER my meeting with Alice, I thought a lot about what she had said. Those words "nervous boss" kept coming back to me. I began to realize that Alice was expecting me to handle this situation on my own, probably because she was extremely busy herself on a critical project. That's why I had called the One Minute Manager for help. He was a senior manager in another company and a longtime family friend. Everyone called him the "One Minute Manager" because he got such great results from his people with seemingly little time and effort on his part.

When we met at lunch, my problems must have shown on my face because the first thing he said was "So, being a manager is not as easy as you thought, eh?"

"That's an understatement," I answered. I lamented that back in the good old days before I became a manager things were a lot easier because my performance depended strictly on my own efforts. In those days, the longer and harder I worked the more I got done. "That formula seems to be working in reverse now," I told him.

As I went on to describe my problem in greater detail, the One Minute Manager just listened, only breaking his silence with an occasional question. His questions got more and more specific as the conversation continued. He asked me which aspect of my work was taking the biggest portion of my time.

I told him about an avalanche of paperwork in my office. "It's horrendous and getting worse." Sometimes it seemed that all I did was shuffle papers without ever making any progress on the real work that needed to be done; I labeled it *the triumph of technique over purpose*. It was a paradox—I was doing more but accomplishing less.

It seemed that everyone in the company needed something from me yesterday, things that might have been important to them but had little to do with getting my job done. And when I tried to focus on one matter, I would inevitably be interrupted to attend to another. I was spending more time in meetings and on the telephone. By the time I took care of all the paperwork, meetings, and interruptions, there was just no time left to implement some of the ideas I had for improving our own operation.

I told him I had even taken a seminar on time management. Frankly, I think the course made things worse. In the first place, attending it got me two days farther behind in my work. Moreover, even though it helped me become a bit more efficient, I think my increased efficiency merely made room for more work because no matter how much I did there was always more to do.

Then there was my staff. Wherever I saw them—in hallways, elevators, parking lots, cafeteria lines—there was always something they needed from me before they could proceed with their work; I guess that's why I had to work overtime and they didn't. If I left my office door open they were constantly streaming in, so I usually kept it closed. I regretted doing that because I was holding up their work and I suspected that was a big part of their morale problem.

The One Minute Manager listened carefully to my tale of woe. When I finally finished, he suggested that I seemed to be the victim of a fundamental management dilemma:

*

*Why Is It
That Some Managers
Are Typically
Running Out Of Time
While Their Staffs
Are Typically
Running Out Of Work?*

*

I thought that was an excellent question, particularly when I added up all the people in addition to my staff who were vying for my time. "But," I remarked, "perhaps I shouldn't complain about people needing me all the time. The way things have been going lately, being indispensable might be my only job security!"

The One Minute Manager disagreed sharply. He explained that indispensable managers can be harmful, not valuable, especially when they impede the work of others. Individuals who think they are irreplaceable because they are indispensable tend to get replaced because of the harm they cause. Moreover, higher management cannot risk promoting people who are indispensable in their current jobs because they have not trained a successor.

His explanation sent my thoughts back to my last conversation with my boss, who certainly didn't act as though I was indispensable. In fact, the more I thought about it, the more I realized that if I didn't soon resolve my problems our next conversation could be about career planning . . . for me! And why not? If I could not manage even my current small department, perhaps I shouldn't even be a manager.

IT was at that point during lunch that the One Minute Manager bowled me over with his astonishing (to me!) diagnosis of my problem. First he suggested that my attempts to solve the problem—working overtime, attending seminars—addressed merely the symptoms of the problem, not the cause itself. He said it was like taking an aspirin to reduce the fever but ignoring the illness that caused the fever. As a result, the problem had gotten progressively worse.

I remember thinking, "This is not what I want to hear, that all the work I've been doing has made the problem worse. After all, if I hadn't done the work I would be even farther behind."

I objected to my friend's diagnosis, but my argument soon fell by the wayside when his probing turned up the fact that the mission and staff of my department had not changed since my arrival—the only change *was* my arrival! An unsettling reality suddenly pried its way into my mind. To paraphrase Pogo, "I have seen the enemy, and he is I!"

Remembering that moment I often think about the story of a group of workers having lunch. They all had lunch boxes. One, when he opened his box and saw the contents, shouted, "Bologna sandwiches again! This is the fourth straight day I've had bologna sandwiches. And I don't like bologna!"

One of his co-workers said, "Relax! Relax! Why don't you ask your wife to pack some other kind of sandwich?"

"My wife, heck!" the worker said. "I made the sandwiches myself."

Since there seemed to be nowhere else to look for the source of the problem, I asked my friend to tell me more. He looked me straight in the eye and said, "Your problem is . . . MONKEYS!"

"Monkeys!" I laughed. "That sounds about right. My office usually seems like a zoo. What do you mean?" Then he gave me this definition of a monkey:

*

A Monkey Is The Next Move

*

HE explained the definition with an example so vivid and true to life that I can quote it to you almost word for word to this day.

Let's say I am walking down the hall when I encounter one of my people, who says, "Good morning, boss. Can I see you for a minute? We have a problem." I need to be aware of my people's problems so I stand there in the hallway listening while he explains the problem in some detail. I get sucked into the middle of it, and, because problem-solving is my cup of tea, time flies. When I finally glance at my watch, what seemed like five minutes has actually been thirty.

The discussion has made me late for where I was headed. I know just enough about the problem to know I will have to be involved, but not yet enough to make a decision. So I say, "This is a very important problem, but I don't have any more time to discuss it right now. Let me think about it and I'll get back to you." And with that, the two of us part company.

"As a detached, perceptive observer," he continued, "it was probably easy for you to see what happened in that scenario. I assure you it is much harder to see the picture when you are in the middle of it. Before the two of us met in the hall the monkey was on my staff member's back. While we were talking, the matter was under joint consideration, so the monkey had one leg on each of our backs. But when I said, 'Let me think it over and get back to you,' the monkey moved its leg from my subordinate's back onto my back and my subordinate walked away thirty pounds lighter. Why? Because the monkey then had both legs on my back.

"Now, let us assume for the moment that the matter under consideration was part of my staff member's job. And let us further assume that he was perfectly capable of bringing along some proposed solutions to accompany the problem he raised. That being the case, when I allowed that monkey to leap onto my back I volunteered to do two things a person working for me is generally expected to do: (1) I accepted the responsibility for the problem from the person, and (2) I promised the person a progress report. Let me explain:

*

*For
Every Monkey
There Are Two
Parties Involved:
One To Work It
And One To Supervise It*

*

"In the instance just described, you can see that I acquired the worker role and my subordinate assumed the supervisory role. And just to make sure I know who's the new boss, the next day he will stop by my office several times to say, 'Hi, boss. How's it coming?' And if I have not resolved the matter to his satisfaction, he will suddenly be pressuring me to do what is actually his job."

I was dumbfounded. The One Minute Manager's vivid description of role reversal instantly triggered pictures in my mind of dozens of monkeys currently residing in my own office.

The most recent was a memo from Ben, a member of my staff, that said, in effect, "Boss, we're not getting the support we need from Purchasing on the Beta Project. Could you speak to their manager about it?" And, of course, I agreed. Since that time Ben had twice followed up on the matter with "How's it coming on the Beta Project? Have you spoken with Purchasing yet?" Both times I guiltily replied, "Not yet, but don't worry, I will."

Another was from Maria, who was requesting my help because I possessed (as she so astutely observed) "greater knowledge of the organization and of the technical peculiarities of certain problems" than she did.

Yet another monkey I had promised to handle was to write a job description for Erik, who had been transferred from another department to fill a newly created position in my department. I had not had time to specify exactly the duties of this new job, so when he asked me what was expected of him, I promised to write a job description to clarify his responsibilities.

My mind raced with a blur of monkeys and how I had acquired them. Two recent monkeys were in the form of incomplete staff work from Leesa and Gordon. I was planning to analyze the one from Leesa, note the areas that needed more work, and return it to her with suggested changes. The other, from Gordon, was back in my office for the fourth time; I was thinking of completing it myself rather than having to deal with him again.

Monkeys, monkeys, monkeys! I even had some *ricochet monkeys!* These monkeys were created by Maria, whose work and personal style sometimes caused problems for people in other parts of the organization. The other people then brought the problems to me for my invariable reply: "I'll look into it and get back to you."

As I thought about it, I realized that some of the monkeys were opportunities rather than problems. For example, Ben is a very creative person who is great at conceiving new ideas. But, to put it mildly, developing his ideas into finished products is not one of his strengths. So he sent me a series of suggestions which, though underdeveloped, had so much potential that I penned myself notes of things to do in order to capitalize on each of them.

As monkey after monkey scampered through my mind, I clearly saw that most of them should have been handled by my staff. But some of the monkeys belonged to me alone; that is, they were part of *my* job description. For example, when one of my people is sick or untrained or otherwise incapable of doing a task, I sometimes have to help out. And when emergencies arise, I sometimes handle monkeys my staff should handle if there were no emergency. Another example of monkeys that legitimately belong to me is the case where a member of my staff formulates a recommendation for handling a particular situation. Once that person gives the recommendation to me, then one or more of several "next moves" legitimately belong to me. I need to read the recommendation or listen to it being explained, question it, think about it, make a decision, react to it, and so on.

THE One Minute Manager confirmed my observation that some monkeys belong to me, but we both agreed, however, that by far the greatest proportion of the monkeys in my office at that time were those I should never have picked up.

You can easily imagine how this becomes a vicious cycle. When I picked up monkeys my people could have handled, they got the message that I *wanted* the monkeys. So naturally the more I picked up, the more they gave me. Soon I had as many as I could handle in a normal workday (given all the other requirements of my job from my boss and others), but the monkeys kept coming.

So I began "borrowing" time from my personal life: exercise, hobbies, civic activities, church, and eventually from my family. (I rationalized, "It's the quality, not the quantity, of the time with them that counts.")

I eventually reached the point where there was no more time available. But the monkeys still kept coming. That's when I started procrastinating. I was procrastinating and my staff was waiting. We were both doing nothing on the monkeys, a costly duplication of effort!

My procrastination made me a bottleneck to my staff; immobilized by me, they became bottlenecks to people in other departments. When those people complained to me, I would promise to look into the matters and get back to them. Time spent on these "sideward-leaping monkeys" reduced the amount of time for my staff's monkeys even more. Then my boss got wind that there might be problems in my department and started demanding more reports from me. These "downward-leaping monkeys" took precedence over all others, and time spent on them left even less time for the others. Looking back on that mess, I realize I was the cause of organizational gridlock; it is incredible how much trouble I caused.

Of course, the greater problem was that of "opportunity cost"; spending *all* my time working on other people's monkeys meant I had no opportunity to work on my own. I was not manag*ing*, I was being manag*ed*. I was not *pro*active, I was strictly *re*active. I was merely coping.

As we continued our lunch, the One Minute Manager and I talked mostly about the problems monkeys create in organizations. We were almost finished before it dawned on me that I was not at all sure what to do about this monkey business, so I confessed, "I admit it. I do have a huge menagerie of my staff's monkeys. But what can I do about it? And what can I do about the problems with my boss, and about the time-consuming demands of all the other people in the organization?"

He replied, "Many of those downward-leaping monkeys from your boss and those sideward-leaping monkeys from your peers are offspring of the upward-leaping monkeys from your staff. Once you correct this situation with your staff you'll have time to deal with those other two sets of monkeys. But this is not the time or place to discuss that process. The best way to learn about that is by attending a seminar called "Managing Management Time."

I reminded him that I had already taken a time-management course and the course only made things worse.

"Ah," he said, "but this seminar is different. The course you took focused on doing things right, which is okay, but it neglected to teach you the right things to do. You became more efficient, but you were doing the wrong things. You were like a pilot making great landings at the wrong airport. The seminar I'm recommending will help you learn:"

*

*Things
Not Worth
Doing
Are Not
Worth Doing
Well*

*

As we were leaving the restaurant I thanked the One Minute Manager for his help and promised I would make every effort to attend the seminar (secretly wondering how I could possibly take two days off from work!). Then I got the shock of my life when I asked him how he happened to know so much about this monkey management.

Grinning, the One Minute Manager answered, "Because I once had the same problem you do, only much, much worse. Like you, my career was in trouble and I was desperate. One day a brochure announcing a time-management seminar came across my desk. Like a drowning man grasping for a straw I decided to attend. It was lucky I did because that's where I learned all about monkey management!"

It was hard for me to believe that such a professional manager could ever have suffered from this problem. I asked him to tell me more, and the One Minute Manager did, with gusto.

"The course was taught by its creator, Bill Oncken. I'll never forget the spellbinding story he told that opened my eyes to the problem. It was a parable that paralleled my situation so closely it was eerie.

"Oncken told us how, like you and me, he'd been working long hours but still couldn't keep up. And how, as usual, he left home early one Saturday morning to go to work to get caught up, explaining to his disappointed wife and kids that his sacrifice was all for them. I almost cried when I heard him say that because I had uttered those very words the previous weekend.

"Oncken told us how he looked out his office window that Saturday morning to the golf course across the street and saw his staff there, getting ready to tee off. 'They were teeing up,' he said, 'and I was teed off! I became convinced that if, by magic, I could be transformed into a fly and buzz about their heads, I would overhear one of them remark to another: "Things are looking up, did you see whose car just pulled into the company parking lot? Looks like the boss has finally decided to earn his money!"'"

The One Minute Manager continued, "Then Oncken told us he looked down at that pile of papers on his desk and suddenly realized this was *their* work he was about to do. He was behind in their work, not his. He had never been behind in his work because he never had gotten it started! Then it hit him like a thunderbolt—'They're not working for me; I'm working for them! And with four of them generating work and only one of me working it off, I'll never get caught up by working harder because the more I do, the more they will give me!'

"Then," continued the One Minute Manager, obviously enjoying telling the story, "Oncken said, 'It suddenly hit me that I was way behind in some other things as well. So I ran out of my office and down the hall as fast as my legs would carry me. The weekend janitor, seeing me go by like a streak of lightning, asked where I was going in such a hurry. I yelled back that my speed was explained by where I was leaving from, not where I was going to.'

"Mr. Oncken related how he went down the stairs hitting every sixth step, jumped in his car and sped home. In the space of half an hour he had gone from the agony of facing two days of work to the thrill of spending two days with his family. He had a great weekend with his family and Saturday night he slept so soundly that twice during the night his wife thought he was dead.

"Yes," said the One Minute Manager, "Bill Oncken painted a perfect picture of me, a compulsive monkey-picker-upper. But thank goodness he showed us what to do about it, and my life has never been the same since. Nor will yours."

"I'll bet I know the title of the seminar you attended," I said. My friend smiled and nodded his agreement.

AFTER we parted, amazed at all I had heard, I returned to my office. When I walked in I saw monkeys everywhere. Where I had once seen backs of envelopes with notes written to myself, I now saw monkeys. (I have since given some thought to going into business selling pads of "backs of envelopes" to people like me.) Telephone messages were monkeys. (I pictured a monkey going through a telephone line like a pig passing through a python.) My briefcase appeared as a monkey cage. The note pad on my desk was a grappling hook, which I had so often used to pull monkeys off other people's backs.

As I looked around my office that day, my gaze settled on the picture of my wife and children and for the first time ever I realized *I have never been in the picture!* I resolved to correct that.

The family picture also reminded me that my wife and I pick up our kids' monkeys. Just recently my son came home and said to us, "Mom! Dad! I made the junior tennis team!"

We said, "Great! Isn't that wonderful. We're proud of you." Then he said, "There's only one problem: I need a ride to practice after school every Monday, Wednesday, and Friday, and then someone needs to pick me up when we're done." And who do you think got that monkey? My wife and I. What started as a celebration became a monkey.

What's worse is that the monkey quickly multiplied! My wife said to my son, "I could take you on Monday and some Fridays, but Wednesdays are a real problem for me. Who else is on your team so maybe I can set up a car pool?"

After my son told her who was on the team, she said, "I'll get on this right away, honey, and let you know who will be driving you." Without a care in the world, my son ran off to watch TV with a cheery, "Thanks, Mom."

OF course my son couldn't drive a car, but he certainly could have made an effort to arrange transportation alternatives and in the process learned to take some responsibility. Reliving that situation made me realize how easily we needlessly pick up other people's monkeys in all arenas of life. In the process, we neglect our own monkeys and make other people dependent upon us and deprive them of opportunities to learn to solve their own problems.

In retrospect, I can better understand the statements of General George C. Marshall, who said, "If you want someone to be for you, never let him feel he is dependent on you. Make him feel that you are in some way dependent on him," and Benjamin Franklin, who said, "The best way to convert a friend into an enemy is to get him indebted to you."

As I reviewed my luncheon discussion with the One Minute Manager, I realized he was concerned that I had become a "rescuer"—someone who was doing for others what they could do for themselves and in the process giving them the message they were "not okay." He told me that every time one of my people came to me and shared a problem and I took the monkey away from that person, what I was saying, in essence, was "You're not capable of handling this problem so I had better take care of it myself."

The One Minute Manager said that I was by no means alone in what I was doing. In fact, he implied it was almost becoming a disease in our country. He even had contemplated starting an organization called "Rescuers Anonymous" for people who were compulsive monkey-picker-uppers. It would be a gathering of "do-gooders"— very loving people who were running around trying to help others but who were crippling those they were trying to help by making them dependent. He said we have almost institutionalized rescuing in our government and throughout our society.

Then the One Minute Manager illustrated the depths of the rescuing mentality in this country by telling me his example of Little League. I can almost hear him now:

"When I was young, if we wanted to play baseball we had three problems. First of all, we needed equipment. In those days the one thing that guaranteed you would play was having a bat. There just weren't that many bats available then and if your bat broke, you'd never even think about running home and asking your parents to buy you a new one. Instead, you'd pound a few nails in it and wrap it with tape. I'll never forget running down to first base with my hands vibrating from one of those 'broken bats.'

"I also didn't know a baseball was white until I was nine—that's when we got our first TV. All the balls we used were covered with black tape. In fact, sometimes with a large ball you didn't know whether it was a softball or really a hardball that just had so much tape around it that it was the size of a softball. I just knew that some of the balls were so heavy that if you could hit a fly ball to the shortstop that was considered a 'long hit.'

"And gloves?" The One Minute Manager continued, "We didn't have that many then and I wasn't from a poor neighborhood. I can never remember running in from the field to bat when I didn't throw my glove to someone coming out to field. Today I know kids who have two or three different gloves.

"Once we got our equipment, the second problem was finding a place to play. If you lived in the city, you'd find a city block that didn't get much traffic and where residents could park their cars elsewhere. Then you would use the sewers, hydrants and the like for bases. If you lived in the country, as I did, you found a vacant lot or a farmer's field where you could clear off all the rocks except the four you were going to use for bases.

"The third and last problem, once we had equipment and a field," said the One Minute Manager, "was to find kids to play. Since we rarely had an abundance of kids, we had to choose from what was available. As a result, a team would range in age all the way from seven or eight to eighteen. I had real heroes when I was a kid. I remember that if Harry Haig even said 'hello' to me when I was a kid, I was thrilled. If he asked me to go to right field on defense, I never complained. Not even when a left-handed batter came up and he shouted for me to get in left field! I never ran home and told my parents I wasn't playing enough. I just knew if I was patient, when I got older I would get to pitch, catch, or play third base.

"After we had equipment, a field, and kids, we started hitting the ball around and playing choose-up games. Pretty soon we started thinking we were real good. Then someone would say, 'I understand Keith Dollar has a group that plays ball in his neighborhood.' So someone would see Dollar in school and challenge his team to a game. We'd play and beat them and then someone else would say, 'I understand Bill Bush has a group.' So we'd challenge them and beat 'em.

"We ended up having a six-team league when I was a kid: the Berrian Bombers, the Seacord Sissies, the Abafoil Asses and others like them. But who did all the planning? We did! Who did all the organizing? We did! And the motivating and controlling? We did!" exclaimed the One Minute Manager.

"And who does it today? The parents! All the kids have to do is get dressed. And do they get dressed! They all look like Joe DiMaggio or Willie Mays. And it's not just baseball—it's all youth sports. I remember working with a top manager in a Canadian company last year. In the middle of the afternoon he asked if I minded taking a drive with him to pick up his son so he could take him to youth hockey. We drove to his home and tooted the horn. The door opened and a kid came staggering out just loaded down with equipment. He was obviously a goalie. I asked, 'How old is he?,' since I couldn't tell.

"'Seven' was the answer. Halfway down the sidewalk the kid tripped and fell. If we hadn't gotten out of the car and helped him up he would have died there. With all that equipment on, there was no way he could have gotten up himself.

"I remember playing hockey as a kid on the lake in front of the high school," said the One Minute Manager. "We would spend all afternoon clearing the snow off the lake. Then, just about the time we finished and we were ready to play, our moms would come by and tell us to come home for dinner. That night it would snow again and we'd have to start clearing again the next day. When we finally got the ice cleared, we'd put two rocks at either end of our 'rink' to mark the goals. And if you played goalie then, and even hinted that you were wearing a 'jock,' they would call you a 'sissy.'

"After the kids get dressed today they get driven to the games. No one would want them to get any exercise. Once they get to the game, there are incredible fields with a refreshment stand where mothers and fathers are sweating, preparing hot dogs and hamburgers and all kinds of goodies. We certainly wouldn't want the kids to be hungry!

"Then there are parents sitting in the stands with major-league scorebooks scoring the game. When a kid hits one to third and the fielder throws him out, the poor parent has to figure what to write down as if this was the World Series.

"In the outfield there is a kid, sweating like mad, changing the scoreboard. When we were kids we kept score on the ground with a stick. One of the opponents would come over and say, 'You didn't get that run,' and would rub it out with his foot. Then you'd have to push him aside and scratch it in again.

"And the final straw," said the One Minute Manager, "when the game is over today and you lose, you can't even hassle the opponent! You have to go to Baskin-Robbins or Häagen-Dazs for ice cream. Have you ever tried to get ice cream on a Saturday afternoon? Every kid in town is in there, legions of little future major leaguers, yelling for some ice cream.

"As parents we have taken all the 'next moves' away from our kids. As a result, all the monkeys are on our backs, and the kids don't learn responsibility. In our well-intentioned desire to give them the good things we didn't have, we sometimes neglect to give them the good things we did have. Often kids today don't know what to do if nothing is planned," emphasized the One Minute Manager. "When I was a kid, if I told my mother I was bored, she would either give me a good swift kick in the pants and say, 'How's that for a little excitement?,' or say, 'That's great! Go clean out the garage.' We'd sure get over our boredom quickly."

WHAT I began to learn from the One Minute Manager, and continued to learn from the seminar he recommended was that the more I take care of everything for other people, the more dependent they become. In the process, their self-esteem and confidence are eroded and I am prevented from dealing effectively with my own monkeys.

Many of the monkeys in my office (mine and my staff's) were pitifully emaciated for lack of attention. I figuratively patted one of my staff's monkeys on the head and said, "Don't worry, little fellow, you'll be going home soon." Then with a glance at my own monkeys I said, "And I will finally have some time for you!"

A feeling of optimism came over me as I glanced up to my office wall at the poster my wife had given me some years ago. It showed a picture of Sir Isaac Newton sitting under a tree, having just been bopped on the head by a falling apple. The caption read:

*

Experience
Is Not
What Happens
To You;
It's What
You Do
With
What Happens
To You

*

As I sat there in my office that Friday after lunch, I knew my life had just taken a sharp turn for the better. At the same time I had a sneaking suspicion that there was a lot more to learn. Nevertheless, I left my office early that day to enjoy a rare delightful weekend with my family. In fact, my minister expressed surprise at seeing me in church on an "off Sunday," which he explained was all except Easter. In the past he would always say on Easter Sunday, "Let me be the first to wish you a Merry Christmas!"

At this point I suppose you are wondering what happened to all those monkeys when I returned to my office on Monday morning after the weekend with my family. Very little, as it turned out, because, first, I didn't know what to do about them, and second, I spent the first three days of the week scrambling to get things arranged so I could attend the seminar the One Minute Manager recommended.

And attend I did! The "Managing Management Time" seminar was just as eye-opening an experience as the One Minute Manager said it would be. What I liked about it most was you could put what you learned into practice right away. I couldn't wait until the Monday after the seminar. That's when all the monkeys got what they deserved. I can assure you it was a day my staff and I will not soon forget.

As I drove to work that day, my mind was filled with delicious anticipation as I thought over the strategies and techniques I was about to apply with my staff. I could hardly wait to return my people's monkeys to their proper owners.

Heavy traffic that morning caused me to arrive about ten minutes late at my office, which was just enough time for my staff to assemble outside where they often performed their supervisory duties of checking on their monkeys.

As I walked past them into my office, both they and I sensed a profound change in the air. I, because I knew what was about to happen, and they because the smile on my face told them they didn't. They had never seen me smile like that on Monday morning. That sudden change in my behavior made them burp in chorus. (Sudden, drastic changes can make people nervous!)

I was smiling because I saw them in an entirely new light! I had long viewed them as a major *source* of my problems; suddenly that morning, I saw them as the major *solution* to my problem. I saw each of their backs as a repository for several monkeys.

As I walked into my office, Valerie, my secretary, saw me forget to do something I had not forgotten to do in years. I forgot to shut my door. That made *her* burp! (Please note that without speaking a word I had upset my entire staff!) When I shouted out to ask Valerie who was first to see me, she couldn't believe her ears. "You mean you actually want to see somebody?" she asked. Replied I, "I never wanted to see somebody so badly in all my life. Who's first?"

At that point, following the sequence recommended by our seminar instructor, I took the first step toward my recovery—getting rid of my people's monkeys. Over the course of the morning I met with each member of my staff and followed virtually the same procedure with each. First I apologized for having been a bottleneck to them, and I promised them that things would never again be the same.

THEN I firmly attached my people's monkeys to *their* backs and sat back and enjoyed an exhilarating sight as each subordinate departed my office . . . several monkeys screwed squarely between the shoulder blades of their departing owner! And later that day I made it a point to ask each of my people the same question all of them had been asking me for so long: "How's it coming?" (This is "job enrichment" for managers!)

When the last of them left my office that morning I sat there, alone, reflecting on the things that had just come to pass. The most obvious was that my door was open for a change; even so, there were no people or monkeys in there with me. I had achieved privacy and accessibility at the same time! For the first time in a long time I had time for my people but they didn't have time for me. What an important learning:

*

*The More You
Get Rid Of
Your People's
Monkeys,
The More Time
You Have For
Your People*

*

That point was driven home by an incident that occurred a couple of days after the Monday when my people got all their monkeys back. I was in my office, alone, with the door open and my feet on my desk, thinking. I was thinking about the things I could do to clear the way so my people could do their things. (In a very real sense, I was working for them, but I was not doing their work!) At the same time, my people were working on their monkeys and I hadn't seen them in a couple of days. Frankly, I was lonely! I didn't feel needed anymore.

As luck would have it, just then Erik came to see me about a problem. As he approached my office he noticed that my door was open. But from where he was standing he couldn't see me in there. Never had he seen my door open when I was in my office, so he must have assumed I was away on a trip. When he asked Valerie where I was, she said, "He's right in there." Erik was so shocked he stammered, "Well, uh, when could I see him?" Valerie replied, "Just go right on in. He's just sitting there. He isn't doing anything!"

When he came in I realized how lonely I had been. I greeted him warmly: "Come on in. Have a seat. I'm so glad to see you. How about some coffee? Let's start at the beginning. How are your wife and kids these days?" Erik's reply told me that my greeting was perhaps a bit more effusive and time-consuming than he felt was called for under the circumstances. Shaking his head he said, "I don't have time for that kind of B.S.!" *For once I had more time for him than he had for me!*

My staff knew, as does anyone who's ever experienced it, how frustrating it is to work for a boss who has no time for them. So now I endeavor always to have more time for them than they have for me. That is accomplished by expanding the amount of time I have for them and contracting the amount of time they have for me. I keep tabs on how I'm doing in this regard by always noting who runs out of time first each time I meet with a member of my staff; if they are running out of time more often than I am, that's a good indicator of their increasing self-reliance.

Consequently, I have developed the reputation among my staff as the most accessible manager they have ever known. They can see me as often as they wish (which is not very often) and for as long as they wish (which is not very long). This is a vast change from the time before my "conversion."

MOREOVER, once my people regained control of their monkeys that Monday, they were empowered to act. Thus they were no longer frustrated waiting for *me* to act, nor was I guilty because I owed them responses that I didn't have time to make. I was no longer an impediment to them as when I had their monkeys stacked in my office. In the space of a few hours I had gone from being indispensable (that is, my people couldn't make a move until I did) to being dispensable. As I learned, indispensable bosses are dangerous to organizations; thus they tend to get replaced. But bosses who are not impediments to their people can die and not even be missed, and bosses who can die and not be missed are so rare they are virtually irreplaceable. Why?

As a manager, to the extent that you can get people to care for and feed their own monkeys, they are really managing the work themselves. That frees up your discretionary time to do planning, coordinating, innovating, staffing, and other key managerial tasks that will keep your unit functioning well into the future.

Now, having gotten this far on Monday, let's put matters into the proper perspective. What I have done so far is return my people's monkeys to them in accordance with Oncken's Rules of Monkey Management. Now let me tell you all about those rules!

Oncken's Rules of Monkey Management

The dialogue between a boss and one of his or her people must not end until all monkeys have:

Rule 1.   *Descriptions:*
The "next moves" are specified.

Rule 2.   *Owners:*
The monkey is assigned to a person.

Rule 3.   *Insurance Policies:*
The risk is covered.

Rule 4.   *Monkey Feeding and Checkup Appointments:*
The time and place for follow-up is specified.

The purpose of the rules of monkey management is to help ensure that the *right things* get done the *right way* at the *right time* by the *right people*.

Monkey rules are crucial if you think back to some of the problem-solving meetings you've attended. Most of those meetings ended without everyone in the room agreeing *what* the "next moves" were to be, *when* they were to be made, and *who* was responsible for making them.

The problem with such meetings is that if no one knows what the "next move" is, it can't be made. Also, if no one has been assigned responsibility for it, then it becomes everybody's responsibility (or rather, nobody's responsibility), which raises the odds nothing will be done. And even if a "next move" is specified and assigned to someone, if there is no deadline attached, the odds of procrastination are increased because we are all too busy with urgent matters to spend time on matters that can be put off.

The rules of monkey management should be applied only to monkeys that deserve to live. Some do not. Some monkeys are in the same category as the British civil-service job that consisted of standing atop the white cliffs of Dover and ringing a bell if Napoleon's troops started across the English Channel—a job that was filled until 1948. So always ask yourself: "Why are we doing this?" If there is no viable answer, shoot the monkey so that you won't be doing more efficiently things that should not be done in the first place.

IN order to understand and apply the rules of monkey management, it will help to bear in mind the definition of a monkey. Remember, the monkey is not a project or a problem; *the monkey is whatever the "next move" is* on a project or problem.

Rule 1 means that *a boss and a staff member shall not part company until appropriate "next moves" have been described*. Some examples of monkey descriptions are: "Obtain final cost figures from accounting," "Prepare a sales proposal," "Give the matter further thought," "Formulate a recommendation," and "Get the contract signed."

There are three principal benefits of adhering to this rule. First of all, if my people know in advance that the dialogue between them and me will not end until appropriate "next moves" have been described, they will tend to do *more careful planning before our dialogue begins*. My boss, Alice, taught me this lesson long ago. One day I was bending her ear about all my problems, and I asked her what I should do. She said, "You mean you don't know what to do?" I told her I didn't, so she said, "Well, I don't know what you should do, either. That makes two of us who don't know what you should do, and the company can afford only one of us!"

That was her way of reminding me that for every problem or opportunity brought to her attention, I should also bring some thoughtful recommendations for the "next moves" to be made on the situation. That way we wouldn't have to stand there in the hallway and do the thinking that I should have done before we talked.

The second benefit of Rule 1 is that it *biases any situation toward action by your people*. Many situations are biased toward paralysis, and no progress can be made until someone makes a "next move." For instance, when a problem or opportunity first arises, often the best solution is not immediately apparent, and often the potential hazards of the situation are not obvious. In those cases (especially if there is a lot at stake) it's so tempting for a boss to protect himself or herself by grabbing the monkey. . . . "Let me think about it and I'll get back to you." That leaves the staff member and the entire project on hold until the boss takes action; the person's initiative has been taken away by the boss. On the other hand, if the "next moves" are clearly described during the dialogue, it often becomes apparent that the subordinate can safely handle many of them, for example, "Give the matter some thought and study" and/or "Formulate a recommendation based on what is known to date." That way the situation doesn't stay in limbo until the boss gets around to doing something about it.

The third and probably the greatest benefit of adhering to Rule 1 is that specifying "next moves" can provide a *quadruple boost in motivation* for the owner of the monkey. First, describing the monkey *clarifies* the "next move," and the more clearly one understands what must be done, the greater the energy and motivation that exist for doing it. (Think about how hesitant you feel about making a move on some vexing problem when you have only a hazy idea of what to do.) Second, specifying the "next move" increases motivation by helping one take the all-important *first step* on a project, which is often the most difficult one to make. After the first step things usually seem easier. Third, specifying "next moves" breaks the project into *bite-size* pieces, and it is much less daunting to think about making a single "next move" on a project—for example, making a phone call—than to worry about all the effort required to complete the entire project. Fourth, describing "next moves" increases motivation by allowing one to *switch his focus* back and forth from goals to "next moves." If the goal—completing the entire project—seems overwhelming, thinking about the "next move"— making a call—is less so, if thinking about all the "next moves" is discouraging, thinking about the satisfaction of achieving the final goal is less so.

Let me relate a couple of instances from my own experience to illustrate the value of the first rule of monkey management. For example, recall the definition of a monkey: *A monkey is the "next move."* This definition does not say anything about ownership. Therefore, it is possible that *one person can own the project and another person can make the "next move."* I often make use of this reality by asking various members of my staff what "next moves" I should make on certain projects of mine. That gives them the "next move" of formulating a recommendation to help me handle my project. This not only synergistically improves the quality of whatever "next move" I make (two heads are better than one even if they only add up to 1.3!), it also develops my people's abilities, and it gives them some insight into the challenges I face. And it helps train my successor (no small matter if I want a promotion).

Another example of using Rule 1 occurs when one of my people and I are discussing a situation and time runs out before we can even finish defining the problem, much less identifying and describing substantive "next moves." Running out of time means the "next move" is to babysit the monkey, i.e., to maintain responsibility for the matter at hand until the discussion is resumed. So I say to the person, "Why don't we talk about this again in a couple of days. In the meantime, you hold on to the problem in case you come up with an idea . . . and I hope you will!"

In the two ensuing days I probably would have done nothing about the monkey, and it is conceivable that my staff member might do *nothing*, too. But if nothing is going to be done, better it be done in her briefcase than mine. Why? Well, for one thing, it's dark inside a briefcase, so the monkey neither knows nor cares whose briefcase it's in. Also, if the monkey is in one of my people's briefcases it is at least conceivable that *something* might get done about it. And even if the *something* amounts to next-to-nothing, that's infinitely more than the nothing I would have done in the same amount of time! Furthermore, even if the *something* is wrong, that's of some value; there are only a finite number of ways to do a thing wrong and she just eliminated one of them!

Here's a final example describing the value of requiring "next moves." Let's say you and a staff member discuss an issue and the dialogue ends with your asking for a recommendation to resolve it. You smile as the two of you part company; *he* has the "next move," which is to formulate the recommendation.

But your pleasure ends with the arrival of his recommendation, a nine-pager, in your in basket. Now *you* have the "next moves": read it, think about it, decide what to do about it, do something about it, and so on. You have the worker role and he the supervisory role.

You can see from this scenario that in monkey business, as in chess and checkers, it pays to think ahead several moves. I have learned to avoid the monkeys just described by having my people *bring* me memos instead of sending them. Why? That way, when the person bearing the memo arrives in my office, I ask him or her to read the memo to me. (Several have indicated they could tell me about the memo in one-third the time it would take to read it, which makes me glad I didn't take the time to read the other two thirds!)

Whether they read it or tell me about it, I have time to think, to watch their facial expressions, and to ask questions. That helps me gain quicker and better understanding than if I had read it myself in isolation, because the memo, being composed of words, is subject to misinterpretation. Also, there is less information *in* the lines of the memo than *between* the lines, and the person who knows the most about what's between the lines is now sitting in front of me to answer any questions I might have.

THERE are countless way to apply Rule 1, but I'm sure you understand the approach by now. So let's move ahead to the next rule, which has to do with assigning ownership of monkeys.

Rule 2 of monkey management states that *the dialogue between boss and staff member must not end until ownership of each monkey is assigned to a person.* This rule is based on several thousand years of human experience that teach us that people take better care of things they own than things they don't. Also, if ownership of the monkey is not specified, nobody assumes personal responsibility for it and it follows that nobody can be held accountable for it.

Thus, the welfare of valuable organizational monkeys demands that they be owned by someone. Therefore, when I and one of my people are discussing a work-related issue, every monkey generated in that discussion must be assigned to one or the other of us before the dialogue ends.

But which monkeys go with whom? I have learned that:

*

*All
Monkeys
Must Be Handled
At The Lowest
Organizational Level
Consistent With
Their Welfare!*

*

Keeping the monkeys at the lowest possible level is not, as some view it, buck-passing or abdication of responsibility. On the contrary, there are powerful, legitimate reasons for doing so: (1) my staff has more collective time, energy, and, in many cases, more knowledge for handling monkeys than I do (managers who think they can outperform their entire staff are suffering *delusions of adequacy*); (2) my staff members are closer to their work than I am and are thus in a better position to handle their monkeys, and (3) keeping other people's monkeys out of my office is the only way to preserve some of my own discretionary time.

Consequently, since my "conversion" I have learned to retain *only* the monkeys that *only* I can handle—the rest of them go to my staff. I know there is a limit to how many monkeys my people can handle, so I work hard at making sure they feel free to tell me when they feel they are at their limits (as long as they bring along some recommendations for correcting their problems). But experience has also taught me that my people can often do more than I think they can, and they can sometimes do more than *they* think they can!

If you think as you read this that the practice of pushing monkeys down to the lowest prudent level is easier said than done, I agree. Being a reformed compulsive monkey-picker-upper myself, I am as aware as anyone that there are powerful forces pushing and pulling the monkeys upward.

Hindsight has revealed to me many of the reasons monkeys naturally leap upward. In my case, it was my internal personal needs that, like bananas in a tree, literally lured monkeys upward. The principal reason was that I enjoyed handling my staff's work far more than I enjoyed management. After all, I used to do that kind of work before I became a manager, and I was good at it. (That's why I got promoted!) So doing their work gave me a holiday from the challenges of management (this phenomenon is sometimes referred to as the "executive sandbox" syndrome), and at the same time doing their work provided my staff an opportunity to watch "genius at work"!

Even if I had been aware of all the real reasons I was picking up my staff's monkeys, I don't think I could have admitted them at the time. I now realize that I had concocted an elaborate collection of rationalizations (intellectually respectable, ego-serving reasons for doing things I had no business doing) for picking up monkeys. Have you ever heard any of the following? "If you want it done right you have to do it yourself." "You just can't get good help these days." "This one is just too hot for my staff to handle." "My boss expects me to do this one." "I just want to keep my hand in." "It's easier to do it than to delegate it." "I don't want to ask my people to do anything I'm not willing to do myself."

It is not only internal personal needs that send monkeys to the wrong owners; sometimes organizational policies do it. Some companies are finding, for example, that when the responsibility for product quality is taken away from those who produce the product and given to inspectors, that monkey is on the wrong back. The final product isn't nearly as defect-free. Given these personal and organizational forces, keeping monkeys with their proper owners requires a mixture of both skill and discipline, especially discipline, for without it skill is superfluous.

Great discipline is needed to overcome the following *apparent* paradox in management: Sometimes when you insist on the very best in your people's work, you may encounter resistance because doing the very best often requires hard work. On the other hand, if you permit your people to be less than their best, they sometimes don't actively resist. So it sometimes *seems* that they would rather do less than their best.

The dynamics of that apparent paradox work against the practice of keeping monkeys with their proper owners because it is sometimes easier to pick up the monkeys than to deal with the problems of keeping them on the backs of their rightful owners. But, beware . . . the paradox is only apparent, not real, as the great managers and leaders of history have taught us.

The leaders we remember most appreciatively are those who knew that in the long run other people, despite their apparent resistance, will respect you—even love you—if you help bring out the best in them.

To strengthen your resolve in this regard, think back to your school days. Which teachers do you remember most fondly? The ones I remember best were a few taskmasters who pushed me to the limit to do my best. And did I ever resist the pressure! At times I thought I hated them. (I think I sometimes prayed for their death!) But I did my best for them because deep down I knew they had my best interests at heart. Now I appreciate them above all the others, some of whom I don't even remember. In fact, I have found myself at times resenting those people who let me waste part of my life even though it was my own fault.

I demand excellence from myself and I expect no less from my staff. I still get some resistance when I challenge them to their limits. If they resist, I listen to them, but I keep in mind the example of my teachers and some of the other great managers I have known and heard about. When they resist, I recall the story of the farmer who, when asked by his neighbor why he was working his sons so hard just to grow corn, replied, "I'm not just growing corn. I'm growing sons!"

Remember:

*

*The Only Way
To Develop
Responsibility In People
Is To Give Them
Responsibility*

*

Now that you have some ideas about the *discipline* required to keep monkeys with their proper owners, I want to tell you about a few of my experiences that will help you improve your *skill* in applying the second rule of monkey management.

Before I learned these things, one of my people, Gordon, was a veritable monkey factory! Every time I saw him—in hallways, cafeteria lines, elevators, parking lots—his first words to me were "We've got a problem." Almost invariably I wound up with the monkey, and usually it was *his* monkey.

Since then, I have learned to avoid the care and feeding of Gordon's monkeys by using an *anti-straddle reflex* that is instantly provoked by the word "we." When I hear the phrase "We've got a problem" I visualize a straddling monkey with one leg on my back and the other on Gordon's back. Then I remember the dangers of this posture . . . the monkey might get a hernia, and I might get somebody else's monkey! That mental picture triggers an instantaneous and automatic response in my central nervous system.

I say to Gordon, "*We* do not have a problem, and *we* will never again have one. I'm sure there is a problem, but it is not ours, it is either yours or mine. The first item on the agenda is to neaten up the pronouns and find out whose problem this is. If it turns out to be my problem, I hope you will help me with it. If it turns out to be your problem, I will help you with it subject to the following condition: at no time while I'm helping you with your problem will your problem become my problem, because the minute your problem becomes my problem, you will no longer have a problem and I can't help a person who does not have a problem!"

By the time I finish my little speech the person wonders why he even brought it up. He figures he would be better off solving the problem himself than listening to me. But after the shock subsides we discuss the problem. Then we identify "next moves." I assign as many as possible to him and retain only those that are rightfully mine.

This process has taught Gordon, my "monkey factory," that the monkey can be owned by only one person, and that *he* owns it until the facts prove otherwise, and that the burden of proof is on him. For me to assume the burden of proof would be to pick up a monkey I should not have. That way the monkey never begins the straddle; it stays on Gordon's back until rightful ownership has been ascertained.

If Gordon convinces me it's my monkey, I calmly and deliberately reach over and take it; if it turns out to be his monkey, I don't have to delegate it because I don't have it—he still has it! Nowadays the phrase "We've got a problem" is seldom heard around my department.

In another instance, sheer paralysis on my part taught me a valuable lesson about keeping monkeys with their proper owners. It began when one of my people, Leesa, said to me, "Boss, *I've* got a problem." I replied, "A problem? Be positive. There's no such thing as problems. Just opportunities!" She replied, "In that case, I've got an insurmountable opportunity." After a good laugh, I asked her, "What's the problem?"

Leesa described her problem, but she offered no solutions. She stood there silently; I suppose she was waiting for me to tell her what to do. At that time I was so new at monkey management I didn't know what to say or do, so I stood there, stone silent, trying to figure out what to do next. The silence grew longer. I was uncomfortable. I don't know what Leesa was thinking, but finally she broke the silence by blurting out, "Why don't I think this thing over a little longer. I'm sure I can come up with something."

The discomfort of the silence caused Leesa to identify the monkey, assume and acknowledge ownership of it, and beat a hasty retreat! Although I learned that technique by accident, I have used it to good effect on other occasions. I have also learned other variations of it; in addition to silence, the discomfort that stimulates a person to snatch the monkey and run can be caused by a full bladder after several cups of coffee, or by a meeting that goes on past quitting time.

I am reminded of the story I once read about how a famous person handled the problem of upward-leaping monkeys in the form of incomplete work from one of his people. This staff member had not responded to any of the normal remedies, so the manager decided to try something drastic. The very next time he received an incomplete proposal from this person, he returned it with a note saying, "You're better than this!" The subordinate improved and resubmitted the proposal only to get it back the second time with another note: "Is this the very best you can do on this?" Again the person improved the proposal. This time he personally delivered it to his boss and said, "This is absolutely the best I can do on this matter," whereupon his boss replied, "Good. Now I'll read it."

W ELL, that's it for Rule 2, assigning ownership of monkeys. Now that they are on the proper backs, let's get the little buggers insured before we send them out to face the dangers of the organizational jungle.

Rule 3 of monkey management states that *the dialogue between boss and staff member shall not end until all monkeys have been insured*. This rule provides a systematic way to balance your staff's need for freedom in handling their monkeys with, simultaneously, your responsibility for the outcome.

Giving your people authority and freedom benefits both you and them. The benefit to you is discretionary time—the more freedom they have, the less of your time and energy is required to supervise them. At the same time, freedom allows your people to enjoy the many benefits of self-management (more satisfaction, more energy, higher morale, and the like).

But every benefit has its costs. The cost of giving your people more freedom is the increased risk that freedom entails. When people have freedom, they will make mistakes. Monkey insurance is designed to make sure they make *only affordable mistakes*! That is why all monkeys must be insured by one of the following policies:

MONKEY INSURANCE POLICIES

1. RECOMMEND, THEN ACT

2. ACT, THEN ADVISE

Level 1, *Recommend, Then Act,* provides insurance in situations where I feel there is a reasonable risk that one of my people might make an *un*affordable mistake if left to his or her own devices. In such cases, where I think my staff's actions might "burn the building down," I want a chance to blow out the match beforehand, that is, I want a chance to veto their proposed actions. Such anxieties are usually connected with matters so important that if they were botched, I could not fire the botcher for incompetence because I myself would no longer have the authority. On these matters I require my people to formulate recommendations that I must approve *before* they can proceed any further. This provides protection, but at the cost of more of my time and some of my people's freedom.

Level 2 insurance, *Act, Then Advise,* is for monkeys I'm pretty sure my people can handle successfully on their own. They are free to resolve these matters and inform me afterward at whatever time they think is appropriate. This gives them a lot of operating room and saves me a lot of supervisory time. The risk is that if they take an action that is going to burn the building down I won't learn about it until afterward, when it is too late to do anything but hose down the ashes.

Who selects the insurance policy for a given situation? Although I, as manager, must ultimately *approve* all selections, either party might *make* the selection depending on the circumstances. Sometimes I make the selection, especially when I require the protection afforded by Level 1. My people sometimes complain a little when I choose Level 1 because it limits their freedom, but it would be abdicating my responsibility as a manager for me to allow them to operate on their own with Level 2 insurance when there is a significant risk of an unaffordable mistake.

Of course, it is neither possible nor desirable for me to tell my people in advance which policy to use on each and every thing they do. So, on most endeavors they assume the responsibility—and the risk!—of selecting the policy themselves (with the understanding that their selections must ultimately satisfy me). They elect to use Level 2 only when, in their judgment, they believe that it will be acceptable to me if they go ahead and handle the situation in their own manner and inform me later. Otherwise, they give me their recommendations in advance and then proceed with whatever actions we agree to in the dialogue (Level 1). If I am not satisfied with the policy they are using, I have the prerogative to change it. My aim is to:

*

Practice
Hands-Off Management
As Much As
Possible
And
Hands-On Management
As Much As
Necessary

*

I do this by *encouraging* my people to utilize Level 2 insurance as much as possible and *requiring* them to use Level 1 insurance as much as necessary.

Insuring monkeys is a dynamic process. A person will do some parts of his work with Level 1 authority and other parts with Level 2 authority. What is done with one level of insurance today might later require another level if circumstances change. In the following examples you will see the policies changing, sometimes on the discretion of my people and sometimes on my discretion.

The first example is the case of one of my former employees, Alex, who exercised more freedom than my anxieties would tolerate. He preferred to handle all his monkeys on a Level 2 basis and inform me only occasionally of what he was doing, seemingly immune to my requests to keep me better informed.

One day there was a huge problem with one of his projects. My boss found out about it before I did and expressed her displeasure to me in unmistakable terms. I went straight to Alex's office and did the same thing to him. I told him about how his not keeping me informed led to the unpleasant surprise I had just endured in my boss's office. I was furious. "All I'm asking is that you keep me informed, but you never do. But we'll fix that! From now on, don't do anything on this project until you check with me first."

Perhaps I overreacted, but nevertheless, Alex was the case of someone whose actions were such that my anxieties could not tolerate them at the time. In order to get my anxieties down to a level that allowed me to sleep at night, I had to move him back from Level 2 authority to Level 1. He complied, but, as you might suspect, he eased himself back into Level 2 after I calmed down and the project stabilized.

That was a case where someone exercised too much freedom; the next example has to do with an occasion where I *gave* one of my people too much freedom. Maria was somewhat anxious about a certain project and wouldn't make any substantial moves on it without checking with me first. She was using Level 1 insurance to get my fingerprints on everything she did. I was sure she could handle this project without checking with me so often, so I assured her of my confidence and asked her to resolve the matter on her own and let me know what she had done.

After Maria left my office I got a little concerned that if she was so anxious about the project, perhaps I should be, too. I began wondering if I had overlooked something important. I called her back and asked what was the worst thing that could go wrong with this project and what were the odds it would go wrong? Her answer almost gave me a heart attack! My knees turned to water. I was sweating. My hands were trembling.

I was petrified! Two years earlier, my fears would have caused me to yank that monkey off Maria's back, clutch it to my chest, and handle it myself. This time, however, I increased my protection by merely reinsuring it from Level 2 to Level 1. I told Maria, "On second thought, please let me know your plans before you take any further action on this matter." Then I slumped back into my chair, exhausted but relieved that I had caught the situation in time.

Later, as the project settled down and both Maria and I grew more comfortable with it and with each other, on her own discretion she moved to Level 2 authority on most aspects of it.

As it turned out, though, that project later became so important my boss, Alice, began keeping closer tabs on it. One day she called to ask how it was going and I told her I was letting Maria handle most of it on her own (Level 2) because she had earned the right to do so and because I wanted to let her grow and shine. My boss told me that because of the customer involved, she wanted me to handle the matter personally. When I tried to dissuade her she told me something that really summed up the philosophy of balancing people's desire for freedom with the organization's need for protection: "I appreciate what you're doing," she said, "but this project is too risky for that. There will be other opportunities for developing your people." She told me to remember . . .

*

*Never
Let The Company
Go Down The Drain
Simply
For The Sake Of
Practicing
Good Management*

*

THE output of any organization is the sum of a myriad of "next moves," which means that the success of a company is a function of the health of its monkeys. Because monkey health is so vital, monkeys *must* have periodic checkups to maintain their well-being. That is the reason for Rule 4 of monkey management, which states that *the dialogue between boss and staff member shall not end until the monkey has a checkup appointment.*

Since monkeys sometimes develop unexpected problems, checkups are crucial. Wise people, even if they are healthy, schedule regular medical checkups in order to detect problems and correct them. Likewise with monkeys. If the checkup reveals problems, a treatment is devised. However, if the checkup shows the monkey to be in good health, good news is in order for its owner. So the purpose of monkey checkups is twofold: one, to catch people doing something right and praise them for it, and two, to spot problems and take corrective action before the problems become crises. The process of discovering and correcting problems tends to (1) lower the boss's anxieties, and (2) develop people's competence through coaching—which increases the boss's confidence in their competence and further decreases his or her anxieties, and (3) the coaching increases the odds that the boss will eventually be able to delegate to that person.

That is why no monkey leaves my office on the back of one of my people until the date for its checkup has been set. I prefer to minimize the number of *scheduled* checkups, so I like to schedule appointments as far in the future as would be advisable *if* the monkey were to receive no checkups in the interim. However, I have an understanding with my people that if anything arises in the meantime that makes either them or me nervous about the health of a monkey, either of us may take the initiative to move up the monkey's checkup appointment to an earlier time.

Here is an example of a monkey malady and of why rescheduled checkups are occasionally necessary. Sometimes when I am walking around keeping myself informed and letting my people know I am interested in them and what they are doing, I might notice a monkey that looks sick (it is suffering either malnutrition from lack of attention, or some illness from improper treatment). The monkey's problem is seldom the result of laziness, carelessness, malice, or anything like that; it is usually sick because my people, like all busy people, have to set priorities, and when they do, the monkeys at the bottom of the list sometimes suffer. And usually the reason they have not already told me about the monkey is because most of my people would rather solve their own problems than bring them to me . . . *which can be a problem in itself!*

For example, Erik, a member of my staff, is an extremely competent, diligent person who is so highly self-reliant that he will do his best to nurse an ailing monkey back to health before getting me involved. Such self-reliance is commendable unless taken to the extreme. Erik takes it to the extreme. He would not even inform me that the monkey had a tummy ache (must less ask for my help) until the poor creature was nearly beyond saving. Then my office would become an emergency room, where I would have to drop everything else I was doing in order to deal with the crisis. In a sense, a routine appendectomy became a ruptured appendix with massive infection simply because I had not been informed a little earlier.

Before I learned better I would show my displeasure at such developments by giving Erik a lecture on the importance of monkey health, and ranting and raving because he had allowed the situation to degenerate. I have since learned two much more constructive ways to head off most crises and show my concern for monkeys.

One is developing an understanding between my people and me that they will treat their sick monkeys' maladies as best they can, but if the condition persists or worsens and does not respond to treatment, the monkey will be brought to my office for a checkup in time for me to get involved *before* its vital signs have disappeared.

In other words, if someone like Erik can't heal the monkey, and if there is a chance the little dear might not survive until the next scheduled checkup, it is Erik's responsibility to initiate an interim, precautionary checkup.

On the other hand, if I discover the malady, I deal with it by simply moving the next checkup appointment to a time warranted by the condition of the monkey. For example, if the sick monkey had been previously scheduled for a checkup in my office three weeks hence, I change that time to twenty-four hours hence. That sends a powerful message about my concern for the monkey.

An interesting example of this takes place when a monkey is in jeopardy due to inattention by its owner, that is, *something* should have been done about it but because *nothing* has been done, the project is in trouble. In that case, I move up the checkup appointment appropriately. Sometimes the person will request more time before the new checkup in order to get something done on the monkey. The reasoning, as some have explained, is that since nothing has been done, there is nothing to discuss during the checkup. But there is something very important to discuss—the fact that nothing has been done and the implications of that fact!

Moreover, if I give people more time because they have done nothing, I will reward their doing nothing, and what I reward I will get more of! In other words, if I allow the rendering of accountability to be delayed until whenever my people might happen to be ready, the monkey could starve or get sicker in the meantime.

So my response is that we will conduct the checkup anyway and discuss the "nothing" that has been done. This leaves the person facing two unpleasant courses of action: one, continue doing *nothing* and come into my office the next day and make a "lack of progress" report, or, two, do *something* and bring me a progress report. The result is predictable: my staff member digs in and progress on the monkey is miraculously made. A progress report made under conditions just described might be superficial the first time, but think about what the person learns with respect to handling future occasions. Anyway, *my* moving up a monkey's checkup appointment because *I* discovered it was starving to death is, in itself, a monkey I should never have in the first place.

The examples just described had to do with sick monkeys. An opposite problem occurs when the monkey is quite healthy and vigorous but is not the kind of monkey I envisioned when it was born. For example, not too long ago I was discussing a project with Ben, one of my people. We discussed the general aspects of the design, budget, and timing. I was sure we had achieved a good understanding about *what* was to be done so I largely left it up to him as to *how* to do it.

But the next time I checked on the matter, the design had gone off in a whole new direction and the potential cost of the project had gone through the roof, all of which was totally unacceptable to me. There can be many causes of such a problem: misunderstanding, conditions that change along the way, Ben's belief that his new design is better than what we agreed on, and so on. Periodic checkups tend to highlight the existence of such problems and limit their costs by allowing a manager to detect the problem and see to it that it is corrected.

Now a final note about checkup appointments. I used to be extremely reluctant to perform checkups on monkeys because I did not differentiate between checking up on monkeys and checking up on people. I thought checkups were the equivalent of snooping on people and assuming they would not do good work unless prodded by me. Since then, however, I have come to understand that checkups focus more on the monkeys' condition than on the people themselves, so checkups give me the opportunity to "catch people doing something right," detect and correct problems with monkeys, coach my people, reduce my anxiety level, and the like. After that, my people take care of their performance themselves (this is why managing monkeys properly means you don't have to manage people so much).

Because monkey checkups are so vital, they must be treated with great respect by both bosses and staff. And if the boss treats them as important, the staff will tend to do so as well. Therefore, I do anything I can to emphasize to my people the importance of checkup appointments. For example, when we schedule a checkup appointment, I make a point of writing it on my calender; *writing* the date gives the appointment more legitimacy and value than merely stating it. And if I am going to be late for an appointment, I make every effort to let my people know in advance. That not only illustrates the importance I attach to checkups, it also shows that I value punctuality as well.

Doing those things shows what I stand for and, by implication, *what I won't stand for*. People need to know both. So, for example, if one of my people is late or absent for an appointment and could have informed me in advance but didn't, I make things a little unpleasant. I deliver a little speech about how the next time he or she is unable to keep an appointment a call from the hospital will be cheerfully accepted. I rarely have to make this speech with any of my people anymore.

A SUMMARY OF ONCKEN'S FOUR RULES OF MONKEY MANAGEMENT

Rule 1. *Describe the Monkey:* The dialogue must not end until appropriate "next moves" have been identified and specified.

Rule 2. *Assign the Monkey:* All monkeys shall be owned and handled at the lowest organizational level consistent with their welfare.

Rule 3. *Insure the Monkey:* Every monkey leaving your presence on the back of one of your people must be covered by one of two insurance policies:
   1. Recommend, Then Act
   2. Act, Then Advise

Rule 4. *Check on the Monkey:* Proper follow-up means healthier monkeys. Every monkey should have a checkup appointment.

So far, we have progressed from the disaster of my *working* all my people's monkeys to the point where I have *assigned* the monkeys to my staff. And you have learned how I applied the four rules of monkey management.

Let me now tell you about my progression to the ultimate degree of management, *delegation*, where my people are achieving more and more with less and less involvement from me. Assigning my staff's monkeys to them is miles ahead of working their monkeys myself, and delegation is light-years ahead of assigning. The best way to understand delegation (and how to achieve it) is to understand how it differs from assigning. Although many people use the words interchangeably, the words are, to quote Mark Twain, "as different as lightning from a lightning bug." That critical difference is one of the most valuable insights I gained from the "Managing Management Time" seminar:

*

*Assigning
Involves
A
Single
Monkey;
Delegation
Involves
A Family
Of Monkeys*

*

When I assigned a monkey to be handled by a member of my staff, I did most of the work of assigning. I described the monkey, I designated an owner for it, I insured it, and I scheduled and performed checkups on it. In other words, I assigned the monkeys, my people worked them.

We have since moved ahead to *delegation* where my staff are not only *working* their monkeys as before, they are also *assigning* them. Everything that was formerly done by them and me together, they are now doing on their own. In addition to working the monkeys, my people also identify them, insure them, assume ownership of them, and perform their own checkups on the monkeys. They themselves are applying Oncken's Rules of Monkey Management to their monkeys!

To put it differently, my people are now managing whole families of monkeys (projects) on their own for extended periods of time with minimal involvement from me. My involvement is limited to checking on the overall project from time to time, which means I don't have to get involved with the scores of individual monkeys that constitute the project, and a project checkup requires far less time than checking on each of the monkeys.

Between checkups my people are fully responsible for their projects (unless we encounter a problem that requires my intervention). As such, they are practicing *self-management*, which we all like a lot better than the high degree of *boss-management* they experienced when I was assigning monkeys to them.

In order to fully appreciate why delegation is the ultimate degree of professional management, let's recall a famous old definition of management: *Management is getting things done through others*. By that definition, the ultimate measure of management is *results*—the staff's output resulting from a manager's input. Other things being equal, the greater the ratio of output-to-input, the more effective the manager is.

Observe how the output-to-input ratio increased as I and my staff advanced from *doing* to *assigning* and then from *assigning* to *delegating*. When I was doing all the work myself, my output was equal to my input—one hour of input produced one hour of output. My department's output was sadly limited to the output of just one person . . . me!

Next, after some guidance from the One Minute Manager and learning from the seminar, I began assigning the monkeys to my people. My output-to-input ratio increased because every hour I spent assigning monkeys resulted in several hours of work produced by my staff. I welcomed that increase, but the ratio was still far too small because my input was still so large. (I was spending a lot of time on each individual monkey.) My department's output was still constrained by the large amount of time my people spent dealing with *me* and by the limited number of monkeys I had time to assign.

However, now that we have achieved the state of affairs called delegation, my output-to-input ratio has soared to many times what it was previously. My *input* is now dramatically lower—instead of doing all the work entailed in assigning scores of individual monkeys, I merely have to check on the condition of the whole project occasionally. And my department's *output* has now expanded enormously for two reasons: one, my people don't have to spend as much time with me as before, and two, they have more energy and motivation and morale for handling monkeys that are self-imposed than if the same monkeys were boss-imposed.

MOREOVER, reaching the state of delegation on one project frees up some time for me to pursue delegation on other projects. As I achieve delegation on more and more projects, more and more discretionary time is released to spend with my boss, peers, customers, and— myself.

Once delegation is reached, staying there is easy compared with the job of getting there. The state of "delegation" is analogous to an airplane at cruise altitude on automatic pilot where the pilot only monitors the flight and intervenes occasionally, if at all. But those interventions are minuscule in comparison with the energy and work the pilot expends in getting the plane away from the gate, down the runway, off the ground, and up to cruising altitude.

How does one attain this delightful state of delegation? The One Minute Manager explained that in its broadest sense, "coaching" is the term commonly used to signify the things managers do with their people to get projects up to "cruise altitude," where they can and will be handled mostly by staff members with minimal intervention by the manager. Remember:

*

*The
Purpose Of
Coaching
Is
To Get Into
Position
To
Delegate!*

*

What exactly has to happen before one is in position to delegate? Managers must not, indeed cannot, delegate until they are reasonably confident that (1) the project is on the right track, and (2) their people can successfully handle the project on their own. Managers who give their people full project responsibility and authority without such confidence are not delegating—they are abdicating responsibility.

Obviously, some projects can be delegated at the outset because it is sufficiently clear to the manager in the beginning how they should be handled and that staff members can successfully handle them.

However, most endeavors with the dimensions and complexities of a project cannot be delegated at the outset because often, in the beginning of a project, neither the manager nor his or her staff member has sufficient understanding of the problems, goals, options, timing, and ramifications to know even how to proceed, much less know whether that person can handle the project successfully. Thus, most projects require a period of coaching before the boss has sufficient confidence to enable him or her to delegate responsibly.

Obviously staff members *must* play a large role in building their boss's confidence to the point where the boss can delegate. In the first place, managers cannot delegate until their people have somehow demonstrated that they can handle the project.

Moreover, since people usually know more about their jobs than their bosses know, in many cases they should be persuading their bosses how the project should be handled. *This makes people just as responsible for coaching and delegation as their bosses are!*

The best way I know to explain the process of coaching is to describe a recent experience with one of my people, Gordon. As you will recall, he was my "monkey factory." This experience is one of my proudest accomplishments as a manager because I think it shows how much I and my people have improved in the past two years. First I will briefly describe what happened; then we can analyze it.

Some time ago it became apparent to me that one of our products might be having some technical problems in some of our customer locations. Before I got around to taking any action on the matter, Gordon, who was in charge of the product, stopped by my office one day and updated me on the situation. Only then did I realize that this had the potential of becoming a very costly and embarrassing problem. He had already prepared his recommendation for dealing with the problem so we made a date to meet the next day to discuss it.

Gordon conducted the meeting. His proposed solution consisted of a one-page synopsis followed by eighteen pages of supporting information in case it was needed. He read and then we discussed his synopsis, which contained a clear, brief description of the situation, three possible options for resolving it, the pros and cons of each option, and the option he recommended we adopt. As it turned out, no one was sure if the source of the problem was our company's product or the other products connected with it. So Gordon's solution included first a study to identify the nature and scope of the problem, and then corrective measures later if necessary to fix the problem.

It was soon obvious that Gordon had covered every detail of the technical part of the situation. (I was thankful he did, because my technical skills have necessarily diminished since I've been a manager.) He had determined what should be done, when, by whom, and how much it would cost. He specified all the resources he would need—budget, authority, and manpower—and the help he would need from me in arranging for them. His technical preparations left nothing to be desired.

However, there was a snag. Gordon had not fully considered how his proposed solution might be received by our sales people, the customers, and our higher management people. I explained that I was especially concerned about the reactions of two of our vice-presidents whose support would be critical to this endeavor, and I asked him what he thought we should do.

Gordon convinced me he could persuade the vice-presidents to support the project, so I asked him to meet with them to inform them of his plans and solicit their advice, and then report back to me before moving ahead on the project. When we met again he reported that despite his best efforts, one of the VPs still had serious reservations. He recommended that I speak to the VP. "Okay," I told Gordon, "I will do that, but you're going with me to watch what I do and help me as much as possible."

Two meetings with the VP and some minor changes to our plans resolved the problem and eliminated the last obstacle to my willingness to delegate the remainder of the project to Gordon, which I did. Then we made a date for a month afterward to go over the results of his study before we took any further steps. At that point, he took control of the project for a month, during which he handled dozens and dozens of monkeys on his own.

Now, let's analyze that scenario and look at the many things that helped me get into position to delegate—and let's pay special attention to *who* did those things!

1. *I cannot delegate until my anxieties allow it.* Gordon helped lower my anxieties by convincing me he could handle *most* aspects of the situation on his own. His thorough preparation and his skillful presentation plus his past record of success on similar projects were the main convincers. However, some residual anxieties caused me to retain control for a time. I maintained control by giving Gordon assignments (monkeys) which were insured at Level 1 (Recommend, Then Act). On assignments he could not handle alone, I worked the monkey *with* him—not *for* him—so I could do some teaching in the process.

2. *I can delegate only if I am reasonably sure my people know what is to be done.* But before they can know what to do, someone has to figure out what to do. If I figure it out, then I must tell them what to do (which is autocratic management). So Gordon figured out what to do himself, and then persuaded me he was right. That saved me a lot of time, and he was much more committed to his own ideas than any I might think up.

3. *It would be foolish to delegate to someone without reasonable assurance that he or she can get sufficient resources—time, information, money, people, assistance, and authority—to do the work.* But who could know better than Gordon what resources he needed? That's why *he* took the initiative to determine what these resources were. Moreover, on his own Gordon arranged for as many of the resources as possible, asking for my help in arranging only those things he could not get for himself.

4. *I cannot turn control of any project over to anyone until I am confident that the cost and timing and quantity and quality of the project will be acceptable.* To leave those items open-ended would be abdicating my responsibility as a manager. But in order to *agree* on standards of performance, we must first *have* some, which means that someone must produce them. The person who should produce them is the person who is in the best position to know what the standards should be. Gordon was, he did, and he convinced me to approve them.

5. It is clear that the more committed my people are to their projects the greater the odds of their projects' success. Other things being equal, *the more commitment my people show, the more comfortable I will be in delegating to them*. Gordon took care of his own commitment. The time and effort he *invested* in his proposal increased his commitment. The fact that it was *his* proposal increased his commitment, as did his personal pride in doing a job well. Gordon's implicit promise to me to do the work sealed his commitment. Because his commitment was internally generated, I did not have to resort to requests or contracts or coercion to gain his commitment.

This is not an exhaustive list of things that have to happen before delegation can occur, but it illustrates the process. Regarding Gordon, I'm sure you noticed that I maintained control of the project until I was confident I could delegate control to him. But *he* initiated and carried out most of the "next moves" that got us to the point of delegation. That was as it should be. Since the purpose of coaching is to get my people to the point where they can succeed on their own, it would defeat the purpose if I were to do anything, even in the coaching process, that they could do themselves.

The coaching process usually consists of staff members carrying out a series of assignments while managers control and direct the process until they are confident their people can assume control for an extended period on their own. As the assignments are carried out, both the manager and his or her people gain time and information they can use to sharpen their thinking about where the project should be heading. As they both become more confident that the project is on the right track and as the boss's confidence in the person's competence grows, the boss gradually delegates more and more project responsibility. The assignments should be boss-initiated *only to the extent the staff member cannot initiate them*. Usually, the first assignments are for the subordinate to develop and propose a "game plan." If necessary, the boss redirects the plan until it is acceptable to him or her. Then, if the parties are still not in position to delegate, the next assignments are for the subordinate to make some "next moves" on the project itself with the boss guiding and controlling the process until delegation can occur. You can see from this that, usually, delegation is not just an act; it is usually a state of affairs that exists only after sufficient coaching enables the boss to delegate responsibly.

Of course, not all coaching experiences are as easy as the one just described. But they tend to get easier after managers and their people go through the process a few times because everyone learns to anticipate and complement the other, much like a passer and receiver on a football team. After sufficient practice a quarterback can throw the ball to a spot on the field before the receiver ever turns toward that spot because he knows exactly where the receiver will be going and exactly when he will arrive. Furthermore, each can make the other a better player. With a great catch the receiver can make a poor pass successful, and with a great pass the thrower can make the receiver successful. Likewise with managers and their people. Once they learn to work together they can achieve the point where people conceive and implement most of their work, while the boss merely ratifies what is being done.

A lot has happened since the One Minute Manager told me about Oncken's monkey management. When I think how much my life has changed, I sometimes recall the story of the man who, when asked how long he had been working for his company, replied, "Ever since they threatened to fire me!"

Like him, I was shocked into action. The conversion wasn't always easy. I encountered a good deal of resistance and I made some mistakes. But I finally got the responsibility where it should be, and things have never been the same since, and they never will be the same again!

As I applied the concepts I've learned, my people became more self-managed than ever before. That made them feel better and perform better. They became more self-reliant, which gave me more time to manage other relationships that were vital to my department's success.

Let me pause here for a moment or two and reflect on those other relationships and one last important lesson I got from the Oncken "Managing Management Time" seminar. While monkey management is key to controlling what Oncken called "subordinate-imposed" time (where a boss is handling monkeys that his or her people should be caring for and feeding), success in management requires that we constantly strike a proper balance among three categories of time:

THREE KINDS OF ORGANIZATIONAL TIME:

BOSS-IMPOSED TIME

SYSTEM- IMPOSED TIME

SELF- IMPOSED TIME

BOSS-*imposed time* is time you and I spend doing things we would not be doing if we did not have bosses. No one has to have a boss; one can retire, go on welfare, win the lottery, or become an entrepreneur, and thereby avoid having one. But having a boss *requires* some of our time because of the Golden Rule of Management: THOSE WHO HAVE THE GOLD MAKE THE RULES!

Because bosses have Golden Rule clout, we intuitively understand that it's to our advantage that they be satisfied with our work. Keeping bosses satisfied takes time, but dealing with dissatisfied ones takes even more time.

For example, back in the days when I was so busy with my staff's monkeys, one of my many mistakes was not taking time to keep my boss well-enough informed about what was going on. As a result, she got an embarrassing surprise one day when her boss uncovered a big problem I should have warned her about in advance.

Her reaction was to institute a whole new set of reports from me to her. That took more of my time than if I had kept her informed in the first place.

How do I keep my boss satisfied with my work? Here is the best expression on how to do it I've ever heard. Always do what your boss wants. If you don't like what your boss wants, *change what your boss wants*, but always do what your boss wants.

This is not to say that we should always agree with our bosses. On the contrary:

*

*If
You Always
Agree
With
Your Boss,
One
Of You
Is Not
Necessary*

*

But it is to your advantage to satisfy your boss. So if you disagree with what your boss wants, treat your boss the same way you want your people to treat you when they disagree with something you want. We call it *loyal opposition*. That's when you try to convince your boss to accept some better alternative; but failing that, always wholeheartedly do what he or she wants.

One of the most important lessons of my career is that good work alone, no matter how much it satisfies *you*, might not be enough to satisfy your boss. Satisfying your boss takes time, sometimes over and above the time it takes to do the good work. I realize it takes time to keep *my* boss informed, to protect her from embarrassing surprises, to anticipate how she wants things handled, to build a record of success so she feels more comfortable giving me more autonomy, and so on.

We neglect doing these things at our peril. Believe me, I know from experience that failing to invest sufficient time to satisfy my boss will soon result in more and more boss-imposed time, which, of course, means less and less time available to spend with my peers or associates and staff and on the things I would like to do.

SYSTEM-*imposed time* is time we spend on the administrative and related demands from people (peers/associates) other than our bosses and our own staffs, demands that are part of every organization. This is the time spent as just one of a seemingly countless number of pulleys on an endless administrative conveyor belt crisscrossing the organizational chart, dropping things off and picking things up. For you, the drop-off point is your "in basket" and the pick-up point is your "out basket." System-imposed time includes administrative forms to be completed, meetings you have to attend, and phone calls you must handle.

For example, if your secretary elopes, that creates in your department what is called in Personnel language "an unfilled vacancy." (When they fill it they call it a "filled vacancy.") If you ask them to hire another secretary for you, they will ask you to fill out a form, write a job description, and so on. The time you spend dealing with these matters is system-imposed time. Some people call it red tape, some call it administrivia, some call it bureaucracy.

Administrative red tape exists in virtually all organizations because staff departments that employ people to support everyone in line management are typically overworked and understaffed.

A support person once explained to me why things are this way: "There is no limit to how much can be asked of us, but there is definitely a limit to how much we can do!" Therefore, support people can't possibly do everything that is requested of them. So, in order to bring order out of chaos and to make their own lives a little easier, they develop wondrous varieties of forms, policies, procedures, and manuals.

The red tape takes time, so a lot of people complain about it. But ignoring the system's requirements is risky. Oncken told a wonderful story about a manager whose chair had collapsed and who wanted it replaced. Because he was busy he had not taken the time to get to know anyone in Purchasing, nor did he take the time to go see them face to face to request a new chair. Instead, he made his request over the phone.

He was under a lot of pressure at the time and was annoyed because of the broken chair so he was somewhat curt to the person in Purchasing. "We'll have to have that request in writing. And on the proper form" was the equally curt reply. He didn't have the proper form so he walked over to Purchasing and, trying to keep his cool but obviously annoyed, filled out the form right there and shoved it across the counter.

Ten days later (when he was expecting his new chair) that request form showed up in his in basket with a note stapled to it that said, "Sorry. We cannot process this request because you have the wrong authorization number in Box 9." He was livid. He called Purchasing and chewed them out. When he finally calmed down he asked them, "What is the right number?" With an audible chuckle the clerk gave him an answer that was quick and to the point: "Let's get something straight. Our job is to spot the wrong numbers and your job is to fill in the right ones." The manager repaired the old chair himself.

We can't manage without the support of these people, and we need them more than they need us. So, in order to survive within the organization, we have to conform to the red-tape requirements of the system. If we give their requirements short shrift in order to spend our time elsewhere, they can penalize us in ways that require even more system-imposed time.

THE third kind of time we must manage successfully is *self-imposed time*, which is time spent doing the things *we* decide to do, not things done strictly in response to the initiatives of our bosses, peers, and the people who report to us. You can't be a self-starter without self-imposed time.

Self-imposed time is the most important of the three types of time because that's the only time in which we have discretion to express our own individuality within an organization. In boss-imposed time the boss's requirements take precedence over our own individuality. In system-imposed time the need to conform takes precedence. Therefore, it is only with self-imposed time that we make our own unique contribution to an organization.

Self-imposed time, like cholesterol, comes in two varieties, good and bad: discretionary and subordinate-imposed. Subordinate-imposed time, as we have explained, is time spent working on your staff's monkeys. (It is obviously self-imposed because we can elect whether to pick up the monkeys or not.)

DISCRETIONARY time is time in which we do the things that make our work truly rewarding over and above financial compensation—things such as creating, innovating, leading, planning, and organizing. And these activities are needed in organizations for growth and progress and to remain viable and competitive. Discretionary time is thus vital to individuals and to the organization.

Although discretionary time is the most vital time of all, it is, unfortunately, the first to disappear when the pressure is on, as I learned so well in the school of hard knocks.

Why? The reason has to do with the incentive system. You see, if we don't comply with our bosses' wishes we will be guilty of *insubordination*. If we don't conform to the system's requirements we will be guilty of *noncooperation*. If we don't do what we promised for our staff, that is, work off their monkeys, we will be guilty of *procrastination*. We are very reluctant to be guilty of such organizational sins because:

*

*Swift And Obvious
Penalties
Pursue Those
Who Treat Other People's
Requirements In A
Lighthearted,
Cavalier Fashion!*

*

But, what is the penalty for neglecting the most important kind of time of all: discretionary time? For instance, what is the penalty for neglecting to do the things I dream up in my discretionary time (especially if no one else knows about them)? There is no penalty, at least in the short term, because nobody can accuse me of not doing what they never knew I intended to do in the first place.

So discretionary activities (which carry no immediate penalties) compete for my time with activities which, if neglected, make me guilty of either insubordination, noncooperation, or procrastination. Guess which ones take precedence!

While neglecting discretionary time might be safe in the short run, in the long run the penalties are severe both to the organization and to myself. The long-term penalty to the organization is that it cannot survive, much less progress, without the benefits that flow *only* from the discretionary time of its employees; that is, if employees have no discretionary time, the organization will be denied their creativity, innovation, initiative, et cetera. The long-term penalty to me is that organizational life becomes a living death in which all I do is react to problems created by others, and I never have time to create and innovate and initiate on my own.

WHAT to do, then? Given the ongoing requirement of constantly maintaining the interconnected relationships among my boss, peers, and staff, how did I extricate myself from the mess I was in two years ago?

Although it is imperative that we manage all three relationships concurrently, we have to *start* somewhere. I started by eliminating subordinate-imposed time. There are two reasons for starting this way. One reason is that subordinate-imposed time does not belong in my schedule. The second is that some drastic changes had to be made quickly, and making such changes can make other people nervous. I didn't want to make anybody nervous, but if I had to do so, prudence dictated that they be the people with the least power to retaliate. Subordinates cannot impose extra monkeys on me without my cooperation, but bosses and peers can and will do so if I ignore their requirements in order to acquire some time to get my recovery jump-started.

So I began by eliminating subordinate-imposed time. That gave me an equal amount of discretionary time (since self-imposed time is the sum of discretionary time plus subordinate-imposed time), which I used to begin my managerial recovery process.

AT the "Managing Management Time" seminar I heard an interesting story to illustrate the process. It's the story of two fellows running side by side through the woods, being chased by a bear. The bear was gaining. One fellow said to the other, "If I had my running shoes I could run a little faster." The other fellow replied, "I still don't think you could outrun the bear," to which came the retort, "I don't have to outrun the bear. I just have to outrun you!"

I found that even though you get a step ahead, the bear is still there! In my case, eliminating subordinate-imposed time gave me that extra step, but other demands on my time still existed, panting close behind: demands from my boss and peers, and legitimate requests from my staff. But the newly gained discretionary time gave me some room to get a handle on those other demands.

Once I got that little seed of discretionary time, I planted it carefully and made it grow. First, with my boss, I took time to figure out how to do my work in a way to build her confidence to the point where she began allowing me more and more discretion.

For example, there are many areas of my work where I previously could take no action until I checked with her first; she wanted to know my plans in advance so she could have a chance to forestall mistakes I might make.

All that checking with her took a lot of time for both of us. Since then, however, my record of success in those same areas has lowered her anxieties to the point where I am allowed to handle them on my own and inform her of what I did afterward in my quarterly report. This saves both of us a lot of time. In other words, I used my newly gained discretionary time in a way that gave me (and her!) even more discretionary time.

I followed a similar approach with my peers. In the past I had been relying solely on the authority of my position to get things done because I was too busy to deal with situations in more productive ways. And I paid for it. But once I got some discretionary time, I spent some of it building my relationships with people in the system and I found that the more rapport we had the more they would do for me with less effort on my part.

Again, just a short example will illustrate the process. In the past, if I urgently needed something from a staff person, the best I could get was routine, by-the-book effort ("Fill out the form and we'll go to work on it").

But in recent months I have invested some discretionary time in building better relationships with them. Now when I need something urgently I get their wholehearted support and it takes less of my time to get it—this from the very same system I used to criticize as bureaucratic, unwieldy, and unresponsive. Again, as with my boss, I have invested discretionary time to create even more discretionary time. In my dealings with the system I have learned that however inept it may be, the people who operate it can make it do wonders for me if they will. So rather than criticizing and resenting the imperfect system, I practice this philosophy: *It is better to strike a straight blow with a crooked stick than spend my whole life trying to straighten the darn thing out.*

Likewise with my people. As you now all too well know, in the space of a single morning (that "famous" Monday morning) I returned their monkeys to them and, in the process, converted several days of subordinate-imposed time into an equal amount of discretionary time. Then I began coaching my people along toward greater self-reliance. Every incremental increase in their self-reliance meant an equivalent increase in my discretionary time and in their morale. (There is a high correlation between self-reliance and morale.)

I now clearly measure my success by what I am able to get my people to do, not what I do myself. Fortunately, my boss measures me that way as well. And I am happy to report that I will soon be taking over a larger area of responsibility. I feel great, and I've been told I even look better than ever. Although I'm still busy, I no longer feel the pressed-for-time anxiety that I once did. The physical and emotional distress that were my constant companions before I learned monkey management are now just bad memories.

This all came about because I have learned to think differently about my work. My mentality has changed from that of a *do-er* to that of a *manager*. As such, I have not only learned the practice of monkey management, but also I have learned to replace the psychological rewards of *doing* with the rewards of *managing*, namely, deriving satisfaction from what my people do and being recognized, paid, and promoted accordingly.

What encouraged me most was seeing how my people responded to my new management style and how much their productivity and morale improved. Their performance enabled me to build a high degree of confidence in them, which meant that in many cases my involvement in a project amounted to little more than ratifying what they were doing.

The improved relationship with my staff was the first step in reversing the *vicious* cycle I was in and creating a *vital* cycle which, like the vicious one, is enormously powerful and feeds on itself. As my people responded to my improved management style, their productivity and morale improved, causing me to be less anxious about their work and allowing me to give them more freedom, thus releasing my time to invest elsewhere. I invested some of my newly found time with my boss, causing her anxieties to diminish and allowing her to give me more freedom. I also invested some time in improving my relationships with the people in the "system" to the point where I got more done in less time. I especially had time to better manage our customer and supplier relationships that are so key to our long-term survival.

Finally, one day, the vital cycle gave me a small surplus of that rare and precious commodity— discretionary time. I used that surplus time to begin pursuing (for the first time in a long time) some of the discretionary activities on my own agenda that make managerial life worthwhile. In other words, I began to do some manag*ing* instead of just being manag*ed*.

IN the past, I spent much of my time fighting fires; now I can prevent most of the fires by spending just a little time in advance. In the past, I spent a great deal of my time reacting to other people; now I spend a great deal of my time in proactive measures. These include doing some advance planning for a change so we can do the right things the right way the first time instead of having to do them over so often.

I came to realize that when people throughout the organization are given responsibility for managing their own monkeys, it's hard to tell who's a worker and who's a manager because everyone is committed to doing what it takes to do the best job possible.

Besides the changes in my own personal and professional life, I have begun to share my learnings with others I know—especially those time-pressed individuals who never seem to have enough time for their work, family, or friends. I help them to see the dynamics of monkey management and to become monkey managers in the zoo of their choice. This new way of life has changed my life and the lives of those around me.

Finally, perhaps the greatest lesson I have learned about monkey management, at work and at home, is that there are always more monkeys clamoring for attention than we have time to manage. Unless we are extremely careful which ones we accept responsibility for, it is very easy to wind up caring for the wrong monkeys while the really important ones are starving for lack of attention. If we thoughtlessly try to handle all of them, our efforts will be diluted to the point where none of them are healthy.

I hope this monkey tale will help you as much as it has helped me, which is enormously. I am constantly reminded of its benefits. For example, as I write these final words, I am alone in my office. My door is open. And as I glance at the new photograph of my family, I notice one major change: I'M NOW IN THE PICTURE!

The
End

⓪① *Praisings*

We would like to give a public praising to a number of important people who played key roles in making this book a reality:

Robert Nelson, a very talented writer and vice-president of product development for Blanchard Training and Development, Inc. (BTD), for his assistance with the writing, editing, and coordination of this book.

Eleanor Terndrup, secretary extraordinaire, for her tireless effort in typing numerous drafts of this book over a four-year period.

William Oncken III and *Ramona Neel* of the William Oncken Corporation, for their invaluable assistance in editing the manuscript and helping to keep the content consistent with the "Managing Management Time" seminar.

George Heaton of Blanchard Training and Development, Canada, for providing the original spark from which this project grew.

Margret McBride for being our literary agent and providing constant support.

All the folks at William Morrow and Company, Inc., particularly *Larry Hughes*, *Al Marchioni*, our editor *Pat Golbitz*, and her assistant, *Jill Hamilton*, for continuing to believe in *The One Minute Manager Library* and supporting this addition to it.

Jim Ballard for his creative energy around "Rescuers Anonymous," and *Stephen Karpman*, for defining the term "rescuer" for us.

Paul Hersey for teaching us some of the lessons from Little League.

Marjorie Blanchard, *Margaret Oncken*, and *Alice Burrows* for their constant love and support throughout the peaks and valleys of our lives.

:01 *About the Authors*

Kenneth Blanchard, co-developer of the One Minute Manager and Situational Leadership, is an internationally known author, educator, consultant/ trainer, and professor of leadership and organization behavior at the University of Massachusetts, Amherst. He has written extensively in the fields of leadership, motivation, and managing change, including the ground-breaking *One Minute Manager Library* series, co-authored with some of the top management thinkers in the country, *The Power of Ethical Management,* co-authored with Dr. Norman Vincent Peale, and the widely used and acclaimed Prentice-Hall text *Management of Organizational Behavior,* co-authored with Paul Hersey, now in its fifth edition.

Dr. Blanchard received his B.A. in government and philosophy from Cornell University, an M.A. in sociology and counseling from Colgate University, and a Ph.D. in educational administration and management from Cornell University, where he presently serves on the Board of Trustees.

As chairman of the board of Blanchard Training and Development, Inc., a San Diego-based human-resource-development company he co-founded with his wife, Marjorie, Dr. Blanchard has trained over two hundred thousand managers and his approaches to management have been incorporated into many *Fortune 500* companies as well as numerous fast-growing entrepreneurial companies.

The late **William Oncken, Jr.,** was one of the most articulate spokesmen in the field of management. After his graduation from Princeton in 1934, Bill learned from practical experience that a manager's ability to generate and profitably use discretionary time is crucial to his career competitiveness and to his organization's ability to survive and prosper in our free-enterprise system. He translated his observations and practical experience into his internationally known MANAGING MANAGEMENT TIME and MANAGING MANAGERIAL INITIATIVE seminars; his revolutionary article "Managing Management Time: Who's Got the Monkey?" (co-authored with Donald Wass); and his recently published book, *Managing Management Time*, destined to become a classic of management literature.

Mr. Oncken founded his own company in 1960. Based in Dallas, The William Oncken Corporation continues to provide his high-quality management development programs, teaching his unique managerial philosophy and perspective.

For more than three decades the fruits of his creative genius, his MANAGING MANAGEMENT TIME seminar, has helped managers generate and fully utilize that most precious managerial commodity: discretionary time.

The One Minute Manager Meets the Monkey is adapted from and emphasizes the "staff" strategy of "Oncken's Management Molecule."

When it comes to management time *Hal Burrows* speaks with authority. His experience at two *Fortune 500* companies and fifteen years of running his own consulting firm as well as his ability to communicate his insights with wit and flair have made him a very popular speaker on the subject of management and negotiating. Since 1973 his face-to-face experience with thousands of managers at all levels from hundreds of private companies and government agencies has enabled him to help them become more successful in their careers. In addition to speaking at conventions and other major meetings, Burrows presents two highly acclaimed seminars: Managing Management Time, and Managing Negotiations Under Pressure.

Hal is also a successful entrepreneur in the area of commercial real estate development in Raleigh, North Carolina (P.O. Box 52070, Raleigh, NC 27612, 919-787-9769), where he and his family reside.

🔴 *Services Available*

Ken Blanchard, Bill Oncken III, Hal Burrows, and their organizations work closely together in helping other organizations develop more skillful managers. Providing books such as this is only one of their services; complementary services have been designed to help managers personally acquire the skills described in *The One Minute Manager Meets the Monkey*.

Services available include: presentations at conventions and major meetings, seminars ranging from two to five days, ongoing consultation, and learning materials (including self-assessment instruments, books, micro-computer programs, and audio and video programs).

If you would like further information about any of these services you may contact:

For Ken Blanchard's products and services,

Blanchard Training and Development, Inc.
125 State Place
Escondido, CA 92025
(800) 854-1013 or
(619) 489-5005 (in California)

For Bill Oncken's and Hal Burrows's products and services,

The William Oncken Corporation
Suite 408
8344 East R.L. Thornton Freeway
Dallas, TX 75228
(214) 328-1867